D0874967

Lectures 2

Paul Ricœur

Lectures 2
La contrée des philosophes

Éditions du Seuil

La première édition de cet ouvrage a paru en 1992
dans la collection « La couleur des idées »

ISBN 2-02-038980-0
(ISBN 2-02-019118-0, 1re publication)

Note éditoriale

Entre *Lectures 1* qui regroupait les articles et préfaces de Paul Ricœur traitant spécifiquement de la question politique et *Lectures 3* qui rassemble les textes portant sur le tragique, la question du mal, ou bien encore ceux qui mettent l'accent sur les liens de la philosophie et de la non-philosophie, *Lectures 2* n'offre-t-il pas au lecteur un volume moins raisonné au prime abord ? Bref, ce second recueil est-il seulement l'occasion de publier les autres textes de revues ou préfaces d'ouvrages encore dispersés et non publiés ? Et plus particulièrement ceux que Ricœur a consacrés aux penseurs français dont la lecture l'a accompagné tout au long de son itinéraire philosophique.

Loin de se présenter comme une juxtaposition encyclopédique de « figures philosophiques », *Lectures 2* fournit au contraire l'opportunité de comprendre le rôle qu'ont joué dans l'œuvre de Ricœur – mais aussi la place qu'ils ont tenue dans l'hexagone – « les penseurs de l'existence » liés à la tradition réflexive. Si Jean Nabert en est le principal représentant en France, celle-ci remonte à l'après-kantisme, et plus précisément à Fichte pour lequel « la position du soi est une vérité qui se pose soi-même », ce qui signifie à la fois qu'elle est « la position d'un être et d'un acte, d'une existence et d'une opération de pensée ».

Alors que Ricœur aime présenter son travail comme une conversation entre la pensée germanique – marquée par les rencontres successives de Jaspers, Husserl, Heidegger, Gadamer, Habermas –, la tradition réflexive française que symbolise l'œuvre de Jean Nabert, et la philosophie analytique anglo-saxonne dans ses diverses variantes, la pensée réflexive est celle dont il est le plus délicat d'interpréter la charge spéculative et l'influence, tant elle demeure mal connue et périphérique dans la présentation convenue de l'histoire de la philosophie française depuis la dernière guerre[1]. Dans ce contexte la première séquence de *Lectures 2*, qui se présente comme une succession d'articles consacrés à Kierkegaard, Gabriel Marcel, Jean Wahl, Albert Camus, Jean-Paul Sartre, Merleau-Ponty, Jean Hyppolite, Emmanuel Mounier, Paul-Louis Landsberg, Jean Nabert…, éclaire – en raison même de la confrontation implicite qu'elle met en scène entre ces diverses pensées – l'originalité de cette tradition réflexive. Mais aussi le rôle décisif qu'elle n'aura cessé de jouer dans la « polémique » entretenue par Ricœur entre cette tradition et les héritages phénoménologiques, herméneutiques et analytiques.

Les deux textes d'ouverture consacrés à Kierkegaard sont particulièrement instructifs : ils permettent d'une part de comprendre comment l'existentialisme de l'après-guerre se distingue de la pensée réflexive, et d'inscrire celle-ci d'autre part dans l'histoire de la philosophie, évitant ainsi de la réduire à tel ou tel auteur singulier. Dans « Philosopher après Kierkegaard » Ricœur situe l'apport de ce dernier en fonction de Kant, Fichte et Schelling : « Telles sont les trois structures philosophiques, reçues de Kant, de Fichte et de Schelling, qui donnent au discours kierkegaardien sa dimension philosophique : d'abord l'idée kantienne d'une critique de la Raison pratique distincte d'une critique de l'expérience physique. Ensuite la distinction fichtéenne entre acte et fait, ainsi que la définition d'une philosophie pratique par les conditions de possibilité et de réalisation de l'acte d'exister. Enfin la problématique schellinguienne de la réalité finie, et plus précisément la connexion entre finitude, liberté et mal » (p. 38, 39).

« Moment du désir constitutif de notre être », selon l'expression de Jean Nabert, la réflexion accompagne dès lors une pensée du « soi » qui refuse – c'est le thème du premier chapitre de *Soi-même comme un autre* (1990) – l'oscillation

---

1. Les articles portant sur la phénoménologie ont été pour leur part publiés dans *À l'école de la phénoménologie*, Paris, Vrin, 1986. Le lecteur trouvera plusieurs articles sur Karl Jaspers dans *Lectures 1*. Quant à la philosophie analytique, fort présente dans *Temps et Récit* et dans *Soi-même comme un autre* où elle le représente un « détour » obligé, elle n'a pas donné lieu à une publication d'articles justifiant un recueil autonome (voir cependant plusieurs textes dans *Du texte à l'action*).

entre l'exaltation cartésienne ou l'humiliation nietzschéenne
du Cogito. Si la position du « soi » est bien une vérité qui
se pose soi-même, elle se trouve devant l'obligation de
se ressaisir, c'est-à-dire de « se projeter dans le miroir de ses
objets, de ses œuvres et finalement de ses actes ». Le « soi »
ne pouvant se donner dans l'intuition d'une conscience
immédiate, il doit se poser au-dehors dans des actes et des
œuvres. Cette double « déposition » du « soi » dans des
œuvres et des actes souligne les liens de la réflexion et de la
philosophie de Ricœur qui se présente comme une pensée de
l'agir, une ontologie de l'action, mais aussi comme une herméneutique [1]. Au fil des discussions esquissées ici, le rôle de
la pensée réflexive et l'influence profonde exercée par Jean
Nabert, qui « redécouvre le sens de l'éthique qui est plus
proche de Spinoza que de Kant [2] », tendent à montrer que
l'héritage réflexif est bien l'un des principaux fils d'ariane
du travail de Ricœur. Peut-être le fil le plus difficile à démê-
ler en raison du sort imparti à des auteurs comme Merleau-
Ponty ou Jean Nabert en France. Mais aussi parce que la
dimension herméneutique a sensiblement occulté « l'impératif réflexif » pourtant revenu en force en 1990 dans *Soi-même
comme un autre* dont l'ambition affichée est la mise en
œuvre d'une « phénoménologie herméneutique du soi ».

Si les derniers textes de la première séquence de *Lectures 2*
reviennent sur la question de l'agir et de la praxis (voir les
articles sur le *Marx* de Michel Henry ou la réflexion sur la
philosophie biologique de Hans Jonas), la deuxième séquence
de *Lectures 2* – prolongeant les textes publiés en 1969 dans
Le Conflit des interprétations – aborde les débats relatifs au
« cercle herméneutique » et à l'interprétation. Réfléchissant
toujours dans le cadre du couple diltheyen expliquer/com-
prendre, Ricœur discute essentiellement l'anthropologie
structurale de Claude Lévi-Strauss et la sémiotique narrative
de A.-J. Greimas. La confrontation avec cette dernière – les
trois textes substantiels consacrés à A.-J. Greimas forment un
tout et un hommage à cet auteur récemment disparu – est

---

1. Voir *Paul Ricœur. Les métamorphoses de la raison herméneutique*.
Sous la direction de Jean Greisch et Richard Kearney, Paris, Cerf, 1991.
2. Aux trois textes publiés ici, il faut ajouter « L'acte et le signe selon
Jean Nabert », in *Le Conflit des interprétations*, Paris, Le Seuil, 1969.

particulièrement féconde puisqu'elle rend possible l'élaboration d'une herméneutique générale dont la grammaire narrative représente une variante qui s'oppose à celle de Gadamer et de Ricœur. « Un renversement méthodologique sépare certes les deux herméneutiques ; mais je vois ce renversement opéré à l'intérieur d'une herméneutique générale, pour laquelle la différence entre expliquer et comprendre reste indépassable » (p. 433, 434). Dans l'optique de cette herméneutique générale, c'est le débat sur l'interprétation – à laquelle est consacré un article – qui est considérablement enrichi en dépit de la faiblesse du courant herméneutique en France, « la théorie de l'interprétation n'y ayant pas connu l'essor dont elle a bénéficié en Allemagne » (p. 477).

On le voit, *Lectures 2*, sous-titré par Paul Ricœur « la Contrée des philosophes [1] », permet d'abord de redécouvrir – non sans bénéficier de la force de pénétration de ses lectures – des penseurs un tant soit peu exilés de la scène philosophique (de Gabriel Marcel à Jean Nabert), mais aussi de percevoir un ressort de la pensée de Ricœur souvent méconnu, voire ignoré, au profit de la dimension herméneutique de son œuvre. Lecteur impénitent, celui-ci n'a cessé de lire pour mieux comprendre ce qu'il cherchait lui-même à penser, et pour mieux avancer dans l'élaboration d'une philosophie qui a trouvé toute sa dimension dans *Soi-même comme un autre*, l'ouvrage de 1990 où les diverses filiations revendiquées travaillent de concert en vue d'orchestrer une ontologie de l'agir [2].

O. M.

P. S. : Tous nos remerciements vont à Mme Thérèse Duflot qui a permis que ce deuxième volume des *Lectures* puisse voir le jour dans les meilleures conditions.

---

1. « Contrée », au sens de ceux dans l'environnement desquels on pense, et « contre » lesquels on s'appuie.
2. Sur la cohérence profonde de l'œuvre de Ricœur et le rôle qu'y joue la tradition réflexive, voir Olivier Mongin, *Paul Ricœur*, coll. « Les contemporains », Le Seuil, 1994.

1

PENSEURS DE L'EXISTENCE

Kierkegaard

Kierkegaard et le mal

(1963)

Ce n'est pas une tâche exempte de dérision de célébrer Kierkegaard, lui qui fut sans pitié pour les pasteurs et professeurs. Oui, peut-on parler de Kierkegaard sans l'exclure ou sans s'exclure ? Nous sommes ici pour braver honnêtement et modestement ce ridicule ; après tout, il faut aussi oser affronter les sarcasmes de Kierkegaard ; c'est encore la meilleure façon de l'honorer ; en tout cas, il est préférable de courir ce risque que de lui donner raison par convenance et convention et de vaquer ensuite à ses pensées comme par-devant.

Je propose deux rencontres très différentes avec Kierkegaard : dans la première, nous essaierons d'écouter et de comprendre, nous mettant simplement en face d'un petit nombre de textes sur lesquels nous projetterons un faisceau d'attention aussi étroit et intense que possible ; ces textes sont tirés de deux écrits : *Le Concept de l'angoisse*, qui est de 1844, et *La Maladie à la mort*, publié cinq ans plus tard, en 1849. Dans ces deux essais, je veux extraire la pensée de Kierkegaard concernant le mal, en me livrant à une exégèse aussi obéissante que possible des textes ; c'est alors que nous courrons le plus le risque de nous exclure nous-même de cette explication de texte. Dans la seconde conférence, j'essaierai d'expliquer et d'appliquer le précepte que Karl Jaspers enseignait il y a près de trente ans : « *Notre tâche*, disait-il, *à nous qui ne sommes pas l'exception, est de penser face à l'exception.* » Alors nous tâcherons cette fois de ne pas exclure Kierkegaard, dès lors que nous poserons la question : « Comment est-il possible de philosopher après Kierkegaard ? »

Pourquoi nous arrêter à ces deux traités et pourquoi la question du mal ?

D'abord, la question du mal. Il est à peine besoin de souli-

gner que le mal est le point critique de toute pensée philosophique : si elle le comprend, c'est son plus grand succès ;
mais le mal compris n'est plus le mal, il a cessé d'être
absurde, scandaleux, hors droit et hors raison. Si elle ne le
comprend pas, alors la philosophie n'est plus philosophie, si
du moins la philosophie doit tout comprendre et s'ériger en
système, sans reste hors de lui. Dans le grand débat entre
Kierkegaard et le système – c'est-à-dire Hegel –, la question
du mal représente une incomparable pierre de touche. C'est
surtout ce point que je voudrais traiter : c'est lui qui nous
conduira à notre second problème : peut-on philosopher après
Kierkegaard ? Il est important, en vue de cette question de
confiance, de comprendre comment Kierkegaard pense lui-
même en face de l'irrationnel, de l'absurde. Car il ne crie
pas, il pense.

Il y aurait une autre raison de parler du mal : il n'est pas
seulement la pierre de touche pour la philosophie, il est aussi
l'occasion de surprendre la qualité du christianisme de Kierkegaard, je veux dire ce christianisme de la Croix, plus que
de Pâques ou de Pentecôte. J'y viendrai à la fin de cet essai…
Mais je veux surtout essayer de montrer comment Kierkegaard parle et pense sur le mal, c'est-à-dire sur ce qui est le
plus opposé au système.

Je commence par une remarque : aucun de ces deux livres
ne constitue, ni de près ni de loin, un journal, une confession.
Vous ne trouverez pas trace, dans ces écrits, du terrible aveu
que le père lui fit, de ce jour de son enfance où, gardant ses
moutons dans la plaine de Jutland, il monta sur une pierre et
maudit Dieu. Ni non plus du mariage précipité du père veuf
avec la servante maîtresse, ni de toutes ces morts s'abattant
sur le foyer paternel, comme un châtiment pour le blasphème,
ni de la mélancolie de Søren, ni de l'écharde dans la chair.
Nous perdrions notre temps si nous prenions la voie courte
de la biographie psychanalytique et si nous cherchions dans
ces écrits compliqués et raisonneurs la transposition directe
d'une vie émotionnelle, accablée de tourments et de remords.
Cette voie directe, de la vie à l'œuvre, nous est absolument
interdite ; non qu'une psychanalyse de Kierkegaard, ou du
moins une approche psychanalytique fragmentaire, soit impossible, mais il lui faudrait prendre résolument la voie inverse :
c'est-à-dire commencer par l'exégèse des textes et, par

chance, déchiffrer dans les textes eux-mêmes quelque secret de la vie. Autant dire qu'il faut de toute façon commencer par les textes et peut-être remonter des textes à la vie ; car il y a plus dans ces textes que les bribes biographiques que nous pouvons collecter.

Allons droit aux textes. Ces deux traités ont en commun d'être édifiés sur la base de deux sentiments, plus précisément de deux sentiments négatifs dont l'objet reste indéterminé : l'angoisse, le désespoir. Angoisse de quoi ? désespoir de quoi ? Et pourtant c'est d'eux qu'il faut partir, car, si nous adoptions pour point de départ ce que nous savons déjà sur le mal, nous manquerions précisément ce qui doit être l'instruction de ces deux sentiments ; partir du mal connu, ce serait partir d'une définition purement morale de la culpabilité, comme transgression d'une loi, comme infraction. Au contraire, la question est de découvrir une qualité et une dimension du « péché » que seules peuvent annoncer ces émotions profondes, d'ordinaire rattachées à la mélancolie ou à la peur. C'est parce que la détermination du mal se fait entièrement dans l'orbite de ces deux sentiments que le « concept » du mal y est profondément différent d'un traité à l'autre ; l'analyse de l'angoisse débouche sur un concept du péché-événement ou surgissement ; l'angoisse elle-même est une sorte de glissement, de fascination où le mal se trouve circonscrit, approché par-devant et par-derrière. Au contraire, *Le Concept de désespoir* – autre nom de *La Maladie à la mort* – s'établit en plein cœur du péché, non plus comme un saut, mais comme un état ; le désespoir, c'est, si l'on peut dire, le mal du mal, le péché du péché.

Considérons successivement ces deux voies d'approche. Nous essaierons pour finir d'en comprendre la conjonction.

La première est délibérément antihégélienne : saut, surgissement, événement s'opposant à médiation, synthèse, réconciliation. Par là même est rompu le mélange équivoque de l'éthique et de la logique : « Dans la logique c'est trop, dans l'éthique trop peu ; nulle part il n'est juste en voulant l'être des deux côtés. » Mais alors qui parlera justement du péché ? Le métaphysicien ? Il est à la fois trop désintéressé et trop compréhensif. Le moraliste ? Il croit trop à l'effort de l'homme et pas assez à sa misère. Le sermonnaire ? Oui, peut-être : car il s'adresse à l'isolé, seul à seul ; mais alors, il ne l'explique qu'en le présupposant : « Au fond, remarque Kierkegaard, le concept du péché n'a sa place dans aucune connaissance, seule la seconde éthique [c'est-à-dire celle qui suit la dogmatique, laquelle connaît le réel et le péché "sans frivolité métaphysique ni concupiscence psychique"] peut traiter ses manifestations mais non ses origines [1] » (p. 25). Et, pourtant, c'est en psychologue que Kierkegaard va parler ; afin d'isoler le radical saut de l'acte, le psychologue en dessinera la possibilité, approchant en quelque sorte la discontinuité d'un surgissement par la continuité d'un glissement, d'un passage.

Le paradoxe, ici, est celui du commencement. Comment le péché entre-t-il dans le monde ? Par un saut qui se présuppose lui-même dans la tentation. C'est cela, le « concept de l'angoisse » : une psychologie au plus près de l'événement, une psychologie qui serre de près l'événement comme avènement, une psychologie de la durée où l'innocence se perd, est déjà perdue, bascule et tombe. Mais l'innocence, non plus, nous ne la savons pas, nous n'en savons que la perte ; l'innocence, c'est « quelque chose qui, même alors qu'on la détruit, n'apparaît que par là et seulement alors comme ayant existé avant d'être détruite et l'étant maintenant » (p. 41). Ainsi, l'innocence, je ne la sais que perdue ; le saut du péché, je n'en sais que la progression. Cet entre-deux de l'innocence qui se perd et d'un saut qui procède, c'est l'angoisse.

Que dire de l'angoisse même ? C'est la naissance de l'esprit : de cet esprit que la Bible appelle discernement du bien et du mal ; mais l'esprit en est encore à rêver ; il n'y a plus innocence, il n'y a pas encore le bien et le mal. Alors de quoi rêve l'esprit ? de rien. Du rien. Ce rien enfante l'angoisse. C'est ainsi que « l'angoisse est la réalité de la liberté, parce qu'elle en est le possible » (p. 46). Rien, possibilité, liberté… Comme on voit, l'ambiguïté – le mot est de Kierkegaard – est plus énigmatique que la déjà trop morale concupiscence ; *antipathie sympathisante*, *sympathie antipathisante*, préfère dire le subtil Kierkegaard. Et cette ambiguïté, il l'appelle dialectique, mais psychologique et non logique, nous y revien-

---

1. Je cite *Le Concept de l'angoisse*, trad. Ferlov et Gateau, Paris, Gallimard, coll. « Idées ». (Cf. *Œuvres complètes*, t. 7 : *Le Concept d'angoisse*, trad. P. H. Tisseau Paris, Éd. de l'Orante, 1973, p. 123, 138-139, 144, 145, 146, 177.)

drons dans la seconde conférence. « De même que le rapport de l'angoisse à son objet, à quelque chose qui n'est rien (le langage le dit aussi avec force : s'angoisser de rien), foisonne d'équivoque, de même le passage qu'on peut faire ici de l'innocence à la faute sera précisément si dialectique qu'il montre que l'explication est bien ce qu'elle doit être : psychologique » (p. 47).

Dira-t-on que c'est l'interdiction qui suscite le désir ? Mais l'innocence ne comprend pas l'interdiction ; c'est là, dit Kierkegaard, une explication après coup. Disons plutôt que l'interdiction est le *mot* – le « mot énigmatique » – qui fait cristalliser l'angoisse : la défense inquiète Adam, parce qu'elle éveille en lui la possibilité de la liberté. Le néant se fait « possibilité de *pouvoir* » ; c'est elle qu'il aime et qu'il fuit.

Ne dites pas que Kierkegaard se complaît dans l'irrationnel, dans l'ineffable : il analyse, il dissèque, il abonde en paroles. Il est le dialecticien de l'antidialectique. Et cette paradoxale dialectique culmine dans la représentation de l'homme comme une synthèse d'âme et de corps, réunis dans ce troisième terme : l'esprit – l'esprit qui rêve de rien, l'esprit qui projette le possible. L'esprit, c'est ce « pouvoir ennemi », qui trouble toujours le rapport qui pourtant n'existerait que par lui ; d'autre part, l'esprit est une « puissance amie », désireuse justement de constituer le rapport : « Quel est donc le rapport de l'homme à cette équivoque puissance ? Quel, celui de l'esprit à lui-même et à sa condition ? Ce rapport est l'angoisse » (p. 48).

Ainsi, la psychologie vient trop tôt ou trop tard : elle connaît ou bien l'angoisse d'avant, qui mène au saut qualitatif – angoisse de rêve, angoisse de rien –, ou bien l'angoisse d'après, qui augmente quantitativement le mal – angoisse de réflexion, angoisse de quelque chose, devenue en quelque sorte nature, tant elle prend « corps » désormais ; c'est ainsi que l'angoisse habite le sexe : non qu'elle en vienne, mais parce qu'elle y vient. L'angoisse de rêve s'est faite elle-même chair et étend sur toute chose un « profond deuil inexpliqué ». On aurait bien tort de chercher ici je ne sais quelle répugnance puritaine pour la sexualité : avant Max Scheler, Kierkegaard a compris que l'angoisse ne vient pas du sexe, mais descend de l'esprit dans la sexualité, du rêve dans la chair ; c'est parce que l'homme est troublé dans son esprit qu'il a honte de sa chair ; dans la pudeur, l'esprit s'inquiète et s'effraie de revêtir la différence sexuelle. Ainsi le péché entre dans le monde, se fait monde et s'accroît quantitativement.

Mais nous ne savons pas mieux ce qu'est le péché par l'angoisse ultérieure que par l'angoisse antérieure ; il reste l'angoisse, cernée de près, mais creusée au centre : « Quant à expliquer le comment de ces faits, pas une science ne le peut. Mais c'est la psychologie qui s'en approche le plus, en expliquant l'ultime étape approximative, l'apparition à elle-même de la liberté dans l'angoisse du possible, ou encore dans le néant de l'angoisse » (p. 82).

LE CONCEPT DU DÉSESPOIR

La Maladie à la mort, ou *Le Concept de désespoir*[1], est encore un essai psychologique. Plus précisément c'est, selon le sous-titre, *Exposé psychologique et chrétien pour l'édification et le réveil*. Ce traité associe par conséquent la psychologie, au sens du *Concept de l'angoisse*, et l'édification au sens des « discours édifiants ». Nous avons déjà nommé la différence qui sépare ces deux traités : le premier parle du mal comme d'un événement, d'un saut ; le second en parle comme d'un état de choses. La substitution du désespoir à l'angoisse exprime ce changement : l'angoisse tend vers... le désespoir réside dans... ; l'angoisse « ex-siste » ; le désespoir « insiste ». Qu'est-ce que signifie ce changement ? Il est impossible de comprendre *La Maladie à la mort* sans remon-

---

1. Je cite *La Maladie à la mort (Le Concept de désespoir)*, trad. Tisseau. *(Sygdommen til Döden.)* Il n'y a pas notion de Traité, ni celle de Concept (du reste d'usage plutôt ironique chez Kierkegaard). Rappelons que « La Maladie à la mort » est une formule empruntée à l'Évangile de Jean (XI, 4). *Le Traité du désespoir* est une « traduction » de Ferlov et Gateau ; Tisseau indique *Le Concept de désespoir*, mais entre parenthèses, sous le titre qui convient, et seulement en couverture, ce qui montre qu'il n'y allait pour lui que d'une indication thématique assumée. Le rapport de forces éditorial a fait le reste, et des générations d'étudiants ou de lecteurs ont pu être abusées par un titre fallacieux, mais devenu célèbre. Peut-être ce succès a-t-il trouvé un allié de circonstance dans l'allure didactique de l'œuvre pseudonyme de 1849. Comme toujours cependant chez Kierkegaard, le sous-titre, que souligne ici Paul Ricœur, concourt avec le titre (et éventuellement le pseudonyme) à éclairer la structure de l'œuvre.

ter à un essai antérieur : *Crainte et Tremblement*, qui situe la signification de la foi et du péché au-delà de la sphère de l'éthique ; le péché n'est pas le contraire de la vertu, mais de la foi, laquelle est une catégorie théologique : la foi, c'est une manière d'être, en face de Dieu, devant Dieu. Cette liaison est élaborée dans *Crainte et Tremblement*, non point par le moyen d'une discussion abstraite de concepts théologiques, mais par la voie d'une *exégèse* : les concepts nouveaux sont déchiffrés par le moyen de l'interprétation d'une histoire, l'histoire d'Abraham ; c'est le sens du sacrifice d'Isaac qui décide du sens des concepts de loi et de foi ; le sacrifice d'Isaac serait un crime selon la morale ; il est un acte d'obéissance, selon la foi. Pour obéir à Dieu, Abraham devait suspendre l'éthique ; il lui fallait devenir le chevalier de la foi qui s'avance seul, par-delà la sécurité de la loi générale ou, comme dit Kierkegaard, *du* général. Ainsi, *Crainte et Tremblement* ouvre une nouvelle dimension d'angoisse, qui procède de la contradiction entre l'éthique et la foi. Abraham est le symbole de cette nouvelle espèce d'angoisse, liée à la suspension téléologique de l'éthique.

Or le concept de désespoir appartient à la même sphère, non éthique mais religieuse, que la foi d'Abraham ; le désespoir est le négatif de la foi d'Abraham. C'est pourquoi Kierkegaard ne dit pas d'abord ce qu'est le péché, puis ce qu'est le désespoir, il construit et découvre le péché dans le désespoir comme étant sa signification religieuse ; dès lors, le péché n'est plus un saut mais un état stagnant, une manière insistante d'être.

Seconde conséquence : la question n'est plus comment « il est entré dans le monde » – par l'angoisse –, mais comment il est possible d'en sortir. Le désespoir est alors comparable à l'un de ces « stades sur le chemin de la vie » que Kierkegaard explore dans une autre œuvre ; c'est une maladie ; une maladie dont on meurt sans mourir ; c'est la maladie « à la mort », à la façon dont l'injustice, selon Platon, dans le Livre X de *La République*, est une mort vivante et la preuve paradoxale de l'immortalité. Le désespoir selon Kierkegaard est un mal plus grave que l'injustice selon Platon, laquelle ressortit encore à la sphère éthique ; mais parce qu'elle est plus grave, elle est plus près de la guérison.

Maintenant, comment peut-on parler du désespoir ? L'ana-

lyse structurelle de *La Maladie à la mort* doit nous approcher
de notre problème : quel est le mode de penser de Kierkegaard ? comment est-il possible de philosopher après Kierkegaard ? Il est remarquable en effet que Kierkegaard *construit*
le concept de désespoir. Un simple regard jeté sur la table
des matières du traité révèle un enchevêtrement de titres et
de sous-titres. Le plan est même curieusement didactique.
La première partie montre que « la maladie à la mort est
désespoir » : sa possibilité, son actualité, son universalité, ses
formes sont soigneusement distinguées ; ses formes elles-
mêmes sont élaborées d'une manière assez systématique, du
point de vue du « manque de finitude » et du « manque d'infinitude », du « manque de possibilité » – c'est-à-dire d'imagination et de rêve – et du « manque de nécessité » – c'est-
à-dire de soumission à des tâches et à des devoirs généraux en
ce monde. Le même balancement se renouvelle à l'occasion
de nouvelles distinctions ; la plus subtile s'énonce ainsi : « Le
désespoir considéré sous l'aspect de la conscience, selon
qu'il se connaît ou ne se connaît pas » ; il y a ainsi du désespoir « de ne pas vouloir être soi-même », ou « de vouloir être
soi-même ».

Puis la seconde partie, intitulée « Le désespoir est le
péché », élabore tous les caractères du péché selon le modèle
du désespoir et conduit à la conclusion que le « péché n'est
pas une négation mais une position ». Nous nous arrêterons sur
cette conclusion que nous opposerons au néant de l'angoisse.

Mais je veux d'abord interroger cette étrange structure du
traité ; il est impossible de ne pas être impressionné par l'aspect laborieux et lourd de cette construction qui ressemble à
une dissertation interminable et gauche. Qu'est-ce que cela
signifie ? Nous sommes confrontés à une sorte de simulacre
grinçant du discours hégélien ; mais ce simulacre est en
même temps le moyen de sauver le discours de l'absurdité. Il
est didactique parce qu'il ne peut plus être dialectique. Ou,
en d'autres termes, il remplace une dialectique à trois termes
par une dialectique brisée, par une dialectique non résolue à
deux termes. Une dialectique sans médiation, tel est le paradoxe kierkegaardien. *Ou bien* trop de possibilité, *ou bien* trop
d'actualité ; *ou bien* trop de finitude, *ou bien* trop d'infinitude ; *ou bien* on veut être soi-même, *ou bien* on ne veut pas
être soi-même. Bien plus, comme chaque paire de contraires

n'offre pas de résolution, il n'est pas possible d'édifier le paradoxe suivant sur celui qui le précède ; la chaîne des paradoxes est elle-même une chaîne rompue ; d'où le cadre didactique, substitué à la structure immanente d'une véritable dialectique ; la rupture qui menace ce discours doit toujours être conjurée, compensée par un surcroît de conceptualité et d'habileté rhétorique ; d'où enfin l'étrange contraste : c'est le terme le plus irrationnel – le désespoir – qui met en mouvement la plus grande masse d'analyses conceptuelles. Nous partirons dans notre seconde étude de cette situation étrange : un hyperintellectualisme lié à un irrationalisme fondamental.

Entrons un peu plus avant dans cette construction un peu rebutante. Le noyau autour duquel sont construites les grandes antinomies du désespoir, c'est une définition du soi à laquelle nous a préparés *Le Concept de l'angoisse*, lorsqu'il appelait l'esprit le troisième terme, le trouble-fête de la relation tranquille de l'âme et du corps. Cette définition, la voici, dans sa déroutante abstraction : « Le soi est un rapport qui se rapporte à lui-même et dans cette relation se rapporte à un autre. » Cette définition porte la marque – par dérision ou dépit amoureux ? nous en discuterons ultérieurement – de la dialectique hégélienne ; mais, à la différence de Hegel, cette relation qui se rapporte à soi-même est plus un problème qu'une réponse, plus une tâche qu'une structure ; car, ce qui se donne dans le désespoir, c'est ce que Kierkegaard appelle « désaccord ». Cette priorité du désaccord, dans toute l'analyse ultérieure, repose sur la structure de la relation comme une tâche impossible : la possibilité du désespoir réside dans la possibilité du désaccord, c'est-à-dire dans la fragilité de cette relation qui se rapporte à soi ; c'est ce que signifie l'expression « se rapporter à soi, c'est déjà se rapporter à un autre ». Pour cette relation, se constituer, c'est se défaire. Nous pouvons déjà comprendre quelle force peut donner à la rhétorique kierkegaardienne du pathos cette union du sentiment et de l'analyse : le désespoir existe ou, comme nous avons essayé de le dire, insiste dans les figures de la dis-relation. Désormais, tout sera plus compliqué que dans *Le Concept de l'angoisse* : l'angoisse était fascinée par le rien de la pure possibilité : « Le désespoir est un désaccord au sein d'une synthèse qui se rapporte à elle-même. La synthèse n'est pas le désaccord, elle en est la simple possibilité ; autrement dit, c'est dans la synthèse que réside la possibilité d'un désaccord... D'où vient alors le désespoir ? Du rapport où la synthèse se rapporte elle-même lorsque Dieu, ayant fait de l'homme le rapport, la synthèse qu'il est, le laisse pour ainsi dire échapper de sa main ; en d'autres termes, lorsque le rapport se rapporte à lui-même » (*La Maladie à la mort*, p. 11-12)[1]. Ce dernier mot permet de pousser plus loin l'explication de l'étrange expression « une relation qui se rapporte à un autre en tant qu'elle se rapporte à soi-même » ; elle se rapporte à un autre parce qu'elle est *abandonnée* à elle-même ; dans cet *abandon*, elle est *rapportée* à soi-même comme à *un autre*. La déréliction est l'aspect réflexif de cet abandon par Dieu, qui laisse la relation aller comme si elle échappait de ses mains. Kierkegaard, avant l'existentialisme, a découvert cette identité de la réflexion et de la déréliction.

Tout l'art de Kierkegaard sera désormais d'appliquer sa subtilité psychologique aux multiples possibilités offertes par la dissociation de ce rapport qui se rapporte à lui-même en se rapportant à un autre. Le génie littéraire, psychologique, philosophique, théologique de Kierkegaard me paraît consister dans cette manière mi-abstraite, mi-concrète de mettre en scène des possibilités artificiellement construites, de faire correspondre à ce jeu conceptuel l'« opéra fabuleux » des états d'âme désespérés. L'étonnement du lecteur, son malaise, son admiration et son agacement tiennent à cette oscillation incessante entre l'expérimentation imaginaire la plus aiguë et la dialectique conceptuelle la plus artificielle. Quelques exemples : l'homme, nous est-il dit, est une synthèse d'infinitude et de finitude, de possibilité et de nécessité ; le désespoir pointe, dès lors que la volonté de devenir infini est ressentie comme manque de finitude, et *vice versa*. Ce jeu entre des concepts opposés est nourri par une puissance extraordinaire de créer des types humains, parmi lesquels nous reconnaissons le héros des possibilités fantastiques, le don Juan du stade esthétique, le séducteur du *Journal du séducteur*, le Faust de Goethe, mais aussi le poète du stade religieux, l'explorateur de l'ouvert selon Rilke, bref, l'imaginaire, foyer de tout procès d'infinitisation. « Le soi, écrit Kierkegaard, est réflexion et l'imagination est la possi-

---

1. Cf. *op. cit.*, t. 16, p. 174.

bilité de toute réflexion. » C'est alors que la perte du soi, la distance sans fin à soi sont ressenties comme perte, comme désespoir. Le paradoxe abstrait devient un paradoxe concret : le « ou bien, ou bien » de l'infini et du fini est le « ou bien, ou bien » qui confronte le séducteur et, à son rang, le héros, du devoir dépeint sous les traits du juge Wilhelm. Le manque d'infinitude, l'étroitesse d'une vie médiocre, la perte d'horizon sont des possibilités très concrètes que découvre quiconque ressent sa propre existence comme celle d'un caillou sur le rivage ou d'un numéro perdu dans la foule.

Mais c'est peut-être la dernière dialectique qui éclaire toutes les autres. Le pire désespoir est « le désespoir qui est ignorant d'être désespoir » ; l'homme ordinaire est désespéré, est désespoir, mais il ne le sait pas. Dès lors, c'est parce que le désespoir peut être inconscient qu'il doit être découvert et même construit ; la dialectique de l'inconscient et du conscient se déploie à l'intérieur du désespoir comme au cœur d'une possibilité ontique, d'une manière d'être ; la conscience ne constitue pas le désespoir ; le désespoir existe, ou, comme nous avons dit, insiste. C'est la raison pour laquelle la conscience s'ajoute, elle-même, au désespoir. Le grand désespoir, le désespoir sur soi-même, le désespoir de vouloir désespérément être soi-même, que Kierkegaard appelle défi, représente le degré ultime dans « la constante élévation de pouvoir du désespoir ». Ici, plus qu'ailleurs, cette possibilité ne peut être éprouvée que dans l'imagination : « On voit rarement cette forme de désespoir dans le monde ; de pareilles figures ne se rencontrent en fait que chez les poètes et, à vrai dire, que chez ceux qui prêtent à leurs personnages l'idéalité démoniaque, ce mot strictement pris au sens grec » (p. 65)[1]. Dans la vie réelle, ce désespoir suprême ne peut être approché que dans le désespoir le plus spirituel, le désespoir qui n'est plus au sujet d'une perte terrestre, le désespoir de ne pas vouloir être aidé.

---

1. Cf. *op. cit.*, t. 16, p. 228

LA MALADIE À LA MORT

Nous pouvons maintenant confronter *Le Concept de l'angoisse* et *La Maladie à la mort* sur le point du péché, ainsi circonscrit par deux approches opposées.

Les deux traités s'accordent en ceci : le péché n'est pas une réalité éthique, mais une réalité religieuse ; le péché est « devant Dieu ». Mais, tandis que *Le Concept de l'angoisse* restait à l'extérieur de cette détermination du péché comme étant « devant Dieu », *La Maladie à la mort* se tient au cœur de cette détermination ; *Le Concept de l'angoisse* demeurait purement psychologique, *La Maladie à la mort* déjà « édifie et éveille », selon le titre. Tandis que l'angoisse était un mouvement vers... le désespoir est péché. Dire cela, ce n'est déjà plus de la psychologie : « Ici peut être introduit, à la frontière la plus dialectique du désespoir et du péché, ce qu'on pourrait appeler une existence poétique en direction du religieux[1]. »

Cette « existence poétique en direction du religieux » n'a rien à voir avec une effusion mystique ; « elle est, dit Kierkegaard, prodigieusement dialectique et demeure dans une confusion dialectique impénétrable quant à savoir à quel point elle est consciente d'être péché ». Tout ce qui sera dit désormais appartient à cette réduplication de la dialectique lorsqu'elle passe de la psychologie à l'existence poétique en direction du religieux. D'abord, la psychologie désignait le péché par l'expérience du vertige comme chute ; ensuite, elle le désignait comme un manque, par conséquent comme un rien. Pour l'existence poétique, le péché est un état, une condition, une manière d'être ; en outre, elle est une *position*.

Considérons ces deux nouvelles dimensions qui ne pouvaient pas apparaître dans *Le Concept de l'angoisse* ; d'abord parce que ce traité demeurait purement psychologique, ensuite parce qu'il s'en approchait comme d'un saut.

Que le péché soit un *état*, c'est ce que révèle le désespoir lui-même. Nous ne pouvons pas dire : l'angoisse *est* péché ;

1. Cf. *op. cit.*, t. 16, p. 233 *(N.d.l.r.)*.

nous pouvons dire : le désespoir *est* péché. De cette manière, le concept de péché est définitivement transporté de la sphère éthique de la transgression dans la sphère religieuse de la non-foi ; et, nous pouvons bien le dire, de la sphère où le péché est chair dans la sphère où il est esprit ; c'est le pouvoir de la faiblesse et la faiblesse du défi. Désormais, le péché n'est pas le contraire de la vertu, mais de la foi. C'est une possibilité ontique de l'homme, et non pas seulement une catégorie morale, selon l'éthique kantienne, ou un défaut intellectuel comparable à l'ignorance, selon la conception socratique du mal. En d'autres mots, le péché est notre manière ordinaire d'être devant Dieu ; c'est l'existence même en tant que déréliction.

Mais nous accédons à la différence ultime entre le *Concept de l'angoisse* et *La Maladie à la mort* quand nous disons : « Le péché n'est pas une négation, mais une position. » Cette thèse – que Kierkegaard tient pour l'interprétation orthodoxe du péché dans le christianisme – est dirigée contre toute philosophie spéculative. Comprendre le mal philosophiquement, c'est le réduire à une pure négation : faiblesse en tant que manque de force, sensualité en tant que manque de spiritualité, ignorance en tant que manque de connaissance, finitude en tant que manque de totalité. Hegel a identifié la compréhension à la négation ou mieux à la négation de la négation : c'est ici que Kierkegaard oppose sa plus vigoureuse protestation à la philosophie, c'est-à-dire à la philosophie hégélienne ; si comprendre, c'est surmonter, c'est-à-dire passer au-delà de la négation, alors le péché est une négation parmi d'autres et la repentance une médiation parmi d'autres ; ainsi négation, puis négation de la négation deviennent toutes deux des processus purement logiques.

Mais alors, si nous comprenons seulement quand nous nions la négation, que *disons*-nous et que *comprenons*-nous, quand nous disons : « Le péché est position ! » Voici la réponse de Kierkegaard : « Je ne fais jamais que maintenir fermement la doctrine chrétienne que le péché est une position – non comme se prêtant à la conception de l'entendement, mais comme paradoxe objet de foi » (p. 90)[1].

… *Un paradoxe qu'il nous faut croire.* Par ces mots, Kier-

---

1. Cf. *op. cit.*, t. 16, p. 253.

kegaard pose la question du genre de langage qui convient à l'existence poétique : c'est un langage qui doit détruire ce qu'il dit, un langage qui se contredit lui-même. Ainsi Kierkegaard transfère à l'anthropologie l'arme de la théologie négative, lorsqu'elle essayait de dire, par la voix de la contradiction, que Dieu est position – par-delà l'être, par-delà les déterminations. Croire et non comprendre : certes, Kierkegaard ne cite pas la théologie négative, ni l'abolition kantienne de la connaissance en faveur de la croyance, mais l'ignorance socratique.

Nous partirons, dans la seconde conférence [1], de cette situation déroutante du discours philosophique : une élucidation retorse de l'angoisse et du désespoir, une dialectique antidialectique visant à une sorte d'ignorance socratique, au service d'« une exposition chrétienne-psychologique pour l'édification et le réveil ».

C'est dans *cette* situation du discours philosophique que s'élève la question : « Comment peut-on philosopher *après* Kierkegaard ? »

---

1. Voir dans ce volume le texte suivant.

Philosopher après Kierkegaard

(1963)

Lorsque Kierkegaard commença d'être connu en Allemagne, grâce à la courageuse traduction de Gottsched qui
parut un pari perdu, puis en France, grâce aux admirables traductions de Tisseau et aux fameuses *Études kierkegaardiennes* de Jean Wahl, le penseur danois fut tout de suite
revêtu de la double fonction de la protestation et de l'éveil.
Qu'en est-il aujourd'hui, trente ou quarante ans après cette
percée dans la littérature philosophique et théologique euro-
péenne ?

Il faut bien avouer que nous sommes moins au clair aujour-
d'hui sur la signification philosophique de Kierkegaard. Penseur protestataire ? Mais contre quoi ? D'une seule voix nous
répétons, avec Kierkegaard lui-même : contre le système,
contre Hegel, contre l'idéalisme allemand. Penseur éveillant ?
Mais à quoi ? La vogue de Kierkegaard nous invite à
répondre : à l'existentialisme. Ce sont ces deux évidences
préalables que je voudrais m'exercer à mettre en doute, afin
d'ébaucher une seconde lecture que nous avons préparée
dans la précédente méditation – lecture qui serait peut-être
susceptible de donner un nouveau futur à l'œuvre de Kierkegaard, la première ayant maintenant épuisé toutes ses possibilités.

Commençons par le premier doute : Kierkegaard, père de
l'existentialisme ? Avec le recul de quelques décennies, cette
classification n'est plus qu'un trompe-l'œil, peut-être la
manière la plus habile de l'apprivoiser en le cataloguant dans
un genre connu. Nous sommes aujourd'hui mieux préparés à
convenir que cette famille de philosophies n'existe pas ; du
même coup, nous sommes prêts à rendre sa liberté à Kierkegaard de ce côté-là. Nous voyions en lui l'ancêtre d'une
famille où Gabriel Marcel, Karl Jaspers, Heidegger et Sartre

seraient cousins. Aujourd'hui, l'éclatement du groupe, si jamais il exista ailleurs que dans les manuels, est évident : l'existentialisme, comme philosophie commune, n'existe pas, ni dans ses thèses principales, ni dans sa méthode, ni même dans ses problèmes fondamentaux ; Gabriel Marcel préfère se faire nommer néosocratique et Jaspers souligne sa solidarité avec la philosophie classique ; l'ontologie fondamentale de Heidegger a éclaté vers une pensée méditante, archaïsante et poétique. Quant à Sartre, il considère son propre existentialisme comme une idéologie qui doit être réinterprétée dans le cadre du marxisme ; ces deux cas extrêmes sont le signe qu'il est moins éclairant, maintenant que vingt ans plus tôt, de prendre l'existentialisme comme une clef pour une interprétation pénétrante de Kierkegaard.

Ce premier doute est encouragé par notre lecture du *Concept de l'angoisse* et de *La Maladie à la mort* ; nous y avons trouvé un penseur qui transpose une expérience vive dans une dialectique acérée, qui imagine abstraitement des stades de l'existence, plus construits que vécus, et les élabore par le moyen d'une dialectique rompue : fini-infini, possible-actuel, inconscient-conscient, etc. Le soupçon nous est venu que cette dialectique rompue pouvait avoir plus d'affinité avec son meilleur ennemi – Hegel – qu'avec ses héritiers présomptifs.

Mais ce soupçon est immédiatement barré par une conviction en apparence plus forte : il est entendu que Kierkegaard est antihégélien ; il le dit ; il ne dit peut-être même que cela ; bien plus, il est entendu qu'il inaugure une nouvelle ère de la pensée, à la suite de l'idéalisme allemand : l'ère de la post-philosophie ; on tient ainsi pour acquis que la philosophie a atteint sa fin avec Hegel, que le discours philosophique est complet avec et par lui et que, après Hegel, quelque chose d'autre apparaît, qui n'est plus le discours. Cette interprétation de la pensée moderne est encouragée par la convergence des attaques de Marx, de Nietzsche et de Kierkegaard contre l'idéalisme. La protection de l'individu seul devant Dieu, le nihilisme européen et la transvaluation des valeurs, la réalisation de la philosophie comme praxis révolutionnaire, ces trois grandes tendances de la pensée moderne représenteraient la fin de la philosophie, conçue comme discours total, et le commencement de la postphilosophie.

Cette association de Kierkegaard avec Nietzsche et Marx est-elle plus éclairante que son incorporation au prétendu existentialisme ?

Je ne suis pas sûr que ce concept de la fin de la philosophie soit plus clair que celui de l'existentialisme. Mon doute est double : qui termine la philosophie ? Hegel ? Est-ce sûr ? Quant à la trilogie de la postphilosophie, est-elle réellement extérieure et étrangère à l'idéalisme allemand ?

Oui, qui termine la philosophie ? Nous admettons que Kant, Fichte, Schelling et Hegel forment une unique séquence qui atteint son sommet dans l'*Encyclopédie des sciences philosophiques* de Hegel ; mais cette présupposition est déjà une interprétation hégélienne de l'idéalisme allemand ; nous oublions que Schelling a enterré Hegel et, si j'ose dire, de loin ; nous négligeons toute la richesse inexplorée de Fichte et du dernier Schelling ; et, surtout, nous nous méprenons sur Hegel lui-même. Peut-être, après tout, sommes-nous victimes de la mauvaise lecture que Kierkegaard et Marx en firent. Une nouvelle lecture de Kierkegaard est sans doute solidaire d'une nouvelle lecture de Fichte, de Schelling et de Hegel lui-même. Mais je veux pousser plus loin mon doute concernant le concept même de l'achèvement de la philosophie occidentale et suggérer que les prétendues postphilosophies appartiennent à l'ère philosophique de l'idéalisme allemand. Heidegger a montré avec quelque vraisemblance que Nietzsche accomplit l'un des vœux de la pensée occidentale ; si cette pensée est animée par la magnification de la subjectivité, par l'accomplissement du subjectum comme sujet, Nietzsche réalise cette requête philosophique de la pensée occidentale. Si nous disons, au contraire, avec Marx cette fois, que la philosophie jusqu'à maintenant a « considéré le monde sans le changer », Kierkegaard et Nietzsche appartiennent encore aux philosophies du discours. Pour Nietzsche, à son tour, Marx est encore dévoué aux idéaux de la foule, à la mythologie de la science – « notre dernière religion » –, le dernier rejeton du christianisme et du platonisme. Pour un lecteur de Kierkegaard, Marx est encore un hégélien, mais pour de tout autres raisons : dans la mesure où la dialectique de l'histoire est encore une logique de la réalité, Marx représente l'accomplissement même du postulat hégélien que le réel est rationnel et le rationnel réel.

Si j'ai joué ainsi de Schelling contre Hegel, de Hegel contre lui-même, de Nietzsche, de Kierkegaard et de Marx l'un contre l'autre, c'est seulement pour rendre douteuse l'idée même d'accomplissement ou de fin de la philosophie occidentale et pour libérer la lecture de Kierkegaard de ce schématisme et de ce préjugé. Nous sommes maintenant prêts pour la question : comment peut-on philosopher après Kierkegaard ? Nous ne sommes plus contraints de séparer son destin de celui de l'idéalisme allemand et de le rendre tributaire de l'existentialisme.

Ma réponse comporte trois degrés. Je veux d'abord mettre de côté les aspects proprement *irrationnels* de Kierkegaard. Je veux ensuite considérer sa contribution à une *critique des possibilités existentielles*. Enfin, je veux mettre en relation cette critique avec l'*idéal du discours philosophique comme système*.

L'« EXCEPTION »

Il est un aspect de Kierkegaard qui ne peut être continué ni par le philosophe ni par le théologien. Cette part est son existence incommunicable ; mais il y a une part qui peut être continuée, parce qu'elle appartient à l'argumentation philosophique, à la réflexion et à la spéculation ; cette part est représentée par les pseudonymes. On ne peut pas philosopher après l'existant Kierkegaard, mais peut-être après ses pseudonymes dans la mesure où ils appartiennent à la même sphère philosophique que l'idéalisme allemand.

Considérons la première face de ce paradoxe. D'un côté, Kierkegaard se tient en dehors de la philosophie et de la théologie. La question à laquelle nous sommes ici confrontés est celle de la *génialité*, comme *source non philosophique de la philosophie*. J'accorde même que le champ de cette génialité s'étend fort loin : il couvre non seulement le Kierkegaard réel – et inconnu – mais aussi le Kierkegaard mythique créé par ses propres récits. Tout le monde accorde que le roman de son existence effective constitue quelque chose d'unique dans l'histoire de la pensée : le dandy de Copenhague, l'étrange fiancé de Régine, le célibataire à l'écharde dans la chair, l'insupportable censeur de l'évêque Mynster, la douloureuse victime du *Corsaire*, l'agonisant de l'hôpital public – aucun de ces personnages ne peut être répété ni même correctement compris. Mais quelle existence le pourrait ?

Mais le cas de Kierkegaard est plus singulier encore : personne n'a réussi comme lui à transporter sa propre biographie dans une sorte de mythe personnel ; par son identification à Abraham, à Job, à Ahasvérus et à d'autres personnages fantastiques, il a élaboré une sorte de personnalité fictive qui recouvre et dissimule entièrement son existence réelle ; cette existence poétique est aussi peu située dans le cadre et le paysage de la communication ordinaire qu'un personnage de roman ou, mieux, qu'un caractère extrême de la tragédie shakespearienne. Oui, ce qui est offert et refusé à la compréhension philosophique, c'est un caractère, un personnage, créé par ses propres ouvrages ; c'est un auteur, fils de ses œuvres, un existant qui s'est irréalisé lui-même et s'est ainsi soustrait aux prises de toute discipline connue. Car il n'appartient même pas à ses propres « stades sur le chemin de la vie » ; il ne fut pas assez don Juan, pas assez séducteur pour être esthète ; il ne réussit pas à être l'homme de l'éthique, puisqu'il n'eut pas de métier pour gagner sa vie, qu'il ne fut ni époux ni père et s'exclut du programme de l'éthique dépeint par le conseiller Wilhelm ; sa famille avait bien raison : « Comment ne pas être mélancolique quand on mange de cette façon sa propre fortune ! » Mais fut-il religieux au sens qu'il dit ? Le christianisme qu'il dépeint est si extrême que personne ne peut le pratiquer ; le penseur subjectif devant Dieu, le pur contemporain du Christ, crucifié avec Lui, sans Église, sans tradition, sans culte, est hors de l'histoire. « Je suis le poète du religieux », dit-il. Je pense qu'il faut le prendre au mot. Mais qu'est-ce que cela veut dire ? Nous n'en savons rien. Kierkegaard est quelque part, dans les intervalles de ses stades, dans les entre-deux, dans les passages, comme un abrégé du stade esthétique et du stade religieux qui sauterait le stade éthique. Il échappe ainsi à l'alternative qu'il a lui-même posée dans *Ou bien… ou bien*. Kierkegaard est introuvable selon ses propres catégories. Il faudrait concevoir la coïncidence inouïe de l'ironie, de la mélancolie, de la pureté du cœur, de la corrosive rhétorique, y ajouter une pointe de bouffonnerie, enfin couronner le tout par l'identité de l'esthétisme religieux et du martyre…

Oui, Kierkegaard est une « exception » ; il faut non seulement le redire, mais en approfondir la conviction, c'est-à-dire
lire Kierkegaard, puis le laisser être ce qu'il est où il est :
hors philosophie et hors théologie. Je dis bien : le laisser être
ce qu'il est ; il ne sert de rien de le corriger, de le réfuter, de le
compléter. Ah ! dit l'un, s'il avait un peu plus le sens du pardon et un peu moins celui de la culpabilité ; un peu plus de
culpabilité collective et un peu plus le sens de l'Église ! Ah !
dit un autre, s'il avait un peu plus le sens de la communauté,
du dialogue ! Ah ! dit un troisième, qui en rajoute, s'il avait
un peu plus le sens de l'histoire, un peu plus de respect pour
la foule et d'affection pour le peuple ! Ah ! dit un dernier,
s'il avait un peu plus de simplicité, de clarté, de cohérence !
Qui de nous, philosophes, politiques ou théologiens, n'a pas
murmuré en ce sens contre Kierkegaard ? Vous sentez bien
que tout cela est ridicule et vain : corrigez-vous Othello ou
Cornélia ? ou le Bourgeois gentilhomme ? Nietzsche disait :
« On ne réfute pas un son ! » Ce qu'on ne réfute pas, en Kierkegaard, c'est l'existant, l'existant réel, auteur de ses œuvres,
et l'existant mythique, fils de ses œuvres. On ne réfute pas
Kierkegaard, on le lit, on le médite, et ensuite on fait sa
tâche, « le regard fixé sur l'exception ».

Mais qu'est-ce que cela veut dire, pour le philosophe,
poursuivre sa tâche les yeux fixés sur l'exception ? Je pense
que c'est d'abord redécouvrir la relation intime de toute
pensée philosophique, de tout travail philosophique, avec la
non-philosophie. L'exception Kierkegaard, le génie rhéto-
rico-religieux, le dandy martyr ne constituent pas une situation unique. La philosophie a toujours affaire à la non-philosophie, parce que la philosophie n'a pas d'objet propre. Elle
réfléchit sur l'expérience, sur toute expérience, sur le tout de
l'expérience : scientifique, éthique, esthétique, religieuse. La
philosophie a ses *sources* hors d'elle-même. Je dis ses sources,
non son point de départ ; la philosophie est responsable de son
point de départ, de sa méthode, de son achèvement ; la philosophie cherche son point de départ ; elle va vers son point de
départ ; là-dessus, Pierre Thévenaz, notre cher et toujours
regretté Thévenaz, avait dit des choses convaincantes, décisives : la philosophie a son point de départ en avant d'elle.
Mais, si elle cherche son point de départ, elle reçoit ses
sources ; elle dispose de son point de départ, elle ne dispose

pas de ses sources, c'est-à-dire de ce qui la ravitaille et l'instruit en sous-œuvre. C'est ainsi que je comprends le mot de Karl Jaspers : « nous qui ne sommes pas l'exception, nous devons philosopher le regard fixé sur l'exception ». Kierkegaard, en tant que génialité esthético-religieuse, est l'une de ces sources, mais au même titre que Stirner, que Kafka, que Nietzsche, pour autant que Nietzsche doit être traité lui aussi comme génialité philosophique – ce qui le caractérise aussi peu complètement que Kierkegaard (mais je pense, ici, au Nietzsche de Sils-Maria, au Nietzsche qui démissionna de sa chaire de Bâle, au solitaire de l'Engadine, à l'auteur des aphorismes, au Nietzsche inventé par Zarathoustra, au Nietzsche interlocuteur de Dionysos et du Crucifié, au Nietzsche sombrant dans la folie, semblable en cela à l'insulteur de l'évêque et au martyr Kierkegaard). Je dis donc : la philosophie est en débat avec Kierkegaard comme avec tout génie non philosophique ; sa tâche propre reste de chercher le principe ou le fondement, l'ordre ou la cohérence, la signification de la vérité et de la réalité ; sa tâche est réflexive et spéculative.

Telle est la première réponse ; mais chacun sent que cette manière de reconnaître le génie esthético-religieux de Kierkegaard est aussi une manière de l'exiler hors de la philosophie. Chacun sent que Kierkegaard n'est pas – ou n'est pas seulement – le non-philosophe. Kierkegaard nous embarrasse parce qu'il se tient, par rapport à la philosophie, à la fois au-dehors et au-dedans.

LA CRITIQUE DES POSSIBILITÉS EXISTENTIELLES

Kierkegaard s'est poussé lui-même à l'intérieur de la philosophie et de la dogmatique chrétienne ; cela rend plus inconfortable, plus insupportable le rapport que nous avons avec lui. Ce qu'il nous faut maintenant prendre en compte, ce n'est plus sa génialité – réelle ou fictive, biographique ou mythique, celle du *Journal* et celle de la transposition poétique de son expérience vive –, mais son argumentation. Nous avons déjà été conduits à cette face inverse de la question kierkegaardienne par l'énigme des pseudonymes ; si

Kierkegaard se tient à l'extérieur de la philosophie, Constantin Constantius, Johannes de Silentio, Virgilius Haufniensis – noms allégués de Søren Kierkegaard – sont des auteurs philosophiques. Or le problème des pseudonymes, c'est celui de la communication indirecte ; et la communication indirecte, à son tour, repose sur un mode propre d'argumentation. Nous ne pouvons donc pas nous borner à reconnaître en Kierkegaard l'exception, puis à lui donner son congé, sous le prétexte qu'il est l'exception géniale ; il exige lui-même d'être des nôtres par sa terrible puissance d'argumentation. Nous sommes à nouveau confrontés à une question que nous avons dû laisser plus haut sans réponse : Kierkegaard, disions-nous, non seulement argumente, mais élabore des concepts : *concept* de l'angoisse, concept du désespoir, concept du péché, concept de position. Il ne se borne même pas à édifier des concepts, il construit, en outre, sur le terrain même de la dialectique hégélienne, une antidialectique, faite d'oppositions non résolues, qu'il appelle paradoxes ; or le paradoxe est encore une structure logique, celle qui convient au type de démonstration requise par la problématique de l'existant, de l'individu devant Dieu. Il faudrait ici considérer l'œuvre la plus extraordinaire de Kierkegaard, le *Post-Scriptum non scientifique aux « Miettes philosophiques »*. C'est maintenant tout un réseau de catégories qui se déploie : l'éternité et l'instant, l'individu, l'existant, le choix, l'unique, la subjectivité, le devant Dieu, l'absurde. Ce n'est plus de la non-philosophie, c'est de l'hyper-philosophie, jusqu'à la caricature et la dérision. C'est pourtant à ce niveau, celui des *catégories de l'existant*, que se pose le problème décisif, celui de la logique du discours kierkegaardien.

Or ce problème ne peut être abordé de face sans une totale réévaluation des rapports entre Kierkegaard et l'idéalisme allemand. La seconde lecture de Kierkegaard est nécessairement aussi une seconde lecture de l'idéalisme allemand. Mais cette lecture requiert d'abord que soit déliée l'apparente logique de la séquence « de Kant à Hegel », pour rappeler le titre du grand livre de Kröner. Je donnerai quelques suggestions en vue de cette seconde lecture.

En un sens, Kierkegaard appartient déjà au mouvement général de la philosophie allemande, après 1840, que l'on a appelé « le retour à Kant ». La phrase que nous citions dans la première étude : « Le paradoxe requiert la foi, non la compréhension », ramène invinciblement au mot fameux de Kant : « J'ai dû abolir le savoir pour établir la croyance. » Le champ de comparaison doit même être élargi : la fonction philosophique du paradoxe, chez Kierkegaard, est voisine de la fonction philosophique de la limite chez Kant ; on peut même dire que la dialectique rompue de Kierkegaard a quelque affinité avec la dialectique kantienne, comprise comme une critique de l'illusion. C'est, dans les deux cas, par le moyen d'un discours brisé que l'essentiel peut être dit. Il y a ainsi quelque chose, chez Kierkegaard, qui ne peut être dit sans un arrière-plan kantien et il y a quelque chose, chez Kant, qui ne prend son sens que par le moyen de la lutte kierkegaardienne avec le paradoxe.

J'accorde que cette confrontation avec Kant est moins satisfaisante que toutes celles que nous allons considérer ; c'est seulement dans une perspective philosophique où la seule alternative serait entre Kant et Hegel que cet apparentement s'impose. Finalement, Kierkegaard n'est pas un penseur critique, au sens kantien du mot : les questions de condition de possibilité ne l'intéressent pas, du moins en tant que problème épistémologique. Mais ne peut-on dire que ses catégories de l'existence constituent un nouveau genre de critique, une *critique de l'existence*, et qu'elles concernent la possibilité de *parler* de l'existence ? Être un existant n'est aucunement une expérience mystique condamnant au silence ; Kierkegaard n'est pas du tout un intuitionniste ; c'est un penseur réflexif. Pour établir une parenté plus profonde entre Kierkegaard et Kant, il faut dépasser une seconde opposition, qui concerne précisément la structure de la réflexion ; la réflexion kantienne obéit à un modèle précis, fondé sur la dissociation, au sein même de l'expérience, entre l'*a priori* et l'*a posteriori* ; ce formalisme a peut-être un sens et une fonction dans le champ de l'expérience physique ; je ne discute pas ce point ici ; mais sa transposition du domaine de la physique à celui de l'éthique est peut-être la clef de tous les échecs de la philosophie pratique de Kant : cette philosophie pratique est construite sur le modèle de la philosophie théorique et ramène le problème critique de l'action à la formalisation de l'impératif. Dès lors, ne pourrions-nous pas dire que les catégories kierkegaardiennes de l'existence constituent une réponse aux problèmes de la Raison pratique que Kant a conduite dans une impasse ? Les catégories de l'existence sont à l'éthique ce que les catégories de l'objectivité sont à la physique. Elles sont les *conditions de possibilité d'une expérience*, non de l'expérience physique ou d'une expérience parallèle à l'expérience physique, mais d'une expérience fondamentale, *celle de la réalisation de notre désir et de notre effort pour être.*

Or cette libération de la raison pratique du carcan du formalisme nous conduit de Kant à Fichte. Comme je l'ai dit en commençant, Fichte et Schelling sont les penseurs les plus méconnus de cette période et aussi les plus constamment pillés. Tout ce qui est fort et valable dans la philosophie moderne et qui ne vient ni de Kant ni de Hegel a été engendré par Fichte ou par Schelling. Je suis convaincu qu'une meilleure attention portée à Fichte et à Schelling pourrait renouveler notre lecture de Kierkegaard. Je donne seulement deux échantillons de cette lecture renouvelée ; comme on sait, Fichte oppose la *Tathandlung* à la *Tatsache*, l'*acte* au *fait*. Cette distinction entre acte et fait fournit le sol philosophique pour toute théorie de l'action, pour toute éthique qui serait irréductible à une simple théorie du devoir. La tâche d'une philosophie de l'existence est alors d'élaborer les conditions de possibilité et les conditions de réalisation de cet acte d'exister. Je ne dis pas que tout Kierkegaard est impliqué dans cette problématique fichtéenne, je dis seulement que la structure de la problématique fichtéenne détermine le champ, le sol dans lequel et sur lequel l'expérience kierkegaardienne peut être *dite*. Ce n'est pas l'expérience kierkegaardienne comme telle qui est en jeu ici, mais le discours kierkegaardien qui trouve ici l'instrument philosophique de sa communication.

Allons plus loin, avec une seconde remarque qui ne concerne plus seulement Fichte, mais aussi Schelling. Nous sommes trop habitués à considérer l'idéalisme, l'idéalisme allemand, comme un pur jeu d'abstractions. Or le grand problème de l'« idéalisme » fut au contraire le problème de la réalité. L'idéalisme signifie d'abord et radicalement que la distinction entre idéal et réel est elle-même purement idéale. Avec la dernière philosophie de Schelling, la finitude humaine, en tant qu'elle a une structure propre, devient irréductible à la limitation d'un objet par un autre, et la connexion entre finitude, liberté et mal reçoit une signification philosophique propre. Le problème n'est plus seulement émotionnel, pathétique, voire poétique : c'est le problème philosophique de la réalité finie.

Telles sont les trois structures philosophiques, reçues de Kant, de Fichte et de Schelling, qui donnent au *discours* kierkegaardien sa dimension philosophique : d'abord, l'idée kantienne d'une critique de la Raison pratique distincte d'une critique de l'expérience physique.

Ensuite, la distinction fichtéenne entre acte et fait, ainsi que la définition d'une philosophie pratique par les conditions de possibilité et de réalisation de l'acte d'exister.

Enfin, la problématique schellinguienne de la réalité finie, et plus précisément la connexion entre finitude, liberté et mal.

Il me semble donc que philosopher après Kierkegaard, c'est à la fois revenir en arrière de Kierkegaard, vers cette triple problématique, la libérer du joug hégélien et montrer en retour qu'elle n'accomplit son sens – ou du moins l'un de ses sens – que dans l'expérience vive de Kierkegaard.

CRITIQUE ET SYSTÈME APRÈS KIERKEGAARD

Nous sommes prêts maintenant pour une ultime confrontation : la confrontation dans laquelle se réfléchit pour nous le conflit, dramatique, existentiel, qui oppose totalement Kierkegaard à Hegel. Cette ultime confrontation nous ramène à notre point de départ. Nous sommes partis d'une opposition simple et naïve entre Kierkegaard et Hegel. Cette opposition ne peut être contestée. La question n'est d'ailleurs pas de l'atténuer, mais précisément de la *penser* comme une opposition *signifiante*. Cette opposition appartient à l'intelligence de Kierkegaard. Elle signifie que Kierkegaard ne peut décidément pas être compris sans Hegel. Ce n'est pas seulement un trait biographique, une rencontre fortuite, mais une structure constitutive de la pensée kierkegaardienne, d'être impensable sans Hegel. Comprendre droitement cette situation paradoxale est la condition ultime d'une nouvelle *lecture* de Kierkegaard.

Partons de ce que dit – ou pourrait dire – le penseur hégélien sur Kierkegaard : selon lui, le discours kierkegaardien est seulement une partie du discours hégélien ; il est même possible de le situer avec une grande précision dans le système : c'est le discours de la « conscience malheureuse » ; sa place, son lieu logique n'est même pas à la fin, mais au début de la *Phénoménologie de l'esprit* ; la preuve que Kierkegaard est inclus dans le système, le discours kierkegaardien lui-même la fournit : comme il a perdu la clef d'une dialectique authentique, qui serait le mouvement même des contenus, le propre dépassement de ces contenus par la contradiction et par la médiation, Kierkegaard est condamné à remplacer cette dialectique authentique par un jeu artificiel de paradoxes, par une dialectique brisée qui reste une rhétorique du pathos, voilée par une didactique laborieuse. Ainsi considéré, Kierkegaard est seulement le parasite du système, qui tour à tour le récuse et en invente un simulacre dérisoire.

Le penseur kierkegaardien doit accepter cette réplique hégélienne comme susceptible d'avoir un sens. Être le « bouffon », le « traître » de la philosophie, cela aussi appartient à la vocation de Kierkegaard. Seul l'homme qui a le courage d'assumer ce rôle peut s'appeler lui-même penseur existentiel et écrire quelque chose comme un « post-scriptum définitif et non scientifique aux Miettes philosophiques ». Le titre lui-même indique que la dérision appartient à la structure même du discours kierkegaardien ; c'est pourquoi le destin de ce discours ne peut être séparé de celui de la philosophie hégélienne.

Mais cette liaison par le moyen de la dérision est elle-même le signe d'une relation encore plus intime qui ne peut être discernée que par le moyen d'une seconde lecture de Hegel lui-même. L'allégation du penseur hégélien selon laquelle Kierkegaard est ou bien exclu du système par son propre discours, en tant que dénué de sens, ou bien inclus à titre de discours partiel – disons celui de la « conscience malheureuse » – présuppose que le système existe. Or nous avons à redécouvrir que la possibilité du système est à la fois une présupposition et une question pour Hegel lui-même. La vérité de l'opposition entre Kierkegaard et Hegel ne peut être entendue sans une mise en question du système par Hegel lui-même.

Ainsi Kierkegaard et Hegel doivent-ils être remis en question ensemble et l'un par l'autre. Considérons seulement trois points critiques qui résultent de ce mutuel ébranlement :

1. *La Phénoménologie de l'esprit* nous a servi à mettre en question le sens même de l'entreprise de Kierkegaard. Mais quelle est en retour la situation réelle de la *Phénoménologie de l'esprit* dans le système total ? On ne peut se contenter de dire qu'elle est une propédeutique à la logique ; n'y a-t-il pas une secrète discordance entre une histoire exemplaire de l'esprit et une logique de l'absolu ? La richesse prodigieuse de cette histoire, qui constitue pour ainsi dire le gigantesque roman de l'humanité, n'excède-t-elle pas toute récapitulation par le système ?

À la faveur de cette mutuelle mise en question, au niveau même de la « conscience malheureuse », une curieuse parenté se dessine entre Kierkegaard et le Hegel de la *Phénoménologie de l'esprit* : ne sont-ils pas du même côté, contre toute espèce de rationalisme plat, contre l'*Aufklärung* ? La lutte entre Hegel et Kierkegaard apparaît soudain sous un nouveau jour. Kierkegaard n'est ni inclus ni exclu par un système qui reste une question pour lui-même ; le conflit entre deux sortes de dialectiques pose une question à chacune : une dialectique brisée est-elle pensable sans une philosophie de la médiation ? Une philosophie de la médiation peut-elle être conclusive ? De cette manière, l'opposition entre la dialectique hégélienne et la dialectique kierkegaardienne devient elle-même une figure dialectique qui demande à être comprise pour elle-même et à constituer une nouvelle structure du discours philosophique.

Si l'on accepte cette interprétation générale de la relation entre Hegel et Kierkegaard comme une opposition qui doit devenir elle-même un moment du discours philosophique, il est peut-être possible de découvrir une signification plus profonde, à la fois de Hegel et de Kierkegaard, sur deux autres points fondamentaux : celui de la critique de l'éthique et celui de la signification de la foi religieuse.

2. J'insiste d'abord sur le premier point que l'on pourrait omettre ou méconnaître : la situation paradoxale est que l'on trouve, chez Hegel et chez Kierkegaard, une critique du stade

éthique de l'existence. Mais si le kantisme, considéré dans l'ensemble, représente pour Hegel la « vision éthique du monde », l'hégélianisme, à son tour, représente pour Kierkegaard le « stade éthique de l'existence ». Cette rencontre et cette méprise sont pleines de sens. Elles conduisent à la question : « Quelle est la signification du stade éthique ? »

Hegel répond : c'est l'opposition entre l'idéal et le réel, la diffamation du réel au nom de l'idéal, et, à titre ultime, toute position de transcendance exilée de la réalité raisonnable ; c'est cette transcendance qui rend possible la conscience jugeante, la conscience qui discrimine et condamne. Pour Hegel, par conséquent, toute philosophie qui recourt à l'opposition du ciel et de la terre, de Dieu et du monde, de la transcendance et de l'immanence est encore une vision éthique du monde et doit être surmontée : en ce sens, le « devant Dieu » de Kierkegaard relève encore de la vision éthique du monde et doit être surmonté ; le penseur hégélien ajoutera à cette critique un aveu : si Kierkegaard dépasse sa propre vision éthique du monde, c'est parce qu'il introduit une autre idée, celle de la contemporanéité entre le croyant et le Christ ; mais c'est une relation poétique qui court-circuite le discours ; elle ne pourrait être pensée que comme une intériorisation du « devant Dieu » par laquelle la philosophie de la transcendance est surmontée dans une philosophie de l'amour ; mais si cette dernière peut encore être dite, elle doit aussi être pensée. Comment le serait-elle en dehors de catégories qui attestent le triomphe de la religion de l'Esprit sur la religion du Père, à travers la méditation de la mort du Fils ? Or cela est le thème même de la philosophie hégélienne de la religion. Telle est la lecture hégélienne de Kierkegaard, qui doit être acceptée par le penseur kierkegaardien, de la même manière qu'il lui a fallu accepter sa propre inclusion dans la *Phénoménologie de l'esprit* sous le titre de la « Conscience malheureuse ».

Mais cette seconde critique et cette seconde tentative pour inclure Kierkegaard sont aussi peu décisives que les premières. Il *faut* entendre ici la critique kierkegaardienne du stade éthique, afin de comprendre Hegel lui-même : Hegel *demeure* au stade éthique, parce qu'il réduit l'individu au général, le penseur subjectif à la pensée objective impersonnelle. La proposition principale de toute philosophie hégélienne – « le rationnel est le réel, le réel est le rationnel » –, cette proposition résonne comme la prescription de toute pensée éthique qui réduit l'individuel au général. Or cette proposition exprime l'omission hypocrite de l'existant Hegel ou son assomption délirante au rang de l'esprit.

Je pense que cette opposition entre Hegel et Kierkegaard doit être introduite comme telle dans le discours philosophique. D'un côté, la distance entre le totalement autre et l'homme ne peut être pensée sans l'idée d'une relation inclusive qui met fin à l'idée de pure transcendance ; dès que l'on parle de transcendance, on pense une totalité qui embrasse la relation entre l'Autre et moi-même ; en ce sens, l'idée de transcendance se supprime elle-même. Hegel aura toujours raison contre toute prétention à penser la distance infinie entre l'absolument autre et l'homme ; en ce sens aussi, toute vision éthique se nie elle-même dès l'instant qu'elle tente de s'énoncer. D'un autre côté, ce point de vue sans point de vue d'où l'on verrait l'identité profonde du réel et du rationnel, de l'existant et du signifiant, de l'individu et du discours n'est donné nulle part. Il faut toujours, avec Kierkegaard, revenir à cet aveu : je ne suis pas le discours absolu ; exister, c'est ne pas savoir, au sens fort du mot ; toujours la singularité renaît en marge du discours. Il faut donc un autre discours qui en tienne compte et le dise.

3. Une nouvelle phase de la même lutte se déclare à propos du problème de la foi religieuse. Pour Hegel, la religion est seulement une introduction à la philosophie, conçue comme savoir absolu. Pour Kierkegaard, il n'y a pas d'au-delà de la foi, puisqu'elle est la réponse gracieuse de Dieu au mal dont il n'y a pas de science ; l'opposition paraît donc totale. Mais sommes-nous sûrs que cette opposition soit une alternative ? Ne devrons-nous pas prendre comme un tout les deux philosophies opposées de la religion ? Ce n'est plus au niveau de la « conscience malheureuse » qu'il faut se tenir, mais au niveau du chapitre VII de la *Phénoménologie de l'esprit*, qui contient la véritable philosophie de la religion de Hegel et qui n'a guère varié jusqu'aux *Leçons sur la philosophie de la religion* de 1820-1821. Ce chapitre pose un problème qui éclaire Kierkegaard et que Kierkegaard éclaire : c'est celui du langage religieux et en général de la *représentation*. En

un sens, la religion ne peut être transcendée – du moins celle que Hegel appelle la religion vraie ou religion révélée – parce qu'elle est à la fois l'agonie de la représentation et la représentation de l'agonie, au seuil du savoir absolu. Mais ce savoir absolu n'est pas le nôtre ; nous ne pouvons guère dire que ceci : il y a le savoir absolu ; c'est pourquoi la représentation est à la fois dépassée et maintenue. Dès lors, la religion ne saurait être abolie par quelque chose d'extérieur à elle ; il lui est demandé de vivre sa propre agonie et de comprendre son sens comme étant celui de sa propre suppression. Mais elle est, elle est précisément cette suppression, cette mort des idoles, des figures, des représentations, cette mort de Dieu qu'il lui faut vivre et penser comme sa propre vérité, dans la communauté religieuse et dans le culte.

Nous avons ainsi atteint le point où l'opposition entre le système hégélien et le penseur subjectif et passionné est devenu pleinement signifiant. Le rapport entre Hegel et Kierkegaard est lui-même devenu paradoxe ; la raison de ce paradoxe réside dans la fonction philosophique de l'idée de système ; peut-être avons-nous découvert ou redécouvert que le système est à la fois la requête ultime de la philosophie et son but inaccessible. La religion est cette place du discours philosophique où la nécessité de transcender les images, les représentations et les symboles peut être contemplée, en même temps que l'impossibilité de leur donner congé. C'est ici « le lieu » où Hegel et Kierkegaard luttent l'un contre l'autre ; mais cette lutte elle-même fait désormais partie du discours philosophique.

Je voudrais maintenant rassembler les réponses partielles que j'ai successivement données à la question : « Comment peut-on philosopher après Kierkegaard ? »

Premièrement, la philosophie est toujours en relation avec la *non-philosophie*. En ce sens, le côté irrationnel de l'expérience de Kierkegaard est une source de la philosophie au même titre que toute génialité. Si l'on coupe le lien vital entre philosophie et non-philosophie, la philosophie court le risque de n'être plus qu'un simple jeu de mots et, à la limite, un pur nihilisme linguistique.

Deuxièmement, Kierkegaard n'est pas seulement le génie romantique, l'individu, le penseur passionné ; il inaugure une nouvelle manière de philosopher que nous avons appelée une *critique des possibilités existentielles*. Ce discours sur l'existence n'est plus l'expression poétique d'une émotion, c'est un genre de pensée conceptuelle, qui a ses propres règles de rigueur, son propre type de cohérence et qui requiert une logique propre. Nous pourrions dire, en usant d'un terme heideggérien, que le problème est de passer de l'existentiel à l'existential, de la décision personnelle à des structures anthropologiques. L'élaboration de ce discours exige la relecture conjointe de Kierkegaard et de l'idéalisme allemand. Kierkegaard, en ce sens, accomplit l'exigence kantienne de philosophie pratique, distincte de la critique de l'expérience physique ; en même temps, son analyse existentielle trouve son sol philosophique, d'abord dans la distinction fichtéenne de l'acte et du fait (de l'acte d'exister et des faits existants), deuxièmement, dans la philosophie schellinguienne de la réalité qui, la première, a lié ensemble les problèmes de la finitude, de la liberté et du mal.

Troisièmement, nous sommes revenus, pour finir, au problème initial de l'opposition entre l'individu et le système ; ce conflit nous a paru être bien autre chose qu'une alternative face à laquelle nous serions condamnés à choisir. Une nouvelle situation philosophique procède de ce conflit qui nous invite, d'une part, à relire la *Phénoménologie de l'esprit* et la *Philosophie de la religion* de Hegel à la lumière de la dialectique kierkegaardienne et, d'autre part, à situer les paradoxes de Kierkegaard dans le champ de la philosophie hégélienne de la « représentation » et du savoir absolu.

Puissent ces réponses partielles nous garder de céder à l'alternative désastreuse du rationalisme et de l'existentialisme. La science n'est pas tout. Mais, outre la science, il y a encore la pensée. La question de l'existence humaine ne signifie pas la mort du langage et de la logique ; au contraire, elle requiert un surcroît de lucidité et de rigueur. La question : « Qu'est-ce qu'exister ? » ne peut être séparée de cette autre question : « Qu'est-ce que penser ? » La philosophie vit de l'unité de ces deux questions et meurt de leur séparation.

*Entre Gabriel Marcel
et Jean Wahl*

Réflexion primaire et réflexion seconde
chez Gabriel Marcel
(1984)

La Société française de philosophie a souhaité commémorer de façon publique le dixième anniversaire de la mort de Gabriel Marcel et m'a confié le soin d'évoquer ce soir quelques traits majeurs de la pensée de celui qui fut l'un de mes maîtres, et pour lequel j'ai gardé une reconnaissance qui ne s'est pas effacée au cours des ans, ou pour mieux dire des décennies.

Le point de départ de ma contribution a été celui-ci : j'ai observé combien il était facile de transformer en formules toutes faites et exsangues ce qui fut pour Gabriel Marcel l'enjeu d'une dure conquête et d'une investigation indéfiniment reprise et jamais satisfaite d'elle-même. Ainsi, des expressions telles que : fidélité, Toi suprême, désespoir, trahison, monde cassé, être et avoir, refus et invocation, problème et mystère, etc., flottent autour de la mémoire de Gabriel Marcel comme les emblèmes d'une pensée défunte. Mon problème est de ranimer l'esprit d'exploration, de restituer le style d'itinérance que ces termes embaumés menacent d'occulter. Comme je le dis dans mon « Argument », je veux réfléchir sur les aspects de l'œuvre de Gabriel Marcel qui font, au contraire de son auteur, « un penseur difficile, incommode, rebelle aux répétitions édifiantes ». Pour ce faire, je me suis proposé d'accompagner les investigations qui conduisent d'une critique de la réflexion primaire à l'élaboration fragmentaire et précaire d'une nouvelle sorte de réflexion appelée seconde, constitutive du moment proprement *philosophique* de la pensée marcellienne. De nombreux textes de Gabriel Marcel attestent que ce thème de la réflexion seconde a pris la relève de la dialectique acérée et laborieuse du *Journal métaphysique*[1],

---

1. Paris, Gallimard, 1927.

tenu entre 1913 et 1914. Il n'est pas un thème de la pensée de
Marcel qui ne soit conquis sur un premier mouvement
réflexif, où il discerne un obstacle, un principe d'occultation,
opposés à la découverte des expériences fondatrices, qui à
leur tour opposent une résistance à la résistance. Il en résulte
que ces expériences fondatrices ne peuvent se transformer en
possession tranquille ; elles ne peuvent même pas trouver
d'emblée un langage adéquat, tant les concepts usuels et les
mots de notre philosophie restent tributaires de la réflexion
primaire. Seul un labeur de pensée qui sera en même temps
un travail de langage pourra, par une accumulation de rectifi-
cations, suggérer le concept approché, le mot le moins inadéquat, qui restituera l'équivalent réflexif des expériences fondatrices. La réflexion seconde, appelée quelquefois réflexion
récupératrice, n'est pas autre chose que ce travail de rectification, au niveau des concepts et des mots, par quoi la pensée
tente de s'égaler à ce que j'appelle dans mon « Argument »
les *noyaux d'irréductibilité*, constitutifs des expériences fondatrices. Ce rythme de pulsation, qui fait alterner le repérage
des obstacles opposés à l'expérience vive, l'accueil de cette
expérience (ou, comme on dira plus loin, de ces expériences
cardinales), le travail du concept et du langage suscité par
la restitution réflexive de ces expériences, définissent le style
d'investigation parfois si déroutant de Gabriel Marcel.

Parce que la pensée est aimantée par des expériences
tenues pour irréductibles, elle est affirmative, au sens où Jean
Nabert parlait d'affirmation originaire ; mais, parce que
cette affirmation ne peut se ressaisir que dans le travail
de concepts et de mots de la réflexion seconde, ce n'est pas
une pensée dogmatique. Inversement, dans la mesure où la
réflexion seconde procède par une rectification sans fin du
discours, c'est une pensée exploratoire, un néosocratisme, a
accepté de dire Gabriel Marcel ; mais, parce que l'investigation est gagée par des expériences majeures, ce n'est pas une
pensée interrogative, au sens fort donné à ce terme par la
chère Jeanne Delhomme, qui partagea nos premiers entretiens chez Gabriel Marcel, et qui, si elle s'éloigna de notre
maître, ne rompit jamais avec lui. Ajouterai-je encore, antici-
pant sur ce qui sera mon dernier point, si la pensée de Gabriel
Marcel s'énonce elle-même comme pensée du mystère, ce
terme, selon une remarque enjouée de l'auteur, n'équivaut

pas à l'étiquette : défense de toucher ! Il marque plutôt l'invitation à *penser plus*, comme le dit Kant du symbole dans la *Critique de la faculté de juger* ; sensible au mystère, dirai-je en conséquence, cette pensée est rebelle à l'hermétisme. Pour achever de caractériser ce style d'investigation, je voudrais dire que ce qui faisait le plus horreur à Gabriel Marcel et qu'il appelait l'esprit de système, ou plus généralement l'esprit d'abstraction – et qu'il me reprochait parfois amicalement –, n'a jamais cautionné chez lui un laxisme de la réflexion et de l'expression. Le souvenir le plus vif que je garde des séances de travail, que généreusement il dirigeait à son domicile au bénéfice d'étudiants comme nous, puis de jeunes et de moins jeunes chercheurs, est celui d'un ton d'investigation marqué par le souci de l'exemple topique, de l'explication rigoureuse, de l'expression précise et juste. J'accorde volontiers que ce style singulier de pensée et d'écriture n'a pu trouver de meilleur *médium* d'expression que le journal et l'essai court ou long. Encore les livres où se recueillent ces articles ne manquent-ils ni d'articulation ni de progression réglée. Mais cette forme littéraire elle-même n'est précisément pas à mettre au compte d'une pensée relâchée, mais bien de ce style d'investigation que je résume ainsi dans mon « Argument » : « Une pensée affirmative, mais non dogmatique ; exploratoire, mais non interrogative ; sensible au mystère, mais rebelle à l'hermétisme ; hostile à l'esprit d'abstraction et de système, mais soucieuse de précision. »

Cela dit, je voudrais insister dans ce qui suit sur ce que j'appellerai d'un terme général le caractère *incoordonnable* aussi bien des domaines où s'exerce la réflexion primaire que des noyaux d'irréductibilité constitutifs des expériences qui gagent l'investigation et qui, selon une expression employée plus haut et empruntée à Gabriel Marcel lui-même, résistent à la résistance. Ce caractère *discontinu du front philosophique* m'est apparu, à la dernière relecture que je viens de faire de l'œuvre de Gabriel Marcel, comme l'une des clefs du caractère *non systématique* qui rapproche tant la pensée de Gabriel Marcel de celle de son ami Jean Wahl.

J'ai d'abord été frappé par le fait que le repérage des résistances de la réflexion primaire, qui se poursuit tout au long des écrits de Gabriel Marcel et qui est coextensif à la reconnaissance des expériences-noyaux, se fait par une série de coups de sonde bien distincts : en ce sens, on pourrait parler aussi bien des noyaux de résistance de la réflexion primaire que des noyaux d'irréductibilité de l'expérience fondatrice. Il existe certes une sorte d'affinité et de connivence entre ces noyaux – et j'en dirai quelque chose en parlant des expériences-passerelles –, mais l'esprit de précision dont je parlais plus haut exige de les circonscrire patiemment.

Dès le premier *Journal métaphysique*, on voit le complexe appareil dialectique de la première manière de Gabriel Marcel graviter autour de deux pôles distincts : d'une part, le *sentir*, la sensation, tenue pour la pierre de touche de l'indubitable, et, d'autre part, la *foi*, qui place le mouvement de confiance au-delà de l'opinion révocable, de la simple croyance. Deux sortes de déracinement – que j'appelle incoordonnables – se dessinent : le premier est un arrachement à l'*existence*, dont est responsable l'hypostase de l'objectivité, le second est une cécité à l'*être*, dont est responsable la réduction à l'ustensile, à la fonction, à la technicité du manipulable. On voit ainsi se cristalliser successivement une thématique de l'existence, résistant à la résistance de l'objectivité, puis une thématique de l'être et du mystère ontologique, opposée à l'universelle prétention à gérer le problématique ou, mieux, le problématisable. Les deux essais intitulés *Existence et Objectivité* et *Position et Approches concrètes du mystère ontologique* témoignent de cette polarité initiale de la méditation marcellienne : dans mon « Argument », j'ajourne jusqu'à mon troisième point la question de savoir si on pourrait stabiliser dans une dialectique ascendante de caractère linéaire un mouvement qui irait d'un indubitable en quelque sorte *horizontal*, lié au sentir et à l'incarnation, puis passerait par la reconnaissance du toi humain dans l'invocation et la fidélité, pour s'élever enfin à un irréductible *vertical*, qui serait le mystère ontologique. Si j'écarte comme trop schématique cette figuration linéaire de l'itinéraire de Gabriel Marcel, c'est parce que ni les foyers de résistance de la réflexion primaire ni les expériences-noyaux qui gagent l'investigation ne me paraissent constituer un front continu d'avancée.

C'est ce front discontinu que je veux d'abord explorer, tant du point de vue des points de résistance de la réflexion primaire que de celui des noyaux d'expérience qui donnent à penser sur le mode de la réflexion seconde.

J'ai retenu trois points de forage, pour rester dans le périmètre des métaphores marcelliennes.

L'attaque contre le *Cogito* cartésien constitue la critique la plus virulente, au point que, dans les *Entretiens* que j'eus l'honneur de partager avec Gabriel Marcel en 1968, celui-ci en vint à tempérer sa critique. Mais, venant lui-même de l'idéalisme – bradleyen, il est vrai –, c'est à l'ancêtre de tous les idéalismes modernes, à Descartes, que Marcel devait d'abord s'en prendre : un Descartes lu à travers Kant et le néocriticisme de Brunschvicg, pour lequel le « Je pense » serait le sujet transcendantal maître de tout sens et le support de toute objectivité. On connaît la formule fameuse sur le *Cogito*, gardien du « seuil du valable ». Cette estimation négative conclut un long mouvement de pensée commencé dans la deuxième partie du *Journal métaphysique*, pensée selon laquelle l'objet est une sorte d'absent, en tiers dans un dialogue que je poursuis avec quelqu'un qui est aussi bien moi-même. Or, ce que la position d'objectivité évacue, c'est l'indubitable assurance de l'existence attestée par la sensation. La critique se fait ici critique de la critique, au sens de criticisme ; elle dénonce en tout idéalisme le vœu d'annuler le sentir et l'existence. Mais il faut ajouter tout de suite que cette critique de la critique n'est jamais acquise, tant les ramifications de l'idéalisme sont complexes. D'une certaine façon, on n'en a jamais fini avec la relation sujet-objet, comme nous l'avons appris par ailleurs chez Heidegger. Il faut démanteler par ses deux faces le massif du *Cogito-cogitatum*. Du côté de l'objet, il faut reconquérir la primauté du sentir ; du côté du sujet, celle de l'*incarnation*. En fait, Gabriel Marcel a commencé par l'apologie du sentir, avant d'apercevoir qu'une philosophie du sentir était corrélative d'une philosophie du corps propre. Or les résistances sont beaucoup plus grandes à ce niveau primitif qu'à celui de l'objectivité scientifique ou rationnelle, où s'exercent les prestiges du valable ou, mieux, de la validité. Spontanément, nous construisons la sensation comme un message issu d'un émetteur et capté par un récepteur – le sujet observant cette relation objective en position de survol, aurait dit Merleau-

Ponty. Non moins tenace est la thèse corrélative qui fait du corps un instrument qui ne prolongerait aucun organe, mais qu'un sujet désincarné manipulerait de nulle part. Frappante est ici la corrélation entre une théorie de la sensation-message et une théorie instrumentaliste du corps. Comme si la pensée objectivante, délogée d'une position, se réfugiait dans une autre plus reculée. À l'arrière de cette corrélation, ce qu'il faut en effet dépister, c'est la prétention à l'autoposition d'un sujet exilé, d'un sujet spéculaire, non impliqué dans le réseau de relations constitutif de l'objectivité.

Mais l'on aperçoit immédiatement combien il est difficile de recouvrer, en réflexion seconde, l'*indubitable existence* sur le fond de laquelle se détache la relation sujet-objet. Preuve en est l'extrême fragilité de tout *énoncé* portant sur l'existence. On trouve au moins trois formulations sur ce primat de l'existence : prise du côté de l'objet, on dira qu'elle marque l'indistinction entre l'existence et le *ceci*, sous peine de faire de l'existence un prédicat, la caractérisation d'un quelque chose saisi à part de son exister. Prise du côté de l'objet, on dira qu'elle est l'indivision du je et du *suis*, dans le *j'existe incarné*. Prise du côté de la relation sujet-objet elle-même, on dira que l'existence est le *il y a* indivis, qui est aussi bien univers, corps, moi. De trois façons, il faut recouvrer l'unité de l'existence et de l'existant dans une assurance massive qui ne saurait se détailler. Le péril d'un retour au mutisme, que Hegel dénonce au début de la *Phénoménologie de l'esprit*, est ici sans cesse côtoyé : nous lisons dans *Existence et Objectivité*[1] : « Le "j'existe" ainsi entendu et dégagé de toute acception privative, tend à se confondre avec une affirmation telle que "l'univers existe", l'univers étant bien, lui aussi, la négation de "quelque chose en particulier", sans se réduire pour cela nécessairement à une généralité abstraite » (p. 313). Aussi bien Gabriel Marcel se garde-t-il de prôner un retour à l'immédiat. Ce n'est pas un hasard s'il parle, de préférence, d'*indubitable*, terme de réflexion seconde, alors que l'immédiat serait le terme d'un dogmatisme précritique. L'indubitable ne peut être recouvré que par *oratio obliqua*, dirais-je, c'est-à-dire en montrant l'inconsistance de toute reformulation, en termes d'objectivité et de

---

1. Appendice au *Journal métaphysique*, *op. cit.*, p. 309-329.

subjectivité transcendantale (c'est la même chose), *et* de la sensation *et* du corps propre. C'est là que le travail de pensée et de langage est mobilisé, dans la ligne de la dialectique du premier *Journal métaphysique*, dont je pense qu'elle demeure l'arme de la réflexion seconde, si celle-ci ne doit pas s'annuler elle-même dans l'ineffable. On ne recouvre jamais l'existence qu'en dissolvant de l'intérieur la thèse objectiviste et la thèse subjectiviste, qui sont le corrélat l'une de l'autre. De là le primat des négations : la sensation n'est pas un message – sous peine d'exiler à l'infini le sujet qui énonce cette relation entre deux postes objectivés ; de même le corps n'est pas un instrument : il n'est ni dehors ni dedans. Il faut même dire que je le suis et ne le suis pas ; que je l'ai et que je ne l'ai pas. Bref, l'indubitable n'est jamais recouvré que par une sorte de monstration, d'exhibition de l'inconsistance de la pensée enkystée dans la relation sujet-objet. En ce sens, une certaine obligation de ne pas se contredire, de tenir un discours cohérent est toujours supposée ; si elle est exigée de la thèse du *Cogito* et de l'objectivisme qui en est le corrélat, elle n'est pas moins requise de la pensée qui vise à rendre compte, à rendre raison des expériences-noyaux.

Reste que ce n'est pas par déduction, par implication contraignante qu'on passe de la réflexion primaire à la réflexion seconde. C'est le dynamique même des expériences-noyaux qui régit aussi bien la phase critique que l'articulation conceptuelle. Mais surtout – et c'est le point central de ma communication –, il n'y a pas de lien d'implication entre les lieux d'émergence de ces expériences majeures, et donc entre les moments critiques eux-mêmes.

Je le dirai maintenant d'un thème pourtant proche encore de celui du *Cogito*, et qui peut paraître une variante de celui-ci : je veux dire le thème de la liberté. Aussi bien les deux thèmes sont-ils si liés chez Descartes que l'affirmation de la liberté est chez lui indiscernable de la philosophie du jugement, elle-même enveloppée dans le *Cogito*. Mais nous avons aussi appris de Kant que la question de la liberté est indécidable sur le plan de la raison théorique et qu'elle relève d'une réflexion d'un autre ordre, essentiellement pratique, d'une réflexion sur l'autonomie. C'est précisément sur le terrain de l'autonomie que Gabriel Marcel poursuit une investigation critique qui remet en question l'alternative même entre autonomie et hétéronomie. Ce qui peut, et doit être contesté, c'est que *liberté* et *choix* soient deux notions identiques. Ici, Gabriel Marcel s'attaque à forte partie, puisqu'il affronte non seulement Descartes et Kant, mais Kierkegaard, Jaspers et Sartre. On trouve certes chez Gabriel Marcel des textes qui témoignent d'une appréciation positive de la volonté, en tant que négation active des « mais » : « Vouloir, est-il dit, c'est cesser de se traiter comme lui. » Mais un doute sape cette trop fière assurance : « Quand on aime, choisit-on d'aimer ? » Ce qui meut ici Gabriel Marcel, c'est une conviction parente de celle qui l'a conduit à affronter le *Cogito*, à savoir le soupçon que l'auto-affirmation de la liberté se posant elle-même exprime et consacre un exil comparable de la subjectivité, exil non plus loin des terres nourricières du sentir, mais à l'écart des puissances de suscitation, d'éveil et de croissance, dont nous ne sommes pas les maîtres. Que je sois donné à moi-même, voilà la certitude la plus forte. Mais, une fois encore, cette certitude ne se maintient qu'arc-boutée, d'une part, à la critique interne de l'idée d'autonomie, d'autre part, aux indices épars de la primauté de la liberté-don sur la liberté-choix. À cet égard, rien n'est plus dangereux que de s'enchanter de formules telles que celles-ci : « Ma réponse est libre dans la mesure où elle est libératrice. » On ne s'installe pas dans une certitude si haute. D'où cette laborieuse dialectique par laquelle on se déprend des prestiges du « ou bien… ou bien… » : le pouvoir des contraires ne repose-t-il pas sur des possibilités qui sans cesse se présupposent elles-mêmes et ne peuvent se déterminer que par un saut absurde ? Pis : n'appartient-il pas à une liberté d'indétermination de se déterminer pour le pire : « Il est peut-être de mon essence de pouvoir n'être pas ce que je suis ; tout simplement de pouvoir me trahir » (*op. cit.*, p. 223). Et cela a-t-il un sens de choisir entre le désespoir et l'espérance, entre la trahison et la fidélité ? Après tout, dirai-je en marge de Gabriel Marcel et sans engager sa pensée, Spinoza ne dit-il pas plus vrai que Descartes, quand il identifie liberté et nécessité intérieure ? Gabriel Marcel n'est certes pas spinoziste, quant à l'ensemble de sa pensée. Mais abusé-je des rapprochements, si je dis que Gabriel Marcel est plus proche de Spinoza que de Descartes, quand il écrit dans *Aperçus sur la liberté* : « Je serais tenté de dire que la liberté

n'est pas indéterminée mais au contraire sur-déterminée »
(*op. cit.*, p. 223). Ce qui est proprement marcellien et ne peut
plus être spinoziste, c'est le pressentiment qu'il y a quelque
chose de virtuellement destructeur dans l'autoposition de
l'acte libre, en vertu d'un arrachement, d'une déhiscence, par
quoi je me prive du secours d'énergies créatrices auxquelles
je participe fondamentalement. Toute la réflexion seconde,
sur ce second front métaphysique, consistera à mettre en faisceau les approches concrètes de la liberté-don, contenues
dans quelques expériences témoins, comme la disponibilité,
l'admiration, la réponse à un appel, l'acceptation, le consentement, dont on peut se demander comment à leur tour elles
se laissent dire et, jusqu'à un certain point, conceptualiser.
C'est encore une fois tout le régime de pensée et de langage
de la réflexion seconde qui est ici en jeu. Qu'il me suffise de
dire que rien n'est ici définitivement acquis, dans la mesure
où il est précisément possible que la liberté s'arrache à son
sol nourricier. C'est précisément parce que la possibilité de
trahir n'est jamais abolie que la réflexion seconde n'a jamais
fini d'en appeler de la liberté-choix à la liberté-don, et
n'échappe jamais au paradoxe paralysant selon lequel l'alternative entre fidélité et trahison doit être elle-même surmontée
en tant qu'alternative par un acte de réflexion qu'il nous est
possible de refuser, alors même qu'il n'est pas en notre pouvoir de l'engendrer, mais seulement de l'accueillir. Peut-être
n'est-il pas possible de dire ce mouvement du refus à l'invocation autrement que dans le vocabulaire de la liberté-choix.
Ainsi lit-on dans *Être et Avoir*, p. 175 : « L'ordre ontologique
ne peut être reconnu que personnellement par la totalité d'un
être engagé dans un drame qui est le sien tout en le débordant infiniment en tout sens – un être auquel a été impartie la
puissance singulière de s'affirmer ou de se nier, selon qu'il
affirme l'être et s'ouvre à lui – ou qu'il le nie et du même
coup se clôt : car c'est dans ce dilemme que réside l'essentiel
de cette liberté. » Quoi qu'il en soit de cette aporie, on doit
pouvoir dire, par paraphrase, que la liberté-choix garde le
seuil de la trahison et du suicide, comme le *Cogito* garde
le seuil du valable.

J'arrête là ma réflexion sur la liberté selon Gabriel Marcel ;
je n'ai pas voulu traiter le problème pour lui-même, mais
seulement souligner la distinction des fronts d'attaque et

d'émergence des expériences-noyaux, distinction compensée seulement par une certaine ressemblance au niveau du style dialectique ; dans chaque registre, la scansion est la même : critique des résistances, émergence des expériences directrices, reprise en réflexion seconde.

Je voudrais confirmer cette suggestion, concernant aussi bien la discontinuité des points d'appui de la réflexion que la ressemblance du style dialectique, par un troisième exemple familier aux lecteurs de Gabriel Marcel, à savoir le couple du *toi* et du *lui*.

Ainsi voit-on, dans le *Journal*, une réflexion sur le *toi* et le *lui* se déployer en marge de celle sur le sentir, réflexion elle-même polarisée par une méditation sur la confiance absolue, sur la prière, donc, sur le Toi absolu. J'ai dit plus haut que cette seconde ligne de pensée avait pour horizon une pensée de l'être dont le rapport à la pensée de l'existence est resté longtemps indécidable. Avant de reprendre ce fil, je voudrais insister sur une certaine autonomie du thème de la *communication* auquel ressortit la méditation sur le *toi*, entendu au sens de l'autrui humain, par rapport au thème du sentir, de la sensation, et de l'unité indivisible entre l'existence et l'existant. On ne trouve chez Gabriel Marcel aucun équivalent de la constitution de l'objectivité sur une base intersubjective, comme chez Husserl dans la cinquième *Méditation cartésienne*. Ce serait une manière d'enrôler le rapport à autrui dans une problématique jugée tributaire de la relation sujet-objet, qu'il s'agit précisément de remettre en question. Le thème roycien de la relation triangulaire entre le moi, le toi, l'objet est précisément rejeté comme un symptôme de l'exténuation de la connaissance par objet, la chose étant réduite au rôle de tiers exorbité par rapport à une conversation, elle-même rendue exsangue par l'évacuation de l'existence. C'est en ce sens que je dis qu'il n'y a pas d'implication contraignante du thème d'autrui par celui du sentir. Le thème d'autrui a ses difficultés propres, qui sont celles, non d'une gnoséologie, mais d'une dramaturgie de l'existence. À cet égard, la méditation sur le toi se déploie sur le terrain déjà exploré par le théâtre. Elle vise à récupérer pour la réflexion ce que la pratique de l'écriture dramatique a déjà devancé, à savoir cette justice supérieure rendue aux différents *dramatis personæ*, à leurs convictions, à leurs passions, à leurs échecs, à leurs attentes, à leurs désespoirs. À cet égard, plusieurs l'ont dit avant moi – le regretté père Fessard, Joseph Chenu et d'autres –, le théâtre fut pour la philosophie de Gabriel Marcel, et singulièrement pour la philosophie du *toi*, le laboratoire d'une diversité d'expériences de pensée, le banc d'essai pour une variété de thèmes dont plusieurs ont été anticipés, sur le mode de la fiction, et prononcés par des personnages de fiction, avant d'être assumés par l'auteur lui-même sur le mode de la conviction qui revient à l'expérience métaphysique. La réinscription de ces expériences de pensée du plan théâtral au plan de la réflexion philosophique a été, bien évidemment, favorisée et rendue urgente par la pratique effective de l'amitié – pour ne rien dire de l'amour conjugal – et par une attention exceptionnelle aux destins individuels. Je n'en dirai rien, pour me concentrer sur les conditions mêmes de cette réinscription dans la réflexion.

Ce qui rapproche la question du *toi* de celle du *sentir*, c'est moins une implication thématique, dont je viens de dire qu'elle est faible, que le parallélisme dans le traitement dialectique. Un même rythme scande la récupération de l'expérience-noyau, une même résistance à la résistance. Ce sur quoi l'attestation de la seconde personne doit sans cesse se reconquérir, c'est la réduction du *toi* au *lui*, entendu comme un répertoire d'informations que je consulte, ou comme une batterie de caractéristiques que je décris, bref, comme un inventaire de prédicats. On peut certes tenir pour un cas d'objectivation cette chute du *toi* au *lui*, et ainsi rétablir une certaine continuité entre les deux problématiques du sentir et du toi. En un sens large, on peut même dire que les deux sphères d'investigation relèvent de la même reprise de l'existence sur l'objectivité. Mais cette affinité profonde entre les deux régimes réflexifs ne doit pas masquer ce qu'il y a de topique, de spécifique dans les « approches concrètes ». Une chose est la critique du sentir assimilé à un transfert matériel de message entre poste émetteur et poste récepteur, complétée par la critique de la réduction du corps propre à un instrument d'usage, autre chose la critique de la réduction du toi au lui. Ce n'est pas l'indubitabilité de l'existence globale ni celle du moi incarné qui résiste à la résistance, mais un incontournable d'une autre sorte, à savoir la réciprocité dans la relation entre question et réponse. J'insiste ici : on ne peut

pas dire que le toi soit indubitable ; une autre source de doute
que celui qui procède de la pensée par objet ronge la confiance
dans l'autre ; ainsi la jalousie proustienne. La riposte à ce
doute est de l'ordre de la confiance, du crédit illimité ouvert
à la capacité de l'autre de me répondre et de me répondre sin-
cèrement : « Je ne m'adresse à la deuxième personne qu'à ce
qui est regardé par moi comme susceptible de me répondre...
Là où aucune réponse n'est possible, il n'y a place que pour
le lui » (*Journal métaphysique*, p. 138). À cet égard, si l'on
voulait trouver un prolongement de la pensée de Gabriel
Marcel sur le thème du toi, il faudrait le chercher dans deux
directions elles-mêmes distinctes l'une de l'autre ; la première
serait celle d'une éthique à la manière d'Emmanuel Lévinas,
qui élève à la dialectique des grands genres du Même et de
l'Autre une expérience immédiatement qualifiée sur le plan
axiologique, l'expérience de l'extériorité du visage et de la
requête de responsabilité venue de l'autre que moi-même,
requête qui m'institue mo -même comme sujet ; la seconde
direction, très différente (ι moins en première approximation, serait celle d'une pra matique du discours, telle qu'elle
se développe dans la philosophie analytique, sur la lancée
de l'analyse des actes de discours. La clause de sincérité de
John Searle, la dialogique de Francis Jacques attestent que
le discours n'est possible comme allocution et interlocution
que si je fais crédit à l'autre, que si je crois qu'il signifie ce
qu'il dit, que son dit témoigne de son vouloir-dire. Les deux
lignes de pensée se croisent d'ailleurs en un point, dans la
mesure où la relation dialogique entre question et réponse,
qu'explore la pragmatique du discours, est fortement axio-
logisée par la clause de sincérité. Une certaine circulation
thématique s'établit ainsi entre la philosophie du loyalisme
venue de Royce, la méditation bubérienne sur le Je et le Tu,
la méditation marcellienne sur le toi et le lui, l'éthique de la
responsabilité et la pragmatique du discours. Ce qui, dans ce
concert, me parait caractériser en propre la méditation marcellienne, c'est encore une fois le style dialectique, à savoir
le repérage des résistances, l'émergence des expériences qui
gagent l'investigation de la relation à autrui, et l'identification par *oratio obliqua* de ces expériences elles-mêmes. En
ce sens, je dirai que la méditation marcellienne se déploie
dans une zone sous-jacente à l'éthique de la responsabilité et

à la pragmatique du discours dans sa structure dialogique. À cet égard, le penseur le plus proche de Gabriel Marcel est assurément Heidegger dans les chapitres de *Sein und Zeit* consacrés à l'émergence du *Mitsein* hors de l'anonymat du « on ». La conquête sur l'inauthenticité y joue le même rôle que chez Gabriel Marcel la résistance à la résistance ; en particulier, la méditation heideggérienne sur le « on » s'accorde avec la méditation marcellienne sur le « lui », en ce qu'elle souligne les perversions du langage qui sont à la fois l'effet et la cause de la déchéance du rapport intersubjectif : équivocité, bavardage, curiosité. La fameuse exclamation de Gabriel Marcel : « Le répertoire c'est le lui », rejoint la dénonciation heideggérienne de la pure curiosité. C'est aussi comme *coesse* que Gabriel Marcel parle du toi sous le régime de la réflexion seconde.

Je veux revenir sur la suggestion faite plus haut, selon laquelle la question d'autrui, celle de la liberté-don et celle du sentir constituent des points d'émergence discontinus, même si une parenté de style dialectique les rapproche sur le plan de la réflexion seconde ; un texte du *Journal métaphysique*, deuxième partie, le dit bien : « Le toi existe-t-il ? Il me semble que plus je me place au plan du toi, moins la question d'existence se pose... Le toi est à l'invocation ce que l'objet est au jugement ; il ne peut être dégagé de ce qu'on doit considérer comme sa fonction sans cesser d'être toi » (*op. cit.*, p. 277). Je laisse de côté la question de savoir si l'existence convient plus aux choses qu'aux personnes. Sur ce point, la pensée ultérieure de Gabriel Marcel a opéré un renversement indiscutable ; on lit dans *Être et Avoir* : « J'irais jusqu'à dire qu'il est de l'essence de l'autre d'exister » ; mais, cette fois, il le dit par rapport au moi : « Serait-il absurde de dire que le moi en tant que subsistant n'existe qu'en tant qu'il se traite lui-même comme étant pour autrui, par rapport à autrui, par conséquent dans la mesure où il reconnaît qu'il s'échappe à lui-même » (*op. cit.*, p. 151). Dans ce nouveau contexte, l'existence prend le sens qu'elle a chez Heidegger, où elle caractérise le *Dasein* par opposition aux autres étants qui sont seulement *vorhanden* ou *zuhanden*. En ce sens, les choses ne seraient existantes que dans la mesure où elles apparaissent dans l'environnement des existants que nous sommes. Mais, ce qui m'importe ici, ce n'est pas ce déplacement de la notion d'existence, ce transfert de la sphère du sentir où a été affirmée l'inséparabilité de l'existence et de l'existant à la sphère du toi. Ce qui m'importe, c'est la sorte de proportionnalité qui s'exprime dans l'assertion : « Le toi est à l'invocation ce que l'objet est au jugement » ; cette déclaration dit bien le parallélisme dialectique qui rapproche les divers registres d'investigation sans les confondre. Ce qui n'empêche pas une circulation entre eux et une sorte d'irrigation de l'un par l'autre, de l'un à travers l'autre, comme si l'on ne pouvait récupérer l'indubitable afférent au sentir, sans récupérer l'attestation de la liberté-don et la capacité de réponse du toi sur les multiples modes de réduction du toi au lui. L'affinité de style opère ici comme une sustentation mutuelle, un secours réciproque, comparable à celui que se portent des troupes opérant séparément sur des fronts différents de résistance et d'avancée. Vaincre le jugement en *lui*, cesser d'évaluer critiquement, de faire le bilan des excellences et des déficiences d'autrui est une démarche homologue de celle par laquelle je laisse le *sentir* affirmer son droit face aux opérations objectivantes qui l'évacuent. Comme on le dira plus loin, ces démarches, bien que distinctes, sont à titre égal métacritiques, métaproblématiques. C'est pourquoi sur le plan du vocabulaire que je ne discute pas ici, on voit Gabriel Marcel parler dans les trois cas de participation, comme il le fait en outre à propos du lien non plus à l'existence mais à l'être. Ce transfert de vocabulaire atteste l'empiétement mutuel des champs d'investigation, empiétement gagé précisément par la ressemblance de rythme dialectique qui s'observe entre les fronts discontinus de l'investigation.

Je voudrais maintenant confirmer cette caractérisation du style philosophique de Gabriel Marcel, en revenant à la polarité évoquée au début de cette étude entre philosophie de l'existence et philosophie de l'être. En un sens, les trois thèmes que je viens d'invoquer – incarnation, liberté-don, invocation – ressortissent à une philosophie de l'existence. Mais ces trois thèmes, pris individuellement ou en bloc, sont enchevêtrés à un mouvement de transcendance qui fait passer d'une philosophie de l'existence à une philosophie de l'être. La notion de participation, trois fois mentionnée, remplit précisément cet office. Mais cette implication de la philosophie de l'être dans la philosophie de l'existence est surtout visible sur le plan de la liberté-don[1]. C'est seulement par abstraction, en effet, qu'on peut distinguer cette qualité de liberté de ce qui est appelé sommairement mystère ontologique ; la liberté-don est foncièrement un consentement à l'être. Mais cette implication de la philosophie de l'être dans la philosophie de l'existence, dans le moment de l'attestation du toi, n'est pas appelée en vain invocation, tant la question de la prière adressée au Toi absolu est entrelacée à celle de la reconnaissance d'autrui, en tant que le Toi transcende le Lui. Et pourtant, il y a bien là deux vections différentes de la philosophie marcellienne. Dès mon premier travail sur *Gabriel Marcel* et *Karl Jaspers*, j'avais été frappé par la non-congruence des deux visées, attestée par la différence même des vocabulaires à l'époque des deux essais initiaux : *Existence et Objectivité* et *Position et Approches concrètes du mystère ontologique*. Sans parler de transdescendance comme Jean Wahl, thème qui scandalisa Gabriel Marcel, on ne peut nier que la thèse de l'indistinction de l'existence et de l'existant s'applique à l'univers dans son ensemble ; aussi bien est-ce le sentir, la sensation, qui en est le lieu – et l'incarnation, le repère ontologique. La question de l'être, en revanche, est aspirée sans conteste par celle d'Absolu ou de Dieu. On comprend pourquoi : elle a son propre amorçage dans des expériences négatives qui signalent l'effondrement de l'appétit d'être, telle que la réduction de tous les rapports humains à l'ustensilité, à la fonction, la tendance à céder aux suggestions de désespoir et de suicide qui s'élèvent du spectacle du mal et du malheur. Le sens de l'être est très exactement la réplique à cette invitation au désespoir, à la trahison, au suicide, qui procède du cours des choses. Gabriel Marcel, si peu prompt à se tromper lui-même et à se payer de mots,

---

1. Revenant sur la difficile question du rapport entre existence et être, dans la seconde série des *Gifford Lectures*, Gabriel Marcel maintient, contre Gilson lui-même, la distinction entre l'exigence d'être et le repérage de l'existence sur le corps ; puis il déplace l'interrogation vers « *l'articulation* de l'existence et de l'être », pour déclarer que ce qui « intervient justement à la jointure de l'être et de l'existence », c'est la liberté (*Le Mystère de l'Être*, Paris, Aubier, 1951, t. II, p. 31). Au total, la relation entre les deux termes apparaît « non seulement irréductible, mais enveloppée d'ambiguïté » (*ibid.*, p. 35).

n'a pas de peine à reconnaître cette non-congruence entre les deux thématiques de l'existence et de l'être. *Être et Avoir* abonde en textes où les deux vocabulaires s'affrontent.

C'est alors qu'un lecteur épris de système pourrait être tenté de mettre en ordre les thèmes marcelliens selon la disposition linéaire d'une dialectique ascendante de style platonicien, voire augustinien. On aurait ainsi, en bas, la théorie de l'incarnation, au centre, faisant charnière ou pivot, la théorie du toi, en haut, la foi dans son expression la moins confessionnelle, la plus péri-chrétienne, autrement dit le mystère ontologique. Je voudrais mettre en garde contre cette schématisation qui fait tort à chacun des termes. L'incarnation n'est aucunement un tombeau, même si elle constitue, comme on dira à l'instant, une épreuve ; il y a chez Gabriel Marcel une joie de vivre, une gloire de la création que ses amis ont toujours su discerner et saluer. L'espérance, si elle est un recours, n'est jamais une évasion. Quant au thème du Toi et de la fidélité, il ne saurait être dépouillé de sa consistance propre par aucune fuite là-bas, Ailleurs. Le drame interhumain garde son épaisseur, au point même qu'il n'est pas d'espérance qui ne soit une espérance pour toi, pour notre amour et notre amitié. Il faut donc laisser dans l'indécision les rapports entre existence et être et refuser tout ce qui pourrait ressembler à une systématisation qui transformerait les régions traversées en sites abandonnés. Encore une fois, tous les fronts sont importants, et la méditation sur l'espérance n'abolit ni le drame de l'intersubjectivité ni le débat entre existence sensible et objectivité. Il n'y a pas d'expérience, mais des expériences, des expériences plurielles. L'expérientiel, pour reprendre un mot proposé par Bugbee et adopté par Gabriel Marcel, l'expérientiel ne fait pas système. C'est au contraire dans la mesure où nous respectons une certaine hétérogénéité des expériences-noyaux que nous sommes plus sensibles à ce que, dans mon « Argument », j'appelle des expériences-passerelles. J'en ai nommé quelques-unes en passant : ainsi, entre le sentir et le sens de la transcendance ontologique, il y a l'expérience de l'épreuve, qui tire l'incarnation du côté de la tentation du désespoir et sollicite les ressources de l'espérance. L'admiration, l'émerveillement ne sont pas autre chose qu'un sentir transfiguré par le sacré. À quoi correspond le ton orphique de certaines pages proches de Rilke, de Péguy ou de Claudel, célébrant la jointure du vital et du spirituel. Mais le sentir s'infléchit aussi du côté de l'intersubjectivité, lorsque l'espace d'habitation qui donne à l'incarnation les alentours d'un environnement, d'une ambiance se fait espace d'accueil, milieu d'hospitalité ; le *chez* – chez moi, chez toi – joint le *dans* de l'incarnation à l'*avec* de la communication. L'attestation serait une autre de ces expériences-passerelles, joignant le moi qui témoigne, le toi qui est pris à témoin et l'être attesté. Mais en aucune façon l'accent mis sur ces expériences-passerelles ne saurait abolir les discontinuités irréductibles. C'est encore une fois la tâche de la réflexion seconde de sillonner ces passerelles, de restituer la spécificité des *expériences de transition*, autant que celle des *expériences-noyaux*, et de produire le travail de pensée et de langage qui chaque fois procure à chacune le concept approprié et l'expression juste.

C'est par souci de respecter les discontinuités, les transitions vives et le travail de pensée et de langage qui rend compte des unes et des autres que j'ai gardé pour la conclusion de mon exposé la dialectique du problème et du mystère. Cette dialectique ne saurait être séparée du rapport entre la réflexion seconde et la critique de la réflexion primaire, sous peine de faire évanouir cette dialectique même et de la remplacer par une disjonction appauvrissante, comme si on pouvait quitter le problématique et s'installer dans le mystère. Autant le poète ou l'auteur d'aphorismes peuvent privilégier la disjonction, parce qu'ils mettent en jeu un langage approprié, un langage d'évocation et d'invocation, de célébration et d'hymne, voire de lamentation et de nostalgie, autant le philosophe, par devoir d'état, est voué à penser et à dire ensemble le problématique et le mystère. L'expression de métaproblématique, comme plus haut celle d'indubitable, en témoigne. En ce sens, je me risquerai à dire que le terme même de mystère est un terme de réflexion seconde, dès lors qu'il est expliqué par celui de métaproblématique. La résistance à la résistance en est la marque. Je lis dans *Position*[1] *et Approches concrètes du mystère ontologique*[2] : « L'être est

---

1. In *Le Monde cassé*, Paris, Desclée de Brouwer, 1933.
2. *Ibid.*

ce qui résiste – ou serait ce qui résisterait – à une analyse
exhaustive portant sur les données de l'expérience et qui tenterait de les réduire de proche en proche à des éléments de
plus en plus dépourvus de valeur intrinsèque ou significative
(c'est une analyse de cet ordre qui se poursuit à travers les
œuvres théoriques de Freud par exemple) » (p. 262). J'insiste
sur le caractère non dogmatique des différentes formulations
tour à tour essayées. Ainsi est-il dit, dans la même essai, que
le passage à l'être comme mystère est la reconnaissance
d'une « certaine affirmation *que je suis plutôt que je ne la
profère* : en la proférant, je la brise, je la morcèle, je m'ap-
prête à trahir » (p. 262). Et pourtant, je la profère, mais en
réflexion seconde ; ce faisant, je la réinscris dans le discours,
en tant que *méta-problématique*. C'est la réflexion seconde,
par conséquent, qui, par une sorte de passage à la limite,
reconnaît le primat de l'affirmation originaire, comme eût dit
Jean Nabert, sur la question même de l'être. Ici, le philosophe s'avoue vaincu : l'*Art poétique* de Claudel réussit là où
le philosophe échoue à dire. Reste la trace du mouvement de
résistance à la résistance, à savoir que l'être ne figure *pas*
comme solution à une question qui serait la question du sens
de l'être. D'où la seconde formulation qu'on lit un peu plus
loin, et qui risque fort d'être brandie comme un talisman :
« Un mystère c'est un problème qui empiète sur ses propres
données, qui les envahit et se dépasse par là même comme
simple problème » (*ibid.*, p. 267). Mais le fantôme de la
régression à l'infini ne tarde pas à poindre : comment comprendre, comment *dire* l'indissociable identité de l'être
affirmé et de l'affirmation de l'être, sans en faire un nouveau
contenu de pensée, dont on se demande comment il se rapporte à ce qui est ? Reste à cerner par une série d'exemples
ce que la dialectique résout en pâles abstractions : ce sont
les fameuses « *approches concrètes* » visées par le titre de
l'essai (mystère *de* l'union de l'âme et du corps, mystère *du*
mal, mystère *de* la rencontre, mystère *du* recueillement, etc.).
Sont-ce là des idées ? Oui, car nous signifions chaque fois
quelque chose ; non, car, sous le régime du métaproblématique, « nous sommes […] dans une zone où il n'est plus
possible de dissocier l'idée elle-même et la certitude ou l'indice de certitude qui l'affecte. Car cette idée *est* certitude,
elle est assurance de soi, elle est dans cette mesure autre

chose et plus qu'une idée » (*ibid.*, p. 272). Ce n'est donc pas par hasard si, pour se reprendre sur le problème, le mystère doive se monnayer en une diversité d'« attitudes » – au sens de la *Logique de la philosophie* d'Éric Weil –, lesquelles opèrent ce que j'appellerai la *réplique d'une parénèse* à l'impossibilité d'articuler conceptuellement et de stabiliser verbalement la transition du problème au mystère. À cet égard, on ne saurait enfermer G. Marcel dans une métaphysique de la présence, si par présence on entend une parfaite transparence à soi de la pensée dans le moment de sa plus haute affirmation. Le mystère, ou plutôt la position du mystère, reste une intuition « aveuglée », qui ne s'atteste que dans la reconquête *sur* le processus même de problématisation et *avec* les ressources de cette problématisation elle-même, portée à son point de rupture. C'est ce que signifie le *méta* – de méta-problématique. Ce préfixe, qui nous vient de la plus haute Antiquité, exprime l'identité profonde de la réflexion seconde et de la philosophie elle-même chez Gabriel Marcel.

Entre éthique et ontologie :
la disponibilité
(1988)

Il serait vain de chercher chez Gabriel Marcel quelque chose comme un *système* moral à la façon d'Éric Weil ou même de Jean Nabert. Encore plus vain serait de se demander quelle position Gabriel Marcel prendrait aujourd'hui entre Heidegger et Lévinas sur la question de savoir si l'ontologie peut se constituer sans éthique ou l'éthique sans ontologie. Et pourtant, à partir d'expériences fortes élevées à la réflexion, Gabriel Marcel tire des conséquences qui affectent de façon radicale les positions systématiques. Il y a un style marcellien que j'appellerai de *proche en proche* ou *en étoile*, qui, par enchaînement thématique, arrive à conférer une universalité concrète à des expériences nucléaires dont certaines étaient restées méconnues en philosophie morale. C'est le cas pour le thème de la *disponibilité* que nous prendrons ici pour guide.

Le thème prend corps dans la suite du *Journal métaphysique* (1929-1933), inclue dans *Être et Avoir* (Aubier, 1935), et se prolonge dans *Du refus à l'invocation* (1940) et *Homo viator* (Aubier, 1944). Je suivrai au plus près l'ordre de la découverte, afin de restituer au mieux ce que je viens d'appeler le style de pensée marcellien. Le thème de la *fidélité* apparaît le premier dans le *Journal*. Mais c'est celui de la *disponibilité* qui vient spécifier la fidélité comme fidélité créatrice. Cette naissance quasi simultanée de « deux idées musicales » est pour notre enquête d'un grand intérêt, dans la mesure où l'idée de fidélité a le plus grand poids ontologique et celle de disponibilité le plus grand poids éthique.

L'expérience concrète qui met la quête en mouvement est celle de la *promesse* (*Être et Avoir*, p. 56 et *sq.*), qui déjà avait intrigué Nietzsche. La question est la suivante : « Comment puis-je promettre – engager mon avenir ? Problème *métaphysique* » (*ibid.*, p. 56). C'est donc la notion d'engagement qui se présente la première. Voici comment elle conduit à celle de disponibilité. S'engager (par exemple, à visiter un ami malade), c'est ne pas tenir compte des changements d'humeur à venir ; en ce sens, l'engagement est partiellement inconditionnel : je me situe au-dessus de mes désirs présents et à venir. Dirai-je alors que pareil engagement ne se soutient que de la fidélité à soi-même ? (« En un certain sens, je ne puis être fidèle qu'à mon propre engagement, c'est-à-dire, semble-t-il, à moi-même » [p. 58]). On voit sur quelle pente kantienne nous semblons engagés, celle de l'autonomie qui ne manquera pas de faire valoir ses titres un peu plus loin. D'emblée, le péril du formalisme et de l'abstraction se fait jour. C'est alors que le thème de la disponibilité s'annonce une première fois, mais par la voie détournée de la métaphore bancaire de « mes disponibilités » (p. 63). Tous mes engagements, en effet, peuvent être suspectés d'être pris à la légère, faute de « disponibilités » correspondantes [1].

Quel engagement échapperait dès lors à ce soupçon non seulement de méconnaissance de soi, mais de présomption ? Ici, le saut : seul échapperait à ce soupçon l'engagement qui, loin de procéder d'une position de soi par soi, serait une réponse à quelque chose comme « une prise de l'être sur nous ». « Tout engagement est une réponse » (p. 63). Là, éthique et ontologique se nouent [2], car, si la prise de l'être précède, sous peine que la fidélité ne soit que l'insupportable prétention de l'orgueil, la réponse implique un acte de moi-même, précisément celui de m'engager, en dépit d'une nécessaire ignorance de ce que sera l'avenir. On observe que, passant outre à la métaphore bancaire des « disponibilités » (au pluriel), une idée plus forte de disponibilité se trouve induite par l'idée d'engagement en rapport à celle de disposi-

---

1. De ce point de vue, « Proust a raison : nous ne sommes pas nous-mêmes disponibles » (p. 67). Mais, on va le voir, ce n'est pas ce sens quasi bancaire de la disponibilité qui va prévaloir. Mais il fallait montrer comment, chez G. M., une idée vient au jour en quelque sorte par son petit côté ou par ses marges.

2. « De l'être comme lieu de la fidélité – D'où vient que cette formule qui a jailli en moi, à un instant donné du temps, présente pour moi la fécondité inépuisable de certaines idées musicales ? – Accès à l'ontologie. – La trahison comme mal en soi » (p. 56).

tions intérieures[1] dont les intermittences m'échappent. Gabriel Marcel, qui ne déteste pas le recours à l'aporie, mais avance le plus souvent à coups de « difficultés », observe à ce moment que la conception de l'engagement comme réponse n'a pas levé le soupçon de présomption, mais a seulement aidé à mieux formuler l'alternative : « Au moment où je m'engage, ou bien je pose arbitrairement une invariabilité de mon sentir qu'il n'est pas réellement en mon pouvoir d'instituer, ou bien j'accepte par avance d'avoir à accomplir à un moment donné un acte qui ne reflétera nullement mes dispositions intérieures lorsque je l'accomplirai. Dans le premier cas je me mens à moi-même, dans le second c'est à autrui que par avance je consens à mentir » (p. 70). Le thème de la disponibilité rentre ici par la grande porte : il surgit en disjonction avec un thème adverse et en conjonction avec un thème parent. La disjonction se fait eu égard à l'idée d'une permanence comprise comme l'identité supratemporelle d'un sujet qui contracte et exécute un engagement, identité grevée du double soupçon de mensonge que l'alternative antérieure a suscité. La conjonction se fait, de l'autre côté, avec le thème de la fidélité comprise comme prise de Dieu sur moi par rapport à quoi ma liberté s'ordonne et se définit.

La disjonction importe ici autant que la conjonction. Ce à quoi la disponibilité s'oppose, c'est très exactement l'autonomie kantienne et son interprétation fichtéenne comme autoposition. Il est reproché à Kant de n'avoir pas aperçu la « déconcertante alternative » suscitée par le phénomène de la promesse et par le statut de permanence assigné au sujet de la moralité. S'il y a quelque chose comme une éthique marcellienne, ce ne sera en tout cas pas une éthique de type stoïcien ou kantien de la constance à soi. Mais comment développer le thème de la disponibilité au-delà de la synonymie avec la fidélité-réponse ? Essentiellement à la faveur d'un chiasme entre deux problématiques à première vue éloignées, celle de la promesse et celle de l'*avoir*. Le moment de la découverte mérite d'être répété : « La charité comme présence, comme disponibilité absolue. Jamais le lien avec la pauvreté ne

---

1. « Le serment quel qu'il soit ne prend-il pas racine dans une disposition toute momentanée et dont rien ne peut garantir la permanence ? » (p. 71).

m'était apparu aussi clairement. Posséder c'est presque inévitablement être possédé. Interposition des choses possédées. Ceci demanderait à être considérablement approfondi » (p. 99). C'est cette idée de dépossession sans appauvrissement – qui est l'essence même de l'idée de don – qui fait pénétrer l'idée de disponibilité dans le champ de gravitation de l'avoir. Sur cette base, la notion de disponibilité pourra enrichir par choc en retour celle de fidélité, qui lui avait d'abord frayé la voie à l'occasion de la méditation sur les conditions de la promesse.

Mais, par un renversement fréquent chez G. M., c'est par le biais de son contraire, l'*indisponibilité*, que la notion de disponibilité va révéler ses implications. L'idée de capitaux indisponibles avait déjà ouvert la voie ; il n'est pas étonnant qu'elle revienne, avec son corollaire : « Je ne puis disposer de moi-même, au sens où je ne puis me forcer à ressentir de la sympathie pour un être en détresse » (p. 101). Vient la généralisation : « Approfondir la notion d'indisponibilité. Il me semble qu'elle correspond à ce qui constitue le plus radicalement la créature comme telle » (p. 100). « Indisponibilité : adhérence à soi-même, plus primitive et plus radicale encore que l'amour de soi » *(ibid.)*. C'est autour de l'amour de soi que tourne maintenant l'investigation. L'avoir va assurer le relais. Mais comment ? Il est intéressant de suivre le cheminement de pensée selon les deux figures évoquées au début, celle du proche en proche et celle du rayonnement étoilé.

Plusieurs avenues s'ouvrent en effet à la méditation. Selon une première direction, être indisponible, c'est être *occupé de soi* ; de là on passe à adhérence à soi, puis à angoisse, puis à *inespoir* (selon l'expression anglaise *unhope*, empruntée à Thomas Hardy et transposée en français par Charles Du Bos) ; d'où il résulte que l'indisponibilité a même racine métaphysique que le pessimisme. Les implications converses sont considérables : en plaçant disponibilité et espérance du même côté, on rompt une autre symétrie, celle que Spinoza avait instituée entre espoir *(spes)* et crainte *(metus)* ; or le contraire de la crainte n'est pas l'espoir, mais le désir, lequel s'inscrit dans le registre de l'indisponible, tandis que l'espérance relève du disponible, dans la mesure où espérer, c'est *faire crédit*, dans un ordre où il y a péril, vulnérabilité, atteinte à l'intégrité, donc, invitation à désespérer.

Selon une deuxième direction, qui va recroiser plus loin la première, l'indisponibilité a rapport à autrui, et de ce fait contribue à la distinction que G. M. partage avec M. Buber, entre *toi* et *lui* ; pour qui se donne, autrui devient un toi ; pour qui se réserve, autrui reste simplement autre, autre en tant qu'autre. Cette seconde ligne de pensée recoupe la précédente en un point précis : « Plus je suis indisponible, plus Dieu m'apparaît comme *quelqu'un qui* » (p. 119). En revanche, selon l'idée de fidélité créatrice, « une fidélité absolue enveloppe une personne absolue » (p. 139). En un sens, c'est l'idée de disponibilité pour autrui qui ouvre la voie la plus large : qui dispose de soi se rend indisponible pour autrui.

C'est pourtant dans la troisième direction que la pensée va le plus loin : l'indisponibilité, disons-nous maintenant, a rapport au corps propre, comme on a pu le pressentir en parlant de dispositions qui échappent à mon contrôle [1].

Une autre analyse a montré que le corps propre se comprend comme zone frontière entre l'être et l'avoir. Or avoir, c'est, d'une façon générale, pouvoir *disposer de*, posséder une *puissance sur*. Nous atteignons ainsi un point où, au moment où la disponibilité se rapproche d'autres notions comme l'espérance, le don, l'amour, la grâce, la prière, cette même notion se dédouble en elle-même. Il y a, d'un côté, une disponibilité selon l'avoir : au sens précis où avoir, c'est disposer de…, c'est-à-dire à la limite pouvoir se débarrasser de…, comme il arrive dans le suicide. Il y a, de l'autre côté, une disponibilité selon l'être ; au contraire de l'usage précédent du terme, cette disponibilité consiste à ne pas pouvoir disposer de…, afin de rester disponible pour (l'avenir, les autres, la grâce, Dieu…) [2].

Pour avancer plus loin, la réflexion sur l'indisponibilité reprend une fois de plus le pas sur la réflexion appliquée au terme positif, dans la mesure où le lien entre indisponibilité

---

1. « J'ai le sentiment qu'il y a beaucoup à tirer de là [du rapport au corps] en ce qui concerne les problèmes infiniment plus concrets sur lesquels j'ai réfléchi dans ces derniers temps, en raison de la connexion entre l'indisponibilité et l'avoir » (p. 122).

2. L'allemand *Bereitschaft* et non plus *Verfügbarkeit* s'impose ici ; et l'anglais *readiness* opposé à *being disposed of*. Je dois ces remarques à F. Bollnow : « Marcel's Concept of Availability », *in The Philosophy of G. Marcel*, The Library of Living Philosophers, éd. par P. A. Schilpp et L. E. Hahn, vol. XVII, p. 177-200.

et avoir est plus accessible à la réflexion que celui entre disponibilité et être, qui passe par les notions connexes de fidélité et d'espérance. La connexion entre avoir et indisponibilité a pour notre propos une importance décisive ; elle ouvre la voie à une critique en règle de la morale kantienne. Le pas décisif, à cet égard, consiste à assigner l'idée d'autonomie à l'ordre de la gestion, du gérable, donc de l'avoir (p. 188). Ajoutons, à titre de corollaire, que la gestion n'a de sens que dans une sphère d'activité circonscrite et ne peut donc, comme la disponibilité, engager l'être entier. D'où la déclaration suivante, assez surprenante par sa vigueur : « S'il en est ainsi toute l'éthique kantienne repose sur un monstrueux contresens, une sorte d'aberration spéculative » (p. 190). En revanche, la notion de disponibilité n'a plus rien à voir avec l'opposition autonomie-hétéronomie. « Car l'hétéronomie c'est la gestion par autrui – mais encore la gestion ; on reste sur le même plan » (p. 190-191). En fait, l'autonomie n'a pour sens et pour fonction que de récuser pareille intrusion d'autrui dans ma sphère propre de gestion. Mais ce déni ne fait pas décoller du plan de l'avoir : « Dès que nous sommes dans l'être, nous sommes par-delà l'autonomie » (p. 192). La rupture ici amorcée doit être portée plus loin encore : à l'idée kantienne d'autonomie, en effet, s'attache celle de législation universelle. Il faudra dire que « la législation n'est que l'aspect formel de la gestion et par conséquent ne la transcende pas » (p. 191). La disponibilité, en tant que fidélité créatrice, sera donc au-delà de la législation, comme elle est au-delà de l'autonomie, et finalement de la gestion, corollaire de l'avoir. Cela va loin et ne prend sans doute complètement sens que dans l'examen par la voie *théâtrale* de situations où la prétention à légiférer universellement se révèle proprement meurtrière. La voie de la *musique* n'est sans doute pas non plus à négliger, dans la mesure où l'idée musicale, déjà une première fois évoquée, suggère l'idée d'une universalité qui n'est pas d'ordre conceptuel (p. 198).

Je ne voudrais pas quitter cette cellule mélodique de la notion de disponibilité sans avoir déployé quelques-unes des autres harmoniques qu'elle doit à la proximité entre l'idée d'indisponibilité et celle d'avoir. J'aimerais insister sur la parenté entre disponibilité et attestation ; G. M. y est conduit par sa méditation sur la sorte de permanence que la fidélité reconnaît ; dire qu'elle est reconnue, ce n'est dire ni qu'elle est constatée ni qu'elle est exigée ; nous sommes au-delà de la distinction entre description et prescription ; la reconnaissance signifie ici *attestation* : « L'être comme attesté. Les sens comme témoins – ceci capital et neuf, me semble-t-il ; systématiquement méconnu par l'idéalisme » (p. 139). « La fidélité comme témoignage perpétué » (p. 138). « L'essence de l'homme ne serait-elle pas d'être un être qui peut témoigner ? » (p. 140). Cette ligne de pensée est d'une grande fécondité pour notre propos : thème ontologique, le témoignage est, au même titre et d'un même mouvement, thème éthique, dans la mesure où « il est de l'essence d'un témoignage quelconque de pouvoir être révoqué en doute » (p. 143). Il faut donc dire, d'un même souffle, qu'il est « de l'essence de ce qui est ontologique de ne pouvoir être qu'attesté » (p. 143) *et* qu'il est de l'essence du témoignage de pouvoir être dénié et renié. L'éthique, de nouveau, revient en force, pour autant que l'attestation est personnelle et que, par conséquent, la « tension entre le personnel et l'ontologique la caractérise » (p. 144). On est ramené, par ce long détour, à la méditation initiale sur la promesse, mais enrichie par la suggestion que le témoignage serait une relation triadique et non dyadique, par l'interposition du tiers, celui que l'on *prend à témoin* (le premier *Journal métaphysique* avait déjà évoqué la force dialectique de telles relations triadiques) [1].

Une autre voie – royale également – est celle qui relie avoir (et indisponibilité) à caractérisable, donc à *problématique*, et, par contraste, être à non caractérisable, donc à *mystère*. Je ne suivrai pas plus avant cette piste plus souvent parcourue. Je me bornerai, afin de caractériser un peu mieux la démarche marcellienne, à ajouter à l'exploration de proche en proche et au rayonnement en étoile le procédé par tissage conceptuel. La transition de la paire Avoir-Être à la paire Problème-Mystère relève de ce procédé d'entrecroisement qui combine en quelque façon l'exploration de proche en proche et le déploiement étoilé des notions connexes. Quand G. M. aborde la distinction entre problème et mystère, il ne perd pas de vue l'acquis de la méditation sur l'indisponibilité

---

1. Une étude entière est consacrée au témoignage dans les *Gifford Lectures*, *Le Mystère de l'Être*, *op. cit.*, II, p. 127-146.

et la disponibilité, mais enrichit plutôt cette cellule mélodique des harmoniques nouvelles engendrées par les deux
modalités de la pensée métaphysique que sont le problématique et le mystère. Mettant en contact mutuel les extrémités
de toutes les chaînes notionnelles parcourues, on pourrait établir par raccourci une équivalence nouvelle entre indisponibilité et problématique, comme entre disponibilité et mystère.
Il suffirait, pour faire sens, de rétablir quelques chaînes intermédiaires, par exemple la paire de l'inventoriable et de l'in-
exhaustible, dont la parenté avec l'avoir comme caractérisable, comme identifiable et l'être comme non caractérisable,
comme empiétant sur ses propres conditions d'appréhension
est plus aisée à apercevoir. Le recours à la paire maîtrise-
recueillement ramènerait plus directement encore à la paire
indisponibilité-disponibilité : le recueillement, en effet, offre
un espace de silence au déploiement du mystère, tandis que
la maîtrise impose la force des mots à la récalcitrance du
problématique. (À cet égard, on retrouverait sur ce chemin
de pensée la question de la réflexion seconde selon G. M.,
que j'ai discutée ailleurs, pour autant que cette réflexion se
présente comme maîtrise de notre propre maîtrise, donc
comme ouverture, donc comme disponibilité.)

Par ce travail de tissage, les notions de disponibilité et
d'indisponibilité sont reportées sur tous les trajets de pensée,
en bout à bout ou en étoile…

Arrêtons-nous ici pour faire le point en ce qui concerne le
lien entre *éthique* et *ontologie*. Si l'indisponibilité peut être
tenue plutôt pour une catégorie éthique, son lien avec l'avoir
la place dans le champ de l'ontologie, dans la mesure où être
et avoir forment couple. Mais l'inverse n'est pas moins vrai :
l'ontologie de G. M. se sépare de l'ontologie néothomiste,
dont elle s'est rapprochée un moment, mais sans succès et
sans lendemain, au moment précis où elle rattache la notion
d'être au mouvement de transcendance par rapport à l'avoir,
lequel mouvement de transcendance n'est pas différent de la
disponibilité (du saint, du martyr et, plus généralement, de
l'existant généreux) érigée en instance éthique. On peut suggérer ici que c'est la catégorie du *don* qui marque le recouvrement complet l'une par l'autre de l'éthique et de l'ontologie. L'éthique de la disponibilité incline vers l'ontologie à la
faveur de son lien avec la fidélité comprise comme réponse à

un *don* qui me précède. L'ontologie de l'être incline vers l'éthique dans la mesure où il peut être répondu au *don* par la trahison, le refus, l'inespoir ; or le monde est ainsi fait que le désespoir est toujours possible. C'est pourquoi la différence entre éthique et ontologie ne peut être abolie, bien que leur lien soit indissociable. On ne trouve certes pas chez G. M. – du moins à ma connaissance – de texte qui traite de façon systématique du rapport entre ontologie et éthique. La sorte de *philosophie concrète* professée par G. M. exclut une telle systématisation. Ce que j'appellerais la force d'aimantation exercée par une expérience comme la disponibilité, selon la logique de la découverte que j'ai tentée de restituer ici, ne constitue-t-elle pas un subtil équivalent et du même coup un puissant substitut au regard du système manquant ?

*

ANNEXE I

Note sur la notion de disponibilité :
Du refus à l'invocation (1940)

Dans l'essai intitulé *Appartenance et Disponibilité*[1] (p. 55-80), l'exégèse des expressions construites sur le verbe *appartenir* sert de longue préface au thème de l'indisponibilité. La sémantique des tournures telles que *il m'appartient, je t'appartiens, tu m'appartiens, je m'appartiens*, vaut bien celle que le second Wittgenstein et les analystes de l'école d'Oxford vouent à des expressions comparables du langage ordinaire. Mais ce sont les implications éthico-ontologiques de cette sémantique, et plus particulièrement celles de la dernière expression – *je m'appartiens* –, qui justifient ces longs préalables. L'enjeu est bien le sens de la disponibilité, telle qu'elle peut se réaliser dans la charité, dans l'espérance et, ajoute G. M., dans « *l'admiration* dont il ne semble pas que la portée hautement spirituelle et même métaphysique soit pleinement reconnue de nos jours » (p. 67). L'indisponibilité s'annonce – ou plutôt se dénonce – dans le *refus* d'admirer, voire *l'incapacité* d'admirer (p. 68), que G. M. rapproche

---

1. In *Du refus à l'invocation*, Paris, Gallimard, 1940 ; réédition Aubier, 1945.

du ressentiment selon Max Scheler. Ce qui est en cause ici est une sorte d'inertie intérieure, d'atonie spirituelle, qui étouffe le pouvoir de répondre par un élan d'accueil. C'est alors la notion de *réponse* qui fait à son tour question : pour répondre, suffit-il de puiser dans un fichier ou un répertoire tout préparé dont on ne pourrait parler qu'en termes d'avoir ? Le paradoxe est plutôt que c'est l'appel qui libère en nous la capacité même de répondre, en déliant des ressources captives, et qui, ainsi « nous restitue à nous-mêmes » (p. 73). Disponibilité et créativité s'avèrent ainsi être des notions connexes. Seule l'œuvre achevée et considérée du dehors peut être traitée comme un avoir que l'on exploite. Me crispant sur cet avoir, je me mets en état d'indisponibilité radicale. Par contraste, l'œuvre à accomplir me trouve et me met en état de disponibilité. Généralisant au-delà de l'œuvre d'art, on peut dire que « je tends à me rendre indisponible dans la mesure précise où je traite ma vie ou mon être comme un avoir en quelque sorte quantifiable, et qui par là même est susceptible d'être dilapidé, épuisé ou même volatilisé » (p. 76). Or il faut bien avouer que telle est la condition la plus ordinaire : *« Parce que notre liberté est nous-mêmes, elle peut nous paraître à certaines heures inaccessible »* (p. 78). Ce texte nous replace au cœur de notre propre interrogation concernant le lien entre éthique et ontologie. La méditation sur la disponibilité nous porte en un point auquel n'atteignent ni Spinoza ni Kant, à savoir celui où la prise de l'être sur nous (instance ontologique) et notre pouvoir de répondre *ou non* (instance éthique) sont mystérieusement conjoints. Selon les termes mêmes de G. M. : « Nous touchons ici à la plus secrète, à la plus intime articulation de l'être et de la liberté. La réflexion laisse en effet paraître ici la plus étroite et la plus paradoxale connexion entre le fait ou l'acte d'être d'une part, et la possibilité permanente d'être séparé, d'être coupé de ce qui nous fait êtres, de ce qui nous constitue comme êtres d'autre part » (p. 78). La réflexion, avez-vous dit ?

ANNEXE II

Note sur la notion de disponibilité : *Homo viator* (1944)

La conférence intitulée « Moi et autrui » (1941) reprend la notion de disponibilité dans les termes mêmes du second *Journal métaphysique (Être et Avoir)*. Examinant les racines de l'« égocentrisme moral » (p. 24) qui livre le moi à la fascination alternée du désir et de la crainte, G. M. note : « Mais c'est précisément à cet état que s'oppose ce que je crois être la caractéristique essentielle de la personne, c'est à savoir la disponibilité » (p. 28). Et il précise : « Ce mot, bien entendu, ne signifie nullement vacuité, comme lorsque l'on parle de "local disponible", mais il désigne bien plutôt une aptitude à se donner à ce qui se présente et à se lier par ce don ; ou encore à transformer les circonstances en occasions, disons même en faveurs : à collaborer ainsi avec son propre destin en lui conférant sa marque propre » (p. 28). La reprise de l'idée de disponibilité ne va pas au-delà des analyses d'*Être et Avoir* (cf. p. 31).

L'essai qui suit : *Esquisse d'une phénoménologie de l'espérance* (p. 39-91) peut être lu dans son entier comme une contribution oblique au thème de la disponibilité. À cet égard, on notera les remarques sur l'espérance comme l'acte par lequel la tentation de désespérer est surmontée « sans que peut-être cette victoire s'accompagne invariablement d'un sentiment d'effort » (p. 49). La capitulation, ou plutôt la *défection* en quoi consiste la désespérance, n'est pas sans rapport avec ce qui a été appelé ailleurs indisponibilité : inversement, le rapprochement entre espérance et *patience* – prendre son temps (p. 52) – rappelle l'acte de faire crédit à quoi *Être et Avoir* assimilait la disponibilité. Le « repère ontologique de l'espérance » (p. 62) ne diffère pas de celui de la fidélité : « Espérant, je ne crée pas au sens précis de ce mot, mais je fais appel à l'existence d'une certaine créativité dans le monde, ou encore de ressources réelles placées à la disposition de cette créativité » (p. 69). Que nous n'ayons pas tort de rapprocher espérance et disponibilité, la définition sur laquelle se clôt cet essai le confirme : « *L'espérance est essentiellement, pourrait-on dire, la disponibilité d'une âme assez intimement engagée dans une expérience de communion pour accomplir l'acte transcendant à l'opposition du vouloir et du connaître par lequel elle affirme la pérennité vivante dont cette expérience offre à la fois le gage et les prémices* » (p. 90). Cette formule admirable associe de façon si étroite éthique et ontologie qu'il semble que seule la réflexion, évoquée dans l'essai *Appartenance et Disponibilité*, cité plus haut, puisse encore les distinguer. Tout au plus peut-on dire, avec G. M. encore, que l'espérance est une *vertu* dans la mesure où l'on peut parler d'une collaboration « entre une bonne volonté qui est après tout la seule contribution positive dont nous soyons capables et des initiatives dont le foyer réside hors de nos prises, là où les valeurs sont des grâces » (p. 85). Mais, de cette « collaboration », « le principe est et demeurera toujours le mystère même » *(ibid.)*. En ce sens, il n'y a pas de *problème* du rapport éthique et ontologique. Ou plutôt cette liaison – pour ne pas parler de rapport – n'est pas elle-même de l'ordre du *problématique*.

Le *Traité de métaphysique*[1]
de Jean Wahl
(1957)

Peut-on écrire un traité de métaphysique au milieu de ce siècle ? N'est-on pas enfermé dans cette alternative : ou bien on compose un système dans lequel chaque idée, notion ou catégorie trouve sa place nécessaire dans un développement logique : c'est la voie suivie par Hegel, Hamelin, Éric Weil ; ou bien on renonce à toute structure, on jette par-dessus bord idée, notion, catégorie, on parle sans rigueur et sans ordre de l'homme, du monde, de Dieu et on substitue à une logique une rhétorique de la philosophie : c'est à cet échec que se condamnerait un traité de métaphysique purement existentielle. Jean Wahl a tenté d'échapper à cette alternative et de se tenir à mi-chemin de l'ordre logique et de la composition rhétorique ; l'agencement de son traité est conforme à l'interprétation même qu'il propose de la philosophie, qui doit pouvoir échapper à l'alternative du logique et de l'existentiel. C'est cette interprétation que nous allons porter au jour, en allant de l'extérieur à l'intérieur, de l'ordre apparent de ce *Traité* au principe de cette *Métaphysique*.

LE « SUBTIL » ET L'« OPAQUE »

Extérieurement le traité se présente comme un diptyque : le premier volet (livre I) présente une théorie de la réalité où figurent dans une certaine succession les concepts directeurs de la philosophie occidentale (devenir ; substance, essence et être ; relation et négation ; quantité, espace, matière ; causalité ;

---

1. Paris, Payot, 1953.

qualité ; chose, corps vivant, personne). Le second volet (livre II) offre une théorie de l'homme, de l'« existence » à qui des mondes sont ouverts, qui se dirige « dans la transcendance » et s'inclut « dans l'immanence » : on y parcourt les diverses manières que l'homme a de se rapporter à la réalité et qui font qu'il y a monde et monde pour l'homme (connaissance et science ; évaluation et liberté ; dépassement vers un terme transcendant ou inclusion dans la nature, le monde, la réalité).

Telle est, au niveau de la table des matières, l'allure du traité. Qu'y a-t-il derrière ce plan ? Quel ordre ?

Le mouvement du livre I – que nous isolerons pour le moment – se présente comme une spirale ; non une ligne comme chez Descartes, ou un cercle comme chez Hegel et Weil, mais une spirale ; la fin répète le commencement, mais à un niveau plus radical de « la pensée profonde » (p. 268) ; ce n'est pas une logique, mais une réitération, une réaffirmation de la situation initiale, un mouvement du premier au second immédiat.

On part du « devenir » (première partie), c'est-à-dire de la réalité elle-même, prise en totalité, avec son instabilité, ses antinomies. Pourquoi commencer ainsi ? Parce que « l'idée du devenir est une idée première ; nous ne pouvons la dériver que de devenirs particuliers qui la présupposent elle-même » (p. 39) ; aussi ne peut-on expliquer son origine ni analyser sa nature. Ce sont ses antinomies qui poussent à en sortir et à y revenir. Comment ? Le devenir est tout, mais il suscite un contraire pensé : l'idée de permanence, qu'explicitent les idées de substance, d'essence, de forme, d'être (deuxième partie). Mais le devenir ne passe pas dans son contraire : il y a un « résidu » attesté par les idées de néant et de relation (troisième partie). On voit déjà que la procédure diffère singulièrement d'une logique de type hégélien : la permanence n'est pas une idée au même sens que le devenir ; aussi ces trois premières parties ne forment pas du tout une triade où deux opposés viendraient composer une synthèse ; la permanence est plutôt un réducteur qui laisse un « résidu ». Toute la suite est ordonnée par ce thème du « résidu » ; il y aura d'abord une « conquête du résidu » (quatrième partie) et une explication du devenir et du résidu (cinquième partie) ; c'est l'intelligence mesureuse et quantifiante (en gros la science). Mais cette conquête échoue, et le devenir réapparaît sous les traits de la qualité, que Jean Wahl appelle la quantité niée, inversant l'expression hégélienne (p. 188, 204) : cette « revanche de la qualité » est le thème de la réaffirmation du devenir (sixième partie). Mais cette réapparition de l'origine dans la fin n'est pas retour à l'informe ; la philosophie du devenir se fait philosophie de la structure (septième partie) ; « nous avons vu que nous sommes dans un monde de qualités, un monde étagé et coloré. Ce qui s'y présente va prendre la forme de choses, d'êtres vivants, d'âmes » (p. 317). À la façon d'Alexander et de Hartmann, quoique avec réserve, le philosophe réaffirme un monde maintenant total, étagé en « royaumes ».

Mais ce mouvement en spirale ne constitue pas encore la dynamique véritable du *Traité*. Chaque chapitre, en effet, est une espèce de totalité, une « partie totale », comme disait Leibniz. Et quelle totalité ! C'est ici que l'ordre chavire : toute l'histoire de la philosophie est chaque fois convoquée et récapitulée ; avec chaque chapitre, elle recommence ; le premier mouvement du lecteur est d'épouvante ; les notions que nous avons innocemment parcourues comme des termes simples et univoques cèdent sous le poids de l'immense culture philosophique de Jean Wahl ; elles se mettent à dériver et à délirer, comme affolées par tant d'interprétations qui leur font perdre la tête : car Jean Wahl ne sacrifie aux très grands – qui restent pour lui Platon, Descartes, Kant et (peut-être) Hegel – ni les présocratiques, ni les empiristes anglais, ni les autres idéalistes allemands et anglais, ni Alexander, Whitehead, Bergson, ni les penseurs existentiels, de Kierkegaard et Nietzsche à nos contemporains, ni les peintres, ni les poètes.

Mais cette profusion historique, qui a l'énorme inconvénient de faire écran entre le lecteur et les problèmes nus, appartient à la tactique philosophique de l'auteur ; l'histoire de la philosophie a la fonction précise de faire exploser toute signification apparemment simple et univoque, de rendre inconsistante toute « idée » ; cela suppose que l'histoire elle-même n'a pas d'ordre logique immanent, qu'elle est essentiellement ambiguë, qu'elle ne foisonne que pour nous embarrasser. Dès lors, le parcours que nous avons fait tout à

l'heure n'était pas jalonné par des termes fixes, au contour
précis, mais par une série de thèmes arborescents que toute
l'histoire de la philosophie fait fourmiller de difficultés ; la
première idée, par exemple, celle de devenir, n'était pas du
tout l'équivalent d'une expérience immédiate, mais un précipité de toute l'histoire de la pensée, une nébuleuse de conflits
et de sentiments fortement intellectualisés et divergents. Que
peut être dès lors la « réaffirmation », si le point de départ
n'est pas l'immédiateté naïve et inculte ?

Nous sommes amenés à chercher le style philosophique de
l'auteur dans le détail de chaque chapitre, par-delà le plan
et même l'enchaînement des « idées ». C'est dans le détail
qu'apparaît l'ambivalence constante de cette philosophie,
soucieuse de *tenir à la fois la « subtilité » et l' « opacité »* ;
tout le mouvement du *Traité* est un progressif départage et
une continuelle fusion de ces deux exigences : tenir le « subtil » sans lâcher « l'opaque » ; s'enfoncer dans l'« opaque »,
sans perdre le bénéfice du « subtil ».

Qu'est-ce que le subtil ? C'est d'abord ce travail de fine
différenciation des notions que l'histoire de la philosophie
opère en chaque notion ; c'est une subtilité dissolvante, si
l'on peut dire ; il est vrai que ce sont aussi les patientes relations qui renvoient d'une idée à l'autre : mais ces relations
consolident moins qu'elles ne volatilisent les notions dans
les flèches de sens qu'elles jettent dans toutes les directions.
Le subtil, ce sont encore les constructions de la pensée scientifique moderne (p. 69), mais en tant qu'elles ruinent les prétendues évidences de la pensée euclidienne et cartésienne.
Cette subtilité dissolvante est donc le contraire de la subtilité
constructive d'un Hegel, par exemple. C'est pourquoi elle renvoie au sentiment, comme terme de dissolution des notions :
ainsi l'idée de substance doit, d'une part, « s'évanouir au
profit de relations de plus en plus subtiles » (p. 69), d'autre
part, « nous tourner vers quelque chose de plus profond que
les relations, vers un sentiment d'opacité et de densité »
(ibid.) ; l'idée de substance serait alors « un compromis entre
ces deux tendances de l'esprit, dont l'une va vers une subtilité de plus en plus précise, l'autre vers une densité de plus
en plus opaque » (p. 70). De même l'idée d'être, à force de
complication, se résout dans un « sentiment de parenté et

de familiarité avec les choses » (p. 99) dont l'auteur retrouve la trace dans l'acte d'exister, selon E. Gilson, dans l'entente avec l'être, selon Heidegger.

Est-ce à dire que, chez Jean Wahl, le dernier mot soit au sentiment ? Il le paraît bien souvent : « Nous sommes amenés à remplacer l'idée d'une substance exprimable par celle d'une substance ineffable et qui est plutôt un sentiment qu'une idée » (p. 72). La subtilité n'est alors qu'une transition qui ramène à l'opaque. C'est, à mon sens, le péril le plus grand de ce *Traité de métaphysique* de sacrifier la raison philosophique au sentiment, au profond, à l'indicible : il y a un sentiment de la réalité au-delà des termes et des relations (p. 175-181), un sentiment de l'espace primitif, dense et massif (p. 202), un sentiment de la causalité (p. 255-267) et, bien entendu, des qualités qui sont présence sentie (p. 270).

Il me semble que Jean Wahl est plus fort quand il maintient l'arbitrage de l'intelligence entre ces deux exigences et la tension entre les deux pôles. Si une philosophie telle que celle-ci est praticable, ce doit être comme philosophie de l'*intermédiaire*, non de la médiation logique, mais de l'*intermédiaire humain*. Je songe à ce très beau texte : « On pourrait […] soutenir que toutes les notions humaines sont intermédiaires entre leur origine dense et opaque et ce réseau subtil de lois en lesquelles elles peuvent peu à peu s'affirmer. Un écrivain comme Claudel nous a donné dans ses œuvres, surtout dans l'*Art poétique*, le sentiment de cette opacité dont naissent nos concepts ; un Valéry, d'autre part, nous montre le réseau de lois dans lequel se subtilisent nos concepts. L'homme, pourrions-nous dire pour abréger, est placé entre un certain monde de Claudel et un certain monde de Valéry, et c'est dans chacune de ces deux directions que devrait aller la pensée philosophique… » (p. 259). Cette page est l'une des clefs du *Traité* ; c'est au nom de cette intention déclarée qu'on peut reprocher à l'auteur la tendance effective de son œuvre qui verse plutôt du côté du sentiment, en raison de l'usage plus dissolvant que vraiment critique qu'il fait de la subtilité.

Cette rupture d'équilibre est très manifeste dans les chapitres consacrés aux idées de relation et de néant qui devraient précisément soutenir l'esprit de subtilité : c'est en niant et se niant, c'est en mettant en relation que l'esprit

prend ses distances à l'égard de l'expérience opaque et rend
subtiles toutes les autres notions ; c'est pourquoi, à mon sens,
ce ne sont pas des idées comme les autres ; c'est plutôt grâce
à elles qu'être, substance, espace, matière sont des idées [1]. Or
Jean Wahl les met du côté du « résidu » et ainsi les traite
comme des idées à dissoudre elles aussi dans des sentiments :
« Ce qui reste à faire au philosophe, c'est de voir que l'esprit
humain est caractérisé par le fait qu'il transforme ensuite ces
termes en relations intellectuelles, puis qu'il détruit des relations senties affectivement, comme la relation de causalité ou
la relation de substance qui, finalement, pour une réflexion
qui se dirige vers l'originaire, ne subsisteront plus que sous
forme de relations affectives » (p. 180). Quelque chose de
semblable se produit avec l'idée de néant : l'auteur suit jusqu'à un certain point la philosophie contemporaine, lorsqu'elle accentue le « caractère positif de l'erreur, du mal, du
néant » ; il s'en sert un instant pour faire évanouir l'idée de
l'être (p. 155) ; il semble alors que le sentiment lui-même
bifurque : « Ce que nous pouvons conserver dans notre
esprit, c'est, aux deux états limites de ce mouvement, le
sentiment d'une activité destructive d'un côté, le sentiment
de la plénitude de l'autre ; aucun de ces deux sentiments ne
peut être défini ou complètement expliqué ou complètement
détruit. Entre les deux et comme intermédiaire, nous trouvons l'altérité platonicienne, la négativité hégélienne. Le problème du néant, sans être résolu, ne pourra être exploré que
par un tel parcours » (p. 161). Ce texte est intéressant, car il
laisse entrevoir que le sentiment ne peut être le point tranquille que cherche le philosophe ; c'est un empire divisé
contre lui-même ; il est même frappant que le sentiment, en
bifurquant, soit reporté aux extrêmes, devienne état-limite,
tandis que la fonction intermédiaire, identifiée plus haut à
l'humain, appartient à la relation, sous le titre de l'altérité
platonicienne et de la négativité hégélienne. Mais finalement,
cette position, plus conforme à l'intention déclarée de l'auteur, est emportée par la tendance plus occulte de l'ouvrage ;
le sentiment perd son caractère dialectique, qui eût renvoyé
de l'opacité à la subtilité et à une subtilité moins dissolvante,

---

1. Jean Wahl le dit lui-même : « […] toute idée se définit par sa différence avec les autres idées, […] toute idée est relation » (p. 164).

à celle du *Sophiste* si l'on veut, plutôt qu'à celle du *Parménide* ; le sentiment de l'être est finalement plus profond que celui du néant ; en dernier ressort, Jean Wahl est du côté de Bergson, pour qui l'être est le plein, et le néant une illusion de la rétrospection : « Quant à l'idée de négativité, elle ne doit pas impliquer qu'il n'y ait pas une sorte de plénitude du réel antérieur à la négativité ; et c'est ce que montre une analyse comme celle que Bergson a faite de l'idée de néant » (p. 181). C'est donc le plein de l'expérience qui est à la fois la matrice de toutes les pensées et le repos vers quoi ramènent toutes les pensées ; la revanche de la qualité, à la fin de ce livre I, n'a pas d'autre signification.

La « réaffirmation » a ainsi deux sens dans ce livre ; tantôt c'est un retour au mélange initial du subtil et de l'opaque, mais à un degré plus intense de lucidité ; tantôt c'est un retour à l'opaque par la transition du subtil ; c'est dans la première direction que la pensée de Jean Wahl est la plus forte et la plus convaincante. Car c'est dans cette direction qu'il annonce et prépare la philosophie que notre époque requiert, à savoir une philosophie qui saurait remembrer et intégrer l'une à l'autre l'épistémologie contemporaine et la philosophie existentielle comme le firent Platon et Leibniz pour leur temps. Mais la philosophie contemporaine ne peut encore qu'entrevoir cette tâche ; faute de pouvoir arbitrer la tension du subtil et de l'opaque avec la double ressource de la science et de l'expérience vive, elle est réduite à préférer tantôt le sentiment comme on voit dans le *Traité* de Jean Wahl, tantôt la sémantique et la logique, comme on voit dans le positivisme des Anglo-Saxons.

Avant de quitter le livre I, il faut attirer l'attention sur un aspect de la pensée de Jean Wahl qui ne rentre pas exactement sous la rubrique du subtil et de l'opaque ; je songe à la tendance qui s'exprime dans la septième partie, consacrée aux couches du réel : choses, êtres vivants, personnes. C'est une tendance à voir la réalité comme un étagement de règnes, avec des « centres » de plus en plus riches en déterminations et en valeurs et que nous appelons précisément une chose, un animal, une personne. Dès la première méditation sur le devenir, on pouvait pressentir cet aboutissement : le devenir est toujours devenir quelque chose ; les « substances devenues » de Platon, les « entéléchies » d'Aristote, les « monades » de

Leibniz, l'organisme et l'œuvre d'art selon la troisième critique kantienne, le *Dasein* de Hegel, les formes vivantes du
bergsonisme « sont autant de désignations de ce qui dans le
devenir dépasse le devenir » (p. 50).

Ce sont ces nœuds de réalité que Jean Wahl considère dans
la dernière partie du livre I. Le chapitre sur la chose est
d'ailleurs l'un des plus remarquables de l'ouvrage ; l'auteur
met en place avec brio l'analyse hégélienne, celles de Husserl et de Merleau-Ponty et les révélations de la peinture et de
la poésie : « la chose, dit-il, est un intérieur qui se révèle au-
dehors » ; et aussi : « Les choses ont une sorte d'intériorité
qui nous est comme fermée » (p. 338).

C'est vers une philosophie des totalités finies que s'oriente
ainsi dans sa dernière partie le livre I du *Traité de métaphysique* ; Whitehead, Goldstein et Ruyer, philosophes savants,
prennent le pas sur les penseurs existentiels qui présidaient
au retour de la philosophie vers le sentiment ; du même coup,
les idées d'organisation, de spontanéité, de totalité, qui passent maintenant au premier plan, invitent à des confrontations
avec la science contemporaine et avec son idée de la chose
physique, alors qu'une interprétation purement phénoménologique de la « chose » en tant que chose perçue condamnerait à réduire ces trois termes : chose, être vivant, personne, à
de simples présentations dans le flux des qualités ; la philosophie échappe à cette étroitesse des phénoménologies de la
perception en accédant à des problèmes de structure, d'organisation, de stratification du réel.

Je ne suis pas sûr que cette tendance de la philosophie de
Jean Wahl soit bien accordée avec le reste de l'œuvre, moins
préoccupée de structurer le réel que de dissoudre les idées en
sentiment. Mais l'œuvre est assez riche et surdéterminée
pour abriter plusieurs philosophies naissantes.

IMMANENCE ET TRANSCENDANCE

Le livre II du *Traité* est en gros une théorie de l'homme
pris subjectivement comme mouvement d'existence. L'auteur ne s'arrête pas longtemps, et à juste titre, au problème
que pose le passage d'une théorie de la réalité à une théorie

du sujet ; la réciprocité des deux points de vue lui paraît évidente, et la question de priorité entre l'un et l'autre, « assez futile » (p. 381). Aussi bien la réalité, selon le livre I, était-elle de bout en bout ce qui apparaît à des sujets ; inversement, la théorie du sujet humain sera-t-elle, dans le livre II, celle des « mondes ouverts à l'homme ».

Aussi le livre II est-il pour une part (huitième partie : « Les royaumes ouverts aux personnes ») une reprise, mais à l'envers, de toutes les questions soulevées par la théorie de la réalité. Nous pouvons donc retrouver la même tension du subtil et de l'opaque dans les théories de la connaissance, de la valeur, de la liberté, de l'existence qui constituent cette huitième partie. L'immense chapitre sur l'être connaissant, qui veut sauver l'acquis de la philosophie grecque et classique (en particulier la théorie du jugement comme siège de la vérité) et tente de le joindre aux analyses de la philosophie posthégélienne, débouche sur la même inextricable complexité que la théorie de la réalité[1]. Mais le couple du subtil et de l'opaque s'enrichit en cours de route de variantes nombreuses qu'il vaut la peine de dénombrer. C'est d'abord l'alternance du médiat et de l'immédiat, leur conflit et leur union ; la philosophie, est-il dit, est « la transformation incessante de l'immédiat et du médiat l'un dans l'autre » (p. 508). C'est ensuite l'alternance du sentiment de la liberté et de l'idée de la liberté ; d'un côté, la liberté s'affirme elle-même silencieusement dans l'acte et dans l'œuvre – c'est la liberté opaque, dirais-je ; mais l'homme, cet être parlant, veut en rendre raison ; il lui faut alors la dire avec les ressources de la « modalité » du jugement (possible, réel, nécessaire) ; la liberté entre alors dans la subtilité ; car tour à tour la liberté lie son sort à l'idée de possibilité, à celle de réalité et même à

---

1. « Retournons-nous vers les différents éléments que nous avons dégagés : affirmation de l'être ou du moins du sentiment de l'être, affirmation de la vérité dans le jugement, caractère en un sens artificiel de la vérité puisqu'elle est le produit des relations, mais, d'autre part, caractère senti, affectif de la vérité. Nous voyons chaque fois que, lorsque nous essayons de saisir la vérité, nous nous trouvons devant une sorte d'antinomie. Ce que nous avons essayé de faire c'est de trouver une vérité au sujet de la vérité. Mais nous avons vu les difficultés qui viennent et de la multiplicité des genres de vérités, et du fait que cette idée de vérité ne peut jamais être complètement saisie. Il n'y a pas, au sujet de la vérité, de vérité générale » (p. 480).

celle de nécessité ; chaque « modalité » s'évanouit dans une autre, tout en se conservant dans un sentiment des possibilités vécues (je peux), dans un sentiment de l'actualité de mes actes (je fais), dans un sentiment de la nécessité (je ne puis autrement).

Toutes les tensions se concentrent dans l'idée d'existence : existerais-je si je ne pensais ? Et mon existence n'est-elle pas au-delà de la pensée impersonnelle ? Ainsi, « la tension entre la pensée de l'existence définit, pour autant qu'elle peut se définir, l'existence elle-même » (p. 553). On retrouve en outre l'idée que le sentiment se dialectise lui-même : l'existence est ce qui nous résiste et ce que nous produisons ; elle est opposition et union, choix de moi-même et donnée à moi-même, seule et reliée, réfléchie et extatique, invention et réaffirmation.

Est-ce l'opaque qui l'emporte ? Oui, en un sens, puisqu'« il ne peut pas y avoir une analyse à proprement parler de l'existence, mais seulement une sorte de description ou de circumscription du sentiment de l'existence » (p. 557). Et pourtant, quoi de plus subtil que ce jeu d'antinomies et d'antithèses ? On pourrait dire que le sentiment fait la relève des concepts naufragés, mais que l'homme ne peut se satisfaire du sentiment, parce qu'il parle, et aussi, peut-être, parce que les sentiments se contrarient [1].

La seconde masse d'analyses du livre II : « Directions dans la transcendance » (neuvième partie) et « Inclusions dans l'immanence » (dixième partie) fait apparaître quelque chose de très nouveau. Car toutes les antinomies précédentes étaient des antinomies de la *vision*, en un sens très large du mot, en entendant par vision ce qui nous *ouvre* des royaumes ; il s'agissait de savoir si notre vision peut être à la fois discours et sentiment ; car qu'est-ce qui peut être subtil, sinon l'être

---

1. Je signale ici l'admirable note sur l'*Homme* (p. 559-562), qui fait éclater le cadre du cours et atteint à la qualité du témoignage : « Pour certains d'entre nous, c'est de quelques événements de 1939-1940 qu'il faut partir pour construire, aujourd'hui, en nous l'idée de l'homme, en pensant à ce que l'homme a souffert et à la conscience qu'il a prise, alors, qu'il y a des choses pour lesquelles il fallait souffrir. Nous avons vu que l'homme peut supporter beaucoup plus qu'il ne paraît ; que l'homme, tout en disant : plutôt la mort que…, et ayant toujours sa propre mort comme une arme dans la main, ne médite pas sur la mort, que l'homme est une créature d'espoir. Et par là même une créature de courage » (p. 560-561).

parlant ? Et qu'est-ce qui peut unir et séparer, sinon le sentiment ?

Or voici une nouvelle antinomie, qui est dans notre *visée* plutôt que dans notre *vision*. Que visons-nous, nous qui pensons et existons, qui parlons et sentons ? Nous dirigeons-nous *vers* un terme transcendant ou vers l'ensemble des choses, – nature, monde, réalité ? « Directions dans la transcendance » ou « inclusions dans l'immanence » ?

Si l'idée d'âme figure dans cet environnement, bien qu'elle soit à certains égards une simple reprise des idées d'existence ou de personne, c'est qu'elle est mouvement de « dépassement » – d'*anabase*, de montée, comme dirait Platon – et en même temps mouvement d'« incarnation », d'union avec son corps. On pourrait dire que l'âme est cette qualité de l'existence qui indique le double mouvement de dépassement et d'inclusion ; toute l'histoire de la philosophie témoigne de cette lutte – comme si on pouvait gagner à la fois sur le tableau de l'« immortalité de l'âme » et sur celui de l'« union de l'âme et du corps » – et atteste qu'il n'est pas de synthèse définitive entre les deux postulations de la doctrine de l'âme.

Mais, à son tour, l'idée du transcendant, déjà polairement opposée à celle d'inclusion dans le monde, se dédouble : désigne-t-elle un mouvement *vers*… ou le *terme* de ce mouvement ? Le dépassement de l'homme par l'homme ou par Dieu ? C'est vers cette ultime ambiguïté que s'oriente le chapitre sur Dieu ; il s'en approche à travers une série de difficultés préalables qui se tiennent d'abord à l'intérieur de l'idée que l'on se fait de Dieu (par exemple, Dieu œuvrant et Dieu idéal), puis sur la voie qui est censée mener à lui (voie d'éminence et voie de négation), puis dans la position même de l'absolu comme absolument séparé ou unissant toutes choses, comme dans le *Parménide* de Platon. Mais l'auteur paraît peu impliqué dans « ces sortes d'antithèses à l'intérieur de la pensée de Dieu et de l'affirmation de Dieu » (p. 620) ; il redevient vraiment lui-même lorsque apparaissent « des antithèses dans l'affirmation et la négation de Dieu » *(ibid.)*. C'est ici que se décide le nouveau style d'antithèse : peut-on tenir à la fois le Oui et le Non, comme tout à l'heure l'opaque et le subtil ? L'antithèse n'est plus, me semble-t-il, antinomie, mais perplexité, aporie : « L'homme sera-t-il un jour assez fort pour garder l'idée de transcendance, mais pour la garder comme signifiant ce que le mot précisément signifie, c'est-à-dire une montée, et pour garder en même temps l'idée que l'immanence suffit ? S'efforcer, à l'intérieur de l'humanité, vers un élément supra-humain par lequel l'homme est homme, émerger de l'émergence et dans l'émergence, cela ne semble pas impossible. Peut-on garder l'idée de transcendance et penser à la fois que l'immanence est suffisante, penser à la fois l'homme est valeur suprême et qu'il n'est valeur suprême que parce qu'il place quelque chose au-dessus de lui-même comme valeur suprême ? » (p. 620-621).

Et plus loin : « Le problème qui se posera à propos de l'idée de transcendance elle-même, ce sera celui de savoir si on peut maintenir à la fois les deux sens du terme, et ce sera aussi de savoir si le mouvement de transcendance implique l'idée d'un terme qui serait irréductible à nous, et qui nous transcende. Est-ce que ce quelque chose, qui est conçu ou senti comme nous transcendant, est indépendant de notre esprit, ou est-ce une propriété de l'esprit humain lui-même que de projeter au-dessus de lui ce qu'on pourrait appeler son point le plus haut ?

« Si on admet ce dernier terme de l'alternative, cette idée que l'esprit humain peut projeter au-dessus de lui son point le plus haut, on pourrait dire d'une certaine façon qu'on a transcendé la transcendance et qu'on est retourné à l'immanence.

« Mais si l'on pense cela, on court le danger de ne plus avoir conscience que cette transcendance existe réellement ; en ayant trop conscience de ce mouvement de projection, nous courons le risque de perdre la valeur de la transcendance. Ainsi, la réponse à cette question, si on choisit le dernier terme de l'alternative et si l'on en a trop conscience, si on le choisit trop explicitement, risque de détruire la valeur et ce qui fait le fond même du problème » (p 646).

Tout le *Traité* se déplace ainsi d'un ensemble d'antinomies qui se résolvent dans des sentiments *assurés* – sentiment d'être, sentiment de substance, sentiment de néant aussi – vers des apories qui s'aiguisent dans des sentiments *perplexes*.

C'est pourquoi la onzième et dernière partie, qui réfléchit la méthode explicite du *Traité* – ordre, dialectique, etc. –, oscille elle-même entre ces deux styles de sentiments.

D'un côté, le philosophe récuse les prétentions de toute dialectique qui voudrait résoudre la philosophie dans le discours cohérent : « Il n'y a de dialectique que s'il y a autre chose que la dialectique » (p. 693) ; cette autre chose, c'est l'*expérience*, c'est le sentiment naïf qui l'annonce et le sentiment mûri qui le clôt. Et si l'histoire elle-même fourmille de dialectiques non résolues, « c'est que la dialectique n'est pas l'explication finale, et qu'il y a une explication de la dialectique elle-même par la présence de quelque chose qu'on peut appeler la réalité » (p. 696). C'est donc le sentiment de réalité qui récuse les prétentions de la dialectique ; c'est ce que j'ai appelé le sentiment assuré ; si assuré même que Jean Wahl peut retourner contre Hegel le reproche que celui-ci faisait à Kant et à ses antinomies non résolues de demeurer au stade de la « conscience malheureuse » : « La dialectique est la conscience dans son malheur, dans la distance sans cesse réapparaissant qui la sépare et des choses et d'elle-même » (p. 703). La vraie dialectique est celle qui reste dans le fragmentaire, dans les miettes (Kierkegaard) ; son terme est extase et silence (p. 722).

Cela irait bien si les autres tensions, que nous avons appelées des tensions dans la visée plutôt que dans la vision, ne venaient dialectiser l'extase elle-même : la plénitude du réel ne s'accompagne-t-elle pas « de l'existence d'une sorte de force destructrice, immanente au réel, elle aussi, et qui serait le principe de la négativité » (p. 717) ? « Il n'y a pas un seul ineffable, mais des ineffables au pluriel » (p. 703) ? Et, surtout, « le philosophe aura-t-il la force de transcender finalement la transcendance elle-même et de tomber vaillamment dans l'immanence sans laisser perdre sa valeur à son effort de transcendance ? » (p. 721).

La dernière ambiguïté – ou la dernière richesse – de Jean Wahl est de nous offrir deux qualités de *silence* – puisque c'est le dernier mot du livre –, un silence d'extase et un silence de perplexité, selon que la philosophie marche vers le point tranquille de la réponse qui s'appelle Réalité ou vers le tourment de la question qui s'appelle l'Autre.

Entre Gabriel Marcel
et Jean Wahl
(1976)

Il n'est pas facile de rendre hommage d'un même souffle à Gabriel Marcel et à Jean Wahl. Pour plusieurs raisons. D'abord, la lecture que je viens de faire de leurs œuvres respectives m'a fait découvrir entre elles un abîme de différences que je ne soupçonnais pas autrefois. La seconde raison m'est plus personnelle : j'ai beaucoup de peine à regarder ces penseurs d'un même regard. Je n'ai pas eu avec Jean Wahl les échanges continus et proches que j'ai eu le bonheur d'avoir avec Gabriel Marcel, que j'ose considérer encore comme l'un de mes peu nombreux maîtres, à l'égal de Husserl et de Nabert. Or la circonstance – cet hommage commun – et aussi, je dois dire, une sorte d'équité à laquelle je pensais avoir failli à l'égard de Jean Wahl m'invitaient à accorder aux deux penseurs une considération égale.

Pris entre la reconnaissance de leurs différences et cette exigence d'égalité dans l'hommage, je me suis demandé si une analogie profonde entre les deux œuvres ne pouvait pas être retrouvée dans la manière dont l'un et l'autre mettent la philosophie en relation avec la non-philosophie. Gabriel Marcel pense en consonance avec le théâtre et il est auteur dramatique. Jean Wahl pense en consonance avec la poésie et il est poète. Mon exposé tente de faire le bilan de cette comparaison. Comme il apparaîtra très vite, la comparaison rend la différence si aiguë qu'il me semble aujourd'hui presque impossible de placer leurs œuvres sous le genre commun de la philosophie de l'existence.

Certes, une thèse philosophique commune peut toujours être construite au-dessus de leurs œuvres. Mais combien elle reste abstraite, et donc étrangère au style philosophique propre à chacun !

On pourrait dire ceci : parce qu'ils sont l'un dramaturge, l'autre poète, Gabriel Marcel et Jean Wahl n'ont pas conçu la philosophie comme une discipline autonome. À supposer que la philosophie puisse se donner un point de départ abstrait à l'intérieur d'elle-même, qu'on l'appelle un terme catégorial premier, une première vérité, ou une question première, il reste que le discours philosophique a ses racines ailleurs. Ses *sources* concrètes sont non philosophiques.

Il n'est pas difficile de trouver chez Gabriel Marcel et chez Jean Wahl des formules qui expriment cette ressemblance toute formelle entre deux styles philosophiques. Ils ont en effet les mêmes méfiances et les mêmes refus. Gabriel Marcel se soustrait aux séductions de l'idéalisme – idéalisme absolu de tradition hégélienne, idéalisme critique de tradition kantienne et néokantienne –, tandis que Jean Wahl brise la dialectique platonicienne en donnant du *Parménide* de Platon l'interprétation la plus radicalement aporétique ; quant à la tentation hégélienne, il la conjure en remontant de la logique de l'*Encyclopédie* à la conscience malheureuse, où il voit le cœur de la *Phénoménologie* hégélienne. À ce cœur Kierkegaard ne cessera de le ramener avec sa dialectique non conclusive.

Par-delà leur commune répugnance à l'égard du système, ce que nos deux penseurs refusent avec une force égale, c'est l'idée même d'objectivité, qu'ils tiennent pour inséparable d'une conception où le sujet de la connaissance est érigé en donateur de sens et en maître de ses propres pensées. Chez Gabriel Marcel, l'objectivité, qu'il oppose à l'existence, est contemporaine du *Cogito*, lequel est le non inséré, mieux, la non-insertion en tant qu'acte. C'est pourquoi renouer avec mon corps, c'est renouer avec l'existence au point même où elle se noue à moi : « L'être incarné, proclame Marcel, repère central de la réflexion philosophique. » On n'aurait pas de peine à mettre en face de cette maxime, tirée d'*Existence et Objectivité* et reprise dans *Position et Approches concrètes du mystère ontologique*, des déclarations semblables chez Jean Wahl, en particulier dans le petit livre *Poésie, Pensée, Perception*, publié en 1948 : « L'idée de chose. Elle implique une sorte de cercle fermé sur soi, de rayonnement en soi. La chose est comme une personne aveugle. – La chose est autre, et elle est un peu moi-même » (p. 233). Et, tout de suite, un petit poème :

    Matin
   Un matin
      Je plongeais entre deux eaux de sommeil,
      Chauffé sous la caresse du soleil
  Intérieur
      Et dans le déliement de tout,
      J'étais si fortement lié
      À ce qui est le plus certain
      Que je ne pouvais le nommer,
      Ni jamais l'oublier,
   Tout un matin (p. 239).

Et Gabriel Marcel n'accréditerait-il pas cet autre mot, très marcellien, de Jean Wahl : « Pour autant que nous connaissions la création, elle se fait par négation de la réflexion [...]. L'artiste est celui pour qui l'image est le plus possible comme la chose est une chose. Et peut-être le philosophe est-il celui qui ne distingue pas entre la chose et la perception. La création est destruction de la réflexion » (p. 239) ? Et encore ceci : « [...] Il faut d'abord nous concevoir *dans le monde*. C'est le mérite de Bergson, de Whitehead, de Heidegger de l'avoir dit. L'idéalisme est souvent péché d'orgueil. Le faux humble permet à sa vanité de se donner libre cours dans l'idéalisme. Il y a un réalisme naturel, qui est la base de la philosophie (cf. ce que disent Lossky et surtout Franck et Nicolaï Hartmann). C'est moi dans le monde qui suis présent. Le *Cogito* n'est que par abstraction la première pensée. Il est toujours pensée braquée sur quelque chose, venant de quelque chose. Il est lié aux choses pensées et aux autres » (p. 240). Ne croit-on pas entendre Gabriel Marcel dans le *Journal métaphysique* et dans *Être et Avoir* ?

Et pourtant, le parallélisme ne dépasse pas une ressemblance toute formelle, qui reconvertit aussitôt en généralités deux pensées également hostiles aux abstractions.

C'était pour échapper au piège de ce parallélisme que je m'étais tourné vers la formule qui me paraissait respecter les lois de la comparaison, tout en faisant droit à la différence. Ne peut-on pas dire en effet que le théâtre est à la pensée de Gabriel Marcel ce que la poésie est à celle de Jean Wahl ? En suivant ce fil, j'espérais rester dans les bornes d'un parallélisme mesuré, puisqu'il invitait à comparer non plus deux œuvres directement, mais deux rapports, le rapport de chacun à ce qui fut pour lui par excellence la source non philosophique de sa philosophie.

C'est précisément en suivant ce fil, ou plutôt en tirant ce fil, que quelque chose d'autre est venu, est apparu, à savoir la reconnaissance d'une différence qui l'emporte infiniment sur la ressemblance toute formelle qui pourrait s'abriter sous le vague titre commun de philosophie de l'existence.

THÉÂTRE ET PHILOSOPHIE

L'unité du théâtre et de la philosophie, chez Gabriel Marcel, est bien connue. Gaston Fessard l'avait aperçue il y a vingt-cinq ans. Il écrivait : « La seule étude de l'œuvre dramatique demanderait déjà que nous en reprenions une à une les diverses pièces, afin de montrer comment en chacune l'action tragique constitue en même temps une analyse du concret qui a valeur métaphysique. Ce serait l'occasion d'apercevoir que chaque progrès le long du versant dramatique où elle s'échelonne détermine sur le versant philosophique un progrès correspondant qui, à son tour, se réfléchit pour éclairer d'une lumière nouvelle le drame suivant, cet échange continuel tendant toujours à discerner parmi les impasses et les fausses pistes les voies de l'approche concrète du mystère ontologique » (*Théâtre et Mystère*, p. 20, *in* G. Marcel, *La Soif*, Desclée de Brouwer, 1938). Ce n'est pas la ressemblance *thématique* entre le théâtre et la philosophie que je veux souligner à mon tour, mais la structure dramatique elle-même, dans la perspective de sa différence avec ce que j'appelle provisoirement la structure lyrique de la pensée de Jean Wahl. Ainsi, la fameuse opposition du *mystère* et du *problème* n'est pas une distinction dont on puisse s'emparer spéculativement ; elle émerge d'une situation dramatique, comme une lumière hésitante qui replonge aussitôt dans l'ambiguïté des situations indécises. Les plus belles formules de Gabriel Marcel lui-même – par exemple : « Le mystère est un problème qui empiète sur ses propres données, qui les envahit et se dépasse par là même comme simple problème » –, cette formule et d'autres semblables se figent en réussites verbales dès que la réflexion cesse d'épouser les formes du drame, par conséquent dès que l'on sort des situations où celui qui pose le problème est lui-même mis en question et entre en lutte avec les termes où se représente sa propre division intérieure. Ce que le philosophe désigne du nom de présence, d'être, de mystère est inséparable de la représentation, au sens fort de la mise en scène, du conflit avec eux-mêmes de personnages qui se nourrissent des problèmes qu'ils transcendent ou non. L'unité du théâtre et de la philosophie va donc toujours plus loin qu'on ne pourrait le soupçonner. La réflexion est telle qu'elle adopte les formes du drame et le drame est tel qu'il se transpose en acte de réflexion. Gabriel Marcel le disait lui-même en 1921 dans ses *Réflexions sur le tragique* : « Si je ne me trompe, le fondement réel du tragique réside dans cette espèce de défaut intrinsèque de l'idée sur lequel seul jusqu'à présent quelques dialecticiens ont su mettre l'accent. On voit par là le genre de relation qu'il convient d'établir entre les idées de mystère et de tragique » (cité par G. Fessard, *op. cit.*, p. 18). Parce que la dialectique n'est pas d'idée mais d'existence, le tragique la définit tout entière.

Partant de cette idée, encore vague et globale, de l'unité du dialectique et du tragique, je voudrais suivre un certain chemin dont les étapes nous éloigneront progressivement du chemin que suit ou que déploie la philosophie lyrique de Jean Wahl.

Au départ du chemin, on peut marquer dans l'œuvre dramatique de Gabriel Marcel un certain sens de l'ambiguïté proprement dramaturgique qui peut paraître indiscernable de l'espèce d'incertitude ou d'oscillation qu'on trouve à chaque page de l'œuvre de Jean Wahl. Ainsi, les deux premiers drames de Gabriel Marcel, *La Grâce* et *Le Palais de sable*, tournent autour des ambiguïtés de l'homme religieux et de l'expérience religieuse elle-même, dont l'authenticité non seulement demeure invérifiable, mais reste sujette à caution : *Seuil invisible*, dit le titre commun aux deux pièces. Mais on peut toujours se demander si cette expérience religieuse n'est pas seulement « seuil illusoire de l'invincible néant » (Fessard, p. 24). Ainsi, au théâtre, le mystère dont s'enveloppe le problème peut faire figure d'indécidable. La création esthétique, elle aussi, dans *Le Quatuor en fa dièse*, est placée sous

la même lumière cruelle. On ne saura jamais si la musique
absout à force de sublimer, ou condamne sans appel en
figeant le passé dans la hantise d'une forme éternisée. Et
le pasteur modèle, dans *Un homme de Dieu*, ne sait plus s'il
n'a pas sacrifié la réalité de l'amour à une image des autres,
forgée par une bonté toute professionnelle. Dans *Le Mort
de demain*, celui à qui est sacrifié le vivant d'aujourd'hui, il
est suggéré que la méditation de la mort peut corroder la
vie par un désespoir qui a pris le parti du néant, croyant avoir
pris celui du détachement. Et *L'Iconoclaste*, qui brise dans le
cœur de son ami l'idole de la femme morte, n'est pas moins
dupe qu'elle des certitudes visibles, dans l'atmosphère raréfiée d'un monde où les juges seuls auraient raison et que le
mystère aurait déserté.

Jusqu'à ce point, on pourrait dire que l'ambiguïté dramaturgique de Gabriel Marcel reste proche de ce que j'appellerai tout à l'heure la perplexité lyrique de Jean Wahl. Dans
maints drames de Marcel, en effet, on ne sait pas, pour anticiper le langage de Jean Wahl, si la transcendance n'est pas
un leurre, si elle ne se reconvertira pas en immanence, quitte
à ce que l'immanence garde la mémoire d'une transcendance
qui, bien qu'absente, continue de la miner. Je reviendrai tout
à l'heure sur ces retournements complexes chez Jean Wahl.
Et j'admets qu'on puisse longuement s'attarder à un trait de
l'ambiguïté dramatique qui peut paraître confiner à la perplexité.

Gabriel Marcel n'insiste-t-il pas sur l'équité du dramaturge, qui lui interdit de prendre parti pour l'un ou pour
l'autre de ses personnages ? Le texte que je vais lire est bien
connu ; Gaston Fessard le commentait déjà dans *Théâtre
et Mystère* : « Les personnages que l'auteur dramatique fait
surgir sont multiples ; chacun dit "je" ; il faut donc que par
un effort dirigé en sens contraire de notre pente naturelle il
trouve moyen de se placer simultanément à un niveau aussi
profond que possible de chacun d'eux, qu'il épouse à la fois
leurs manières d'être, de comprendre, d'apprécier, qui pratiquement s'opposent et peuvent même se révéler à jamais
incompatibles [...]. Ainsi, en quelque manière, je parviens à
m'affranchir de ma condition mortelle ; pendant quelques
instants, il me sera possible, non pas seulement de respirer
plus largement l'existence, mais d'atteindre à une justice

supérieure qui ressemble à la charité, qui l'annonce, et qui me permet d'*être* à la fois les antagonistes, et de les comprendre, et de les surmonter ; sans que je sois pour cela nécessairement en mesure d'élaborer une formule énonçable qui permettrait d'exprimer cet acte en une synthèse intelligible » (*op. cit.*, p. 49).

N'est-on pas tenté de dire que cette « justice supérieure qui ressemble à la charité » reconduit à l'équivalence et à l'indifférence du stade esthétique décrit par Kierkegaard ?

On pourrait conclure en ce sens, me semble-t-il, si l'on ne voyait que cette oscillation en quelque sorte *horizontale* entre les caractères, et si l'on restait aveugle au mouvement de rénovation et de restauration qui entraîne vers le haut la compréhension justifiante. C'est là, à mon sens, le vecteur dramatique décisif qui soustrait le théâtre à l'esthétisme. Dans un autre texte sur le théâtre, Gabriel Marcel écrit à propos de cette compréhension justifiante : « Rien de tout cela en effet n'est possible sans une activité de réponse que le génie du dramaturge a consisté à amorcer d'abord, puis à encourager, à entretenir, et par laquelle je communie non pas seulement avec ce qui se passe sur la scène, mais au-delà de cette action limitée, particulière, avec une infinité de tragédies soudain soupçonnées chez mes frères. Dès lors ce n'est pas seulement mon sens de la réalité qui s'est aiguisé ou approfondi, c'est une brèche qui se creuse dans l'espèce d'armure opaque qui nous protège et nous alourdit, une brèche par où peut-être un souffle *nouveau* va pouvoir passer – le souffle de l'Esprit » (cité par Fessard, p. 52). Ce texte parle donc de brèche ; un autre parle des puissances qui peuvent s'y engouffrer et qu'il s'agit de mobiliser : « La présence dramatique ainsi conjurée devient, si j'ose dire, médiatrice entre le don créateur du dramaturge et les puissances qu'il s'agit de mobiliser. Il n'y a pas en effet de création qui ne soit en quelque manière un appel à créer, à se créer » (*op. cit.*, p. 52). Nous avons bien entendu : « Les puissances qu'il s'agit de mobiliser », « un appel à créer, à se créer ».

En vérité, les drames de Marcel ne sont pas *perplexes*. Leur ambiguïté est d'une tout autre nature. Voulant se garder de tomber dans le théâtre à thèse, Gabriel Marcel ne déclare rien, je veux dire ne dit rien en clair qui soit comme le message de la pièce, isolable du jeu même des personnages.

Il ne prêche ni ne recommande aucune idée. Et pourtant, son théâtre signifie. Il a une visée qui rompt la perplexité. Il ouvre une perspective qui n'est pas une idée séparable, mais le vecteur de sens du drame lui-même. C'est d'abord négativement, je veux dire sous la forme d'une sourde protestation, que cette visée s'annonce. Cette protestation, les écrits philosophiques la désignent comme refus de réduire les êtres à une *fonction*, que celle-ci soit vitale, psychologique, économique ou sociale. Et comme ce refus tient lui-même en germe l'opposition également décisive entre le *toi*, qui est présence, et le *lui*, qui n'est qu'un répertoire de propriétés ou de caractères, on peut bien dire que c'est le mouvement de sursaut, *interne* à la réalité dramatique, qui entretient la protestation sur le plan de la réflexion seconde. En ce sens, c'est le théâtre, en tant que tel, qui impose le problème de la communication comme première approche concrète du mystère ontologique et qui, d'un même geste, opère la scission entre le *toi* et le *lui*. Le *Journal métaphysique* parle ainsi le langage du drame : « À quelle condition emploierai-je la deuxième personne ? [...] Je ne m'adresse à la deuxième personne qu'à ce qui est regardé par moi comme susceptible de me répondre, de quelque façon que ce soit – même si cette réponse est un "silence intelligent". Là où aucune réponse n'est possible, il n'y a place que pour le "lui" » (*Journal métaphysique*, p. 138). Dans cette formule, tout est déjà dit : autrui est celui qui répond ; l'objet ne répond pas. La connaissance, disait Royce, est un rapport à trois : la réalité est en tiers entre toi et moi. L'objectivité de l'objet n'est qu'un répertoire de réponses. Le philosophe, ici, redouble le dramaturge, quand il écrit : « Le répertoire, c'est le *lui* » (*ibid.*, p. 175). Et encore : « Le toi est à l'invocation ce que l'objet est au jugement. »

Cette proposition pourrait être tenue pour une proposition épistémologique concernant le statut de la seconde personne. Mais il apparaît tout de suite qu'un accent *éthique* est inséparable de la description phénoménologique et de son intention purement épistémologique. Gabriel Marcel ne peut réfléchir sans s'indigner. Cette indignation l'arrache à la perplexité à laquelle une certaine pureté de l'expérience théâtrale pourrait le conduire. Il n'est pas possible de relire aujourd'hui un essai aussi ancien que *Position et Approches concrètes du mystère ontologique* sans être frappé par la sorte de violence

spirituelle qui retourne son auteur contre l'inhumanité d'un
monde dégradé, contre « l'étouffante tristesse qui se dégage
d'un monde… axé sur la fonction » (*Position et Approches…*,
p. 258). Le grand mot de cet antiesthétisme, c'est trahir. Il
résonne dans tous les textes philosophiques adossés à l'expérience théâtrale. Pour Marcel, la pensée ne peut pas ne pas
être appréciative, dans la mesure où la réalité apparaît comme
invitation au suicide et au reniement. La réflexion seconde
n'est pas seulement le lieu d'une articulation conceptuelle
pour une intuition sous-jacente aveuglée, elle est l'instrument
d'un retournement, qui opère en sens contraire de la réflexion
objectivante et dissolvante.

Or le théâtre est déjà le lieu de cette réflexion seconde,
d'une réflexion jouée et agie, certes, mais dont le jeu et
l'action ont pour enjeu la lutte de la désespérance et de l'espérance, de la trahison et de la fidélité. Il est impossible de
lire le théâtre de Marcel hors de ce jeu et de cet enjeu. Dans
L'Iconoclaste et *Quatuor en fa dièse*, le mystère n'est pas
seulement caché dans la découverte finale, il est le pressentiment constant des personnages, comme si ceux-ci avaient
sur leur auteur une étrange avance de pensée et le don d'anticiper sur son développement ultérieur : « Crois-moi, dit Abel,
la connaissance exile à l'infini tout ce qu'elle croit étreindre.
Peut-être est-ce le mystère seul qui réunit ; sans le mystère la
vie serait irrespirable… » Il est vrai que, dans les cinq pièces
qui suivent : *Le Mort de demain*, *Le Cœur des autres*,
Le Regard neuf, *La Chapelle ardente*, *Un homme de Dieu*,
l'impossibilité de communiquer semble être la note dominante : faute d'humilité, par esprit de jugement, par crispa-
tion sur l'image fictive d'un être, par domination d'un être
sur un autre, par raideur doctrinale, la vie reste une crise à
peine traversée de quelques rares trêves, une crise d'ailleurs
sans dénouement. Mais cette apparente indécision a sa place
dans la dialectique ascendante elle-même. Comme la structure du monde matériel, celle du monde humain peut sembler
conseiller un désespoir absolu. Les pièces suivantes, qui sont
aussi les plus grandes, principalement *Le Monde cassé* (1932),
La Soif (1938), font culminer à la fois l'« étouffante tristesse » évoquée tout à l'heure et l'espérance de la communion. Il est très remarquable que dans la plupart de ces pièces
ce soit la mort qui jalonne le chemin de la purification et

dévoile « une face des choses que jusque-là nous n'avions même pas pu soupçonner, peut-être une autre dimension du monde ».

Ainsi, le théâtre est ambigu, mais il n'est pas neutre. Le jeu de l'*Être* et de l'*Avoir* l'oriente sourdement. Le mystère se dessine dans le filigrane du problème. La dialectique se profile dans le prolongement du tragique.

Mais, du même coup, la dialectique ascendante, qui élevait la description phénoménologique au rang d'une éthique de la seconde personne, l'entraîne plus loin que toute éthique, vers une mobilisation d'énergie, où l'éthique devient indiscernable d'une méditation ontologique. Cette triple articulation – phénoménologique, éthique et ontologique – est, elle encore, engendrée dramatiquement. À cet égard, Gaston Fessard n'avait pas tort jadis de citer Hegel, écrivant dans les leçons sur l'*esthétique* : « Le fond véritable, le principe spécifique de l'action dramatique, ce sont bien les puissances éternelles, les réalités morales essentielles, les dieux de la vivante réalité effective, le divin et le vrai en général, non dans leur puissance sereine où les dieux, immobiles au lieu d'agir, restent béatement plongés en eux-mêmes comme de silencieuses statues, mais le divin tel que, contenu et fin de l'individualité, il se réalise dans l'existence concrète de la communauté humaine, la mettant en mouvement et la poussant à l'action » (*op. cit.*, p. 113).

La mise en mouvement, dont parle Hegel dans ce texte de l'*Esthétique*, s'exprime chez Gabriel Marcel dans la visée ontologique qui traverse les niveaux phénoménologique et éthique de la réflexion. Dans le théâtre, cette visée constitue l'action dramatique elle-même ; dans les écrits philosophiques, elle s'inscrit dans la réflexion seconde. C'est cette visée qui articule le couple *désespoir-espérance* par-delà la simple protestation éthique. À cet égard, rien n'est plus éloquent que le doublet constitué par la pièce *Le Monde cassé* et l'essai philosophique intitulé *Position et Approches concrètes du mystère ontologique*. L'essai philosophique s'ouvre sur une sorte de dénonciation, sous couvert d'une caractérisation quasi théâtrale – « caractérisation globale et intuitive de ce qu'est un homme à qui le sens ontologique, le sens de l'être, fait défaut, ou plus exactement, qui a perdu conscience de le posséder » (p. 256). Le lien de l'éthique et de l'ontologie est ici manifeste. Mais la pièce elle-même – *Le Monde cassé* – est portée par la même pulsion ontologique. Toute la pièce est dépeinte dans ces lignes de *Position et Approches…* : « La vie dans un monde axé sur l'idée de fonction est exposée au désespoir, elle débouche sur le désespoir, parce qu'en réalité ce monde est vide, parce qu'il sonne creux ; si elle résiste au désespoir, c'est uniquement dans la mesure où jouent, au sein de cette existence et en sa faveur, certaines puissances secrètes qu'elle est hors d'état de penser ou de reconnaître. Seulement cette cécité foncière tend inévitablement à réduire l'action possible de ces puissances et à les priver en fin de compte de leur point d'appui » (p. 259).

Le discours philosophique énonce donc en termes d'« exigence » – l'exigence ontologique – ce qui, dans le drame, opère comme « puissance » – puissance d'exister. Si le discours philosophique est plus explicite, l'action dramatique est plus effective. Aussi bien le discours philosophique lui-même se sait-il infirme lorsqu'il parle de l'exigence ontologique : « Dans un tel monde, l'exigence ontologique, l'exigence d'être s'exténue dans la mesure précise d'une part où la personnalité se fractionne, de l'autre où triomphe la catégorie du *tout naturel* et où s'atrophie par conséquent ce qu'il faudrait peut-être appeler les puissances d'émerveillement. Ce mot, je m'empresse de le dire, n'est pas bon ; nous n'avons pas tout à fait dans notre langue l'équivalent des mots *wunder* et *wonder* qui assurent la possibilité d'une sorte de circulation vitale entre l'émerveillement et le miracle » (p. 260).

Et, en effet, le discours philosophique n'opère que dans la mesure où il communique à la même protestation viscérale que l'action dramaturgique : « L'être, dit le philosophe, est ce qui résiste – ou serait ce qui résisterait – à une analyse exhaustive portant sur les données de l'expérience et qui tenterait de les réduire de proche en proche à des éléments de plus en plus dépourvus de valeur intrinsèque ou significative » (p. 262). *L'être est ce qui résiste…*

Voilà le point où la dialectique de discours et le drame de théâtre coïncident : « L'expérience ontologique, l'exigence d'être peut se renier elle-même […]. Le désespoir est possible sous toutes les formes, à tout instant, à tous les degrés. Cette trahison, il peut sembler que la structure même de notre monde nous la recommande, si elle ne nous l'impose. Le spectacle de mort que ce monde nous propose peut, d'un certain point de vue, être regardé comme une incitation perpétuelle au reniement, à la défection absolue. On pourrait même dire que la possibilité permanente du suicide est en ce sens le point d'amorçage peut-être essentiel de toute pensée métaphysique authentique » (p. 276).

Voilà pourquoi la philosophie est militante : elle résiste à la résistance ; elle refuse le refus opposé à l'exigence ontologique : « Si j'ai mis l'accent sur le désespoir, sur la trahison, sur le suicide, c'est que nous y trouvons les expressions les plus manifestes qui soient d'une volonté de négation portant effectivement sur l'être » (p. 278). Dira-t-on avec Spinoza que la sagesse récuse également la crainte et l'espérance ? On répondra : « La crainte est corrélative non de l'espérance mais du désir ; au lieu que le corrélatif négatif de l'espérance est l'acte qui consiste à mettre les choses au pire, un acte dont ce qu'on a appelé le défaitisme constitue une illustration saisissante, et qui risque toujours de se dégrader en désir du pire. L'espérance consiste à affirmer qu'il y a dans l'être, au-delà de tout ce qui est donné, de tout ce qui peut fournir la matière d'un inventaire ou servir de base à une supputation quelconque, un principe mystérieux qui est de connivence avec moi, qui ne peut pas ne pas vouloir aussi ce que je veux, du moins si ce que je veux mérite effectivement d'être voulu et est en fait voulu par tout moi-même » (p. 278-279). Du même coup on comprend que le discours philosophique ne puisse abolir l'expérience dramatique ; la raison en est claire : « La corrélation de l'expérience et du désespoir absolu subsiste jusqu'au bout [...]. La structure du monde où nous vivons permet et en quelque façon peut sembler conseiller un désespoir absolu ; mais ce n'est que dans un monde semblable qu'une espérance invincible peut surgir » (p. 280). L'ombre de la trahison, voilà ce dont l'exorcisme éloigne Gabriel Marcel de toute vision esthétique des choses. Le transcendant, chez Marcel, n'est pas inerte et ne nous laisse pas inertes : « L'idée d'une espérance inerte est à mon sens contradictoire ; l'espérance n'est pas une sorte d'attente engourdie, c'est quelque chose qui sous-tend ou qui survole l'action, mais qui à coup sûr se dégrade ou disparaît quand l'action elle-même s'exténue. L'espérance m'apparaît comme le prolongement dans l'inconnu d'une activité centrale, c'est-à-dire enracinée dans l'être ; d'où ses affinités, non point avec le désir, mais avec la volonté. La volonté comporte en effet, elle aussi, un refus de supputer les possibles, ou tout au moins un arrêt dans cette supputation. Ne pourrait-on dès lors définir l'espérance comme une volonté s'appliquant à ce qui ne dépend pas d'elle ? » (p. 285).

Je sais bien que le volontarisme n'est pas marcellien. Et je n'ignore pas les termes sévères dans lesquels Marcel parle du stoïcisme et de sa volonté de constance. Mais la fidélité, qu'il distingue de la constance, n'est pas non plus inerte : « La fidélité est en réalité le contraire d'un conformisme inerte ; elle est la reconnaissance active d'un certain permanent non point formel à la façon d'une loi, mais ontologique. En ce sens elle se réfère toujours à une présence ou encore à quelque chose qui peut et doit être maintenu en nous et devant nous comme présence, mais qui *ipso facto* peut tout aussi bien et même parfaitement être méconnu, oublié, oblitéré ; et nous voyons ici reparaître cette ombre de la trahison qui selon moi enveloppe tout notre monde humain comme une nuée sinistre » (p. 287).

Vous me permettez d'arrêter ici mon évocation très partielle de Gabriel Marcel. Je n'ai voulu dire qu'une seule chose, celle-ci : il n'est pas indifférent que ce soit au théâtre et non à la poésie lyrique que Gabriel Marcel adosse la philosophie. La différence des philosophies de Jean Wahl et de Gabriel Marcel, pour parodier un titre fameux, commence là, avec ce choix initial, ou plutôt avec cette différence initiale d'affinité.

Cette différence initiale peut s'analyser dans les trois moments suivants : d'abord, le théâtre impose ce que j'appellerai la centralité du problème philosophique de la *communication*. Nous verrons que ce problème, si on peut encore l'appeler un problème, n'occupe pas la même place chez Jean Wahl, peut-être à cause de Kierkegaard, dont la pensée serait mieux appelée une philosophie de la non-communication. Il est toujours possible, avec Gabriel Marcel, de recentrer la totalité de la réflexion seconde sur le statut métaphysique du *toi* en opposition aux catégories purement objectives, celles de l'objet ou du *lui*.

Mais, chez Gabriel Marcel, ce premier niveau, qu'on pour-

rait appeler *épistémologique* en un sens large, est inséparable
d'un second niveau proprement *éthique* ; j'oppose ici éthique
et esthétique, et je désigne par là le caractère militant d'un
théâtre et d'une réflexion qui ont pris parti pour l'ensemble
des forces qui résistent à la trahison. Je ne dirai pas que
Gabriel Marcel est un moraliste : il ne formule ni devoir ni
règle ; il ne donne même aucun conseil. Mais c'est un penseur éthique, en ce sens que toute son œuvre, dramatique et
réflexive, vise à réveiller les puissances qui, en nous, ont pris
le parti de l'être.

Du même coup, ce deuxième niveau conduit à un troisième, proprement ontologique, où communication et transcendance sont inextricablement mêlées. Le sursaut d'être que
l'œuvre de Marcel suscite est indivisément appel à autrui et
invocation du Toi Suprême. Or, je ne dis pas que ce thème
et ce souci soient sans écho chez Jean Wahl : loin de là. Mais
là où Gabriel Marcel veut être univoque – la transcendance
est Dieu ou ne signifie rien –, Jean Wahl, nous le verrons,
entretient avec ténacité une équivoque qui n'est pas seulement dans les mots, ni même dans la pensée, mais qui tient
à la manière d'être de Jean Wahl et qui, peut-être, comme
j'essaierai de le montrer, est indissociable de sa vision poétique des choses.

Par contraste, je crois pouvoir dire que c'est le théâtre qui,
chez Gabriel Marcel, suscite la vision dramatique qui fait
tenir ensemble une *épistémologie* du toi, une *éthique* du
réveil et une *ontologie* de l'espérance.

POÉSIE ET PHILOSOPHIE

C'est face à cette vision *dramatique* de Gabriel Marcel que
je voudrais placer maintenant la vision *poétique* de Jean
Wahl. Je l'ai dit en commençant, la poésie est à Jean Wahl ce
que le théâtre est à Gabriel Marcel. Mais cette formule neutre
qui semble rapprocher les deux penseurs existentiels devient,
à l'examen, celle qui les éloigne le plus.

Ouvrons l'essai intitulé *Poésie et Métaphysique*, publié
dans un recueil des *Cahiers du Rhône*, à la Baconnière, sous
le titre : *Existence humaine et Transcendance* (1944). L'essai

affirme la même sorte d'indissociable complicité entre poésie et philosophie que chez Marcel entre théâtre et philosophie.

Jean Wahl évoque d'abord le temps où les premiers philosophes étaient des poètes. Il cite Anaximandre : « Et les choses retournent à ce dont elles sont sorties, comme il est prescrit ; car elles se donnent réparation et paient la faute de leur injustice les unes aux autres, suivant le temps marqué » (p. 79). Puis il rappelle que Parménide aussi est un métaphysicien-poète. Et si Platon critique les poètes, Homère et Hésiode, nulle philosophie n'a plus suscité de poètes que la sienne, et précisément une poésie elle-même métaphysique. Ce sont les poètes pénétrés de tradition platonicienne, comme Wordsworth et Shelley, que le même essai évoque un peu plus loin, puis les poètes métaphysiciens comme Novalis et Blake. Or qu'est-ce qui, chez eux, fascine le philosophe ? Un mot clef le révèle, qui revient sans cesse dans les écrits sur la poésie : la *magie*, la magie poétique. Par ce mot, Jean Wahl entend ce que son *Traité de métaphysique* sera condamné à poursuivre dialectiquement, la *fusion des contraires* : « La poésie, ainsi que l'a dit Schelling, est une union du conscient et de l'inconscient, du subjectif et de l'objectif » (p. 78). « Le romantisme rend les choses étranges familières et les choses familières étranges » (p. 80). « Un nouvel absolu qui est en même temps très ancien, un élément radicalement étranger qui est en même temps intimement nôtre, voilà ce que la magie de Novalis peut apporter » (p. 81). Et cette magie n'est pas seulement en chaque poète, elle circule entre tous. Car ce que dit un poète se renverse dans un autre : « Wordsworth nous fait sentir la Nature dans son immobilité et Shelley, dans son incessante mobilité » (p. 81) ; c'est qu'en poésie on n'est pas contraint de choisir un poète contre un poète.

Ce point de départ est proche de celui que nous considérions tout à l'heure chez Marcel : il est possible de faire correspondre à l'équité dramatique de Gabriel Marcel, à cette justice supérieure du dramaturge si proche de la charité, la nostalgie de l'indistinction primordiale qui aimante la réflexion acérée de Jean Wahl. Évoquant Blake, Lawrence, John Cowper Powys, dans la conférence intitulée « Subjectivité et transcendance », à laquelle je reviendrai tout à l'heure, Jean Wahl s'écrie : « Il s'agit pour eux de retrouver quelque chose d'élémentaire, de farouche, "ange ou démon, qu'im-

porte" » (*Existence humaine et Transcendance*, p. 40). Nous
reviendrons plus loin sur cette formule. Jean Wahl aperçoit,
derrière lui et devant lui, l'immédiat indivisément poétique
et métaphysique : « La jonction de la poésie et de la métaphysique se fait d'une part par en bas, d'autre part par en
haut. S'il y a une base de la métaphysique, une hypophy-
sique, ce qu'un Nietzsche, un Whitman, un Lawrence, un
Boehme, un Schelling ont voulu dégager, s'il y a une torpeur
énorme au fond de la nature et parfois au fond de nous, c'est
là qu'on pourrait trouver une jonction entre poésie et métaphysique. Et d'autre part, s'il y a un point vers lequel tend la
métaphysique comme l'ogive vers son sommet, c'est là aussi
qu'on pourrait trouver ce lien, car ce dont le philosophe sent
alors la puissance ne peut être indiqué que par autre chose
que le discours, et cette "autre chose" peut être la poésie. Il y
aurait donc un bloc de réel et d'instants aigus, il y aurait la
base et le sommet de la pyramide, et c'est par cette base
immense et par ce sommet aigu que se ferait la communication entre l'un et l'autre des domaines que nous étudions »
(*Poésie et Métaphysique, op. cit.*, p. 88).

La poésie est métaphysique, mais immédiatement. On peut
certes retrouver en elle les grands genres de l'être que Platon
a dégagés par réflexion : le même, l'autre, l'être, le mouvement, le repos. Ainsi Valéry voit le non-être quand il se
connaît, mais il voit se former l'être quand il crée. C'est Mallarmé qui, dans la nuit d'Igitur, répond à Parménide dans son
poème. Ainsi poètes métaphysiciens et métaphysiciens
poètes passent l'un dans l'autre, sans médiation. Mais c'est le
poète métaphysicien qui va le plus loin : « L'ode *To a Gre-
cian Urn* de Keats […], tel drame de Shakespeare, tel *Ding-
gedicht* de Rilke, suscitent des mondes de pensée métaphysiques, éveillent en leur foyer virtuel un éclat aveuglant de
pensées non pensées et presque de formules non formu-
lables » (*ibid.*, p. 93). Il n'est pas une formule de Wahl dans
cet essai qui n'évoque ce que j'appelais l'immédiat métaphysique ou la métaphysique sans médiation : « La poésie sera
union des contradictoires, car ce qui ne peut être imaginé
sera présenté sous forme d'images, qui, souvent, comme
l'eût montré Bergson, se suivront pour se détruire, donnant
enfin l'idée de ce qui n'est plus image. Ce qui est pure qualité sera présenté sous forme de quantité. Les mots seront

doués à la fois d'un "sens plus pur" et d'un sens plus impur, et de ces deux façons ils se distingueront de nos mots ordinaires. C'est encore par cette union de choses qui se contredisent que le poète pourra non seulement nous faire aller vers l'au-delà, mais une fois que nous aurons aperçu cet au-delà, nous faire revenir vers l'ici-bas, et joindre l'immanence à la transcendance. Ce que Heidegger voulut signifier par cette "appartenance à la terre" dont il parle à propos de Hölderlin. Le poète nous fera sentir que le physique est métaphysique, et ce qui passe, éternel. Ici Novalis, Rimbaud, Whitman, Nietzsche s'accordent » (p. 94). Laissons pour l'instant Heidegger, expliqué poétiquement, et notons cet héraclitéisme fondamental : « Il y a une harmonie des tensions opposées comme celle de la lyre. » Écoutons la conclusion de cette conférence : « Ce que j'ai dit des rapports de la poésie et de la métaphysique évoque en moi le sentiment que tout a été fait par les poètes et que tout reste à faire pour qu'apparaisse la Vérité métaphysico-poétique. Je citerai un poème fort court pour résumer ces rapports de la poésie et de la métaphysique. C'est la métaphysique qui parle et voici ce qu'elle dit :

> *Poésie, grande sœur,*
> *Que ton chant prenne son essor,*
> *Je t'écoute et c'est moi qui parle.* »

Et Jean Wahl ajoute : « Nous ne savons ce qu'est la métaphysique, ni ce qu'est la poésie, mais le fond de la poésie sera toujours métaphysique, et il est fort possible que le fond de la métaphysique soit également toujours poésie » (*ibid.*, p. 97). Je pense que nous touchons ici au cœur sensible de ce qui a fasciné Wahl et dans quoi pourtant il ne s'est pas laissé absorber, et que j'appellerai l'indistinction ontologique de l'en-bas et de l'en-haut, du subjectif et du transcendant, de l'existentiel et du cosmique. Ce premier mouvement, en apparence proche du plaidoyer marcellien pour le concret, pour le charnel, pour l'existentiel, en est initialement fort éloigné. L'accent éthique de Gabriel Marcel lui est même tout à fait étranger. L'opposition de la trahison et de l'espérance ne joue aucun rôle.

Il faut donc, à partir d'un point d'indistinction, nous

enfoncer dans la différence des philosophies de Marcel et de Wahl. À l'opposé de la dialectique ascendante de Gabriel Marcel, je vois la philosophie de Jean Wahl comme une tentative raffinée pour effacer la dialectique par la dialectique et retourner à l'indistinction primitive de la poésie et de la métaphysique. C'est cette dialectique d'effacement ou, comme on voudra, cet effacement de la dialectique, qui distingue profondément la philosophie de l'existence de Jean Wahl de celle de Gabriel Marcel.

On ne peut comprendre cette dialectique d'effacement que si l'on comprend ce qui, selon Wahl, ne cesse d'éloigner la pensée de la *magie* poétique, et par là même, d'arracher la pensée à son stade esthétique. Il faut donc dire maintenant, non plus ce qui a fasciné Wahl, mais pourquoi il n'a pas été englouti. Une première explication est que Kierkegaard s'est interposé entre les poètes et la philosophie. Je dis bien interposé. Car Kierkegaard, à mon avis, a exercé une action bénéfique sur l'œuvre de Jean Wahl : elle a intercepté un certain mouvement vers l'engluement dans ce que je viens d'appeler l'indistinction ontologique et a suscité le style très particulier de dialectique non conclusive que je retrouverai tout à l'heure dans le *Traité de métaphysique* de 1953.

En effet, je me suis souvent demandé comment Jean Wahl s'orientait entre Kierkegaard et les poètes métaphysiciens. À relire les admirables *Études kierkegaardiennes* et à les rapprocher de textes tels que la conférence sur « Subjectivité et transcendance » de 1937, il apparaît que Kierkegaard, tout en étant classé parmi les poètes-penseurs (ainsi dans la préface à *Existence humaine et Transcendance*, 1944, p. 7), est celui qui interrompt la vision poétique des choses et y introduit « distance, rupture, fêlure, conscience » (*ibid.*, p. 22). Je lis ceci dans cette préface, concernant Kierkegaard et Nietzsche : « Par les paradoxes en face desquels ils se trouvent – naissance et mort de Dieu, éternel retour –, par les paradoxes qu'ils sentent en eux et qu'ils sont eux-mêmes, en tant que vivant leurs discordances, l'Unique kierkegaardien, le surhomme nietzschéen aiguisent leur individualité. C'est à partir de là que Nietzsche et Kierkegaard construisent leur dialectique existentielle, qu'ils se construisent, en tant qu'ils sont union des opposés, et pour reprendre l'antique mot d'Héraclite, accord du discordant. Ils sont dialectique vivante, sentie, non pas dialectique qui va de la thèse à l'antithèse, puis à la synthèse, mais dialectique qui de thèse va à une thèse et une antithèse, pour aller vers une thèse non posée, non posable, et qui est comme un évanouissement de la conscience dans l'extase de Sils-Maria ou dans la méditation religieuse. Par opposition à la dialectique hégélienne (thèse-antithèse-synthèse) et même à la dialectique platonicienne (dialectique ascendante, contemplation, dialectique descendante), on peut concevoir une dialectique existentielle qui irait de la présence à la dialectique, et de la dialectique à l'extase par un jeu d'antithèses qui se détruisent pour laisser la place à cette dernière. De l'extase de la perception, ontologie positive, à l'extase du mystère, ontologie négative, de la plénitude du réel à la vacuité apparente de l'être sur-réel on va par cette dialectique, ce va-et-vient de la pensée et ce déchirement d'antithèses » (p. 10). Vous avez entendu comment ce texte répond au précédent sur l'indistinction poétique ; impuissant à chanter l'union des opposés, le philosophe réplique par une dialectique vivante qui n'est qu'un déchirement d'antithèses. C'est dans cet entre-deux, dans ce grand intervalle entre l'extase de la perception et l'extase du mystère, que se meut le philosophe.

Je ne dirai pas que le rapport de Jean Wahl à Kierkegaard soit le rapport d'un philosophe à un non-philosophe. Car Kierkegaard appartient à la philosophie, ne serait-ce que par sa lutte contre Hegel. Le paradoxe kierkegaardien serait impossible sans la critique hégélienne de l'identité et de la contradiction. En tant qu'union du fini et de l'infini, le paradoxe est l'héritier ingrat de la synthèse. Si Kierkegaard confine lui-même à la non-philosophie, c'est par son rapport à des figures telles qu'Abraham, Job, le Christ, qui demeurent dans leur singularité un scandale pour la raison. Dans une communication faite au congrès hégélien de 1933, Jean Wahl écrivait : « Contrairement à Hegel, qui voit en eux une manifestation supérieure de la raison, [les concepts chrétiens] sont pour Kierkegaard un scandale pour la raison. Ils amènent la rupture avec l'immanence, ils nous font sentir à la fois une proximité infinie, mais aussi, mais surtout une distance infinie entre le fini et l'infini, entre l'homme et Dieu. Il y a entre l'homme et Dieu un abîme sans cesse creusé, sans cesse franchi par la grâce et qui n'est jamais comblé. Celui qui nous le fait franchir, le médiateur non médiatisable, c'est le Christ. Encore moins qu'Abraham, le Christ ne peut être médiatisé ; car la médiation, qui ne peut s'appliquer à la croyance en la fin absolue, peut encore moins s'appliquer à la fin absolue elle-même. La médiation est l'ennemi du médiateur. Le médiateur est l'ennemi de la médiation » (*Études kierkegaardiennes*, p. 161-162). Seules ces figures peuvent donner une expression aux deux sentiments – celui du *secret*, c'est-à-dire du non public, et celui de l'existence, c'est-à-dire du non général. Sinon, comment dire qu'il n'y a pas de médiation de l'individu, qu'il n'y a pas de système de l'existence ? Sans le témoignage des *figures*, on ne saurait sans contradiction ériger en doctrine philosophique l'opposition du saut à la médiation, du paradoxe à la synthèse, de l'hétérogénéité à l'homogénéité, de la transcendance à l'immanence. C'est en écoutant Kierkegaard, et à travers lui les figures non médiatisables, que Jean Wahl pouvait écrire ces lignes qui le décrivaient à l'avance : « Il y a des âmes qui refusent le monde du jour, du triomphe manifesté et de cette riche unité rationnelle que nous offre l'hégélianisme ; car elles s'y sentiraient prisonnières. Et elles choisissent le monde des problèmes, des ruptures, des échecs, où, le regard fixé vers une transcendance qu'elles ne peuvent voir, elles restent pour elles-mêmes un problème, elles restent pour elles-mêmes pleines de multiplicités irréductibles et de ruptures, mais se sentent ainsi peut-être d'une façon d'autant plus intense, en elles-mêmes et dans leur rapport avec l'*autre* » (p. 171). De Kierkegaard lui-même, ce que Jean Wahl retient, ce n'est pas tant ce que l'on ne peut appeler sans contradiction une théorie de l'existence que le rapport de cette théorie à l'existant Kierkegaard pris dans ses pseudonymes, théorétisant l'échec de ses fiançailles et la terrible révélation du secret du père. Les *Études kierkegaardiennes*, à cet égard, méritent bien leur titre ambigu. Ce sont des études sur les textes de Kierkegaard, des études sur Kierkegaard dans son texte, des études dans le style de Kierkegaard, et ces études trahissent de part en part la signature de l'existant Jean Wahl et sa façon de se reprendre, de se raturer, de balancer entre le pour et le contre.

Ce que Jean Wahl a donc retenu de Kierkegaard, ce n'est pas tant son christianisme, ce n'est même pas sa manière de relier subjectivité et transcendance, selon le titre de la conférence à la Société française de philosophie, c'est une certaine manière de manier le paradoxe, de pratiquer le court-circuit des contraires et de l'étendre, comme nous le verrons plus loin, à ce qui restait non dialectique chez Kierkegaard lui-même, à savoir la transcendance qui, à travers Jean Wahl, se dédouble en trans-ascendance et trans-descendance, pour se confondre à nouveau dans l'indistinction poétique.

Mais le paradoxe kierkegaardien n'a pas été la seule réplique du philosophe dialecticien à la magie poétique. Ce qui retient Jean Wahl à mille lieues de cette magie qui le fascine, c'est sa fantastique mémoire d'historien de la philosophie. On ne le dit pas assez : l'œuvre de Jean Wahl est la plus vaste archive contemporaine de la philosophie classique. Jean Wahl, aimanté par l'immédiat métaphysique des poètes, n'a jamais fini de s'affranchir de la médiation des philosophes. Cela seul suffirait à le distinguer entièrement de Gabriel Marcel, lequel, dans ses analyses directes, se garde de citer des doctrines, des thèses, des noms de grands philosophes. Il en va tout autrement chez Wahl. Le moindre article, la moindre page fourmillent de citations de Platon, de Descartes, de Hegel, de Schelling, de Nietzsche, de Whitehead, de Bergson, de Jaspers, de Heidegger. Et citer, pour Wahl, c'est se placer sous le régime d'une pensée articulée à un niveau de sens qui n'est plus poétique, mais réflexif et spéculatif. Je touche là, je crois, à un paradoxe : plus Wahl rêve de coïncidence des contraires en régime poétique, plus il accumule de distinctions, d'oppositions, de différences en régime spéculatif, attendant de cette accumulation même un effet de fusion et de confusion, équivalent à la magie du verbe poétique.

C'est ainsi que je comprends Wahl : un penseur qui rivalise avec la non-dialectique poétique par un surcroît et un excès de dialectique.

J'ai repris, pour vérifier cette hypothèse, le *Traité de métaphysique* publié en 1953, qui rassemble des cours professés en Sorbonne. Il se présente comme un diptyque. Le livre I offre une théorie de la réalité, selon les concepts directeurs de la philosophie occidentale (devenir, substance, essence et être, relation et négation, etc.). Le livre II déploie une théorie de l'homme, de l'existence, à qui des mondes sont ouverts, qui se dirige dans la transcendance et s'inclut dans l'immanence. Mais cet ordre est tout apparent. Toute la philosophie est dans chaque étape et, chaque fois, toute l'histoire de la philosophie est convoquée ; les notions en apparence distinctes cèdent sous le poids de l'immense culture philosophique de Wahl ; elles se mettent à dériver et à délirer, comme affolées par tant d'interprétations qui leur font perdre la tête. Mais cette profusion historique appartient à la tactique du philosophe : l'histoire de la philosophie a la fonction précise de faire exploser toute signification apparemment simple et univoque, de rendre fluide toute idée ; cela suppose que l'histoire elle-même n'a pas d'ordre logique immanent, qu'elle est essentiellement ambiguë, qu'elle ne foisonne que pour nous embarrasser. En vue de quoi, demandera-t-on ? En vue, me semble-t-il, de reproduire un sentiment intellectualisé qui serait l'équivalent, la répétition philosophique de l'immédiat poétique et magique évoqué tout à l'heure. Cette répétition, je l'appellerai la *répétition de l'opaque dans le subtil*. L'opposition de l'opaque et du subtil est elle-même poétique : l'opaque, c'est le côté Claudel ; le subtil, c'est le côté Valéry : « L'homme, pourrions-nous dire pour abréger, est placé entre un certain monde de Claudel et un certain monde de Valéry, et c'est dans chacune de ces deux directions que devrait aller la pensée philosophique » (p. 259). Ainsi l'opaque est du côté du sentiment ; le subtil, du côté du discours. Subtil est le travail que l'histoire de la philosophie opère en chaque notion ; mais c'est une subtilité dissolvante, si l'on peut dire. Même les relations stables que l'histoire fait apparaître entre les concepts finissent par éclater en tous sens. Même les constructions de la pensée scientifique moderne ne sont convoquées que pour autant qu'elles ruinent les prétendues évidences de la pensée euclidienne et cartésienne. Cette subtilité dissolvante est donc le contraire de la subtilité constructive d'un Hegel, par exemple. C'est pourquoi, en dernier ressort, la subtilité renvoie au sentiment comme terme de dissolution des notions : ainsi l'idée de substance doit, d'une part, « s'évanouir au profit de relations de plus en plus subtiles », d'autre part, « nous tourner vers quelque chose de plus profond que les relations, vers un sentiment d'opacité et de densité » (p. 69). L'idée de substance serait alors « un compromis entre ces deux tendances de l'esprit, dont l'une va vers une subtilité de plus en plus précise, l'autre vers une densité de plus en plus opaque » (p. 70). De même, l'idée d'être, à force de complication, se résout dans un « sentiment de parenté et de familiarité avec les choses » (p. 99), dont l'auteur retrouve la trace dans l'acte d'exister, selon Gilson, dans l'entente avec l'être, selon Heidegger. Voici ce que dit Jean Wahl du travail philosophique opéré par le discours : « Ce qui reste à faire au philosophe, c'est de voir que l'esprit humain est caractérisé par le fait qu'il transforme la réalité non relationnelle en termes, qu'il transforme ensuite ces termes en relations intellectuelles, puis qu'il détruit ces relations intellectuelles pour aller vers des termes affectifs et aussi vers des relations senties affectivement, comme la relation de causalité ou la relation de substance qui, finalement, pour une réflexion qui se dirige vers l'originaire, ne subsisteront plus que sous forme de relations affectives » (p. 179-180). Quelque chose de semblable se produit avec l'idée de néant ; l'auteur suit jusqu'à un certain point la philosophie contemporaine lorsqu'elle accentue le « caractère positif de l'erreur, du mal, du néant » ; il s'en sert un instant pour faire évanouir l'idée de l'être (p. 155). Il semble alors que le sentiment lui-même bifurque : « Ce que nous pouvons conserver dans notre esprit, c'est, aux deux états limites de ce mouvement, le sentiment d'une activité destructrice d'un côté, le sentiment de la plénitude de l'autre ; aucun de ces deux sentiments ne peut être défini ou complètement expliqué ou complètement détruit. Entre les deux, et comme intermédiaire, nous trouvons l'altérité platonicienne, la négativité hégélienne. Le problème du néant, sans être résolu, ne pourra être exploré que par un tel parcours » (p. 160-161). Ce texte est intéressant, car il laisse entrevoir que le sentiment ne peut être le point tranquille que cherche le philosophe ; c'est un empire divisé contre lui-même. Il est même frappant que le sentiment, en bifurquant, soit reporté aux extrêmes, devienne état-limite, tandis que la fonction intermédiaire, identifiée plus haut à l'humain, appartient à la relation, sous le titre de l'altérité platonicienne et de la négativité hégélienne.

Dans la seconde partie, le couple du subtil et de l'opaque s'enrichit de variantes nombreuses qu'il vaut la peine de dénombrer. C'est d'abord l'alternance du médiat et de l'immédiat, leurs conflits et leur union. La philosophie, est-il dit, est « la transformation incessante de l'immédiat et du médiat l'un dans l'autre » (p. 508). C'est ensuite l'alternance du sentiment de la liberté et de l'idée de la liberté ; d'un côté, la liberté s'affirme elle-même silencieusement dans l'acte et dans l'œuvre, c'est la liberté opaque, dirai-je ; mais l'homme, cet être parlant, veut en rendre raison ; il lui faut alors la dire avec les ressources de la « modalité » du jugement (possible, réel, nécessaire) ; la liberté entre alors dans la subtilité. Car la liberté lie son sort tour à tour à l'idée de possibilité, à celle de réalité et même à celle de nécessité. Chaque « modalité » s'évanouit dans une autre, tout en se conservant dans un sentiment des possibilités vécues (je peux), dans un sentiment de l'actualité de mes actes (je fais), dans un sentiment de la nécessité (je ne puis autrement). Toutes les tensions se concentrent dans l'idée d'existence : existerais-je si je ne pensais ? et mon existence n'est-elle pas au-delà de la pensée impersonnelle ? Ainsi, « la tension entre la pensée et l'existence définit, pour autant qu'elle peut se définir, l'existence elle-même » (p. 553). On retrouve en outre l'idée que le sentiment se dialectise lui-même : l'existence est ce qui nous résiste et ce que nous produisons ; elle est opposition et union, choix de moi-même et donnée à moi-même, seule et reliée, réfléchie et extatique, invention et réaffirmation. Est-ce l'opaque qui l'emporte ? Oui, en un sens, puisqu'« il ne peut […] pas y avoir une analyse à proprement parler de l'existence mais seulement une sorte de description ou de circumscription du sentiment de l'existence » (p. 557). Et pourtant, quoi de plus subtil que ce jeu d'antinomies et d'antithèses par lequel la dialectique meurt à elle-même et rejoint tangentiellement la magie poétique dont elle porte la nostalgie et la blessure ? Ce vaste mouvement circulaire de la magie poétique au sentiment, en passant par la déchirure kierkegaardienne et par la subtilité dissolvante de la dialectique historique, ce vaste mouvement en forme d'odyssée est profondément étranger à la dialectique ascendante de Gabriel Marcel qui l'élève de la phénoménologie de la communication, par l'éthique de la protestation, à l'ontologie du témoignage et de l'espérance.

On ne pourrait, je pense, mieux souligner leur différence qu'en comprenant ce qui peut apparaître de part et d'autre comme le terme dernier de leur itinéraire. S'il est un point où Jean Wahl n'a jamais varié, c'est dans son affirmation et sa réaffirmation de ce que j'appellerai l'*équivoque de la trans-*

cendance. J'y vois la suprême réponse du philosophe dialecticien à ce qu'il tient pour la révélation poétique par excellence, énoncée, on s'en souvient, dans la formule : « Il s'agit [pour les poètes métaphysiciens] de retrouver quelque chose d'élémentaire, de farouche, "ange ou démon, qu'importe" » (*Existence humaine et Transcendance*, p. 40).

Ange ou démon qu'importe… Cela, c'est le message de la poésie. Et voici la réplique du philosophe, telle qu'elle se lit dans une note *Sur l'idée de transcendance* : « Il y a un mouvement de transcendance dirigé vers l'immanence ; lorsque la transcendance se transcende elle-même. – Peut-être la plus grande transcendance est-elle celle qui consiste à transcender la transcendance, c'est-à-dire à retomber dans l'immanence. – Il y aurait donc une seconde immanence après la transcendance détruite. – L'idée de transcendance, on pourrait la concevoir comme nécessaire pour détruire la croyance en une pensée qui ne connaîtrait qu'elle-même, pour nous faire prendre le sentiment de notre immergence et une immanence autre que la pensée. – Mais cette idée destructrice, si elle doit être détruite à son tour, ne l'est jamais complètement, n'est jamais complètement transcendée, et reste à l'arrière-plan de l'esprit, comme l'idée d'un paradis perdu, dont la présence espérée, regrettée, et la perte font la valeur de notre attachement à l'ici-bas » (*Existence humaine et Transcendance*, p. 38). On entend la même voix dans la conférence de la Société française de philosophie, en 1937 ; parlant de l'angoisse, Jean Wahl disait : « L'être sera angoissé parce qu'il ne sait pas en face de quoi il est, en face d'une transcendance bienfaisante ou d'une transcendance malfaisante, en face de Dieu ou en face d'une force démoniaque, si le mouvement qu'il accomplit est un mouvement de "transcendance" ou de "trans-descendance" » (*ibid.*, p. 39). Le sommaire de la conférence ajoutait : « On pourrait, en outre, se demander s'il convient de conserver aux idées de la subjectivité et de la transcendance leur aspect théologique. La transcendance n'est pas forcément Dieu, ni forcément le diable. Elle peut être simplement la nature, qui n'est pas moins mystérieuse que le Dieu des orthodoxies et que le Dieu des hétérodoxies » (*Existence humaine et Transcendance*, p. 40). Rien d'étonnant que Gabriel Marcel ait si vivement réagi à ces propos. Sa réaction en dit long sur la différence ou sur le différend, que seuls les années et le grand âge des protagonistes devaient finir par apaiser (on lira des extraits de la discussion qui suivit la conférence de 1937 en appendice à *Existence humaine et Transcendance*, p. 113-159).

J'ai dit plus haut que Jean Wahl n'a pas varié sur ce point. En témoignent les dernières pages du *Traité de Métaphysique* : « Est-il possible pour nous de retourner à l'immanence sans perdre la transcendance ? Peut-on concevoir un éternel retour de la dialectique par lequel le premier terme, s'enrichissant et s'approfondissant lui-même, réapparaît dans son caractère primitif ? Le philosophe aura-t-il la force de transcender finalement la transcendance elle-même et de tomber vaillamment dans l'immanence sans laisser perdre sa valeur à son effort de transcendance ? » (*Traité de métaphysique*, p. 721).

C'est par ces questions sans réponse que la philosophie retourne au silence.

Je m'arrête au point où nos deux maîtres, en s'éloignant de nous, s'éloignent aussi l'un de l'autre. Pour un autre regard, pour un regard plus mobile, leurs voies se croiseraient sans doute à nouveau, après avoir divergé. Et l'on entendrait la poésie de Jean Wahl retentir dans l'Orphisme de Gabriel Marcel évoqué par Xavier Tilliette ; et le dénuement de la foi marcellienne trouverait son écho dans cette religion à la fois très haute et très profonde de Jean Wahl évoquée par Emmanuel Lévinas. Mais, pour aujourd'hui, il fallait briser l'idée générale, le genre commun, la fausse entité de la philosophie de l'existence ; il fallait restituer chaque penseur à sa singularité et confier seulement à une double et équitable piété le soin de les rassembler et de les garder proches. Car même cette justice supérieure proche de la charité, selon la philosophie marcellienne du théâtre, aurait encore à préserver ce pointillisme de l'histoire de la pensée qu'Emmanuel Lévinas discernait chez Jean Wahl. Car, pour nous du moins, ce pointillisme marque ce que nos maîtres sont devenus pour nous, deux points qu'aucun trait ferme tracé par une main humaine ne peut joindre, mais deux points qui scintillent dans notre nuit.

Camus, Sartre,
Merleau-Ponty, Hyppolite

L'Homme révolté[1]
(1956)

L'Homme révolté : c'est le titre du dernier livre d'Albert Camus, livre très grand qui domine de haut toute l'œuvre de l'auteur et sans doute marquera fortement la production littéraire et philosophique de ces années-ci. Mais L'Homme révolté est aussi le titre de toute l'œuvre antérieure et le signalement même de l'homme Camus.

L'œuvre de Camus, œuvre de romancier et de dramaturge, de L'Étranger à La Peste, en passant par Caligula et Le Malentendu, est éclairée par deux essais : Le Mythe de Sisyphe (1944) et cet Homme révolté. Ces deux essais ont en commun le même point de départ : le sentiment de l'absurde. Camus le définissait à l'époque du Mythe de Sisyphe : l'irréconciliable contradiction entre le vœu de l'homme et la détresse de sa condition ; et, en 1951 : « la confrontation désespérée entre l'interrogation humaine et le silence du monde ». L'homme inaugure dans le monde une déchirure sans guérison entre son aspiration au bonheur et à la justice, et le monde. Cette déchirure, Camus l'appelle l'Absurde. Dès le départ, Camus se situe en marge de la grande consolation de Job, qui lui aussi connut l'Absurde mais connut aussi son sens caché.

Nous n'avons pas l'intention de critiquer Camus ni de le tirer à nous : il est plus important de le comprendre ; et surtout de comprendre comment, à partir de l'absurde, il tente de vivre. Car l'absurde n'est qu'un point de départ : tout commence à partir de là. Comment exister à partir de l'absurde, qui n'est à tout prendre qu'« une émotion privilégiée », « un sentiment parmi les autres ».

---

1. Paris, Gallimard, 1951.

Cette question a un premier versant, qui est le problème du suicide : c'est le problème *du Mythe de Sisyphe* ; un second versant, qui est le problème du meurtre, c'est le problème de *L'Homme révolté*.

En 1944, Camus posait la question : si rien n'a de sens, pourquoi ne pas se tuer, afin d'éteindre la contradiction et la ramener au zéro du silence ? Camus répondait : le rocher tombe ; mais, comme Sisyphe, il faut que je le remonte toujours. Pourquoi ? Le raisonnement de Camus était curieux. L'absurde suppose que je continue de vivre pour *maintenir* cette confrontation de l'interrogation et du silence du monde : il ne faut pas fuir. « Pour dire que la vie est absurde, la conscience a besoin d'être vivante. » Quoi qu'on pense d'un tel raisonnement qui refuse à la fois l'espérance et la fuite, il exprimait surtout la décision de Camus de *faire face*.

Il restait à passer de cette sagesse personnelle à une sagesse valable pour tous. C'est ici qu'il rencontre le problème du meurtre : entendons non le meurtre passionnel, mais le meurtre concerté, réfléchi, le meurtre rationnel du tyran, de l'anarchiste, du révolutionnaire. L'absurde ne rend-il pas le meurtre, comme le suicide, légitime, ou du moins indifférent ? Ainsi Camus, élargissant la réponse de jadis, tente d'exorciser le démon des philosophies de l'absurde, le *nihilisme*, qu'il définit très exactement : la haine de la vie au nom de l'absurde.

Camus a la conscience aiguë de devoir à sa génération non l'aggravation de son mal, mais le début de sa guérison.

Déjà *La Peste* tentait de faire émerger la vie, la valeur de la vie du désastre de toutes les croyances, de toutes les espérances, de toutes les fois. C'est en elle que se rencontraient Rieux et Pancloux*, l'athée et le prêtre. Si donc il parle de l'absurde, c'est à titre de diagnostic de son temps. L'absurde, selon lui, est la conquête de la conscience moderne ; l'important est de partir de ce fait clinique pour lutter contre les marchands de mort, contre les despotes scientifiques. C'est pourquoi le dernier chapitre du livre s'appelle « Au-delà du nihilisme ».

---

* Personnages de *La Peste (N.d. E.)*.

Mais comment dissocier absurde et nihilisme, désespoir initial et meurtre final ?

C'est dans le thème de la *révolte* que Camus tente de trouver autre chose que la complaisance à l'absurde et la toute première riposte au nihilisme. L'absurde est une émotion : la révolte une volonté.

L'esclave qui se révolte contre son maître ne nie pas seulement son maître, il affirme qu'il a raison ; et s'il a raison pour lui, il a raison pour tous : « En même temps que la répulsion à l'égard de l'intrus, il y a dans toute révolte une adhésion entière et instantanée de l'homme à une certaine part de lui-même […], toute valeur n'entraîne pas la révolte, mais tout mouvement de révolte invoque tacitement une valeur. » Ainsi, « la conscience vient au jour avec la révolte » et elle vient au jour porteuse d'un droit, d'une légitimité plus grande que la vie. Cette légitimité est tout de suite valable pour tous : « Ce mouvement de révolte n'est pas dans son essence un mouvement égoïste […], dans la révolte l'homme se dépasse en autrui et, de ce point de vue, la solidarité humaine est métaphysique. »

Ainsi Camus tente de passer du sentiment subjectif de l'absurde à la découverte d'une valeur positive commune ; la révolte serait cette expérience décisive qui va d'un « je souffre » à un « nous valons » :

« Je me révolte donc nous sommes », s'écrie Camus, répétant dans un style neuf le *Cogito, ergo sum* de Descartes. De l'excès du doute, Descartes accédait à la première vérité – si je doute, je suis –, de l'excès de la révolte naît une volonté qui est en même temps une valeur.

Le livre pourrait se fermer sur cette trouvaille ; ce serait une brève méditation de quelques pages. Mais la révolte a une *histoire* ; c'est même en un sens toute l'histoire contemporaine. Et cette histoire, en gros, dément la valeur de la révolte, car elle est l'histoire même du nihilisme.

Voilà comment le livre rebondit et prend ses proportions : la courte méditation sur le sens de la révolte est submergée par un gros livre, qui est une véritable histoire de la révolte dans la conscience moderne. C'est le plus grand intérêt peut-être du livre : quoi que nous pensions du sens de la révolte, nous avons en tout cas dans ce livre un formidable diagnostic de notre temps par le biais d'une *pathologie de la révolte* [1].

La première surprise que nous réserve ce diagnostic est dans l'ordre de filiation que Camus établit entre les formes de la révolte ; alors qu'un marxiste partirait de l'exploitation économique et monterait de la révolte sociale à la révolte métaphysique, Camus suit un ordre exactement inverse. D'abord fut la révolte « métaphysique » – ce « mouvement par lequel un homme se dresse contre sa condition et la création tout entière » –, PUIS vint la révolte « historique » – la révolte contre le prince, contre le droit, contre le social. Le mouvement de révolte originelle – celle qu'il appelle métaphysique – n'est « pas sûrement athée, mais est forcément blasphémateur ».

Or l'histoire de cette insurrection métaphysique que Camus raconte dans une centaine de pages, du marquis de Sade à Nietzsche, est une histoire de destruction de l'homme, sinon en réalité, du moins en rêve. C'est même cette destruction qui, aux yeux de Camus, domine de haut les crimes réels, le crime logique des puissants du XXᵉ siècle : « En vérité la révolution n'est que la suite logique de la révolte métaphysique. » « La révolution commence à partir de l'idée » (p. 136).

Le chemin que suit Camus va du marquis de Sade à Nietzsche et au surréalisme. Il est vrai qu'il y a Prométhée, mais la conscience grecque punit Prométhée ; et, surtout, Prométhée ignore un être personnel, semblable au Dieu d'Israël, pour le défier. C'est pourquoi « l'histoire de la révolte, telle que nous la vivons aujourd'hui est bien plus celle des enfants de Caïn que des disciples de Prométhée ». Très exactement, la révolte est sortie de la conscience chrétienne, dès que l'homme moderne n'a plus accepté la souffrance divine et rédemptrice du Christ : « Dans la mesure exacte où la divinité du Christ a été niée, la douleur est redevenue le lot des hommes. »

C'est Sade qui, selon Camus, est à l'origine de cette conviction que la plus grande destruction coïncide avec la plus grande affirmation de soi. Il nous pose la question : peut-

---

[1]. « Le propos de cet essai est une fois de plus d'accepter la réalité du moment qu'est le crime logique et d'en examiner les justifications : ceci est un effort pour comprendre mon temps. »

il y avoir une révolte mesurée qui n'aille pas au meurtre ? Viennent ensuite les dandys romantiques : ils ne prônent pas le meurtre, mais ils ont inventé la frénésie, cet envers de l'ennui ; le romantique est un criminel en imagination, sur le plan du « paraître ». Viendront les criminels dans l'ordre du « faire » : les décembristes russes à travers Bakounine procéderont de la révolte imaginaire des romantiques.

La troisième étape, c'est Dostoïevski ou plutôt certains personnages de Dostoïevski, essentiellement Ivan Karamazov : l'innocence de l'homme et la culpabilité de Dieu… L'homme de la justice juge le Dieu de la grâce… Mais, cette fois encore, la révolte mène à la négation de l'homme. Si Dieu n'existe pas, tout est permis, même le crime ; les tyrans sont en marche : la figure du *Grand Inquisiteur* est à cet égard prophétique. Du moins Ivan reste-t-il la figure hésitante, « déchirée entre l'idée de son innocence et la volonté du meurtre » (p. 83). Sa révolte s'enfonce dans la folie.

Mais c'est Nietzsche qui est aux yeux de Camus le point culminant de cette révolte métaphysique. Ici Camus est très ambigu : en un sens, il le réhabilite contre les usurpateurs fascistes qui ont omis l'essentiel de sa tragique création du nouvel homme, la noblesse solitaire, la sévère purification. Mais, en même temps, il trouve dans Nietzsche même, dans l'amour final du destin l'origine de sa propre caricature : « Dire oui à tout suppose qu'on dise *oui* au meurtre. » Ainsi est perdu le *non* originel de la révolte, et la voie frayée au « césarisme biologique ou historique ».

La révolte « historique », à son tour, commence non par la révolte sociale (contre l'exploitation par l'argent et le capital) ; elle commence par la révolte *politique*. La révolte est politique avant que sociale, métaphysique avant que politique.

De même que Camus fait commencer à Sade la révolte métaphysique, il fait commencer à Saint-Just la révolte politique, à Saint-Just plaidant en 1792 la peine de mort contre Louis XVI : le premier acte révolutionnaire est le *régicide*, acte symétrique de celui de la mort de Dieu, en vertu du droit divin des rois : « Si on nie Dieu, il faut tuer le roi. » Et voilà comment la souveraineté de la nation naît dans un crime ; voilà comment les philosophes passent dans l'histoire par le meurtre. Désormais, la révolte se perpétue par le crime ; la

Terreur ne fut pas la tyrannie du bon plaisir, mais la tyrannie de l'Incorruptible, sous le signe de la Vertu.

Des régicides nous passons aux déicides, Hegel et Marx : les premiers ils mettent à la place de Dieu l'histoire des hommes. C'est bien ce que Camus leur reproche : d'avoir inventé un nouveau dieu, plus cruel que les dieux antiques, car il est pris du milieu de nous et sans appel à un Dieu caché. Camus est d'une grande sévérité pour Hegel, car il y voit le garant de Staline, comme il voyait Saint-Just au bout de Rousseau. Il ne peut discerner qu'un nihilisme implacable dans ce qui paraît au communisme mondial un optimisme libérateur : c'est très exactement le dogme de la dictature du prolétariat, c'est-à-dire le renversement du rapport de violence, par substitution des victimes, qui lui paraît le piège mortel du noble mouvement de révolte où s'alimente la révolution ouvrière.

C'est bien ici la pointe du livre : la puissance meurtrière des philosophies de l'histoire ; si tout ce qui est réel est rationnel, le fait est « le roi provisoire, mais roi réel ». « Le cynisme, la divinisation de l'histoire et de la matière, la terreur individuelle ou le crime d'État, ces conséquences démesurées vont alors naître, toutes armées, d'une équivoque conception du monde qui remet à la seule histoire le soin de produire les valeurs et la vérité » (p. 184).

De Hegel à Staline, la filiation est double : le terrorisme individuel des grands nihilistes russes qui, eux, du moins, enseignent que l'homme ne doit pas survivre à son crime ; d'autre part, le terrorisme d'État qu'il trouve dans la doctrine marxiste-léniniste de la dictature du prolétariat. Le monde du procès paraît être chez Camus l'exacte figure engendrée par la convergence de tous les nihilismes.

Au terme de cette analyse historique, le lecteur est assez stupéfait : la courte méditation qui ouvrait le livre annonçait que la révolte était la première découverte de valeur ; or le diagnostic historique déroule une longue histoire de crimes. L'histoire est l'histoire de la révolte coupable.

C'est en effet à ce nœud que se pose le problème de Camus : si la révolte est fondatrice d'humanité, comment peut-elle échapper à sa culpabilité, ou du moins se guérir en une « culpabilité raisonnable » ? La tâche présente est de revenir à la « noblesse première » de la révolte.

Toute la foi de Camus est dans la conviction que le *principe* de la révolte est plus grand que l'histoire de la révolte, qu'il y a une sagesse possible de la révolte. Toute la signification du livre est de soumettre l'histoire de la révolte au jugement du principe de la révolte ; le drame de la révolte historique est d'avoir « oublié son origine », de n'être pas restée « fidèle à sa noblesse première », de l'oublier « dans une ivresse de tyrannie ou de servitude » (35-6).

C'est pourquoi le livre se termine par un essai pour revenir, par-delà cette histoire désastreuse, à la « noblesse première » de la révolte. C'est ici la sagesse de Camus ; trois préceptes peuvent la résumer :

1. D'abord, le refus de toute philosophie de l'histoire. Une pensée purement historique fait l'apologie du fait ; elle est finalement nihiliste ; elle accepte le mal de l'histoire et abandonne la protestation de la révolte ; preuve en soit le retournement du crime politique contre les révoltés eux-mêmes « dont l'insurrection conteste une histoire désormais divinisée ».

Ainsi Camus revient à un individualisme, en tout cas à une récusation des lois de l'histoire comme guide de l'action et comme justification de la Terreur.

2. Le sens modeste des « limites ». À l'opposé des vues grandioses de la philosophie de l'histoire, et du droit redoutable qu'elle donne au terrorisme d'État, Camus professe un sens de la mesure : « Si la révolte pouvait fonder une philosophie, au contraire, ce serait une philosophie des limites, de l'ignorance calculée et du risque » (p. 357). « La pensée approximative est seule génératrice de réel. » La révolte vise au relatif. Le vice de la philosophie de l'histoire est de viser à l'absolu ; la révolte est un « consentement actif » : « Entre Dieu et l'histoire, le yogi et le commissaire, elle ouvre un chemin difficile où les contradictions peuvent se vivre et se dépasser. » Que veut-il dire par ce sens des limites, cette mesure qu'il oppose à la démesure des terroristes ? Camus pense qu'une méditation sur la révolte débouche tout de suite sur l'idée de limite : d'abord, parce que l'esclave qui se révolte pose des limites à l'oppression ; mais aussi, en découvrant la dignité commune à tous les hommes, il découvre les limites de sa propre révolte, dans le droit de l'*autre* à la révolte. La révolte ne revendique pas la liberté totale ; au contraire, elle fait le procès de la liberté totale qui est celle du maître. Elle est le sens de la juste limite : « La pensée approximative est seule génératrice de réel. »

C'est ici que Camus propose deux exemples historiques : celui du mouvement syndicaliste français avant le marxisme et celui du mouvement libertaire qui lui a survécu. Élargissant l'exemple, il oppose le génie méditerranéen de la mesure à la démence germanique de Hegel, de Nietzsche, de Marx : « L'Europe n'a jamais été que dans cette lutte entre midi et minuit » (cf. le chapitre sur « La pensée de midi », qui n'est certes pas le meilleur du livre).

3. *Intransigeance des moyens.* Le drame de la révolte, c'est que l'insurrection devienne l'institution du meurtre. À quoi Camus oppose non point la non-violence absolue qui pactise avec le mal, mais la violence *délibérément* provisoire. Camus ne croit qu'à l'homme violent qui court un risque personnel immédiat et qui ne survit pas à son crime ; il ne cache pas que son cœur est avec les terroristes russes de 1905 qui sautaient avec leur bombe. Il ne croit qu'aux insurrections qui tendent expressément vers des institutions rendant impossible la codification de la violence, qui instituent le pouvoir de protestation.

Camus résume ce précepte dans cette belle maxime sur la fin et les moyens. « La fin justifie les moyens ? Cela est possible. Mais qui justifiera la fin ? À cette question que la pensée historique laisse pendante, la révolte répond : les *moyens*. » Cette maxime suffit à départager l'insurrection de type essentiellement provisoire de la terreur installée et à fonder « l'intransigeance exténuante de la mesure ».

Il résulte de ces trois préceptes que la révolte est une tension sans cesse renouvelée. L'homme révolté ne renvoie pas le bien au terme de l'histoire : c'est une sagesse du maintenant, de l'instant présent. Le révolté ne dit pas « nous serons », mais : « nous sommes ». C'est un mouvement incessant de contestation qui renouvelle le sens de l'homme ; les principes de l'homme révolté « sont dans le temps où nous sommes. Ils nient avec nous, et tout au long de l'histoire, la servitude, le mensonge et la terreur ».

Dans l'éclair de temps où la révolte est authentique apparaît sa logique profonde : *non* au tyran, *oui* à l'homme.

« Le révolté ne peut donc jamais trouver le repos. »

Telle est la sagesse modeste de « ceux qui ne trouvent de repos ni en Dieu ni en l'histoire ».

Ce livre est d'une grande honnêteté. Camus est de ceux qui se posent la question de savoir si l'homme peut survivre à la mort de Dieu, si l'homme n'est pas mort avec Dieu : « Peut-on trouver, loin du sacré et de ses valeurs absolues, la règle d'une conduite, telle est la question posée par la révolte. » Or l'histoire, en apparence, témoigne contre cette possibilité. Ce livre veut être à la fois un exercice d'impitoyable véracité à l'égard de la réalité historique et un recours réflexif à un absolu de l'homme par-delà et contre l'histoire.

C'est sous ce double aspect qu'il importe d'examiner critiquement ce grand livre qui force à porter très loin la réflexion.

LE MOUVEMENT DE L'HISTOIRE : PAROLE ET TRAVAIL

Ce qui me paraît devoir être mis en question, c'est l'enchaînement même que Camus croit discerner entre ces trois termes : absurde – révolte – révolution. Ce livre est à cet égard bien systématique et marqué par l'esprit de cohérence linéaire des philosophies de l'histoire dont il veut dissoudre le prestige meurtrier.

N'est-il donc de révolte *originelle* que celle qui riposte à l'émotion métaphysique de l'absurde ? Il apparaît bien que, pour Camus, il y a une souche unique de la révolte, celle qui plonge ses racines dans une réflexion sur la condition de l'homme dans son ensemble. Il est bien possible que la réflexion philosophique puisse rassembler après coup dans une unique interrogation et dans un unique refus – le refus de l'homme d'être ce qu'il est – l'inquiétude éparse, les refus en ordre dispersé que l'homme oppose, d'une part, à la souffrance et à la mort, d'autre part, à l'oppression économique et à la tyrannie politique. (Encore ne suis-je pas sûr que toute révolte se résume, sur le plan *réflexif*, dans le REFUS de la

condition humaine. Il y a peut-être là un coup de force métaphysique sur lequel il faudra revenir tout à l'heure.)

Mais à supposer que la réflexion philosophique puisse
unifier dans un seul geste métaphysique tous les refus des
hommes, il est douteux que l'histoire avance sur la ligne
unique que la réflexion dessine. Est-il certain que la révolution soit un transfert de la révolte métaphysique dans la
réalité, qu'elle chemine aussi linéairement de la doctrine à
la pratique? Il est frappant que l'analyse de Camus avance
de livre en livre, comme si les révolutions étaient aussi purement idéologiques et cérébrales. Il manque à cette immense
enquête une épaisseur humaine que seule lui conférerait une
réflexion sur le *travail*. Il n'est pas certain que les colères qui
naissent au voisinage de la condition de travailleur se coor-
donnent originellement à la révolte métaphysique, même si
le philosophe peut reprendre et assumer métaphysiquement
cette révolte dans sa propre interrogation.

Je crains que Camus n'ait cédé ici à la tentation de placer
sur une unique ligne, celle de sa propre question, tous les
révoltés, pour poser dans toute sa force la question clef
du livre, celle de l'innocence et de la culpabilité. Or, autant
je crois qu'il faut refuser l'impérialisme doctrinaire du
marxisme qui fait sortir toutes les questions de l'acte humain
du travail, autant il faut refuser la simplification inverse de
l'interrogation humaine dans la réflexivité. Camus nous force
ici à poser un difficile problème. Quelles sont les sources
de la pensée interrogative et du pouvoir humain de mise
en question? Il me semble que Camus, très proche en cela
– malgré André Breton – du surréalisme, est surtout sensible
au redoutable pouvoir de contestation qui naît dans la sphère
du *langage*. En disant cela, je ne veux point diminuer l'importance d'un tel pouvoir : on ne soulignera jamais assez que
le langage est une clef de la condition de l'homme ; est-il *la*
clef unique? Camus, précisément, en essayant de surprendre
l'inflexion de la révolte à la révolution, a voulu s'évader de
la subtile enceinte de la violence des mots, de la subversion
verbale dans laquelle s'épuisent tant de non-conformismes
modernes, y compris celui du surréalisme. Mais il n'est pas
certain qu'il ait fait droit aux puissances de révolte qui mon-
tent du travail vers le langage, avant que la révolte, née du
pouvoir de mettre en question par la parole, ne soit descen-

due de l'écrivain au travailleur. Faute d'avoir analysé ce mouvement *circulaire* entre des modes de révolte venus de l'histoire vers la métaphysique et de la métaphysique vers l'histoire, il n'est pas rendu justice aux révolutions contemporaines, et en particulier leur essentielle ambiguïté n'est pas respectée : car il se pourrait qu'elles soient à la fois sur la ligne descendante qui va de la révolte à la révolution par la voie idéologique et sur la ligne ascendante qui va de l'aliénation du travail à la justice sociale.

Peut-on souhaiter que Camus entreprenne une réflexion, urgente en ce temps, sur la dialectique du *travail* et de la *parole* ? Peut-être cette dialectique nous permettrait-elle d'apercevoir la multiplicité des sources de la révolte, en deçà de leur unification prématurée sur le plan préréflexif.

RÉVOLTE ET VALEUR

Revenons maintenant de la révolution à la révolte, de l'histoire à la réflexion. L'intérêt passionnant de cette réflexion réside dans le passage de l'émotion *solitaire* de l'absurde à la volonté *solidaire* de la révolte ; c'est le *Cogito* de Camus : je me révolte, donc nous sommes.

Sans doute peut-on s'inquiéter du caractère quelque peu spéculatif de cette prise de conscience où le « nous » est aussi peu humain, chaleureux, communautaire que le « je » de l'émotion absurde n'est engagé dans la pâte historique. Mais acceptons les limites d'une réflexion aussi stylisée et raréfiée.

Je me demande si, dans ce passage où la révolte se fait valeur, dans cette *promotion morale*, la révolte ne se dépasse pas dans quelque chose qui est plus que révolte. Je suis frappé par des phrases comme celles que je relevais au début : « En même temps que la répulsion à l'égard de l'intrus, il y a dans toute révolte une adhésion entière et instantanée de l'homme à une certaine part de lui-même... toute valeur n'entraîne pas la révolte, mais tout mouvement de révolte invoque tacitement une valeur. »

« Avoir soi-même, en quelque façon, et quelque part, raison. »

« Cette part de lui-même qu'il voulait faire respecter, il la met alors au-dessus du reste, et la proclame préférable à tout, même à la vie. Elle devient pour lui le bien suprême. »

« L'analyse de la révolte conduit au moins au soupçon qu'il y a une nature humaine, comme le pensaient les Grecs, et contrairement aux postulats de la pensée contemporaine. »

L'accent kantien de ces pages est frappant ; le respect de l'universel en chacun, la dignité de l'autre, la solidarité métaphysique : n'est-ce pas l'impératif kantien en ses trois formules ?

Faut-il appeler révolte ce côté d'« adhésion », d'invocation tacite, de respect, cette reconnaissance de dignité et de valeur ? N'est-ce pas encore céder aux faux prestiges de la négation et de la subversion au *niveau du langage* que de nommer encore le cœur de l'affirmation du nom qui convient à son enveloppe de négation ?

L'équivoque à dissiper est celle-ci : est-ce la volonté de *refus* de la révolte qui fonde la valeur ou est-ce l'affirmation de valeur qui fonde la puissance de contestation de la révolte ? Ce livre équilibre de manière ambiguë le non et le oui : peut-être ne peut-il pas dépasser l'équivoque pour des raisons très profondes. En effet, si la révolte s'enracine dans l'émotion de l'absurde, c'est l'acte humain de prise de conscience qui inaugure tout droit, par le geste même du défi, par le blasphème, par le refus d'être ce que je suis ; le négatif est fondateur ; pour l'émotion de l'absurde le transcendant est désordre ; entre l'homme et le monde est la faille du non-sens ; le mouvement de l'absurde à la révolte tend ainsi à privilégier le *non*.

Mais, d'autre part, le passage du moi solitaire à l'homme solidaire, avec l'irruption d'autrui, tend à faire surgir une certaine transcendance de l'homme par rapport à sa souffrance et à sa colère, et du même coup à privilégier le *oui* : « Apparemment négative puisqu'elle ne crée rien, la révolte est profondément positive puisqu'elle révèle ce qui, en l'homme, est toujours à défendre. » Tout à l'heure, le transcendant était désordre, maintenant l'ordre est du transcendant à l'état naissant : Camus allait jusqu'à l'appeler, dans un texte cité plus haut, « une nature humaine ». Ainsi se compensent et peut-être se contrarient en profondeur dans la révolte de Camus un mouvement métaphysique de refus de la condition et un mouvement éthique du dépassement en autrui. Le pre-

mier dit non, le second dit oui. Le premier refuse de consen-
tir à l'être-homme, le second adhère à la valeur-homme.
(Nous verrons tout à l'heure que le premier est par essence
démesure, et le second, mesure, et que l'équivoque si riche
de sens du début du livre se répercute jusqu'aux dernières
pages.) On peut se demander si, à ce stade de la pensée
de Camus, le passage à l'affirmation éthique n'est pas en
profonde discordance avec la véhémence de la dénégation
métaphysique. Peut-être qu'une réflexion sur d'autres formes
de révolte, celle de Job, celle des prophètes d'Israël, qui ne
s'articulent pas sur l'émotion de l'absurde, ou du moins sur
un absurde *dernier*, mais sur un absurde avant-dernier, permettrait seule de fonder sans équivoque *tous* les refus sur
une affirmation originelle ; seule cette affirmation originelle
pourrait arracher la révolte à son processus interne de destruction, à cette auto-intoxication qui la rejette du côté du
ressentiment, malgré le ferme propos de Camus lui-même de
l'en distinguer (p. 30-32).

Avec beaucoup de discrétion, Camus donne une fois ou
deux son vrai nom à cette « noblesse première » de la révolte :
« On comprend alors que la révolte ne peut se passer d'un
étrange amour. Ceux qui ne trouvent de repos ni en Dieu ni en
l'histoire se condamnent à vivre pour ceux qui, comme eux,
ne peuvent pas vivre pour les humiliés » (p. 375).

Pudeur de Camus...

INNOCENCE ET CULPABILITÉ

Notre analyse critique nous a amené à interroger ce beau
livre dans deux directions : peut-être n'est-il ni assez « historique », faute d'avoir interrogé l'histoire dans son épaisseur
non livresque et d'être remonté de la parole au travail ; ni
assez « réflexif », faute d'avoir dégagé toutes les implications
du « nous sommes » et d'avoir subordonné le moment négatif de la révolte au moment positif de l'affirmation et de
l'adhésion.

Il faudrait maintenant se porter au point d'articulation de
la réflexion sur la révolte et de l'analyse historique de la
révolution. C'est là que se noue le sens du livre.

Le noyau dur de l'ouvrage, c'est le problème de la culpa-bilité dans l'histoire. L'histoire est pour Camus le lieu du scandale parce que le mouvement originel de révolte était *innocent* et parce que l'histoire contemporaine est comprise comme une suite du *nihilisme* philosophico-littéraire. Il faut partir de là pour comprendre le paradoxe du livre qui com-mence par la révolte et finit par la juste mesure. Le bourgeois rassuré pense aussitôt que c'est un bon livre, malgré quelques écarts de langage finalement compensés par l'éloge de la Méditerranée et les « cadences barrésiennes », que Béguin relève avec étonnement et inquiétude à la fin du livre [1]. De l'autre côté, André Breton jette l'anathème : « Une révolte dans laquelle on aurait introduit la "mesure" ? La révolte une fois vidée de son contenu passionnel, que voulez-vous qu'il en reste [2] ? » Mais, comme le remarquait G. Bataille, qui tente d'accorder la plus secrète intention du surréalisme à l'analyse lucide de Camus : « Comme si l'on n'avait pas sous les yeux ce qui reste d'une révolte depuis trente ans réduite à la violence des mots [3]. »

C'est par une réflexion sur la culpabilité que Camus tente de tirer la révolte de la phraséologie, de la démesure, du non-consentement hargneux et impuissant. C'est cette réflexion qui incline la révolte vers la mesure, non comme son renie-ment, mais comme sa guérison. La mesure est une révolte au second degré ; elle est la révolte de la révolte contre sa trahi-son historique par le nihilisme ; c'est pourquoi le problème final de la mesure est posé par cette question qui clôt la pré-face du livre : « L'homme est la seule créature qui refuse d'être ce qu'elle est. La question est de savoir si ce refus ne

---

1. « L'intransigeance exténuante de la mesure », courage et intelligence « qui, près de la mer, sont vertu », Midi qui ruisselle sur « le mouvement même de l'histoire », sont des enjolivements auxquels Camus ne nous avait guère habitués, pas plus qu'aux cadences barrésiennes de telle phrase : « Nous choisirons Ithaque, la terre fidèle, la pensée audacieuse et fru-gale... », ou bien : « Au sommet de la plus haute tension va jaillir l'élan d'une droite flèche, du trait le plus sûr et le plus libre. » Ne serait-ce point pour ces cadences surtout que sont venues à Camus les approbations de droite qui nous étonnaient ? *Esprit*, avril 1952, p. 746-747.
2. Dialogue entre André Breton et Aimé Patri à propos de *L'Homme révolté* d'Albert Camus, *Arts*, 16 novembre 1951.
3. G. Bataille, « Le temps de la révolte », *Critique*, décembre 1951-janvier 1952.

peut l'amener qu'à la destruction des autres et de lui-même, si toute révolte doit s'achever en justification du meurtre universel ou si, au contraire, sans prétention à une impossible innocence, elle peut découvrir le principe d'une culpabilité raisonnable. » La mesure est ainsi un équivalent du salut. Camus ne connaît qu'un infini méchant, qu'un absolu meurtrier, celui des philosophies de l'histoire ; comme les Grecs d'avant Plotin, il repousse l'infini dans les catégories infamantes et cherche le salut du côté du fini.

C'est cette espérance mesurée qui commande les réflexions et les réflexes politiques de Camus. Elle ne constitue pas un mouvement de repli « du côté du pire conservatisme, du pire conformisme », comme le proclame A. Breton ; elle se rattache directement au problème de la pathologie de la révolte et de la thérapeutique capable de la ramener au voisinage de sa noblesse originelle. La cohérence et la véracité subjective de la position de Camus sont donc indiscutables.

On peut seulement se demander, à la lumière de la double critique faite plus haut de l'analyse historique de la révolution et de l'analyse réflexive de la révolte, si la culpabilité se situe au moment où la révolte entre dans l'histoire, si la révolution a des sources propres qui ne se réduisent pas à un transfert du nihilisme idéologique. Peut-être le mouvement historique de levée du peuple et des peuples a-t-il une racine saine ; peut-être les grandes perspectives historiques ouvertes par une révolution dans les conditions du *travail* ne nous condamnent-elles pas à une sagesse du fini qui, tôt ou tard, consoliderait l'exploitation économique du prolétariat et l'oppression politique des peuples de couleur. Bref, il faudrait voir ce qui subsisterait de cette « sagesse de Midi » si l'on reprenait tout le problème de la révolution à partir d'une réflexion sur le travail et pas seulement à partir de la révolte dans la sphère du langage.

Mais si l'histoire de la révolution est moins coupable que ne le veut Camus, ou plutôt si sa culpabilité est plus inextricablement mêlée à une certaine innocence insurrectionnelle issue de la région où l'homme est exploité en tant que travailleur, en revanche, on peut se demander si la révolte est aussi innocente en tant que geste libre de la conscience.

La mesure, dit-on, est inscrite dans la révolte en tant qu'elle pose le droit d'autrui à la révolte : ainsi la révolte est-elle autolimitative. Cela est vrai. Un certain finitisme est ainsi fondé dans l'acte d'adhésion à une dignité commune à tous les hommes ; le côté affirmatif, positif et, si j'ose dire, *révérentiel* de la révolte est aussi son côté mesuré. Mais le côté subversif, véhément, passionnel, *blasphématoire* de la révolte n'est-il pas originellement démesure, refus de la mesure ? Pour que la pensée de Camus fût radicalement mesurée, il faudrait que sa révolte fût radicalement subordonnée à une affirmation originelle. L'hésitation que nous discernions plus haut entre une affirmation et une négation également dernières fait que la mesure est également possible et impossible dans le monde de la révolte. La mesure de l'homme dans l'univers chrétien, c'est sa situation de créature et de coupable gracié : le finitisme est fondé en même temps qu'un appétit de justice non point infini mais indéfini, comme eût dit Descartes. Mais si l'homme inaugure la conscience par le refus global de sa condition, la démesure est originelle et inguérissable, et la mesure, un reniement. C'est alors A. Breton qui a raison : « Incapable de prendre mon parti du sort qui m'est fait, atteint dans ma conscience la plus haute par ce déni de justice, je me garde d'adapter mon existence aux conditions dérisoires ici-bas de toute existence » (cité par Camus, p. 119).

J'admire le livre de Camus parce qu'il se place au cœur des embarras de la pensée moderne, avec une franchise et un courage que rehausse encore un style impitoyablement sobre. Nul ne saurait contester que son problème, celui d'une « culpabilité calculée », ne soit celui de notre civilisation tout entière.

Le Diable et le Bon Dieu

(1951)

Peut-on se risquer à écrire sur une pièce de théâtre quand on a été blessé par elle ? Oui, blessé. À la représentation, *Le Diable et le Bon Dieu*[1] a offensé en moi quelque chose dont, au reste, la pièce m'a aidé à prendre conscience, une sorte de pudeur du sacré. Il me faut bien partir de cette émotion initiale, même si la lecture a pu, comme je vais le dire, réduire après coup le choc du premier spectacle. C'est même cette aptitude complexe de la pièce à osciller entre une émotion de représentation et une interprétation réflexive, de tonalité et même de signification très différentes, qui pour moi fait problème. Ce décalage émotionnel et même, jusqu'à un certain point, cette inversion de sens entre la lecture et le spectacle me paraissent assez propres à cette pièce : au centre est le personnage ambigu de Goetz, bouffon du Mal, puis faussaire du Bien ; or la présence de chair de l'acteur donne aux mots et aux gestes une puissance telle de percussion que l'imposture à travers laquelle passe le blasphème est comme submergée par la présence atroce du blasphème qui éclate là, réel dans des bouches réelles, dans des conduites réelles. Au spectacle, l'imposture du personnage devient à la limite l'imposture de la pièce. Je dois dire que certaines scènes m'ont été presque insupportables ; (non point, bien sûr, la peinture du côté clérical et superstitieux de la foi : Tetzel est même bien drôle) ; j'avais plutôt envie de fuir que d'en voir et d'en entendre davantage ; la scène des faux stigmates, en particulier, atteint un degré inadmissible d'outrance ; en moi la « terreur » proprement dramatique se pourrissait en une peur non lyrique, qu'après coup je compare un peu à celle que Kierkegaard rapporte de son enfance, lorsqu'il vit son

---

1. Paris, Gallimard, 1951.

père maudire Dieu. Je sortis accablé : le silence et l'absence de Dieu étaient comme montrés et attestés par ce puissant simulacre de la sphère religieuse, lequel se refermait sur soi, sans autre issue ni réponse que l'action difficile dans l'histoire.

Puis j'ai lu et relu la pièce ; un autre sens s'est formé. Mais de cette retouche est sortie une nouvelle interrogation que je dirai pour finir.

Une chose éclate à la lecture : Goetz est une figure de la mauvaise foi. Du début jusqu'au coup de dé (fin du troisième tableau), quand il triche pour entrer dans la simulation du Bien, il n'est que le bouffon du Mal ; dès qu'il cesse d'être habillé par la chair de Pierre Brasseur, Goetz n'est plus que... Il dit : « Le Mal est une raison d'être » ; mais il est sans raison d'être, sans exigence d'être ce qu'il est ; il joue à être très méchant. En ce sens il est aussi loin que possible de l'exigeante démesure du *Caligula* de Camus ; son goût de massacrer, d'humilier, de blasphémer est fait de lubies sans grandeur, tel un grand divertissement concerté, volontaire, sans créativité profonde. Son explication même est bouffonne : « Pourquoi faire le mal ? Parce que le Bien est déjà fait. Qui l'a fait ? Dieu le Père. Moi j'invente. »

Le vrai révélateur de Goetz, au sens photographique du mot, c'est Heinrich. Au spectacle, ce personnage m'avait paru atroce : j'y soupçonnais quelque figure du chrétien de gauche, ou du prêtre-ouvrier, jugé par une situation historique qui le condamne à trahir : à trahir l'Église parce qu'il veut être avec les pauvres, et les pauvres parce qu'il est « d'Église d'abord ». Il livrera donc la ville, tout en essayant de se réfugier dans la conscience malheureuse et de dénier, par une subtile technique de l'illusion, l'acte accompli, afin de ne point le reconnaître ni l'assumer. Mais Henrich et Goetz sont de la même race : Goetz a de quoi le reconnaître ! « Faux jeton ! » « Truqueur... tu es un traître. » « Tu me ressembles tant que je t'ai pris pour moi. » Le néant, la vanité d'être de Heinrich éclatent dans ces paroles : « Comme tu souffres », lui dit Goetz. « Pas assez, répond-il. Ce sont les autres qui souffrent ; pas moi. Dieu a permis que je sois hanté par les souffrances d'autrui sans jamais les ressentir. » La coïncidence du Bon Dieu et du Diable, c'est d'abord cette ressemblance de Goetz et de Heinrich, également impuissants à être extrêmes, enfermés dans la simulation d'une relation authentique à l'Absolu – le Bien, le Mal.

À la fin, les rôles entre Goetz et Heinrich sont inversés, mais leur parenté demeure, jusqu'à ce que Goetz soit enfin capable de s'identifier à Hilda, la saine et virile Hilda. Heinrich, excommunié, persécuté par le compagnon diabolique, totalement vidé hors de soi dans cette ombre absolue, sera la pseudo-conscience de Goetz dans sa suprême tentative d'abjection ascétique. Le Diable en qui Heinrich in-existe, si l'on peut appeler inexistence cette projection destructrice, est devenu indiscernable du Bon Dieu dans lequel Goetz se détruit, au comble d'une pénitence sadique. Finalement, l'inexistence conjointe du Diable et du Bon Dieu est la prise de conscience de l'inexistence de l'homme lui-même au sortir d'une relation truquée avec l'absolu. Depuis le début, le Bon Dieu n'est que l'inexistant absolu auquel se réfèrent la bouffonnerie du Mal et la comédie du Bien. Ce Bon Dieu-là n'a pas grand-chose à voir avec le Dieu que Job défie, mais qu'il défie au cœur d'une invocation humble. Goetz n'a jamais été que devant l'absence de Dieu ; sa conversion à l'athéisme est bien la fin d'une illusion l'accès à la véracité, la récupération de soi sur une projection mensongère. De quoi, dès lors, le croyant serait-il offensé ?

Allons jusqu'au bout de cette réduction, *par la lecture*, de l'émotion « horrifiée » du spectateur. On pourrait, je crois, esquisser une interprétation-limite de la pièce qui serait à peu près celle-ci. Il ne serait pas question du tout du problème de Dieu dans cette pièce ; le Diable et le Bon Dieu seraient, dans le langage du XVIᵉ siècle, les figures d'un problème éthique et non religieux : le Bien, c'est-à-dire le sens total de l'action de tous sur cette terre. L'illusion d'être confronté avec le problème de Dieu tiendrait à l'affabulation historique, à la « chronique » du XVIᵉ siècle, qui transpose dans le temps nos problèmes actuels.

Ce sont les dernières scènes qui autorisent cette lecture, en quelque sorte par récurrence, de toute la pièce. Goetz, guéri par la fière, la fraternelle Hilda, tentera de vivre dans une histoire sans dimension transcendante, sans passion de l'extrême, sans les majuscules du Mal et du Bien, et il fera la guerre, comme un métier d'homme, dans l'ambiguïté de la fin et des moyens, dans l'entrelacement de l'« Humanisme » et de la « Terreur ». « Voilà le règne de l'homme qui commence. Beau début ; allons, Nasty, je serai bourreau et boucher. »

La fin de cette pièce est d'une probité exemplaire ; Sartre n'a point voulu hausser l'espoir ; l'histoire est difficile et il n'est pas certain que la violence progressiste puisse échapper à son propre piège ni résoudre ses propres contradictions ; mais la chance ne peut être saisie sans les périls. « N'aie pas peur, dit Goetz, je ne flancherai pas. Je leur ferai horreur, puisque je n'ai pas d'autre manière de les aimer, je leur donnerai des ordres, puisque je n'ai pas d'autre manière d'obéir, je resterai seul avec le ciel vide au-dessus de ma tête, puisque je n'ai pas d'autre manière d'être avec tous. Il y a cette guerre à faire et je la ferai. » Le dernier mot mérite d'être comparé avec celui des *Mains sales* : « Non récupérable ! » Si la fin de la dernière pièce de Sartre est moins désespérée, c'est que la situation n'est plus stalinienne, mais léniniste ; l'espoir est dans la jeunesse des révolutions, le maléfice est dans leur maturité ; tout est encore possible avant le point d'inflexion où la Révolution adulte se laisse corrompre par le pouvoir de ses nouveaux maîtres. Mais ce mal était à l'origine : dès le début, Nasty a dû mentir au peuple pour le dresser contre le pouvoir clérical.

Il se peut que Sartre soit aussi radicalement indifférent au problème religieux que certains hommes du XVIIIᵉ siècle et qu'il n'ait qu'un drame personnel : celui de l'action. Il se peut qu'après la mort de Dieu, constatée froidement comme un fait sociologique et une donnée de conscience, plutôt que vécue personnellement comme une blessure mal cicatrisée, il n'y ait pour lui qu'une seule question : celle de savoir si, au-delà de cette époque où il dit : « Non récupérable ! », il y a une autre époque où il pourra faire la guerre des paysans, la guerre des pauvres de toujours, et dire avec Goetz : « Il y a cette guerre à faire et je la ferai. »

Cette interprétation-limite de la pièce, remontant de la fin au début, éclaire d'un jour nouveau bien des situations, et d'abord la relation de Goetz à Nasty, cet « anabaptiste » comme on eût dit au XVIᵉ siècle, qui s'est institué chef de la révolte. Nasty est comme la basse continue de toute la pièce ; il marque la continuité de la guerre des paysans et maintient la dimension historique du drame, à travers toutes les interrogations de la subjectivité. Destructeur de l'Église cléricale, prophète du sacerdoce universel, témoin de l'« immédiateté religieuse » – l'égalité tout de suite, dans un rapport direct de tous avec tous et de chacun avec Dieu –, saisi par la contradiction entre un certain nihilisme (« Seigneur, que ta volonté soit faite. Le monde est foutu ! foutu ! que ta volonté soit faite ! ») et cette immédiateté religieuse, il est tout ce qu'un révolutionnaire peut être dans le contexte théologique du XVIᵉ siècle : il est celui que les pauvres ont choisi, alors que Heinrich voudrait les avoir choisis. C'est pourquoi, si Heinrich a de quoi démasquer en Goetz le faussaire, Nasty a de quoi l'expliquer : « Tu ne détruis pas si tu mets du désordre. Le désordre est le meilleur serviteur de l'ordre établi… Toute destruction brouillonne enrichit les riches, accroît la puissance des puissants. »

Goetz, distribuant ses terres et imposant l'amour fraternel, est, si l'on veut, l'imposteur de l'immédiateté religieuse, le simulateur de Nasty ; c'est pourtant Nasty qui écarte de lui-même sa propre caricature : « Toi, sauver les pauvres ? Tu ne peux que les corrompre. » Il est vrai qu'il accepte plus tard le chantage machiné par Goetz : étouffer la révolte en privant le peuple de ses prêtres ; du moins l'a-t-il accepté parce qu'il juge la révolte prématurée, donc par tactique révolutionnaire. Mais quand la guerre sera allumée de tous côtés, il saura démasquer le mensonge du bonheur dans une seule cité : « Et tu laisseras le monde entier s'égorger, pourvu que tu puisses construire ta cité joujou, ta ville modèle ! » À travers le voile du fanatisme, il discerne les limites inéluctables de l'action. C'est sans illusions, au tableau VII, qu'il tente de rallier Goetz à sa cause : « Quels que soient les desseins de Dieu, nous sommes ses élus, moi son prophète et toi son boucher ; il n'est plus temps de reculer. » En cela il est moins pur que Hilda, la droite Hilda, qui veut rester avec ceux qui souffrent sans jamais être de ceux qui décident les souffrances des autres (« Toi, un pauvre ? Il y a beau temps que tu ne l'es plus. Tu es un chef. ») Mais Nasty a assumé un étrange évangile de la haine, l'humanisation des pauvres par la révolte.

Après le IXᵉ et le Xᵉ tableau, ceux de l'abjection de Goetz pénitent et de sa conversion à l'athéisme – tableaux centrés sur la relation ambivalente de Goetz à Heinrich et à Hilda –, quand Goetz rentrera dans la guerre et par la guerre dans l'histoire des hommes, c'est de nouveau Nasty et non plus

Hilda qui sera la référence finale du drame. Ce balancement et cette substitution finale sont très significatifs. Hilda reste la conscience lucide de l'échec, de l'altérité, du malentendu (HILDA : « Si tu es soldat parmi les soldats, leur diras-tu que Dieu est mort ? GOETZ : Non. HILDA : Tu vois bien. GOETZ : Qu'est-ce que je vois ? HILDA : Tu ne seras jamais pareil à eux. Ni meilleur, ni pire : autre. Et si vous tombez d'accord, ce sera par malentendu. »). Mais Goetz a opté pour un sens que l'action inscrirait à travers l'échec ; c'est pourquoi finalement Nasty recueille Goetz et l'accouche du sens humain, c'est-à-dire pratique, de sa conversion toute subjective ; il faudra bien intégrer à l'action le crime, le mensonge et même une certaine tolérance de la superstition (la sorcière qui frotte les paysans avec la main de bois). Désormais, Hilda ne pourra plus être que la conscience-reproche ; et Goetz, rendu authentique par Hilda et efficace par Nasty, aura de quoi aller au-delà de l'un et de l'autre, Nasty, blessé par l'échec, vidé de sa foi, est achevé par la pureté même de Hilda (NASTY : « Connais-tu plus singulière bouffonnerie : moi qui hais le mensonge, je mens à mes frères pour leur donner le courage de se faire tuer dans une guerre que je hais ? GOETZ : Parbleu, Hilda, cet homme est aussi seul que moi. NASTY : Bien plus. Toi, tu l'as toujours été. Moi j'étais cent mille et je ne suis plus que moi. Goetz, je ne connaissais ni la défaite ni l'angoisse et je suis sans recours contre elles. »).

Ainsi, le problème de l'imposture paraît définitivement déplacé du plan religieux sur le plan éthique de l'action révolutionnaire : y a-t-il une action sans imposture ? Peut-être, se dit très honnêtement Sartre dans *Le Diable et le Bon Dieu*, mais ce n'est pas sûr.

Voilà donc deux interprétations-limites : celle que la première émotion du spectacle m'a proposée et celle que la lecture a progressivement superposée. Selon la première, le problème de la foi est au centre, l'athéisme est le noyau sain éjecté d'un fruit pourri, la relation à l'absolu : Diable, Dieu. Selon la seconde, le problème de la foi et de l'athéisme relève de l'affabulation historique : la pointe de la pièce est éthique et politique.

Je ne puis croire que la deuxième interprétation puisse expulser la première. La pièce me paraît plutôt subtilement composée comme une ellipse dont le problème de l'athéisme et celui de l'action sont les deux foyers. C'est pourquoi la pièce a deux dénouements, l'un au Xe tableau : « Il n'y a pas eu de procès : je te dis que Dieu est mort » ; l'autre, au XIe tableau : « Il y a cette guerre à faire et je la ferai. » Hilda est le témoin du premier dénouement, une fois Heinrich tué et l'illusion transcendante abolie ; Nasty est le témoin du second, une fois que Goetz est passé de la mort de Dieu pour la subjectivité à l'histoire intersubjective (les deux dénouements sont reliés par le dernier mot du Xe tableau : Goetz à Hilda : « Restons ; j'ai besoin de voir des hommes. »)

À la réflexion, cette pièce où rien n'est laissé au hasard, dans la succession des scènes, dans les rencontres, dans les mots de théâtre, me paraît faite de telle façon que l'imposture de Goetz faute de démontrer l'athéisme – ce qu'une pièce ne peut ambitionner –, opère du moins une sorte de *monstration* effrayante du silence et de l'absence de Dieu à travers la dérision de l'imposture. Cette monstration de l'inexistence de Dieu par l'imposture est l'étape nécessaire en direction du sens éthique, politique, révolutionnaire de la pièce. Il faut que soit conquise la conviction que « Dieu est mort » pour qu'une conscience guérie de l'absolu entre enfin dans la véracité du relatif.

C'est ici, au confluent des deux lectures, que se pose la question la plus embarrassante ; comment l'imposture peut-elle avoir cette puissance de monstration ? Car la mise en scène de l'imposture par Sartre n'a ni la même intention ni surtout le même effet que sa peinture par Léon Bloy ou par Bernanos. Il est trop évident que chez ceux-ci le problème de l'imposture est un problème de la foi elle-même ; il fait partie du mouvement de l'existence-pour-la-foi ; c'est la foi qui arrache ses masques, au risque de s'ensanglanter le visage. Ici, le problème de l'imposture n'est pas, ne peut pas être posé dans une problématique de la foi, mais reste toujours à l'intérieur d'une problématique de l'athéisme. Du même coup, la problématique de la foi tend à se confondre avec celle de l'imposture, et l'imposture ne peut y recevoir qu'une interprétation dramatique qui expulse sa purification possible par la foi et conclut existentiellement à l'athéisme. Toute la monstration dramatique doit acculer à cette alternative simple, élémentaire : « Si Dieu existe, l'homme est néant ; si l'homme existe… »

Cette alternative ne nous apprend rien de nouveau sur la philosophie de Sartre. Sur cette ligne, elle se répète purement et simplement et répète l'alternative de Feuerbach : le divin procède d'une ponction de conscience, d'existence, de puissance aux dépens de l'humain ; cette soustraction est la trahison et la mutilation de l'homme par l'homme. Dès lors, l'athéisme est la récupération de l'humain par l'humain ; à partir de là une histoire des hommes est possible, mais non point assurée ; l'athéisme ne peut concevoir d'autre rapport entre Dieu et l'homme qu'un rapport de possession, c'est-à-dire où l'homme s'aliène dans une projection monstrueuse de lui-même.

Comment, dans cette perspective athée et par rapport à cette issue pratique de l'athéisme, la peinture de l'imposture peut-elle avoir une puissance de *monstration* ? Dans cette question se noue le sens même de la dernière pièce de Sartre.

Il me semble qu'il faut écarter une interprétation qui rendrait l'œuvre anodine ; or elle n'est pas anodine, mais corrosive. On dira : « Sartre n'a peint aucun vrai croyant, peut-être même pas Nasty. Goetz n'a jamais été dans une relation authentique avec le divin ; Heinrich non plus. Par conséquent, leurs blasphèmes tombent dans le vide ; un faussaire ne prouve rien contre ce qu'il bafoue ; votre émotion de croyant repose sur un contresens ; preuve en est, sa réduction par votre propre lecture. »

Je dis que cette interprétation rend la pièce anodine, si même elle ne la détruit : si Goetz n'a jamais été dans une relation authentique avec le divin, sa conversion à l'athéisme est sans force probante, entendons sans cette force probante qui convient à un caractère. Ou bien Goetz a toujours été hors de la sphère religieuse, et alors son athéisme n'enchaîne sur rien, est dramatiquement arbitraire ; ou bien son athéisme est motivé par la comédie du Bien et la bouffonnerie du Mal, et alors… Et alors, il faut bien qu'à un moment donné, *ou peu à peu par la magie de la représentation*, l'imposture ait eu le pouvoir d'attirer sur elle tout le sens possible que peut avoir la foi dans une problématique athée et qu'ainsi la fin de l'imposture soit aussi la fin de la foi. Il faut que l'inauthentique soit devenu peu à peu le seul sens possible de la préten-

tion à l'authentique, pour que la conversion de la foi inauthentique à l'athéisme porte condamnation de la foi tout
court.

J'ai employé le mot magie : il y a en effet dans cette pièce
une magie qui n'est complète qu'à la représentation et qui se
dissipe quelque peu à la lecture, ce qui explique l'écart crois-
sant entre le spectacle et la lecture répétée. Cette magie
repose sur la résorption progressive, pour le spectateur, de
toute foi possible dans sa propre imposture.

Une lecture attentive du IXe et du Xe tableau me convainc
que le comble de la simulation de la foi est devenu, pour le
spectateur, l'équivalent de la foi, parce que, en Goetz même,
la foi est devenue indiscernable d'une mauvaise foi consolidée. Goetz s'est pris au jeu du Bien. Goetz *savait* peut-être
encore qu'il trichait quand il tentait d'extorquer les stigmates
et quand il se les donnait, à la fois par dépit et par vengeance
contre le ciel muet ; il ne le sait plus quand il se vautre dans
l'abjection de l'ascèse ; il ne le sait plus quand il supplie :
« Donne-moi le bon emploi de mes infortunes, Seigneur, tu
as permis que je roule hors du monde, parce que tu me veux
tout à toi. » Goetz, à ce moment, est devenu *de manière
indiscernable la figure de l'imposteur, tel que la comédie du
Mal et du Bien l'a façonné, et la figure du croyant tel que le
comprend l'athée*. La force de cette scène est de se situer
dans l'équivoque de la mauvaise foi et de la foi : « GOETZ
(d'une voix forte et angoissée) : Mon Dieu ! Mon Dieu ! Est-
ce là ta volonté ? Cette haine de l'homme, ce mépris de
l'homme, ce mépris de moi-même, ne les ai-je pas cherchés
quand j'étais mauvais ? La solitude du Bien, à quoi la recon-
naîtrai-je de la solitude du Mal ? » Est-ce encore l'imposture ? Est-ce la foi ? Ou plutôt l'imposture, devenue foi et sur
le point de virer à l'athéisme n'apparaît-elle pas, à la lumière
anticipée de cet athéisme, comme mue par les mêmes res-
sorts que la foi, c'est-à-dire par la haine de l'homme pour
l'homme ?

C'est bien dans l'angoisse de cette question que cesse
la bouffonnerie et que se motive la conversion. Il a fallu que
l'imposture aille au-delà des *faux* stigmates, jusqu'au *vrai*
mépris de soi, pour que le passage à l'athéisme soit dramatiquement probant. Si Goetz n'était qu'un faussaire qui ne
témoigne pas *en même temps* de la foi, cet échange d'apos-

trophes entre Hilda et Goetz serait dénué de signification :
« HILDA : C'est cette chair et cette vie que j'aime. On ne peut
aimer que sur cette terre et contre Dieu. GOETZ : Je n'aime
que Dieu et je ne suis plus sur terre… L'homme rêve qu'il
agit, mais c'est Dieu qui mène. » Dieu n'avait pas répondu
dans la scène atroce des stigmates, où le miracle a été volé,
mais maintenant il faut bien que Goetz ait commencé de
croire qu'il croit pour pouvoir s'écrier, dans l'équivoque
de la foi et de la mauvaise foi : « Je t'ai interrogé, mon Dieu,
et tu m'as répondu. Sois béni parce que tu m'as révélé la
méchanceté des hommes. Je châtierai leurs fautes sur ma
propre chair, je tourmenterai mon corps par la faim, le froid
et le fouet, à petit feu, à tout petit feu. Je détruirai l'homme,
puisque tu l'as créé pour qu'il soit détruit. »

Au Xe tableau, la présence immonde de Heinrich atteste,
jusqu'à ce que Goetz le tue, consommant en soi la mort de
Dieu, la double coïncidence finale du Diable et du Bon Dieu,
de la mauvaise foi et de la foi. Si Dieu est la négation de
l'homme, la foi peut être indiscernable de ce jeu abject de la
sensualité exaltée et châtiée. Dans ce clair-obscur, les distinctions s'amortissent ; le prêtre possédé du Diable peut alors
aider à l'avilissement du pénitent possédé du Bon Dieu, dans
un assaut d'accusation ; de son côté, le sadique peut détruire
le cabotin dont il se repaît encore : « J'ai voulu que ma bonté
soit plus dévastatrice que mes vices… monstre ou saint, je
m'en foutais, je voulais être inhumain. » Lucidité démoniaque qui prend la voix de fausset de Heinrich, qui dit vrai
en un sens, mais d'une vérité encore destructrice ; lucidité du
regard qui hait.

Si donc Goetz n'avait pas été *authentique*, au moins dans
la scène du réquisitoire (X, 4), son athéisme serait sans force
dramatique ; il ne serait que la conversion peu probante d'un
faussaire de la foi à la non-foi, il serait un aveu, non une
promotion d'existence. Il a donc fallu que le comble de l'imposture soit la pénitence et que le comble de la pénitence soit
la fin de l'imposture, par la prise de conscience du tricheur
comme tricheur, et par la découverte de la puissance du *moi*
sur sa tricherie. À ce moment le fantôme de Dieu dans lequel
le moi s'abolissait est lui-même aboli. Toute cette scène est
l'équivalent dramatique d'un *Cogito* argumentant : (je) triche

que (je) crois en Dieu ; (je) triche au point de croire que (je) crois en Dieu ; (je) crois en Dieu donc (je) me détruis ; (je) me détruis, donc (je) me confesse ; je me confesse, donc *c'est moi* qui triche ; Je triche, donc JE suis ; JE suis, donc Dieu n'existe pas.

À partir de cette équivoque de la mauvaise foi et de la foi dans le IXe et le Xe tableau, il me semble qu'on peut remonter de proche en proche vers le début de la pièce. Au fond, l'équivoque est à l'état naissant dès la première scène. Heinrich ressemble suffisamment à un vrai prêtre pour qu'en lui toute la prêtrise coagule et sombre, par la magie de la représentation, dans la conscience qui se damne. Si l'imposture n'était pas, dès le début, à quelque degré inconscience de l'imposture et commencement du « croire que je crois », on ne voit pas quel sens pourraient avoir les interrogations les plus violentes, les défis les plus insolents ; *c'est pourquoi ils sont presque insupportables à la représentation*. À travers l'imposture passe quelque chose de la violence de Job et des malédictions de la foi et de la non-foi mêlées, en face de la souffrance, de l'échec historique des pauvres, de la mort des petits enfants, du maléfice de toute histoire, de la détresse du moribond qui meurt « après avoir vu le Diable ».

Ce qui est atroce au spectacle, c'est que cette équivoque soit machinée par une intelligence froide et prosaïque qui mêle sans cesse la parodie et le canular au drame, là où Giraudoux savait piquer des fleurs de lyrisme (je n'ai retenu qu'un trait de poésie, qui précisément rappelle la *Judith* de Giraudoux : « GOETZ : Si je connaissais une nuit assez profonde pour nous cacher à son regard... HILDA : L'amour est cette nuit-là. Les gens qui s'aiment, Dieu ne les voit plus. » Et plus loin : « HILDA : On n'aime rien si l'on n'aime pas tout. » Il naît, au contact de Hilda, une religion terrienne, une identification lyrique douloureuse entre les êtres sans l'Être). Faute de chant et de vie chantée, le théâtre de l'imposture devient la morgue de la foi ; l'homme qui en ressuscite ignore tout autre plan de conscience que celui de la responsabilité lucide ; faute d'exister à des niveaux différents de vérité, de paysages spirituels, cet homme est livré à l'option brutale : ou Dieu ou l'homme ; il est exclu que le « faire » responsable et le « don » de Dieu puissent coïncider en quelque point mystérieux de lui-même.

Voilà pourquoi la représentation de l'imposture par Sartre a une tout autre puissance d'insinuation que sa peinture par Bernanos. Bernanos persuade – car lui aussi n'use que des ressources de l'artiste – que la foi est possible au-delà de l'imposture ; Sartre persuade que l'athéisme est nécessaire au-delà de l'imposture. Dans la mesure où un personnage de théâtre convainc par la puissance exemplaire de son existence dans l'imaginaire, Goetz atteste l'équivoque de la foi et de la mauvaise foi ; si la foi est la mauvaise foi consolidée, l'homme, en jetant le masque de la mauvaise foi, dépouille aussi l'existence – ou l'inexistence – du croyant.

Hors de cette coïncidence de la mauvaise foi et de la foi, la pièce est sans force ; par cette équivoque patiemment et lucidement dressée sur scène, elle ne peut que faire souffrir – au-delà de l'intérêt passionnant de la lecture – le spectateur qui aspire à une autre ascèse de cette imposture dont la foi n'est jamais sûre de se distinguer.

Humanisme et Terreur [1]
(1948)

Les livres de doctrine et, au meilleur sens du mot, de jugement politique sont suffisamment rares pour que nous saluions, même avec retard, le livre de Merleau-Ponty qui reprend et complète les articles fameux des *Temps modernes* sur *Le Yogi et le Prolétaire* ; en réponse aux livres de Koestler, *Le Zéro et l'Infini*, *Le Yogi et le Commissaire*. Le livre est de la taille de la *Maladie infantile du communisme* de Lénine et des *Réflexions sur la violence* de Sorel.

L'intérêt du livre est double : d'une part, il esquisse toute une philosophie de l'histoire qui tente de comprendre et de juger de l'intérieur les intentions humanistes du marxisme ; d'autre part, il aboutit à une appréciation concrète du communisme stalinien.

Les procès de Moscou, en particulier celui de Boukharine en 1938, qui avaient donné la matière du roman de Koestler, sont l'occasion de remonter de la Terreur révolutionnaire à l'humanisme, qui lui donne un sens. Dans sa préface, qui révèle un grand style de polémiste, l'auteur peut à juste titre se plaindre de l'inintelligence et de la mauvaise foi de la plupart de ses critiques : « Apprendre à lire… »

Partant de la « mystification libérale » et récusant les abstractions pieuses qui couvrent et requièrent tant de violences, l'auteur s'impose la sévère règle marxiste : « Pour connaître et juger une société, il faut arriver à sa substance profonde, au lien humain dont elle est faite et qui dépend des rapports juridiques sans doute, mais aussi des formes du travail, de la manière d'aimer, de vivre et de mourir » (p. x). « Toute discussion sérieuse du communisme doit donc poser le problème comme lui, c'est-à-dire non pas sur le terrain des

---

1. Paris, NRF Gallimard, 1947.

principes, mais sur celui des relations humaines. Elle ne brandira pas les valeurs libérales pour en accabler le communisme, elle recherchera s'il est en passe de résoudre le problème qu'il a bien posé et d'établir entre les hommes des relations humaines » (p. XI).

C'est dans cet esprit que Merleau-Ponty comprend les aveux de Boukharine : Boukharine est un homme qui s'est appliqué à lui-même l'interprétation marxiste de la Terreur, dans la perspective humaniste qu'il partage avec ses juges. À travers le dédale de violences qui encombrent l'histoire, il est une violence privilégiée, la violence prolétarienne : seule elle est « progressive », c'est-à-dire comporte en elle-même la chance de se supprimer elle-même. C'est pourquoi elle doit être préférée, voulue, dirigée. Et à l'intérieur même du mouvement spontané du prolétariat, il est encore une violence inévitable : elle tient à la *contingence* même de l'histoire. L'histoire n'est pas fatale : elle est faite par les hommes qui, par leur choix, contribuent à l'interprétation du mouvement. C'est pourquoi il faut un centre directeur qui, à travers le conflit des tendances contraires, joue la vie et la mort des hommes. Là est la racine de la terreur : parce que l'histoire est contingente, le choix politique est un choix risqué, et c'est seulement après coup que le progrès ou le recul du mouvement prolétarien consacre comme trahison objective, quelle que soit l'intention, le choix du centre directeur ou le choix de l'opposition. C'est à cette mesure que Boukharine s'est jaugé. C'est dans cette perspective qu'il faut comprendre la violence et la terreur dans le marxisme.

Le Roubachof de Koestler, précisément, n'a jamais compris le lien organique de l'humanisme et de la violence ; dans sa phase stalinienne, il vit uniquement dans l'« objectif » : l'histoire est une mécanique, une chose, un dieu aveugle ; seuls des initiés, au Parti, en ont la clef ; le « subjectif » – décision, compréhension, fins représentées et voulues – est un reflet ou un instrument, bref, le *zéro*.

De cette philosophie inhumaine, la philosophie du commissaire, il est rejeté par la morale de l'intention, de la belle âme, pure et impuissante : la conscience qui oppose la valeur au fait se soustrait elle-même, comme l'*infini*, au cours fini de l'histoire tel que le Parti le comprend. L'oscillation entre le *zéro* et l'*infini* a ainsi pour prolongement le dilemme du *yogi* et du *commissaire*, l'alternative de l'humain et de l'efficace, de la moralité et de l'action historique. Comprendre le marxisme, c'est précisément conjurer ce divorce de la spiritualité et de l'efficacité. À l'opposé de sa caricature positiviste et scientiste, l'histoire marxiste est une dialectique vivante où s'échangent la nécessité, le mouvement spontané des masses, la compréhension scientifique et la direction volontariste du Centre révolutionnaire. L'histoire marxiste domine le dualisme du « subjectif » et de l'« objectif » : elle le domine sous toutes ses formes, celle du faux dilemme de la volonté et de la nécessité, celle, plus radicale, de la valeur (ou des fins) et de l'efficacité (ou des moyens). Nous sommes ici au cœur du marxisme : le *prolétaire*, c'est précisément l'homme entre tous les hommes qui cumule une fin, une visée humaniste et une efficacité, une force historique. C'est toujours au mouvement spontané du prolétariat qu'il faut revenir pour comprendre le sens rationnel de l'histoire, sa visée humaine, sa nécessaire violence et les limites mêmes de cette violence. Le prolétaire, en effet, est le seul dont la condition dépendante le place par-delà les provinces, les patries et les particularités de toutes sortes : il est l'homme universel. Les « fins » de la révolution – à savoir la reconnaissance de l'homme par l'homme, la fraternité concrète – ne sont pas différentes du développement même de ce type d'homme qui porte déjà en abrégé la figure de l'humanité idéale. Le vœu hégélien d'une raison concrète est satisfait ; dans le prolétaire, l'idée est force et réalité ; plus besoin d'une éthique « transcendante » à l'histoire : grâce au prolétaire, les fins sont « le simple prolongement d'une pratique déjà à l'œuvre dans l'histoire, d'une existence déjà engagée qui est celle du prolétariat » (p. 116).

On voit comment l'existentialisme suggère une meilleure lecture du marxisme en ramenant sans cesse au sens humain de l'histoire et en accentuant la contingence qui donne son sérieux à la politique ; je remarque que ce dernier trait est encore plus fortement accusé dans la préface où l'auteur atteint à une rare force dramatique. Accusé bêtement de déifier l'histoire et d'adorer le fait accompli, Merleau-Ponty insiste sur l'*impureté* de la politique qui ne cesse de mobiliser des imprévus issus de l'action et de la réaction d'autrui. Qu'il n'y ait pas de science de l'avenir, cela suffit pour comprendre la gravité d'une décision qui engage l'existence et le bonheur des individus et des masses. On comprend que l'intention ne sauve pas et que l'histoire puisse rendre coupable. « La malédiction de la politique tient justement en ceci qu'elle doit traduire des valeurs dans l'ordre des faits » (p. xxx). Ce risque d'illusion et d'échec, qui fait si dure la condition du politique, si ambiguë la politique elle-même, ce « maléfice de la vie à plusieurs » (p. xxiv) nous ramènent visiblement au « mal fondamental » (p. xxxiv) d'une coexistence humaine semée de malentendus. Merleau-Ponty a bien raison d'évoquer ici le procès et la mort de Socrate, « le cauchemar d'une responsabilité involontaire et d'une culpabilité par position qui soutenait déjà le mythe d'Œdipe » (p. xxxv), le mythe de l'apprenti sorcier, le supplice du Jésus historique et la profonde philosophie de Max Weber. Merleau-Ponty n'est pas seul ici avec le Sartre des *Mains sales*.

Mais en retour, ou plutôt par choc en retour, l'existentialisme reçoit de ce rajeunissement du marxisme le sens de l'histoire qui lui manque : lue à partir du prolétaire, l'histoire, à travers confusion et décision, prend un sens global ; c'est une figure, une *Gestalt* orientée par un système de tensions en direction d'une solution d'équilibre ; une philosophie prolétarienne de l'histoire permet de dégager des *fins* humaines dignes d'orienter notre liberté ; une éthique pour chacun peut être dégagée de la *praxis* interhumaine totale, interprétée en fonction du prolétariat. Le thème du prolétaire vient à point sauver de l'anarchisme une doctrine dont le démon propre est sans doute celui de l'acte gratuit ; il fournit des fins sans contraindre à invoquer une transcendance divine ou simplement éthique. Nous reviendrons sur ce point tout à l'heure.

Mais le même approfondissement du marxisme, qui fait comprendre la terreur et les aveux de Boukharine, est en même temps la mesure à laquelle Merleau-Ponty confronte le stalinisme. Marx et Lénine n'ont pas fait du Parti l'absolu ; c'est le mouvement spontané des masses éclairées par le Parti qui donne son sens au développement révolutionnaire. Marx et Lénine ont justifié la ruse et le mensonge ; mais à condition que la ligne reste toujours visible qui rattache le détour à la fin. Aujourd'hui, le néocommunisme est sous nos yeux comme un « phénomène neuf » où la construction autoritaire des bases économiques étouffe l'initiative des masses et l'internationalisme ; dès lors le raccord de la politique communiste avec les buts lointains devient « de l'ordre de l'occulte » (p. 146). « L'URSS n'est pas la montée au grand jour de l'histoire du prolétariat tel que Marx l'avait défini » (p. 152). Et pourtant, Merleau-Ponty ne pense pas que le marxisme soit « dépassé » ou « à dépasser », sa critique du monde existant lui paraît acquise ; il « n'est pas *une* philosophie de l'histoire, c'est *la* philosophie de l'histoire et y renoncer, c'est faire une croix sur la raison historique. Après quoi il n'y a plus que rêveries ou aventures » (p. 165). On peut, certes, douter que le prolétariat fasse un jour l'humanité fraternelle ; du moins nous pouvons affirmer, depuis Marx, que, tant que le prolétariat restera prolétariat, tout humanisme sera hypocrite, l'humanité n'existera pas concrètement et l'histoire, dénuée de sens, restera un tumulte insensé.

C'est ainsi que Merleau-Ponty tente plutôt de « définir, envers le communisme, une attitude pratique de compréhension sans adhésion et de libre examen sans dénigrement » (p. 160), dont le premier article est de dire la vérité, et le second d'éviter une guerre dont les deux adversaires ne sont plus porteurs de valeurs claires et dignes de notre choix sans nuances et sans retour.

Ce livre est suffisamment intelligent et honnête pour ouvrir un fécond dialogue.

C'est même l'écart entre l'humanisme marxiste et le néo-communisme, le glissement « du prolétaire au commissaire » (p. 110 *sq.*) qui permet de poser les questions les plus radicales ; nous savons, aujourd'hui, qu'il y a une pathologie du marxisme ; qu'est-ce que cela signifie pour le marxisme ? Une grande doctrine a sa perversion privilégiée qui éclaire ses lignes de moindre résistance. On peut se demander si le point de fléchissement n'est pas au cœur même de l'humanisme prolétarien. La critique du socialisme utopique et plus généralement la théorie de l'aliénation sont, comme on sait, l'envers polémique de cette conviction, reçue de Hegel, que les seules idées agissantes sont aussi des réalités en marche, des forces « immanentes » à l'histoire en lesquelles s'identifient la raison et la réalité, le subjectif et l'objectif, la valeur et l'efficacité. Le Prolétaire est cette idée-force qui fonde *un humanisme sans éthique séparée, sans morale transhistorique.*

Cet humanisme est-il vraiment protégé contre le vertige du commissaire ? La rechute au mécanisme scientiste dans la doctrine et à la politique du commissaire dans l'action ne sont-ils pas la menace interne d'une conception de l'histoire et de l'action amputée, selon nous, d'une dimension « transcendante » ? Merleau-Ponty oppose le prolétaire au couple monstrueux du yogi et du commissaire ; mais à quelle condition le prolétaire est-il cet homme universel ? Lui suffit-il d'être en *situation* universelle, dépouillé de toute particularité, pour être porteur d'une exigence universelle ? Ce prétendu humanisme, « immanent » à l'histoire en général et au prolétariat en particulier, n'est sans doute que l'écho rémanent de ce que j'appellerai, en abrégé, l'*appel prophétique* qui fait irruption verticalement dans l'histoire. Mais Marx a tellement vécu dans une société hypocrite, dans une chrétienté mystifiée et mystifiante qu'il a été incapable de reconnaître, selon sa nature propre, cette pression que les valeurs éthiques exercent sur notre histoire, mais sous une autre forme que les abstractions solennelles de la morale bourgeoise, sous la forme personnelle, véhémente, agressive de *prophètes*, tels qu'Amos et Osée dans l'Antiquité juive. Il n'a pas reconnu que c'est l'intégration qui donne sa tension à une histoire que les princes, les capitaines et les riches mettent au pillage.

La mission historique du prolétariat est la synthèse toujours prête à se dissocier d'une condition et d'une vocation.

La pathologie du marxisme est aujourd'hui aussi importante pour la compréhension de l'histoire que la pathologie de la société libérale. Elle permet de repérer une nouvelle forme de « mystification », celle qui se cache dans l'idée même du prolétaire, quand on en évacue la visée prophétique. Une doctrine qui méconnaît la dimension transhistorique de l'histoire, une doctrine immanentiste de l'histoire, est menacée d'autodestruction ; elle ronge sa propre puissance d'indignation et d'exigence et se perd dans les « détours » mêmes qui devaient la porter à ses fins à travers une histoire effective.

Mais tout retour à une exigence transcendante rencontre désormais la critique marxiste de l'aliénation et de la mystification. S'il y a un chemin du prolétaire au commissaire, il y a aussi un chemin du prophète au yogi, il y a une pathologie de la conscience éthique et religieuse que Marx a inaugurée de façon magistrale, nous ramenant à la terrible condamnation du « juste » dans l'Évangile. Nous sommes ainsi renvoyés du dépérissement de la révolution au dépérissement de la chrétienté comme événement de base de l'histoire moderne. C'est la chrétienté qui n'a pas été le lieu de la tension entre le transcendant et l'immanent, entre l'appel prophétique et l'histoire prolétarienne. Alors le prophète est devenu un personnage incompréhensible, si incompréhensible qu'on le prend pour son contraire, le yogi. Il exigeait la conversion de l'intérieur et de l'extérieur, appelait la justesse sur la terre, pesait sur l'histoire ; le yogi s'exile de l'histoire : c'est la belle âme – pure en marge.

Ce n'est pas tout, toute théorie non marxiste (et plus généralement non hégélienne) des valeurs rencontre, en outre, la théorie du prolétaire. Marx nous assure que la morale n'est rien hors de ce que les hommes font, c'est-à-dire hors des liens humains qui sont la substance des sociétés. Dès lors, il s'agit de savoir comment les idées, même si elles ne sont pas *de* l'histoire, travaillent *dans* l'histoire, « s'historialisent ». Dans un autre langage, plus près du marxisme, il faut se demander quel devenir historique supporte l'intention humaniste de notre morale. C'est ici que l'affranchissement du prolétariat apparaît comme la condition *sine qua non* pour que l'humanité soit en « extension », et non pas seulement en « compréhension », dans quelques cercles privilégiés d'intellectuels ou d'artistes soustraits au besoin. Même s'il l'a mal résolu, Marx a posé le rapport valeur-histoire en des termes inéluctables.

Il reste à savoir si cette double « mise en prise » avec le marxisme exige que nous le retenions comme *la* philosophie de l'histoire. Sans affranchissement du prolétariat, il n'y aura pas d'histoire rationnelle ? Nous le disons avec Marx. Mais il y a un pas que je ne franchis pas de cette formule négative, et encore critique. à la thèse positive qui veut que l'histoire soit rationnelle en tant que mouvement du prolétariat produisant spontanément ses fins. Arraché à son dialogue avec le prophète, le prolétaire est menacé du péril de la violence sans fin.

Peut-être même faut-il actuellement renoncer à englober l'histoire dans un unique système. Le fanatisme est aussi au bout de ce chemin des systèmes trop vite bouclés. L'héritage du XIXᵉ siècle n'est-il pas l'abus des synthèses prématurées, en biologie, en psychologie en sociologie ? Il est peut-être vrai qu'il y a sur l'histoire des vues partielles et multiples qui ne font pas système.

Sommes-nous pour autant voués à une politique irrationnelle ? Non point : il y a des îlots manifestes d'absurdité – tels que la condition prolétarienne et la structure de l'État-nation – qui permettent d'orienter rationnellement par contraste une politique. Et surtout, il est d'autres manières de « comprendre » que le mode hégéliano-marxiste. Je songe simplement à l'esquisse des trois « ordres » de grandeur de Pascal ; ces trois « ordres » – grandeurs de chair, grandeurs d'esprit, grandeurs d'amour – ne forment sans doute pas système pour une science possible, car ce ne sont pas nécessairement les mêmes hommes qui font avancer l'histoire et qui lui confèrent un sens.

On ne sera pas étonné si, en conclusion, nous rejoignons les conséquences *pratiques* de Merleau-Ponty à l'égard du commissaire. Le prolétaire est tellement chargé de sens et de promesses que ses aventures sont les nôtres et que son mouvement en direction du commissaire est pour nous un motif de deuil. C'est pourquoi nous ne pouvons nous détacher de l'homme des « républiques populaires ». Tout nous ramène à la position inconfortable de Merleau-Ponty, à son plaidoyer pour la vérité et pour la paix.

Hommage à Merleau-Ponty

(1961)

Grande et pure était la consternation des collègues, des disciples, des amis, qui, en ce samedi après-midi, étaient venus accompagner la dépouille de Maurice Merleau-Ponty entre les maisons des morts. La funèbre tâche terminée, chacun s'éloignait, hésitant ; nul discours n'avait été prononcé ; et personne, je crois, ne le regrettait : cette mort, plus improbable qu'aucune, avait, au sens littéral, *coupé la parole*. À cinquante-trois ans, le philosophe nous fait défaut, sans avoir eu le temps de dire ce qui mûrissait en lui et qui se serait appelé, paraît-il, *Le Visible et l'Invisible*[1]. La « prière d'insérer », qui accompagne le dernier recueil d'articles, intitulé *Signes*, dit, d'une façon terriblement prémonitoire, l'état dans lequel est maintenant arrêté et figé le discours interrompu : « Signes, c'est-à-dire non pas un alphabet complet, et pas même un discours suivi. Mais plutôt de ces signaux, soudains comme un regard, que nous recevons des événements, des livres et des choses. » D'un seul coup s'accuse un trait qui avait un tout autre sens, lui vivant, quand la parole en cours inclinait encore vers un avenir ; oui, d'un seul coup, changent de sens cette inexactitude calculée, cette complexité enveloppante, cette épaisseur miroitante des derniers écrits de Merleau-Ponty : désormais, le creux de l'inachèvement va s'imprimer sur les mêmes textes qui nous séduisaient et nous embarrassaient par le trop-plein du sens.

Certes, cet inachèvement, le philosophe l'avait explicitement professé Sa leçon inaugurale au Collège de France, en 1953 – *Éloge de la philosophie* –, commençait, sans coquetterie, par ces mots : « Celui qui est témoin de sa propre recherche, c'est-à-dire de son désordre intérieur, ne peut

---

1. Paris, Gallimard, 1963 ; réédition 1979.

guère se sentir l'héritier des hommes accomplis dont il voit les noms sur ces murs. Si, de plus, il est philosophe, c'est-à-dire s'il sait qu'il ne sait rien, comment se croirait-il fondé à prendre place à cette chaire et comment a-t-il pu même le souhaiter ? La réponse à ces questions est toute simple : ce que le Collège de France, depuis sa fondation, est chargé de donner à ses auditeurs, ce ne sont pas des vérités acquises, c'est l'idée d'une recherche libre. » Et un peu plus loin : « Le philosophe ne dit pas qu'un dépassement final des contradictions humaines soit possible et que l'homme total nous attende dans l'avenir : comme tout le monde, il n'en sait rien. Il dit – et c'est tout autre chose – que le monde commence, que nous n'avons pas à juger de son avenir par ce qu'a été son passé, que l'idée d'un destin dans les choses n'est pas une idée, mais un vertige, que nos rapports avec la nature ne sont pas fixés une fois pour toutes, que personne ne peut savoir ce que la liberté peut faire, ni imaginer ce que seraient les mœurs et les rapports humains dans une civilisation qui ne serait plus hantée par la compétition et la nécessité. Il ne met son espoir dans aucun destin, même favorable, mais justement dans ce qui en nous n'est pas destin, dans la contingence de notre histoire, et c'est sa négation qui est position. »

L'inachèvement d'une philosophie de l'inachèvement est doublement déconcertant...

Et pourtant, la philosophie de Merleau-Ponty avait atteint, dès le début ? *un palier* où elle s'était provisoirement stabilisée, avant de se remettre en route vers autre chose. Ce premier palier fut celui de la *Phénoménologie de la perception* (1945). C'est à ce maître-livre qu'il faudra sans cesse revenir pour enrayer la dérive de l'œuvre foudroyée.

Comment une simple description du voir, de l'entendre, du sentir a-t-elle pu contenir une telle charge philosophique ? Les livres des psychologues sur la vue, l'ouïe et le toucher n'ont point d'ordinaire ce retentissement, dans tous les sens du mot. C'est que le philosophe proposait, par le moyen de cette description, et par-delà toute psycho-physiologie de la sensation, une manière de voir le monde et de se voir lui-même au monde. La description de la perception devenait la pierre de touche de la condition véritable de l'homme. L'étonnant de la perception, c'est que nous ne cessons de déchiffrer un sens qui sans cesse s'enlève sur l'opacité de la présence brute et muette, sans pourtant s'arracher jamais à la limitation d'une perspective, sans jamais renier l'inhérence de la conscience à un point de vue. Du même coup, la perception révèle le niveau proprement humain de l'existence, à savoir que nous nous mouvons dans l'*entre-deux du non-sens et de l'absolu*, à mi-chemin d'une fantasmagorie de silhouettes qui se succéderaient sans jamais vouloir rien dire et d'une vérité absolue, intemporelle, qui serait celle d'un discours non situé, d'une science sans point de vue ni perspective.

Bien des choses étaient admirables dans ce grand livre : d'abord ? une manière de reprendre les résultats des sciences humaines et de les enrôler à un dessein proprement philosophique ; c'est de très près que Merleau-Ponty a suivi la physiologie, la psycho-physiologie, la psychologie expérimentale, la psycho-pathologie ; il n'a jamais cessé de réfléchir sur les rapports de la philosophie avec les sciences humaines, aussi bien sur le plan des résultats que sur celui des méthodes. D'autre part, pour assurer cette liaison, Merleau-Ponty reprenait l'enseignement magistral du fondateur de la phénoménologie, Edmond Husserl, dont il connaissait parfaitement l'œuvre publiée et les inédits. Mais il n'enfermait pas la phénoménologie, qui voulut être une science descriptive de ce qui apparaît, dans une archéologie ou une scolastique husserliennes : il en continuait le mouvement pour son propre compte, sans souci d'orthodoxie. Enfin, il reprenait, avec non moins de liberté, pour l'insérer à sa propre lecture du monde et de l'homme au monde, le thème du corps propre, introduit par Gabriel Marcel, à savoir l'expérience vive de mon corps, de ce corps qui n'est ni tout à fait objet connu du dehors ni tout à fait sujet transparent à lui-même. Avec Merleau-Ponty, la théorie du corps est de part en part une théorie de la perception : le corps devient le lieu de la symbolique générale du monde.

Ainsi se trouvaient brassées, dans un complexe ensemble, les données des sciences humaines, la méthode de la phénoménologie et la visée philosophique de l'existentialisme.

La portée de cette entreprise était d'emblée considérable : la perception apparaissait comme le modèle de toutes les opérations humaines, avec son jeu de significations qui renvoient l'une à l'autre, sans jamais s'arrêter à un objet, vu de nulle part et su de part en part : « D'une façon générale, disait-il, toute notre expérience, tout notre savoir comportent les mêmes structures fondamentales, la même synthèse de transition, le même genre d'horizons que nous avons cru trouver dans l'expérience perceptive. » « Il y a du sens. Simplement la rationalité n'est garantie, ni comme totale, ni comme immédiate. Elle est en quelque sorte ouverte, ce qui veut dire menacée. » « Toute conscience est conscience perceptive, même la conscience de nous-même… »

Il n'est pas exagéré de dire que ces formules contiennent par elles-mêmes toute une conception de l'action, et même toute une politique. Car si la perception est modèle d'existence, cela veut dire que dans l'action non plus il n'y a pas de tout ou rien et que la politique aussi est approximative.

Ainsi dès la *Phénoménologie de la perception*, le style philosophique de Merleau-Ponty s'écartait de celui de Sartre. Comment, à partir d'un tel modèle de perception, pourrait-on opposer l'« en-soi » des choses et le « pour-soi » de la liberté ? Comment pourrait-on poser une liberté que rien ne viendrait limiter, sinon ce qu'elle a elle-même déterminé comme limite par ses initiatives ? Comment l'homme pourrait-il être le néant des choses ? Pour Merleau-Ponty, il n'y a de liberté concrète et effective que celle qui reprend quelques propositions du monde, prend la pente des choses, transforme les obstacles en appui : « Notre liberté ne détruit pas notre situation, mais s'engrène sur elle : notre situation, tant que nous vivons, est ouverte, ce qui implique à la fois qu'elle appelle des modes de résolution privilégiés et qu'elle est par elle-même impuissante à en procurer aucun. »

On n'a pas voulu dire autre chose quand on a appelé cette philosophie une philosophie de l'ambiguïté : ce qui se réalise dans l'histoire n'est jamais à proprement parler ni voulu ni représenté ; les buts ne sont reconnus qu'au moment d'être atteints ; il n'y a ni destin ni acte absolument libre ; seul est réel, ici aussi, le double ou l'entre-deux.

C'est toute une philosophie de la *praxis*, c'est-à-dire de l'action efficace dans le monde, que Merleau-Ponty pense dessiner dans le prolongement de sa philosophie de la perception. Il pensait ainsi continuer le jeune Marx, contre le vieux Marx et surtout contre Engels : « Ce que Marx appelle praxis c'est ce sens qui se décide spontanément, par entre-croisement des actions par lesquelles l'homme organise ses rapports avec la nature et avec les autres. Elle n'est pas dirigée d'emblée par une idée de l'histoire universelle totale. On se rappelle que Marx insiste sur l'impossibilité de penser l'avenir. C'est plutôt l'analyse du passé et du présent qui nous fait apercevoir en filigrane, dans le cours des choses, une logique qui ne le règle pas du dehors, mais qui plutôt en émane, et qui ne s'achèvera que si les hommes comprennent leur expérience et veulent la transformer » (*Éloge de la philosophie*).

Tous les écrits politiques de Merleau-Ponty : *Humanisme et Terreur* (1947), *Essai sur le problème communiste* (1947), *Les Aventures de la dialectique* (1955), de nombreux textes de *Sens et non-sens* (1948) et de *Signes* (1960) sont dominés à la fois par la volonté de « comprendre », de comprendre ce qu'il y a de rationalité esquissée ou en marche jusque dans la « Terreur » stalinienne, et par le refus d'accorder qu'il y eût quelque raison qui gouvernât l'histoire ; à vrai dire, l'accord avec le jeune Marx, concernant le sens toujours en cours de la praxis interhumaine, pesait moins lourd que le désaccord de fond avec tout le marxisme : Merleau-Ponty ne pouvait croire qu'il y eût une classe *universelle* et que le prolétariat fût cette classe ; c'est pourquoi l'histoire était pour lui sans point de vue absolu, sans perspective vraie. *Humanisme et Terreur* se terminait ainsi : « Le monde humain est un système ouvert ou inachevé et la même contingence fondamentale qui le menace de discordance le soustrait aussi à la fatalité du désordre et interdit d'en désespérer, à condition seulement qu'on se rappelle que les appareils, ce sont des hommes et qu'on maintienne et multiplie les rapports d'homme à homme. »

Les textes de 1955 sont plus durs : l'idée dialectique des marxistes lui paraît un obstacle à toute compréhension histo-rique, y compris à toute connaissance de l'URSS et à toute critique moderne du capitalisme ; elle n'est plus, à ses yeux, que le « point d'honneur » d'une entreprise qu'elle n'anime plus, dont la vraie nature se devine à peine sous ce voile et échappe sans doute aux protagonistes eux-mêmes. Sartre, le Sartre des grands articles sur *Les Communistes et la Paix*, est critiqué sans ménagement : il est accusé de professer un

« ultra-bolchevisme », c'est-à-dire un communisme tout volontaire, où les choix du Parti sont substitués à toute logique spontanée de l'histoire, à laquelle personne ne croit plus. La sympathie réticente de Sartre pour une action sans critère, sa présence absente au Parti communiste représentaient alors, aux yeux de Merleau-Ponty, le modèle même de ce que la gauche non communiste devait cesser de faire : « Une fois conjurée la nostalgie du communisme, écrivait-il, c'est alors qu'on sort des rêveries et que tout redevient intéressant et neuf. » De ce texte date la fin de la collaboration entre Merleau-Ponty et Sartre à la direction des *Temps modernes*, sans toutefois que cet éloignement ait jamais pris le caractère abrupt et inamical de la rupture avec Camus. J'ignore ce que Merleau-Ponty a pensé de la *Critique de la raison dialectique* qui, très évidemment, échappe entièrement aux reproches de volontarisme. Sans doute l'attendait-il au tome II, sur le thème de l'histoire. Il est douteux, toutefois, que l'idée de totalisation – même détotalisante – ait eu grâce à ses yeux, dans la mesure où elle sauve ce que Merleau-Ponty voulait perdre pour y voir clair : l'idée d'histoire universelle. Quoi qu'il en soit, c'est cet « acommunisme », explicitement professé, qui a commandé les diverses initiatives politiques de Merleau-Ponty, ses adhésions et ses réserves. Le détail en est, je crois, sans importance, au regard de la bataille principale, menée sur le plan de la réflexion, contre les idéologies et les mythologies, qui, selon lui, empêchent les intellectuels de gauche de passer d'une politique absolue, qui est lutte à mort, à une politique réelle, capable de survivre à l'illusion de l'histoire vraie portée par une classe révolutionnaire.

J'ai sans doute donné l'impression, dans ce survol de l'œuvre philosophique de Merleau-Ponty, que tout y découle de la *Phénoménologie de la perception*. On peut et on doit comprendre ainsi les choses pour assurer l'unité de cette œuvre brutalement interrompue. Mais, ce qui rend cette interruption tragique, c'est que la base philosophique du grand livre de 1945 était depuis longtemps remise en question et que ce travail de sape en dessous n'avait pas encore laissé apparaître, semble-t-il, le *second palier* de l'œuvre.

Il ne faut pas perdre de vue d'abord que la *Phénoméno-*

logie de la perception laissait dès le début en dehors d'elle les résultats atteints dès 1938 et publiés seulement en 1942 dans la *Structure du comportement*. L'«existentialisme» de 1945 ne pouvait inclure les notions beaucoup plus «objectives» de forme, de structure, d'ordre (ordre physique, ordre vital, ordre humain), malgré les efforts du philosophe pour rattraper toute théorie de la structure dans une philosophie de la signification. La *Structure du comportement* est un aussi grand livre que la *Phénoménologie de la perception*. Il faudra donc revenir sur cette oscillation initiale entre une philosophie de l'existence et une philosophie de la nature.

D'autre part, ces dernières années, Merleau-Ponty doutait de plus en plus que la manière d'être au monde que révèle la perception *muette* pût servir effectivement de modèle à la totalité de nos rapports aux êtres et à l'être. Si l'engagement de l'homme dans sa chair et dans son histoire était sans distance, comment la réflexion pourrait-elle se produire et la phénoménologie elle-même s'articuler? Une simple phénoménologie de la perception peut-elle rendre compte de l'acte philosophique, sans recourir à quelque chose comme la «réduction» de notre présence même au monde? Le langage lui-même n'est-il pas le témoin de cette distance, de cette réflexion, de cette réduction? De fait, la théorie du langage, que la *Phénoménologie de la perception* s'efforçait de contenir dans les bornes d'une réflexion sur «le corps comme expression» et de comprendre comme «geste linguistique», cette théorie du langage n'a cessé de faire éclater le cadre de la relation au monde par simple perception. L'influence de la philosophie heideggérienne de l'être et de la parole s'est fait de plus en plus sentir dans les écrits les plus récents et dans les cours inédits. Le *dire* y est de plus en plus compris comme accès au non vu – à l'Invisible – des êtres. En même temps, le problème d'une philosophie de la nature était repris à nouveaux frais et une difficile convergence était cherchée entre une nature qui est toujours plus et toujours autre que le monde perçu, et la fonction la moins «gestuelle» et la plus «symbolique» du langage. À l'idée simple de l'incarnation de l'homme, par le moyen d'un corps percevant dans un monde perçu, s'ajoutait – ou se substituait –, selon l'expression de *Signes*, «l'idée d'une vision, d'une parole opérante, d'une opération métaphysique de la chair, d'un échange où

le visible et l'invisible sont rigoureusement simultanés ».
Jusqu'à quel point ces méditations annonçaient-elles un
simple prolongement des thèmes initiaux, ou une seconde
philosophie sensiblement différente de la première, c'est ce
que cette mort nous empêche à tout jamais de supputer.

Merleau-Ponty :
par-delà Husserl et Heidegger

(1989)

Pour cerner l'originalité de Merleau-Ponty, dans la *Phénoménologie de la perception*[1] du moins, on s'est laissé bien
souvent fasciner par l'antinomie la plus apparente que cette
phénoménologie entreprend de surmonter, entre l'intellectualisme néokantien d'un Brunschvicg ou d'un Lachièze-Rey,
d'une part, et l'empirisme du behaviorisme, d'autre part.
Cette approche n'est pas négligeable, dans la mesure où
elle montre Merleau-Ponty opérer un mouvement de pensée
qui le porte *par-delà* les deux termes de l'alternative. Elle a
perdu, toutefois, beaucoup de sa pertinence, dans la mesure
où les deux combattants qui se trouvent ainsi renvoyés dos à
dos se sont éloignés de notre horizon de pensée. Du même
coup, le mouvement opéré par Merleau-Ponty cesse de nous
surprendre et de nous donner à penser. Un autre mouvement
par-delà… traverse la phénoménologie de Merleau-Ponty,
qui appelle un discernement d'autant plus aiguisé que la
différence entre les deux positions dépassées est plus dissimulée. C'est le mouvement *par-delà* Husserl et Heidegger.
La troisième partie de la *Phénoménologie de la perception*
constitue une pierre de touche privilégiée pour mesurer à la
fois l'écart entre les deux positions et la distance que Merleau-Ponty met entre lui-même et ses deux maîtres. Il m'a
paru que l'étude consacrée à la *temporalité* (p. 469-495) – et
jetée comme un pont entre le chapitre sur le *Cogito* et le chapitre sur la *liberté* – offrait en raccourci l'essentiel de la
novation que Merleau-Ponty opère par rapport aux *Leçons* de
Husserl sur la conscience intime du temps et à la seconde
section de *L'Être et le Temps*.

---

1. Paris, Gallimard, 1945.

Mais déjà, le *titre* de la troisième partie recèle une indication précieuse : « L'être pour soi et l'être au monde. » On dirait que la première moitié du titre fait signe vers Husserl et la seconde vers Heidegger. De fait, l'analyse du *Cogito* affirme le caractère inséparable de l'opération réflexive et de la « transcendance active » (p. 431) qui jette et projette la conscience hors d'elle-même. Or cette transcendance active ressemble à la fois à l'*intentionnalité husserlienne* et à l'*être-au-monde* heideggérien. À l'intentionnalité, dans la mesure où tout objet est l'unité présumée d'une multitude de profils ou d'esquisses. À l'être-au-monde, dans la mesure où « ce que je découvre et reconnais par le *Cogito*, ce n'est pas l'immanence psychologique […], ce n'est pas même l'immanence transcendantale, l'appartenance de tous les phénomènes à une conscience constituante […], c'est le mouvement profond de la transcendance qui est mon être même, le contact simultané avec mon être et avec l'être du monde » (p. 432). Le refus de toute conscience constituante éloigne de Husserl et rapproche de Heidegger. Et pourtant, c'est à Husserl et non à Heidegger que Merleau-Ponty renvoie lorsqu'il assigne à une opération de *Fundierung* le rapport de la réflexion à l'irréfléchi (p. 451). Bien plus, c'est dans cette ambiance husserlienne que la première allusion à la temporalité est avancée : c'est à titre de phénomène *sédimenté* que l'intemporel paraît se soustraire au passage du temps ; il n'est pourtant qu'une « acquisition pour toujours » (p. 450), selon le mot que Thucydide appliquait à l'œuvre de l'historien. C'est bien à une phénoménologie génétique qu'il faut rapporter la genèse de sens qui fait de la raison une « histoire sédimentée » (p. 453). Aussi bien est-ce au texte de *Logique formelle* et *Logique transcendantale* que Merleau-Ponty renvoie explicitement en cet endroit. Ce qui, plus que tout, paraît bien marquer l'*allégeance* husserlienne de la phénoménologie de Merleau-Ponty, c'est la confiance même conservée à la problématique du *Cogito*. Le *Cogito* ne marque pas la *déchéance* irrémédiable de la pensée moderne. Il peut encore être sauvé, au prix, il est vrai, d'une drastique révision que la considération du temps précisément inaugure : « En somme, nous rendons au *Cogito* une épaisseur temporelle », déclare Merleau-Ponty (p. 456). La *Phénoménologie de la perception* serait-elle alors une simple variante de la phénoménologie husserlienne dans sa dernière phase ?

C'est au moment même où cette hypothèse paraît prendre corps que l'analyse du *Cogito* échappe soudain à toute allégeance husserlienne et paraît basculer à nouveau du côté de Heidegger. C'est la notion de « *Cogito* tacite » (p. 461 *sq.*) qui amorce ce revirement apparent : le *Cogito* tacite est le lieu de mes attaches au monde, antérieures à toute prise de conscience ; il est traversé par « un projet total ou une logique du monde » (p. 463), qui conduit à cette affirmation décisive : « Le point essentiel est de bien saisir le projet du monde que nous sommes » (p. 464). *Cogito* tacite et projet originel du monde sont une seule et même chose. Est-ce à dire, alors, que Merleau-Ponty hésite et oscille entre Husserl et Heidegger ? Ou bien la *Phénoménologie de la perception* porte-t-elle déjà son auteur au-delà de l'un et de l'autre ? C'est ce que le chapitre « temporalité » permettra peut-être de décider.

À première vue, le même balancement de la pensée entre les deux pôles de la phénoménologie paraît se poursuivre dans ce second chapitre de la troisième partie de la *Phénoménologie de la perception*. Ce qui peut, en effet, surprendre et déconcerter le lecteur, c'est la facilité avec laquelle Merleau-Ponty passe non seulement d'une citation de Husserl à une citation de Heidegger, mais d'un thème de l'un à un thème de l'autre, pour construire sa propre analyse, incorporée à une phénoménologie de la perception. En première approximation, on peut tenir pour purement husserlienne l'entreprise même de comprendre l'une par l'autre la subjectivité et la temporalité (p. 469). Aussi bien, le vocabulaire de la « conscience », préservé tout au long de l'analyse, semble confirmer cette allégeance : *il n'y a pas de temps dans les choses*, dit l'un des sous-titres du chapitre ; ainsi, pour comparer le temps à l'écoulement d'une rivière, il faudrait accorder à celle-ci une conscience-témoin. Husserlienne est également la déclaration sur laquelle s'ouvre la description proprement dite : « C'est dans mon "champ de présence" au sens large […] que je prends contact avec le temps, que j'apprends à connaître le cours du temps […]. Tout me renvoie […] au champ de présence comme à l'expérience originaire où le temps et ses dimensions apparaissent *en personne*, sans distance interposée et dans une évidence dernière » (p. 476). Husserlienne est, plus que tout, la description de la temporalité comme un

réseau d'intentionnalités, marqué par les échanges entre pro-
tensions, rétentions et champ de présence : description qui
permet de reprendre, avec les importantes réserves qu'on
dira plus loin, le malheureux schéma husserlien, construit sur
une ligne horizontale représentant la série des « maintenant »
– représentation que toute l'analyse précisément dément. Ce
que, toutefois, l'on risque de ne pas apercevoir, c'est que, dès
le début, l'analyse intentionnelle a pour enjeu *le cours du
temps considéré comme totalité unique* : non certes comme
totalité constituée, mais du moins comme ensemble en cours
de formation ; on pouvait le noter dès la déclaration citée plus
haut : si l'on entre dans le problème du temps par la notion
de champ de présence, c'est pour apprendre « à connaître le
cours du temps » ; au-delà des rapports entre futur, passé, présent, ce qui se donne à comprendre, c'est « le passage même
du temps » (p. 484). Ce qui, dès lors, s'avère être plus heideggérien que husserlien, c'est le primat donné à la question
du temps comme être-un-tout par rapport au jeu même des
intentionnalités. De cette priorité résulte une subtile réorientation des analyses en apparence les plus fidèlement husserliennes de la protension et de la rétention ; leurs relations
engendrent moins le temps que celui-ci ne déploie son « unité
naturelle et primordiale » à travers elles. Et l'analyse ultérieure le vérifie : le diagramme husserlien, déclare soudain
Merleau-Ponty, représentait seulement « une coupe instantanée sur le temps » (p. 479). Il n'y a donc pas d'abord des
instants discrets, puis un jeu de rétentions : « Il y a là, non pas
une multiplicité de phénomènes liés, mais un seul phénomène d'écoulement » (p. 479). La citation de Paul Claudel
(« le temps est le moyen offert à tout ce qui sera d'être afin
de n'être plus », *op. cit.*, p. 479) fait basculer d'une phénoménologie à une ontologie dans laquelle le jeu des intentionnalités est fermement subordonné à la saisie du temps comme
passage, comme transition, comme transit. Pour dire cette
« synthèse de transition », c'est finalement la définition heideggérienne du temps comme *temporalisation* qui prévaut :
« La temporalité se temporalise comme avenir-qui-va-au-
passé-en-venant-au-présent » (p. 481). À partir de là, on peut
entendre un discret désaveu de Husserl dans le texte suivant :
« Ce qu'il y a, ce n'est pas un présent avec des perspectives
de passé et d'avenir suivi d'un autre présent où ces perspec-

tives seraient bouleversées, de sorte qu'un spectateur identique serait nécessaire pour opérer la synthèse des perspectives successives : il y a un seul temps qui se confirme lui-même, qui ne peut rien amener à l'existence sans l'avoir déjà fondé comme présent et comme passé à venir, et qui s'établit d'un seul coup » (p. 481). Autrement dit, la « cohésion d'une vie » (autre expression empruntée à Heidegger) est donnée avec l'ek-stase du temps (expression qui ne paraît jamais qu'au singulier, comme la temporalisation même, alors même que Heidegger parle des extases du temps). Merleau-Ponty semble même entraîné plus loin que Heidegger – du moins que l'auteur de *Sein und Zeit* – quand, à la suite de Kant, il déclare que le temps, pris comme ensemble, « demeure » (p. 481). Vérité profonde, estime Merleau-Ponty, que le sens commun et les mythes anticipent quand, pour illustrer cette « intuition de la permanence du temps » (p. 482), ils le personnifient. Et, en effet, « le temps est quelqu'un » (p. 482-480), puisqu'il est la subjectivité même. Dès lors que l'accent est mis sur « le temps tout entier » (p. 485), on peut, comme Heidegger, cette fois, brouiller les identités préservées par les termes mêmes de passé et de futur : le passé n'est jamais qu'un ancien avenir et un récent présent ; et l'avenir, un passé prochain. L'unité continue du temps fait que chaque dimension est visée comme autre qu'elle-même. Le temps est cette « puissance qui [...] maintient ensemble [les événements extérieurs] en les éloignant l'un de l'autre » (p. 483). C'est donc d'abord la continuité du temps qui est la chose à penser à travers le jeu des intentionnalités : « Le temps comme poussée indivise et comme transition peut seul rendre possible le temps comme multiplicité successive, et ce que nous mettons à l'origine de l'intratemporalité, c'est un temps constituant » (p. 484). Mais, à l'instant même où l'analyse paraît si fortement pencher du côté de Heidegger, malgré le vocabulaire de la constitution, le primat du présent est réaffirmé : « Il y a du temps pour moi parce que j'ai un présent. C'est en venant au présent qu'un moment du temps acquiert l'individualité ineffaçable, le "une fois pour toutes", qui lui permettront ensuite de traverser le temps et nous donneront l'illusion de l'éternité. Aucune des dimensions du temps ne peut être déduite des autres » (p. 484). On croit de nouveau entendre Husserl : « Mais le présent (au sens large avec ses horizons de passé et d'avenir originaires) a cependant un privilège parce qu'il est la zone où l'être et la conscience coïncident » (p. 484-485). Ces allées et venues entre Husserl et Heidegger trahissent-elles un défaut de perspicacité de la part de Merleau-Ponty ? Celui-ci me paraît plutôt avoir mis au jour la *parenté profonde de deux projets philosophiques successifs, à une certaine période d'indécision de chacun d'eux*. Si, en effet, l'on parle encore d'intentionnalité, avec Husserl, il ne s'agit plus de l'intentionnalité thétique, en acte, des *Recherches logiques*, mais de l'intentionnalité « opérante » *(fungierende)*, dont *Logique formelle et Logique transcendantale* élaborera plus tard la notion. Or cette intentionnalité « opérante » n'est pas sans parenté avec la transcendance de l'être-là selon Heidegger. De même, si l'on parle encore de « synthèse » pour dire la globalité du temps, ce n'est pas une synthèse dont le sujet aurait la maîtrise, mais une composition dont il n'est pas l'auteur et qui plutôt le constitue ; bref, c'est une « synthèse passive ». Or la synthèse passive, non plus, n'est pas sans rapport avec le déplacement opéré par Heidegger d'une problématique de la conscience à une problématique de l'être-là.

En retour, la subtile analyse de Merleau-Ponty montre combien, en deçà de la *Kehre*, la notion de l'être-là reste encore proche de celle de la subjectivité. Cette analyse révèle d'abord dans la notion heideggérienne d'ek-stase l'héritage de l'analyse husserlienne de la protension et de la rétention, qui se trouve autant retenue que dépassée par la première. Ensuite, Merleau-Ponty atteste que l'entrecroisement des intentionnalités temporelles se fait à titre ultime dans le présent. On peut certes voir dans cette dernière thèse la résistance qu'une phénoménologie de la perception oppose à une herméneutique du souci, spontanément orientée vers le primat du futur (le mot souci n'est pas prononcé dans ce chapitre, ni non plus, à plus forte raison, celui d'être-pour-la-mort, bien que la conscience soit redéfinie par choc en retour de la phénoménologie de la temporalité sur celle de la subjectivité, en termes de « projet global » – comme chez Sartre). Mais devant ces réticences et ces silences de Merleau-Ponty, on peut aussi se demander si une herméneutique du souci réussit pleinement à remplacer le primat du présent par celui du futur : après tout, chez Heidegger lui-même, comme on le verra plus loin, le rendre-présent ne constitue-t-il pas le point d'intersection de l'anticipation résolue et de la reprise des héritages reçus, dans le moment de la répétition ?

Finalement, c'est le génie de Merleau-Ponty, d'une part, d'avoir aperçu dans la phénoménologie husserlienne du temps une analyse qui subvertit tout l'idéalisme de la *Sinngebung* et exige une refonte des notions d'intentionnalité et de constitution en accord avec le primat de l'être-au-monde ; d'autre part, d'avoir reconnu dans l'herméneutique heideggérienne moins une rupture avec toute phénoménologie de la subjectivité que la transposition de celle-ci dans un langage ontologique qui en prolonge l'efficacité. Car, si le temps doit être pensé « tout entier », c'est dans la mesure où « il est quelqu'un ». L'appui même que Merleau-Ponty cherche chez Heidegger pour penser le temps « tout entier » comme passage renforce paradoxalement le droit de la subjectivité : la temporalité est sujet dans la mesure où le sujet est temporalité.

Cette profonde parenté, décelée entre le subjectivisme de Husserl, mis par la phénoménologie du temps sur la voie du dépassement, et l'analytique heideggérienne de l'être-là, encore secrètement tributaire d'une phénoménologie de la subjectivité, s'exprime dans le rapprochement le plus audacieux tenté par Merleau-Ponty : à savoir, entre la notion d'*affection de soi par soi* empruntée à Kant (*Critique de la Raison pure*, B 67[1]) et déjà transférée par Heidegger au problème même du temps dans *Kant et le Problème de la métaphysique* (p. 180-181), et l'affirmation de Husserl, dans *Les Leçons sur la conscience intime du temps* (p. 436), que « le flux originel n'est pas seulement, [mais] doit nécessairement se donner une "manifestation de soi-même" *(Selbsterscheinung)* » (p. 487). Qu'y a-t-il donc de commun entre ces deux notions ? Ceci : dans l'affection de soi par soi, « celui qui affecte est le temps comme poussée et passage vers un avenir, celui qui est affecté est le temps comme série développée des présents » *(ibid.)* : on reconnaît ainsi, du côté de l'affectant, le temps tout entier, du côté de l'affecté, la transition d'un présent à un présent qui est la subjectivité même. En cela l'auto-affection est automanifestation. Merleau-Ponty

---

1. Cf. « Esthétique transcendantale », § 8, II.

résume en ces termes l'équivalence des deux analyses ainsi portées aux extrêmes : « Il est essentiel au temps de n'être pas seulement temps effectif ou qui s'écoule, mais encore temps qui se sait, car l'explosion ou la déhiscence du présent vers un avenir est l'archétype du *rapport de soi à soi* et dessine une intériorité ou une ipséité » *(ibid.)*. C'est en ce sens profond que temporalité et subjectivité s'interprètent mutuellement : chez Heidegger, non moins que chez Husserl.

En quel sens, dès lors, peut-on dire que la phénoménologie de Merleau-Ponty se situe au-delà de Husserl et de Heidegger ? En un double sens qu'atteste l'analyse de la temporalité : d'une part, celle-ci conduit l'interprétation du phénomène de l'intentionnalité jusqu'au point où se découvre son *enracinement* dans la structure *ontologique* de l'être-au-monde ; d'autre part, cette analyse rappelle que l'herméneutique de *l'être-là* appartient encore à l'époque *phénoménologique* de l'ontologie. C'est en révélant leur convergence en profondeur que Merleau-Ponty dépasse Husserl et Heidegger. Car, révéler cette convergence, c'est l'*instituer*.

Retour à Hegel
(Jean Hyppolite)
(1955)

On a vite dit que l'enjeu de la philosophie, c'est l'homme. Pour se faire accréditer, une philosophie nouvelle (ou la version moderne d'une philosophie du passé) s'appellera volontiers le véritable humanisme, celui que requiert, comme on dit, la « crise du temps présent ». Ce recours à l'humanisme n'est pas nécessairement paresse ou rhétorique : de même que jadis l'astronomie, la physique, la biologie firent tourner la philosophie autour du cosmos, de la nature et de la vie, les sciences de l'homme, dernières-nées des sciences – et, plus que toutes, les sciences de la civilisation et de la culture –, semblent requérir une reprise critique de leurs résultats, de leurs méthodes et de leurs présupposés, bref, une anthropologie philosophique, ce qui est la même chose qu'un humanisme. De plus, l'acte philosophique – l'acte même de faire de la philosophie – ne paraît pouvoir être un acte responsable que s'il se propose d'expliciter le sens de cet homme que la psychologie, l'économie et la politique portent au jour de l'histoire ; faute d'une métaphysique ou d'une théologie communes, le seul service que le philosophe puisse rendre à ses contemporains n'est-il pas de faire de l'homme, de l'homme qui pose toutes les réponses parce qu'il pose toutes les questions, le thème même de la philosophie ? Au fond, si la phénoménologie, le marxisme, l'anthropologie culturelle, l'existentialisme ont un point commun, c'est bien cette visée « humaniste » ; et c'est encore en tant qu'humanismes opposés qu'ils se disputent l'audience du public.

C'est pourtant ce postulat humaniste que conteste tout un courant de la philosophie contemporaine qui voit, dans ce privilège exorbitant de la question de l'homme, le signe de l'effondrement de la véritable question, celle de l'être, et la consolidation par la philosophie de la maladie essentielle de l'homme moderne, qui est d'avoir perdu le souci de son fondement. Le retour à Hegel – plus précisément au Hegel de la *Logique* et non pas seulement à celui de la *Phénoménologie de l'esprit* ou même à celui de la *Philosophie du droit* – est un signe parmi les autres de cette promotion de l'ontologie contre le primat de l'anthropologie ; la faveur limitée, mais intense, dont jouissent la philosophie de Heidegger et quelques autres œuvres d'ontologie, que cette chronique et les suivantes évoqueront, est un symptôme de même signification.

Notre question sera de savoir si l'homme, sa subjectivité, son histoire objective pourront être autre chose que *déchet* aux yeux des philosophes qui commencent par mettre entre parenthèses, par « suspendre » l'homme, l'*humain, trop humain*, comme se plaît à dire Hyppolite dans *Logique et Existence*, le premier des ouvrages dont je vais maintenant rendre compte [1].

Il y a plusieurs manières de revenir à Hegel ou d'en partir. La plus insolite, par rapport au propos humaniste, est bien celle qui aborde Hegel par la *Logique* et non par la *Phénoménologie* de l'esprit ; l'œuvre de 1807 pouvait être et a été interprétée comme une épopée de l'homme à travers la suite des figures qui constituent l'histoire idéale de la conscience et de la conscience de soi (on connaît quelques-unes de ces figures fameuses : le maître et l'esclave, le stoïcien, le sceptique, l'ascète, etc.). Une interprétation humaniste, voire athée, de la *Logique* se heurte à de plus grandes difficultés ; à supposer que les catégories soient une transposition de l'expérience humaine, il faudrait montrer pourquoi cette transposition ne se fait plus dans une suite de « figures » où l'on peut encore reconnaître cette expérience, mais dans un « discours », dans une chaîne de « catégories » (l'Être, le Néant, le Devenir, etc.) où cette expérience ne se transpose qu'en s'abolissant. La question se poserait encore : que signifie l'abolition de la conscience subjective, humaine, comme acte initial, inaugural de la philosophie ?

---

1. *Logique et Existence. Essai sur la logique de Hegel*, Paris, PUF, 1953.

Loin de s'aventurer à déchiffrer un double sens humaniste dans la *Logique* de Hegel, Hyppolite place le lecteur devant la prétention abrupte d'un *savoir absolu*, c'est-à-dire d'un savoir qui n'aurait plus son objet hors de lui, au-delà de lui, qui, par conséquent, ne rêverait plus de son abolition dans le silence du non-savoir, de l'intuition, de la jouissance, mais d'un savoir qui, en se déployant comme discours, parcourt les articulations même de l'Être : alors le discours que le philosophe fait sur l'être est le discours même de l'être à travers le philosophe ; et le langage humain qui, ailleurs, court après son objet, ici se repose en lui-même, c'est-à-dire dans son propre mouvement comme mouvement de ce qui est ; il est alors « cette voix qui se connaît quand elle sonne n'être plus la voix de personne ».

Prenant la *Logique*[1] comme elle se donne, comme explicitation de l'absolu à travers ses moments dialectiques, que peut être un *Essai sur la logique de Hegel* ? Il ne peut la répéter en la résumant ; la Logique ne se laisse pas résumer ; comme le disait Hartmann dans sa *Philosophie de l'idéalisme allemand*, la Logique de Hegel, c'est du travail de détail ; pour la comprendre il faut laisser être chaque catégorie, la penser jusqu'au bout, c'est-à-dire jusqu'au point où elle exhibe son négatif, l'autre dont elle était le manque, et où elle se réaffirme par la négativité, grâce à quoi elle devient ce qu'elle était, ne l'étant pas. On ne saurait raccour-

---

1. Je rappelle en quelques mots le sens du mot « Logique » chez Hegel. Alors que chez Aristote la logique n'était même pas une partie de la philosophie, mais seulement son instrument, sa règle de cohérence, elle est ici la philosophie même, l'organisation de la parole, du discours, du Logos qui épuise toutes les possibilités de l'être. Chez Kant, la logique s'était introduite dans la philosophie, en sortant du domaine simplement formel exploré par Aristote : la logique transcendantale couvre tout le champ des catégories qui assurent la Raison, l'articulation du donné empirique ; les catégories ne sont donc pas pour Kant catégories de l'absolu, mais organisation de l'objectivité phénoménale ; elles sont du côté de la pensée finie (sinon dans leur origine, du moins dans leur usage) ; elles sont le moyen pour un entendement fini de penser le réel. Avec Hegel, les catégories disent l'ordre même de l'absolu. Cette révolution dans le problème des catégories a été rendue possible par l'introduction, dans l'ordre des catégories, du principe de négativité que Hegel avait mis à l'œuvre dans sa description des figures fondamentales de l'Esprit. Les catégories se mettent à bouger ; elles procèdent par antithèse et synthèse ; ce mouvement est le déploiement éternel de l'Absolu. Ainsi la Logique est-elle ontologie elle-même, non plus comme mystère, mais comme discours.

cir un tel mouvement, sous peine de le réduire à une mécanique plaquée sur un contenu étranger, ou d'éloigner de soi
l'œuvre complète, devenue transcendante au résumé que
l'historien écrirait dans ses marges. Le système n'est pas autre
chose que le mouvement du contenu ; il ne tolère pas de survol ; on ne peut en parler sans y coopérer, donc, sans l'opérer
encore. Que faire alors ?

On pourrait concevoir un *Essai sur la logique de Hegel*
qui introduirait au système par le moyen de l'histoire de la
philosophie. Il n'est point en effet de catégories du système
qui n'aient été déjà mises en œuvre dans la philosophie pré-
hégélienne (on dirait volontiers, en paraphrasant un mot de
Leibniz : il n'y a rien dans le système qui n'ait été auparavant
dans l'histoire, sinon le système lui-même). Il est possible,
par conséquent, de « répéter » la logique de Hegel à la
manière d'une récapitulation de toute l'histoire de la philosophie dans l'ordre vrai du système ; tous les penseurs antérieurs sont accomplis en même temps qu'abolis ; l'histoire de
la pensée meurt et ressuscite dans le système – comme si
l'Esprit, en Hegel, avait collecté son gigantesque discours à
travers les membres épars des grandes philosophies historiques, bref, comme si Hegel n'était que l'interprète de la
pensée éternelle de l'histoire.

Cette approche est possible ; mais elle a l'inconvénient
de se perdre dans l'érudition ; cette fuite sans fin du côté des
origines historiques met le système en pièces ; le mouvement
du contenu est perdu dans cette histoire même que le système
devait transporter dans l'élément logique. Aussi n'est-ce pas
la voie choisie par Hyppolite.

Ce qu'il a tenté ressemble plutôt à une sorte d'apologétique hégélienne. Prenant appui sur une série d'expériences
et d'opérations humaines – parler, réfléchir, nier, énoncer,
penser par catégories, lier dans un discours, etc. –, il s'efforce
de montrer qu'en chacune l'identification de la pensée et de
l'être, du sens et de la chose, c'est-à-dire le « savoir absolu »,
doit être présupposée. Autrement dit, une phénoménologie
(ou description raisonnée de l'apparaître) n'est tenable que si
une logique (ou savoir absolu de l'être) la fonde.

Ce sont les « difficultés presque insurmontables » (p. 243)
de l'entreprise qui m'intéressent ici, car elles nous instruisent
plus que tout sur le problème posé à la philosophie contem-

poraine par le retour à Hegel et les divers néohégélianismes
d'aujourd'hui.

I

Hyppolite prépare le terrain par une élucidation du langage
humain, destinée à montrer que « la plus haute forme de l'expérience humaine » (p. 5) – c'est bien là un propos d'apologète –, « c'est la révélation de l'identité de l'être et du
savoir », ce qui est précisément « le discours » absolu de la
Logique.

Il n'a pas de peine à montrer que renoncer au discours et
s'enfoncer dans le sentiment, dans le silence, dans la solitude, dans l'immédiat, c'est renoncer à l'humanité qui est
dialogue. Ici l'apologète triomphe aisément. Mais est-ce bien
le problème ? L'alternative est-elle entre le non-savoir et le
savoir absolu ? À vrai dire, nous ne sommes jamais devant
ce genre d'alternative ; notre vie se passe plutôt dans les
discours imparfaits, approximatifs ; la question est plutôt
de savoir si tous nos discours, qui sont d'une manière ou
d'une autre discours de… et discours sur… (disons discours
de quelqu'un sur quelque chose), présupposent un discours
qui soit le propre discours de l'être, sans objet lointain, sans
parleur singulier.

Ici l'apologétique d'Hyppolite est très honnête : elle ne
cherche pas à prouver le discours absolu par les discours
relatifs de la pensée percevante, observante, mathématique
et physique, intersubjective et politique ; elle se borne à chercher en eux l'« indication » d'une pensée absolue qui « se
présuppose » toujours elle-même. C'est une apologétique
vraie, qui fait le va-et-vient entre les suggestions de l'expérience et l'abrupt postulat du savoir absolu. Mais l'apologétique vraie est toujours troublante et condamne le lecteur à
osciller entre deux attitudes ; tantôt, attendant trop de ces
analyses préparatoires, il est déçu, au moment où il croyait
surprendre ce passage au discours absolu, d'être mis devant
le saut non dans la foi, mais dans le savoir ; tantôt, prenant
trop aisément son parti de ce saut irrationnel dans la rationalité parfaite et comprenant qu'on ne devient pas peu à peu

hégélien, mais qu'on l'a été éternellement, comme on a éternellement appartenu au « troisième genre » de connaissance de Spinoza, il ne sait plus que faire de toutes ces analyses subtiles où l'expérience semble sommée d'avouer son allégeance au savoir absolu, mais ne l'avoue jamais que par la bouche de son inquisiteur.

Repérons quelques-uns de ces passages difficiles : le non-discours, l'ineffable qui selon moi fait question n'est pas celui dans lequel nous pourrions nous enfoncer et nous reposer, celui du sentiment ou de l'intuition muette ; celui qui fait problème, c'est celui-là même que nous dépassons dès que nous parlons : l'affectif, le qualitatif, le violent. C'est bien parce que nous le dépassons que nous en parlons ; mais c'est parce que le dépassé est aussi retenu, que nul sens n'est transparent, que notre perception est incurablement perspectiviste, contestée par l'autre, là-bas, par l'autre que je vois, mais dont je ne vis pas la vision, dont je sais seulement qu'il voit ce que je ne vois pas. L'argumentation des hégéliens, très forte contre l'ineffable comme *état*, bref, contre l'élévation de l'ineffable à l'absolu, a-t-elle autant de force contre une conception du sensible comme *limite* inférieure du sens ? On ne s'installe pas dans la limite comme dans un état : c'est pourquoi l'exorcisme du sentiment et de la solitude est facile, mais non celui du sensible qui fait l'inexactitude de tous nos discours ; et il est facile de dire que l'homme n'est homme que dans le langage et la communication, mais ce langage et cette communication requièrent-ils un discours absolu où s'abolit l'inexactitude de tous nos dialogues ? Ce coup de force, qui toujours survient au moment critique, est très apparent dans les pages où Hyppolite réinterprète, dans l'esprit de la *Logique*, le début de la *Phénoménologie de l'esprit* (je vise « ceci », mais je dis l'universel ; je vise « ce moi-ci », mais en disant moi je dis tous les « moi »). Mais si le langage est indéterminé (ceci, c'est n'importe quoi, moi, c'est n'importe qui), si en paroles la singularité est la pire des banalités, ai-je le droit de dire que le « moi » s'abolit sans reste dans l'universel ? Si l'universel, comme non-ceci, est le vrai de la certitude, s'est-on débarrassé du sensible en l'inversant dans le néant de l'universel ? N'est-il pas justement ce qui ne passe pas dans cette inversion ? La simple visée (le *Meinen*) n'est-elle pas la limite des prétentions de notre discours à être tout l'être ? Je me demande, ici, si la sobriété kantienne n'est pas plus vraie que l'ébriété hégélienne.

Autre passage difficile et autre scrupule : le non-langage dans le langage – le regard et le geste dans la parole – ne sont pas seuls embarrassants, mais aussi toute cette part du langage qui n'est pas discours. Voyez le tableau peint ; pour l'incorporer au projet hégélien, il faut décider que « le mouvement des arts monte vers la poésie » (p. 29), que le tableau est discours pris dans la nature, discours qui ne sait pas, que seul le discours est à la fois sens, et sens du sens. Certes, on peut dire cela et mettre tous les arts en perspective ; mais à quel prix ? N'est-ce pas au prix d'une autre compréhension où le discours est en défaut et le tableau en excès et où l'intelligence d'un art selon son intention propre ruine toute mise en perspective sur la logique ?

Et la parole elle-même, quand elle veut égaler le sensible (la voix) au sens (le logique), fait-elle plus qu'indiquer « l'identité originaire du sensible et de l'entendement » (p. 32) ; l'indiquer, c'est-à-dire se mettre en route vers cette identité sans jamais l'atteindre ? J'ai beaucoup admiré les pages sur les deux mémoires : l'*Erinnerung* par laquelle le monde s'intériorise en souvenir, selon le mot allemand lui-même, et la *Gedächtnis* par laquelle le moi s'extériorise dans le récit ; mais ce qui empêche la coïncidence des deux mémoires, n'est-ce pas le jaillissement d'un nouveau présent qui introduit de la présence neuve et condamne le sens à la fois au retard du souvenir et à la présomption du probable anticipé ?

Dès lors, le mouvement du sensible au signe et au symbole, tel qu'une phénoménologie le dévoile, me paraît plutôt témoigner contre Hegel que pour Hegel. On nous dit : « Il faut que le sensible se transcende complètement comme sensible, que l'intelligence se trouve elle-même dans une extériorité qui soit la sienne... » ; à vrai dire, le sensible ne se transcende pas « complètement », mais « presque » ; ce « presque » fait une phénoménologie ; ce « complètement », une logique. Que signifie le passage du « presque » au « complètement » ? Est-ce autre chose que le rêve d'une vie tout entière niée et retenue dans l'élément de la parole ? d'une vie toujours sur le point d'être comblée dans le bonheur du dire parfait où, pour un temps, nous nous trouverions, chacun et l'un l'autre, dans et par le langage ?

Toutes ces perplexités ne prouvent rien contre la Logique de Hegel, sinon qu'on n'y vient jamais par la phénoménologie, mais qu'on en part toujours, même quand on a l'air d'y venir. C'est pourquoi l'*Encyclopédie* fracasse toute propédeutique. L'apologète doit avouer : « La logique explique donc la phénoménologie » (p. 44), et encore : « Le savoir absolu est donc un résultat qui se présuppose lui-même dans la nature et l'esprit fini » (p. 80).

Dès lors, a-t-on le droit de dire aussi : « Il n'y aurait pas d'expérience possible sans la présupposition du savoir absolu, mais le chemin de l'expérience indique le savoir absolu[1] » (p. 44) ?

II

Mais peut-être notre peine à *devenir* hégélien vient-elle de ce que nous ne sommes pas entrés dans le thème central de la logique : l'absolu est réflexion ; le discours de l'être exhibe un Soi, une puissance infinie de réflexion, dans le mouvement par lequel une catégorie (c'est-à-dire une détermination finie de l'être) se nie, se fait autre, s'aliène[2]. La tenace conviction que la première partie du livre d'Hyppolite réussit mal à entamer, selon laquelle la réflexion court toujours après l'être, ne tient-elle pas à l'incompréhension du non-hégélien

---

1. Hyppolite ajoute aussitôt : « Il est vrai que l'historicité de ce savoir absolu pose au sein même de l'hégélianisme de nouveaux problèmes, peut-être insolubles » (p. 44). Je reviendrai sur cette hésitation finale.

2. On ne comprend ces expressions qu'en refaisant le travail de détail de la logique : on voit alors que le mouvement de la première triade (être-néant-devenir) s'explicite dans le mouvement par lequel la logique de l'être, prise en bloc, s'inverse dans la logique de l'essence, donc aussi dans les triades immanentes à cette logique, etc. ; les grands cercles et les petits cercles s'expriment mutuellement, et ainsi les équivalences se justifient entre : se réfléchir, se nier, apparaître, etc. De là les expressions, à première vue si difficiles, qui supposent ces équivalences : « L'absolu est l'apparition (c'est-à-dire la réflexion) de la thèse dans l'antithèse et de l'antithèse dans la thèse, et l'immédiateté, l'égalité à soi-même de cette réflexion infinie » (p. 74). « C'est ce fait d'apparaître – la notion ontologique qui correspond à la conscience – qui définit le moment de l'essence. Tout apparaître renvoie d'un terme à l'autre, est réflexion, mais la réflexion n'est pas seulement subjective, elle appartient à l'en-soi, à l'être qui est sujet » (p. 78).

pour cette thèse centrale de la *Logique* : que l'être devient sa propre réflexion infinie ? À partir de là, en effet, une apologétique hégélienne n'est plus une apologétique comme les autres, puisque son propre mouvement fait partie de la réflexivité de l'absolu ; la dialectique ne se déroule plus au-dessus de sa tête comme un miracle de la parole ; elle est impliquée dans l'aventure logique.

Mais s'est-on véritablement débarrassé du problème initial qui était de mettre fin à l'écart entre notre pensée d'homme et l'absolu ? Voilà la réflexion – la fameuse réflexion dont Kant et Fichte avaient fait le principe dernier de la philosophie –, voilà la réflexion et le Soi égalés à l'être même, en tant que cet être est dialectique. Soit. Mais cette réflexion est-elle la nôtre ?

En partant de la coïncidence du mouvement de la réflexion avec ce qui est absolument, l'hégélianisme veut radicalement exorciser tout ce qui ferait de l'être un mystère, un secret : « Le savoir absolu signifie la disparition du secret ontologique [...] ; le secret est qu'il n'y a pas de secret. L'immédiat se réfléchit et se dévoile, comme le soi » (p. 114). Mais comprenons-nous cette fin du secret, cette réflexion de l'être dans le Soi ?

Avec la dialectique, qui chasse le secret, tout ne devient-il pas énigme ? Car la dialectique de l'absolu est-elle finalement moins obscure que la création, que le Verbe fait chair, que la rédemption ? Est-elle autre chose que de la théologie trinitaire sécularisée, qui maintenant envahit tout l'empire de la rationalité ?

Le philosophe hégélien pourrait exorciser notre question même si *la* réflexion dont il parle ne laissait pas hors d'elle-même *des* réflexions, je veux dire *des* niveaux de réflexion imparfaite où la subjectivité qui s'appréhende ne s'épuise pas dans la constitution même de l'absolu. Or il est frappant que le recours à la réflexion, dans *Logique et Existence*, loin d'éteindre la question de l'écart entre l'être et la pensée, la fait rebondir autrement. C'est maintenant la réflexion elle-même qui se dédouble. Écoutons l'auteur : « Le soi de la réflexion n'est plus le soi humain qui est pris en considération dans une anthropologie ou dans une phénoménologie » (p. 91). « Le soi doit se décentrer du purement et simplement humain pour devenir le soi de l'être » (p. 91). Qu'a-t-on gagné à dire que l'être est réflexion, si ce Soi n'est pas le nôtre, si l'homme reste l'autre, non certes par rapport à l'être (comme dans les philosophies non dialectiques de style cartésien ou kantien), mais par rapport au Soi de l'être ?

C'est bien pourquoi la deuxième et la troisième partie du livre d'Hyppolite replacent le lecteur devant le même effort et devant la même difficulté que la première partie ; là il fallait montrer que *les* langages (perceptif, technique, mathématique, poétique) « indiquent » *le* Logos, quoique le Logos « se présuppose » toujours lui-même dans ces langages relatifs ; ici il faut montrer que *la* « réflexion spéculative », que *la* « négation dialectique », que *la* « proposition spéculative » se présupposent elles-mêmes dans *les* modes empiriques de la réflexion, de la négation, de la proposition. Par exemple : la pensée empirique use de la négation pour corriger ou prévenir des erreurs (la baleine n'est pas un poisson), mais la négation reste un mouvement subjectif, extérieur au champ d'affirmation ; de même le philosophe transcendantal (Kant) « réfléchit » sur les structures formelles, vides de contenu, qui rendent possible une expérience objective ; mais sa réflexion étreint une subjectivité qui règle, mais n'engendre pas ses contenus et qui, en ce sens au moins, reste conscience malheureuse ; car toujours la conscience reste scindée de l'absolu. En face de ces réflexions, de ces négations, le problème d'une apologétique hégélienne se repose dans les mêmes termes que plus haut : en quel sens « indiquent-elles » la réflexion et la négation d'ordre spéculatif, ontologique, qui, absolument parlant, se présuppose elle-même ? Ne sera-ce pas toujours par une sorte de coup de force que l'hégélien fera paraître comme impuissance spéculative, indigence de la raison, rechute à « l'humain trop humain » la prudence transcendantale de Kant, prudence qui pour lui était reconnaissance de la limite, courage de la limite contre les prétentions de l'entendement ?

L'exemple de la négation est le plus frappant de tous ; Hyppolite montre brillamment qu'on ne peut exorciser l'idée de néant à la façon bergsonienne comme un faux problème : la négation resurgit comme principe de distinction entre les choses, les organismes, les individus, et même, de façon plus spectaculaire, comme inversion de l'élan créateur, d'où pro-

cède toute la matérialité, tout l'entendement et sa géométrie ;
on ne peut non plus s'en tenir à un usage de la contradiction
comme signe d'erreur, à la façon de la logique de la pensée
empirique, ou comme aporie de la raison à la manière de la
Critique de la raison pure dans les paralogismes et les antinomies. En ce sens, l'échec des grandes philosophies à donner un statut satisfaisant à la négation plaide en faveur de
Hegel. Mais nulle apologétique, me semble-t-il, ne prouve
que Hegel a mieux résolu le problème que Platon ; Platon
réduit la négation à la distinction, à l'altérité, « la dialectique
hégélienne poussera au contraire cette altérité jusqu'à la
contradiction » (p. 145). Est-il légitime de dire que la dialectique de Platon est immobile et que seule une dialectique en
mouvement éclaire « la transformation de la diversité en
opposition et de l'opposition en contradiction » (p. 146) ? Il y
a là un passage brusque qui est tout Hegel. Et ferait-on ce
pas, si on n'admettait pas au départ que l'absolu se nie en se
déterminant et qu'à travers cette négation il se pose ? « C'est
par cette contradiction de soi à soi que la pensée ontologique
se développe ; elle saisit les déterminations de l'Absolu, ou
les catégories, comme des moments négatifs, comme des différences de l'Absolu, mais l'Absolu n'est lui-même que dans
cette négativité ou dans la négation de la négation. Il se pose
lui-même, et c'est cette position de soi dans l'opposition qui
constitue la Médiation infinie » (p. 157). Voilà le postulat
énorme que nulle phénoménologie « n'indique » s'il ne se
« présuppose » lui-même.

Finalement, toutes ces approches par la négation empirique et transcendantale, celle de la vie ordinaire, de la
science et des philosophies réflexives, nous laissent devant
l'énigme massive : « L'absolu est sujet, identique à soi-même
ou concept, mais il est le soi de l'être qui se pose dans ses
déterminations et s'identifie à soi dans sa négation » (p. 163).

Mais cette réflexion est-elle encore la nôtre ?

III

Cette deuxième vague de notre discussion semble
nous avoir conduit à un divorce entre le Soi (de l'être) et

l'homme [1]. L'hégélianisme est pourtant le refus de ce divorce. Son ultime ressource contre cette scission toujours renaissante, c'est de poser la réflexion comme aliénation du Logos dans une Nature : en se réfléchissant, l'Absolu engendre et comprend son Autre. Ainsi donc l'être est son propre Logos, comme nous disions dans notre première partie ; ce Logos est sa propre réflexion, disions-nous dans la deuxième ; nous disons maintenant que cette réflexion est sa propre aliénation. C'est pourquoi, « si la pensée empirique ne peut comprendre la pensée absolue, la pensée absolue peut comprendre la pensée empirique comme son autre, car elle contient elle-même cette altérité […]. Cette altérité permet au savoir absolu de comprendre que la philosophie doit s'aliéner et que du savoir absolu on peut embrasser l'existence d'une anthropologie, tandis que d'une anthropologie on ne peut jamais s'élever au savoir absolu, sans une certaine rupture » (p. 123).

Nous sommes véritablement arrivés au moment où le titre de l'ouvrage – *Logique et Existence* – est sur le point de se justifier. L'aliénation du Logos dans la nature fait-elle vraiment comprendre l'existence en tant qu'humaine ?

Ce sont les perplexités de l'auteur lui-même qui, ici, relaient les nôtres. On a vu comment, sous sa plume, le Savoir absolu se reconstituait sans cesse comme transcendance à mesure qu'il le protégeait contre la rechute à l'*humain trop humain*. Sans cesse, en retour, il s'efforce, sans y réussir vraiment, me semble-t-il, de rattraper et de récupérer l'historique, l'humain, l'existentiel comme le lieu, la place, la trace de cette dialectique absolue.

« Dire que l'Absolu est sujet ne veut pas dire (en dépit de certaines interprétations posthégéliennes) que l'Absolu est

---

1. L'insistance d'Hyppolite à nous assurer que la pensée absolue « *n'est pas* la pensée de l'homme en face des existants » (p. 123), que « la vérité et la liberté dont il s'agit n'ont plus rien à voir avec la vérité ou la liberté empiriques, celles auxquelles on pense dans la vie quotidienne aussi bien que dans les sciences particulières » (p. 81), que « le soi de la réflexion n'est plus le soi humain qui est pris en considération dans une anthropologie ou dans une phénoménologie » (p. 91), que « l'humanité comme telle n'est pas pour Hegel la fin suprême » (p. 243), que « la logique hégélienne dépasse toute vision morale et humaine du monde » (p. 245), cette insistance même, dont la pointe est tournée contre la « réflexion humaniste » (p. 243), tend à renforcer cette nouvelle transcendance qui humilie l'*humain trop humain*.

l'homme, mais que l'homme est l'être-là naturel, en qui la contradiction non moins résolue de la nature (celle d'être à la fois Logos et non-Logos) s'explicite et se dépasse. L'homme est la demeure du Logos, de l'être qui se réfléchit et se pense. L'homme en tant qu'homme se réfléchit aussi comme homme, et l'humanité de la *Phénoménologie* engendre la conscience de soi universelle qui est cette demeure, à travers un itinéraire anthropologique, mais la réflexion à laquelle elle parvient est la réflexion même de l'Absolu qui comme être se fonde dans son propre Logos » (p. 92).

On a remarqué le ton heideggérien de ces formules : l'homme demeure du Logos. Mais qu'est-ce que cela veut dire ? comprenons-nous mieux le passage du Logos à son « lieu » humain que l'élévation de l'histoire à la Logique ? Il semble à certains moments que l'ouvrage ait trouvé ici son équilibre et son repos : « Logique et existence se joignent ici, si l'existence est cette liberté de l'homme qui est l'universel, la lumière du sens » (p. 243). Mais ce point d'équilibre figure plutôt une question qu'une réponse. Est-ce vrai au fond, que « le sens comprend aussi le non-sens, l'anti-Logos » (p. 230) ?

À vrai dire, il ne le comprend qu'en l'évacuant ; la logique spéculative de Hegel n'approfondit l'unité du sens et de l'être qu'« en poussant à son terme la réduction de l'anthropologique amorcée avec le transcendantal » (p. 230), c'est-à-dire avec Kant ; cette idée de la réduction, de la suspension revient sans cesse dans le livre d'Hyppolite. Je comprends bien que toute philosophie qui tente de comprendre et de parler – et que ferait d'autre la philosophie ? – doit réduire et évacuer une prétendue expérience de la liberté comme pure contingence, « comme seul dépassement, comme aventure impossible de l'homme » (p. 244), bref, une conception de la liberté sans tâche, sans motif, sans fondement. Mais si je comprends cette inévitable évacuation de l'accident pur, dans une philosophie qui reste philosophie des *limites*, je la comprends moins dans une philosophie qui prétend tout comprendre, même le non-sens : pourquoi y a-t-il des « impasses » dans l'apparition du Logos ? pourquoi la liberté – « ce concept par lequel l'homme accède au sens de l'éternel » – a-t-elle pu se vouloir sous la forme du libre événement contingent ? pourquoi enfin, y a-t-il, dans le monde *du néant qui ne médiatise rien, c'est-à-dire de l'impensable* ?

Bien plus, si l'on admet que le philosophe – même hégélien – doive renoncer à parler de ce qui exclut la parole, son
embarras est grand quand cette existence s'organise en une
histoire qui a un certain sens, lequel n'est pas un sens logique,
et se réfléchit dans une réflexion, qui n'est pas le Soi de l'être.
Voilà ce qui ne peut être ni compris ni réduit par la Logique.
Aussi bien l'historique réduit se venge de diverses manières.

Cette revanche de l'existentiel comme historique se lit
d'abord dans l'histoire posthégélienne ; c'est parce qu'il y a
une histoire posthégélienne, rejaillissant sur le système, parce
qu'il y a eu une décomposition de l'hégélianisme, parce qu'il
y a eu Marx, Kierkegaard, Nietzsche, que l'œuvre même de
Hegel « nous offre des difficultés presque insurmontables »
(p. 243) ; c'est l'histoire posthégélienne qui nous impose le
problème de la dualité, chez Hegel lui-même, de la *Logique*
et de la *Phénoménologie*, du système et de l'histoire (même
idéale comme la *Phénoménologie de l'esprit*).

Pour résoudre la difficulté, une simple « répétition »
– même au meilleur sens du mot – de Hegel ne suffit plus ; il
y faudrait une refonte, une récréation du Système qui sur-
monterait *à la fois* la scission de la Logique et de la philosophie de l'histoire, et le divorce de l'hégélianisme et de
cette histoire posthégélienne, dont Hyppolite lui-même dit
qu'elle est « pleine de sens » (p. 231). (Il le dit, il est vrai,
seulement de la série Hegel-Feuerbach-Marx.) Pour que cette
filiation *devienne* en effet pleine de sens, un retour à Hegel
ne suffit plus ; il faut écrire une nouvelle logique de l'être qui
développe les catégories révélées depuis Hegel, advenues, si
l'on peut dire, depuis lui, par l'avènement des philosophes
de l'existence, de la praxis, de la volonté de puissance, de
l'histoire. Sinon l'hégélianisme ne permet qu'une critique
(au sens simplement polémique de réfutation) de la pensée
posthégélienne ; le marxisme et les autres sont des doctrines
venues trop tard, quand le canon du Logos hégélien était déjà
clos. Alors qu'Aristote, Leibniz, Kant étaient compris comme
des phases historiques du sens, ce qui vient après Hegel doit
apparaître, dans une simple « répétition » de Hegel, comme
rechute, rechute déjà comprise, mais rechute[1].

---

1. À propos de l'origine de la négation chez Hegel et Marx, Hyppolite
écrit : « Il faut avouer que Hegel était allé beaucoup plus loin sur ce point

Finalement, les « difficultés presque insurmontables » de l'hégélianisme se résument dans le dédoublement incessant de la Logique et de la phénoménologie : « L'homme en tant qu'homme se réfléchit aussi comme homme » (p. 92). « La difficulté maîtresse de l'hégélianisme est la relation de la *Phénoménologie* et de la *Logique*, nous dirions aujourd'hui de l'anthropologie et de l'ontologie. L'une étudie la réflexion proprement humaine, l'autre la réflexion absolue qui passe par l'homme » (p. 247). *Le* Logos et *les* discours, *la* réflexion et *les* réflexions, *la* négation et *les* négations : autant de manières de faire apparaître la difficulté centrale résumée dans le texte précédent. Faut-il alors lire la dernière phrase de *Logique et Existence* comme le triomphe d'une philosophie du Logos capable de comprendre même le non-Logos, ou comme l'échec de cette philosophie, parce qu'elle ne se comprend plus elle-même en ce dernier mouvement de la dialectique ?

« L'existence, la relation de l'homme au Logos remet bien le Logos à sa place première : *"Mais rendre la lumière suppose d'ombre une morne moitié."* »

---

que Marx. En restant dans l'anthropologie, il y ouvre des perspectives que Marx a négligées, et ces perspectives tiennent précisément à ce que pour lui toute objectivation déterminée est une aliénation » (p. 239).

La personne

L'Essai sur l'expérience de la mort
de P.-L. Landsberg
(1951)

Paul-Louis Landsberg tient à l'histoire intérieure et à la pensée du mouvement Esprit presque autant qu'Emmanuel Mounier. Ce philosophe allemand exilé, dès 1933, en Espagne puis en France, devait périr d'épuisement à Oranienburg le 2 avril 1944, après avoir exercé sur la doctrine personnaliste une influence décisive qu'il avait lui-même puisée auprès de son maître et ami Max Scheler. Sa réflexion se nouait au carrefour des notions maîtresses de la philosophie de la personne : engagement *historique* de l'homme, acte *personnel*, découverte des *valeurs* comme « directions de notre vie historique », transsubjectivité des valeurs au cœur même de nos engagements concrets. C'est dire qu'il se plaçait aux points critiques les plus difficiles de cette philosophie de la personne, au point où valeur historique, existence personnelle, transcendance coïncident[1]. Sa lutte contre le nazisme le tenait en alerte sur le front politique et le caractère total de sa prise de position l'assurait que la décision en face de l'État est une forme privilégiée de l'engagement, bien que celui-ci soit toujours plus que politique.

L'Essai sur l'expérience de la mort, paru en 1937, réédité par les éditions du Seuil*, est une sorte de méditation philosophique où le sens de la personne est à la fois mis à l'épreuve par l'expérience de la mort et exalté par la menace de désespoir que cette expérience sécrète. La réflexion se dédouble sans cesse dans le geste d'assumer une mort nécessaire et singulière et dans celui de riposter victorieusement à son mourir propre par l'espérance : « La conscience de la mort va

---

1. Cf. ses articles dans *Esprit*, nᵒˢ 27, 62, 64, 65, 72, 73, 79, 85, 87.
* Dernière réédition, Le Seuil, 1992 *(N.d. E.)*.

de pair avec l'individualisation humaine » (p. 26). On remplace un rôle social, on ne remplace pas une personne. En retour, « là où la personne nous est donnée, nous pouvons toucher au problème ontologique de sa relation avec la mort » (p. 33).

Le premier mouvement de cette méditation contrastée oppose quelque peu P.-L. Landsberg à Max Scheler lui-même : « Y a-t-il, demande-t-il, une expérience spécifique de la mort, dans laquelle la mort se montrerait comme appartenant à l'homme dans la plénitude de son existence personnelle ? » (p. 20). Cette expérience n'est pas à la limite du vieillir, comme l'a cru Scheler ; elle passe par la mort d'autrui, par la mort de l'être aimé ; elle se retourne contre moi et s'inscrit dans mon existence à la faveur de ma participation à l'existence d'autrui : « J'éprouve la mort à l'intérieur de ma propre existence » (p. 39). Cette analyse n'a pas vieilli, malgré les analyses semblables que nous avons lues depuis chez les philosophes existentialistes ; ce qui reste original chez Landsberg, c'est la recherche d'une nécessité spécifique qui s'attache à ma mort, d'une nécessité où l'autre représente tous les autres, où l'autre est un chacun, un nous exemplaire, sans être le « On » de Heidegger ; cette recherche sur l'homme mon *semblable* doit être poursuivie actuellement, par-delà l'opposition peut-être artificielle entre l'existence unique et l'existence générale.

Le second mouvement est amorcé par cette conviction que la nécessité de mourir n'est pas le prolongement d'une possibilité immanente à l'existence personnelle : la mort reste l'intruse ; en même temps qu'elle m'invite au désespoir, elle me provoque à rechercher plus loin la possibilité la plus fondamentale de moi-même. C'est ici que, selon P.-L. Landsberg, l'existence personnelle s'enracine dans l'être éternel ; mise en question par la *menace*, la personne accède à l'affirmation de la vie invulnérable ; cette affirmation est l'espérance, qu'il oppose comme G. Marcel à l'espoir.

Ce petit livre – admirable sur le plan de la méditation – laisse néanmoins dans le malaise le lecteur soucieux des articulations de la pensée. D'un côté, l'argumentation est soutenue et aimantée par un acte de foi religieux. Certes, Landsberg parle d'une espérance « naturelle » à laquelle le philosophe peut accéder sur la base de sa problématique propre ; mais il est clair que pour lui la philosophie, livrée à elle seule, ne va pas jusqu'à une espérance vivante : ainsi, Platon fonde l'immortalité sur « l'autonomie des actes spirituels par rapport aux processus vitaux ». Mais l'acte philosophique qui s'arrache ainsi à la vie du corps, et à sa mort, demeure tributaire d'un monde des Idées auquel il participe : « Le monde dont la philosophie antique nous rend compte n'est pas un monde du prochain, monde constitué par la *caritas* ; c'est avant tout un monde des choses, un monde de choses vues » (p. 72). Dès lors, l'espérance que le philosophe atteste est plutôt l'irradiation de la vertu théologale dans son plan de réflexion que le point préalable d'insertion de l'espérance chrétienne (malgré des formules telles que celle-ci : « Une philosophie de l'existence niant les fondements ontologiques des trois vertus théologales de l'homme est une philosophie contre l'existence » (p. 52) ; dans la ligne d'Augustin, la réflexion philosophique de P.-L. Landsberg est donc intégrée à sa méditation chrétienne. Mais, d'un autre côté, lorsqu'il vient à l'« expérience chrétienne de la mort », le philosophe s'efface soudain devant des témoins qui le dépassent et qui convertissent entièrement le sens de la mort pour y déchiffrer l'accomplissement plénier de l'espérance ontologique. P.-L. Landsberg est un peu devant les mystiques comme Bergson lorsqu'il fait comparaître dans les *Deux Sources* les témoins de l'amour divin, sans se mettre lui-même en cause. De là ce subtil malaise : toute la méditation repose sur l'expérience chrétienne de la mort et cette expérience excède le méditant [1].

C'est pourquoi l'essai sur le *Problème moral du suicide*, qui date de l'été 1942 et que J. Lacroix a joint à la nouvelle édition de *L'Essai sur l'expérience de la mort*, est d'un grand prix : cette espèce de discordance intérieure est entièrement dissipée ; parce que le philosophe chrétien est devenu à la fois moins dogmatique dans ses affirmations philosophiques et plus intérieur à la vie chrétienne. Cette méditation est à la mesure exacte de l'homme qui, après avoir porté sur lui

---

1. P.-L. Landsberg ajoutait à cette époque : « L'espérance dont nous parlons n'est donc pas la "vertu théologale". Nous marquons plutôt le lieu dans la structure où cette vertu peut entrer, où elle doit entrer pour vaincre finalement la possibilité de la désespérance » (p. 55).

pendant des années du poison, le détruisit et, nous dit J. Lacroix dans sa préface : « Au moment de son arrestation [...] accepta pleinement de ne pas disposer lui-même de sa vie. » Ce n'est plus un autre qui supporte le mouvement de la réflexion, comme dans *L'Essai sur l'expérience de la mort* ; ce n'est plus saint Augustin ou sainte Thérèse d'Avila ; c'est l'homme qui a fait ce geste.

Or ce geste était une difficile victoire, la victoire sur une *tentation* qui tient non à la lâcheté de l'homme, mais à sa grandeur éthique. Le stoïcisme nous a appris cet autre versant de la mort, non plus l'intruse, mais la mort selon la raison, la mort libre d'un homme qui a choisi son mourir. Tout cet essai est un débat avec le stoïcisme contre les lâches, puis contre le stoïcisme avec les martyrs chrétiens : « Préférer le martyre au suicide, c'est un paradoxe propre au chrétien » (p. 14). « Comme il y a une différence qualitative entre la moralité bourgeoise et la moralité héroïque, il y a un abîme entre ces deux morales naturelles d'une part et la morale surnaturelle du christianisme de l'autre » (p. 147). Ainsi, la place faite à la tentation en quelque sorte éthique donne à cet écrit un tour plus dramatique, en même temps que l'affirmation qui lui riposte est mieux assumée que dans *L'Essai sur l'expérience de la mort*.

P.-L. Landsberg semble s'être avancé de plus en plus vers une « révélation paradoxale » (p. 153) à la manière kierke-gaardienne, où la réflexion philosophique, semble-t-il, serait presque entièrement absorbée, mais où l'homme lui-même serait plus directement pris à parti qu'à l'époque où il convoquait les mystiques pour justifier « l'espérance créatrice, base naturelle de cette espérance dont il est écrit qu'elle ne nous laisse pas périr » (p. 55).

Meurt le personnalisme,
revient la personne…

(1983)

Ce petit exposé est motivé par le souci de comprendre les
réserves et quelquefois la répugnance des générations plus
jeunes que la mienne à user du terme personnalisme, tout en
préservant la fidélité critique à l'œuvre d'Emmanuel Mounier.

Une phrase pourrait résumer ma pensée : meurt le personnalisme, revient la personne (je pourrais aussi dire : meure le
personnalisme, sous-entendant : qu'il meure, même si… ;
peut-être vaut-il mieux qu'il meure, pour que…).

Je m'explique d'abord sur le *meurt le personnalisme*, en
donnant à cette formule à l'indicatif la simple valeur de l'en-
registrement d'un fait culturel. D'une manière générale, je
déplore le choix malheureux, par le fondateur du mouvement
Esprit, d'un terme en -isme, mis par surcroît en compétition
avec d'autres -ismes qui nous apparaissent largement aujour-
d'hui comme de simples fantômes conceptuels. Je développe
mon argument.

D'abord, j'estime que les autres -ismes représentaient des
modes de pensée mieux articulés *conceptuellement*. Qu'on
évoque derrière le terme existentialisme le travail complexe
du concept dans *L'Être et le Néant*, chez Jean-Paul Sartre, ou
la *Phénoménologie de la perception*, *Les Aventures de la
dialectique*, etc., chez Merleau-Ponty. Inutile d'insister sur
l'immense appareil conceptuel des marxismes et sur l'exceptionnelle complexité d'une pensée comme celle de Gramsci
ou d'Althusser. En somme, le personnalisme n'était pas assez
compétitif pour gagner la bataille du concept. On verra plus
loin que ce qui paraît ici un reproche prendra un sens nouveau, lorsque j'essaierai de qualifier plus haut la personne
comme le support d'une attitude, d'une perspective, d'une
aspiration, comme d'ailleurs Mounier n'a cessé de le dire, ce

qui aurait dû le dispenser de se mesurer à d'autres -ismes comme matérialisme, spiritualisme, collectivisme, qui représentent autant de nébuleuses de pensée et de pensées vagues. Pour accentuer mon argument, Je rappellerai que, à la même époque, les auteurs que j'ai cités et d'autres encore – Raymond Aron, Éric Weil, etc. – s'étaient mis à l'école de Hegel sous la direction du subtil Kojève.

Second argument : la constellation des -ismes, dans laquelle le personnalisme s'est laissé encadrer ou s'est délibérément inscrit, a été emportée tout entière par une autre vague culturelle puissante dans les années soixante. J'évoque ici la vague des structuralismes. Du coup, l'idée d'un règne à trois : « personnalisme-existentialisme-marxisme », si souvent tenue par Mounier comme caractéristique durable d'une époque, prend aujourd'hui figure d'illusion. Outre que la répartition était peu homogène, elle restait typiquement française : personnalisme, existentialisme, marxisme n'ont jamais constitué qu'un trépied curieusement hexagonal ! Or voici que les trois frères ennemis sont globalement déplacés par cet autre phénomène, non moins hexagonal, qui les faisait paraître tous trois (du moins le marxisme du jeune Marx, l'existentialisme de la première période et le personnalisme de Mounier, hélas ! interrompu en 1950) comme des variétés du même humanisme (mot honni entre tous). Ce que le structuralisme apportait, en effet, c'était une manière de penser selon l'idée de système et non celle d'histoire, l'établissement d'ensembles de différences articulées, et surtout une pensée opératoire qui prétendait ne requérir aucun sujet pour conférer du sens à quoi que ce soit. Ce fut là une étrange aventure pour le personnalisme, qui avait pris tant de peine à se distinguer de l'existentialisme et fait tant d'efforts pour se rapprocher du jeune Marx des *Manuscrits* de 1843-1844, de *L'Idéologie allemande*, bref, du Marx de l'aliénation et du travail vivant. Le personnalisme se trouvait ainsi frappé de la même note d'infamie que ses deux frères ennemis.

Là-dessus a déferlé une nouvelle vague, nietzschéenne dans son fond. Le personnalisme se trouvait déraciné de son sol délibérément chrétien (n'oublions pas l'importance culturelle immense de la pensée trinitaire dans la constitution de la notion occidentale de la personne) ; de plus, elle attaquait une conviction forte et jamais élucidée, reçue de Maritain et de

Scheler, à savoir que, par-delà toutes les vicissitudes historiques, la surprise de l'événement et la riposte inventive aux
situations, la personne ne cessait de se rapporter à un ciel fixe
de valeurs (je lis dans le *Manifeste au service du personnalisme*, p. 63 : « Une personne est un être spirituel constitué
comme tel par une manière de subsistance et d'indépendance
dans son être ; elle entretient cette subsistance par son adhésion à une hiérarchie de valeurs librement adoptées, assimi-
lées et vécues par un engagement responsable et une constante
conversion ; elle unifie ainsi toute son activité dans la liberté et
développe par surcroît, à coup d'actes créateurs, la singularité
de sa vocation »). On voit ici comment coexistent une ontologie de la subsistance, une référence à un ordre hiérarchique de
valeurs et un sens aigu de la singularité et de la créativité.
Mais la transcendance verticale, que Mounier tenta toujours
de maintenir dans l'indécision, afin de ne point contraindre les
personnalistes à choisir entre la lecture chrétienne et la lecture
agnostique, se trouvait attaquée, dans ses deux versions, par la
prédication nietzschéenne du nihilisme qui, je tiens à le souligner, n'est pas l'invention par Nietzsche du nihilisme, mais la
proclamation qu'il est à l'œuvre parmi nous, depuis que les
valeurs supérieures se sont elles-mêmes dévaluées.

　　Je terminerai cette revue des raisons de la mort du personnalisme par la constatation que Mounier lui-même a été tout à
fait conscient de la vulnérabilité du terme à l'égard des équivoques internes et externes. Toutefois Mounier, comme on
voit dans le dernier chapitre, « Les équivoques du personnalisme », de *Qu'est-ce que le personnalisme ?*, s'est toujours
efforcé de rejeter les équivoques *du* personnalisme comme
n'étant que des équivoques *sur* le personnalisme. En fait, le
personnalisme n'a jamais fini de se battre avec ses propres
démons, tant le passé du terme personnalisme lui a collé au
corps comme une tunique de Nessus (spiritualisme, idéalisme,
moralisme, etc.). Peut-être Mounier a-t-il été dupe ici de l'illusion commune à toute sa génération, selon laquelle il était possible d'innover absolument dans le champ culturel, quel que
soit le passé des termes employés. De cela, Mounier prit
conscience dès après la fin de la Seconde Guerre mondiale.

　　Ainsi écrit-il dans *Qu'est-ce que le personnalisme ?*, publié
en 1946 : « Nous n'avons pas fini de débarrasser ces valeurs
des malentendus et des survivances sociologiques qui les

neutralisent sur les voies de l'avenir, sous prétexte de les sauvegarder » (p. 81).

Revient la personne ! Je n'insiste pas sur la fécondité politique, économique et sociale de l'idée de personne. Qu'il me suffise d'évoquer un seul problème : celui de la défense des droits de l'homme, dans d'autres pays que le nôtre, ou celui des droits des prisonniers et des détenus dans notre pays, ou encore les difficiles cas de conscience posés par la législation d'extradition : comment pourrait-on argumenter dans aucun de ces cas sans référence à la personne ?

Mais je veux me concentrer sur l'argument philosophique. Si la personne revient, c'est qu'elle reste le meilleur candidat pour soutenir les combats juridiques, politiques, économiques et sociaux évoqués par ailleurs ; je veux dire : un candidat meilleur que toutes les autres entités qui ont été emportées par les tourmentes culturelles évoquées plus haut. Par rapport à « conscience », « sujet », « moi », la personne apparaît comme un concept survivant et ressuscité. *Conscience ?* comment croirait-on encore à l'illusion de transparence qui s'attache à ce terme, après Freud et la psychanalyse ? *Sujet ?* comment nourrirait-on encore l'illusion d'une fondation dernière dans quelque sujet transcendantal, après la critique des idéologies de l'école de Francfort ? Le *moi* ? qui ne ressent l'impuissance de la pensée à sortir du solipsisme théorique, dès lors qu'elle ne part pas, comme Emmanuel Lévinas, du visage de l'autre, éventuellement dans une éthique sans ontologie ? Voilà pourquoi j'aime mieux dire *personne* que *conscience, sujet, moi*.

Mais alors se pose le problème de la recherche du langage adéquat. Comment parler de la personne sans le support du personnalisme ? Je ne vois pour ma part qu'une réponse : elle consiste à donner un statut épistémologique approprié à ce que j'appelle, avec Éric Weil, une « attitude ». Nous avons appris d'Éric Weil, dans sa *Logique de la philosophie*, que toutes les catégories nouvelles naissent d'attitudes qui sont prises dans la vie et qui, par la sorte de pré-compréhension qui leur est attachée, orientent la recherche de nouveaux concepts qui seraient leurs catégories appropriées. Or je pense que la personne est le foyer d'une « attitude » à laquelle peuvent correspondre des « catégories » multiples et fort différentes, suivant la conception que l'on se fait du travail de pensée digne d'être appelé philosophique. À mon sens, c'est Paul-Louis Landsberg qui a été, dans le mouvement personnaliste, le penseur le plus conscient de cette situation. Quand lui-même parle de la personne et du personnalisme, il qualifie toutes ses descriptions, ses appels, ses requêtes du terme de *Aufweis*, qui désigne une sorte de méthode de monstration, mais non point de démonstration.

Afin de sortir des abstractions, je voudrais pour ma part repérer l'*attitude-personne*. Premièrement, est personne cette entité pour laquelle la notion de crise est le repère essentiel de sa situation. Peu importe que Mounier ait cru après coup que le mouvement personnaliste était né principalement de la *crise* bancaire américaine de 1929 (*Qu'est-ce que le personnalisme ?*, p. 13). Aussi bien René Rémond nous a-t-il montré que cette crise était peu perceptible en France dans les années 1930-1932 et que Mounier, comme d'autres jeunes hommes appartenant à des mouvements apparentés, a *mis en crise* ce qu'il appelait précisément l'« ordre établi », plutôt qu'il n'a subi une crise déjà visible aux yeux de tous. C'est encore Landsberg qui, dans *Les Problèmes du personnalisme*, a bien aperçu, à travers Max Scheler, l'universalité de la notion de crise. J'actualiserai de la façon suivante sa pensée sur le sujet : percevoir ma situation comme crise, c'est ne plus savoir quelle est ma *place* dans l'univers (l'un des derniers ouvrages de Max Scheler s'appelle précisément *La Place [Stellung] de l'homme dans l'univers*. S'apercevoir comme personne déplacée est le premier moment constitutif de l'attitude-personne. Ajoutons encore ceci : je ne sais plus quelle *hiérarchie stable* de valeurs peut guider mes préférences ; le ciel des étoiles fixes se brouille. Je dirai encore : je ne distingue pas clairement mes amis de mes adversaires (ce qu'on a dit ici sur la nébuleuse des années 1930-1932, 1940-1941, 1947-1948 le confirme amplement).

Ces trois traits attestent que la notion de *crise*, pour caractériser l'attitude-personne déborde le champ économique, social et culturel. Elle fait partie de ce qu'on pourrait appeler une critériologie de l'attitude-personne.

Mais je voudrais ajouter un trait à l'idée de crise, qui me fournira une transition en direction du second critère de l'attitude-personne : je ne sais plus quelle est ma place dans l'univers, je ne sais plus quelle hiérarchie stable de valeurs peut guider mes préférences, je ne distingue pas clairement mes amis de mes adversaires, *mais il y a pour moi de l'into-lérable*. Dans la crise, j'éprouve la limite de ma tolérance. Pour moi s'inverse la formule fameuse de Leibniz : « Je ne méprise presque rien. » C'est dans ce sentiment de l'intolé-rable que la crise insinue le discernement de la structure de valeurs du moment historique (expression à peu près reprise de Paul-Louis Landsberg).

Faisant face aux critères de la crise, j'énonce le critère de l'*engagement*, en me gardant bien d'en faire une sorte d'attri-but spinoziste de la substance ou de la subsistance person-nelle ; l'engagement n'est pas une propriété de la personne, mais un critère de la personne ; ce critère signifie que je n'ai pas d'autre manière de discerner un ordre de valeurs capable de me requérir – une hiérarchie du préférable – sans m'iden-tifier à une *cause* qui me dépasse. Ici se découvre un rapport circulaire entre l'historicité de l'engagement et l'activité hié-rarchisante qui révèle le caractère de dette de l'engagement lui-même. Ce rapport circulaire constitue ce qu'on peut appe-ler dans un langage hégélien une *conviction*. Dans la convic-tion, je me risque et je me soumets. Je choisis, mais je me dis : je ne puis autrement. Je prends position, je prends parti et ainsi je *reconnais* ce qui, plus grand que moi, plus durable que moi, plus digne que moi, me constitue en débiteur insol-vable. La conviction est la réplique à la crise : ma place m'est assignée, la hiérarchisation des préférences m'oblige, l'into-lérable me transforme, de fuyard ou de spectateur désinté-ressé, en homme de conviction qui découvre en créant et crée en découvrant.

Permettez-moi de joindre à ces deux critères quelques corollaires. J'en évoquerai trois.

Le critère de l'engagement dans la crise m'autorise à voir dans l'attitude-personne un certain comportement à l'égard du *temps*. Je dérive celui-ci de ce qu'on peut appeler simple-ment la « fidélité à une cause » (je pense ici au loyalisme du vieux néohégélien américain Rosiah Royce, qui a jadis inspiré Gabriel Marcel). L'engagement n'est pas la vertu de l'instant (comme le serait la conversion ou, pour toute une théologie issue de Barth ou de Bultmann, l'événement de parole) ; c'est la vertu de la durée. Cela en raison de l'identification du sujet avec des forces transsubjectives ; ce n'est pas dans la conscience, dans le sujet, ni même dans le rapport diagonal du face-à-face avec l'autre, que je trouve ce fil de continuité, mais dans la fidélité à une direction choisie. L'intimité, l'intériorité reprennent sens, dans la mesure où les implications spirituelles sont attachées à la capacité de suspens, de retrait, de silence, par quoi je fais le bilan des fidélités qui me rassemblent et me confèrent, comme par surcroît, une identité.

Autre corollaire : je viens de parler d'une identité, mais je devrais parler aussitôt de son complément dialectique : la différence. Je ne fais certes pas de la *différence* la catégorie majeure. Je n'ai en vue que cette altérité liée à toute prise d'identité. Il n'y a de l'autre que s'il y a du même et *vice versa*. Je préfère tirer les caractères de la différence du rapport de base entre crise et engagement. Je ne puis faire autrement qu'un partage entre amis et ennemis naisse du dévouement. Le conflit n'est sans doute pas « le père de toutes choses » (Héraclite), mais l'envers de nuit qui double la clarté de la conviction, telle que les saints l'ont éprouvée dans l'éblouissement du Feu. C'est de la même façon que Max Weber avait reconnu dans le *conflit* une structure de base de toute relation sociale (soit dit en passant : reconnaître la différence instaurée par le dévouement, c'est renoncer à rêver d'une société sans conflits et travailler plutôt à l'instauration d'une société qui donne aux conflits les moyens de s'exprimer et crée les procédures, reconnues de tous, capables de rendre les conflits négociables).

Il va de soi que ces deux premiers corollaires sont difficiles à accorder. Mais, si je suis conscient de l'étrangeté de l'engagement, de la tension féconde que je ressens entre l'imperfection de la cause et le caractère définitif de l'engagement, j'aime mes ennemis, c'est-à-dire les adversaires de mon propre engagement ; je m'efforce de me décentrer dans l'autre et de faire le mouvement le plus difficile de tous, le mouvement de reconnaissance de ce qui donne une valeur supérieure à l'autre, à savoir ce qui est pour lui *son* intolérable, *son* engagement et *sa* conviction.

Le couple crise/engagement suscite un troisième corollaire le rassemblement de la durée dans une intériorité, la reconnaissance et l'amour des différences requièrent l'horizon d'une vision historique globale. Pour ma part, je ne crois pas qu'il puisse y avoir engagement pour un ordre abstrait de valeurs, sans que je puisse penser cet ordre comme une tâche pour tous les hommes. Ce qui implique un formidable pari. Le pari que le meilleur de toutes les différences converge. Le pari que les avancées du bien se cumulent, mais que les interruptions du mal ne font pas système. Cela, je ne peux pas le prouver. Je ne peux pas le vérifier ; je ne puis l'attester que si la crise de l'histoire est devenue mon intolérable et si la paix – tranquillité de l'ordre – est devenue ma conviction.

Meurt le personnalisme : ce que je viens de dire ne constitue pas une philosophie, mais l'articulation d'une « attitude », dont la place reste à discerner parmi d'autres requêtes du concept, qui ne sont pas forcément cristallisées autour du pôle intolérable-conviction. Tant d'autres problèmes restent en suspens concernant le langage, la parole, l'écriture et la lecture, l'éthique et le politique. Et surtout, il reste tant à *penser*, pour riposter à celui que Valadier dénomme l'« athée de rigueur » : Nietzsche. Comment faire, en effet, pour que la fascination par la crise ne devienne pas pensée de la crise, c'est-à-dire nihilisme imparfait, pour « le dernier des hommes » ? C'est dans cette perspective de modestie que je m'écrie : meure le personnalisme, revienne la personne. Nous sommes le mouvement mis en mouvement par cette « attitude » qui sait qu'elle ne dépasse pas le niveau de la *conviction*, elle-même gagée sur le seul pari que, si je ne fais pas du bonheur une fin, il me sera gracieusement donné par-dessus le marché. La seule chose importante est de discerner d'un ton juste l'intolérable d'aujourd'hui et de reconnaître ma dette à l'égard des causes plus importantes que moi-même qui me réquisitionnent.

Permettez-moi de finir par cette citation d'Emmanuel Mounier, qui qualifie en ces termes son œuvre et le mouvement Esprit : « Nous assistons [...] aux premières sinuosités d'une marche cyclique où les explorations poussées sur une voie jusqu'à épuisement ne sont abandonnées que pour être retrouvées plus tard et plus loin, enrichies par cet oubli et par les découvertes dont il a libéré le chemin » (*Qu'est-ce que le personnalisme ?*, p. 11).

Approches de la personne
(1990)

Dans un essai volontairement provocateur publié dans la revue *Esprit* (janvier 1983), à l'occasion du cinquantième anniversaire de la revue, j'ai risqué la formule : « Meurt le personnalisme, revient la personne ». Je voulais suggérer que la formulation du personnalisme par Mounier était, comme il le reconnaît lui-même volontiers, liée à une certaine constellation culturelle et philosophique qui n'est plus la nôtre aujourd'hui : ainsi, ni l'existentialisme ni le marxisme ne sont plus les seuls rivaux, ou même ne sont plus du tout des rivaux par rapport auxquels le personnalisme aurait à se définir, au risque de s'inscrire lui-même parmi les systèmes en -isme. Je terminais mon essai par cette citation de Mounier dans *Qu'est-ce que le personnalisme ?* : « Nous assistons [...] aux premières sinuosités d'une marche cyclique où les explorations poussées sur une voie jusqu'à épuisement ne sont abandonnées que pour être retrouvées plus tard et plus loin, enrichies par cet oubli et par les découvertes dont il a libéré le chemin » (p. 11).

D'autre part, je voulais dire que la personne était, encore aujourd'hui, le terme le plus approprié pour cristalliser des recherches auxquelles ne conviennent, pour des raisons variées que j'exposais alors, ni le terme de conscience, ni celui de sujet, ni celui d'individu. Ce sont quelques-unes de ces recherches que je voudrais exposer ici, au-delà du point atteint dans l'essai précédent, où je me limitais à définir la personne par une *attitude*, au sens d'Éric Weil, ou, comme on dirait en herméneutique, par la compréhension quotidienne que nous en avons. Je m'attachais ainsi, à la suite de P.-L. Landsberg, au couple que constituent le critère de la *crise* et celui de l'*engagement* ; je joignais à celui-ci quelques corollaires tels que : fidélité dans le temps à une cause supérieure, accueil de l'altérité et de la différence dans l'identité de la personne.

Je voudrais aujourd'hui mobiliser les recherches contemporaines sur le *langage*, sur l'*action*, sur le *récit*, qui peuvent donner à la constitution *éthique* de la personne un soubassement, un enracinement, comparables à ceux qu'Emmanuel Mounier explorait dans le *Traité du caractère*. En ce sens, la présente étude se situe dans le prolongement du *Traité du caractère*.

I

J'ai nommé quatre couches, ou quatre strates, de ce que pourrait constituer une phénoménologie herméneutique de la personne : langage, action, récit, vie éthique. Il vaudrait mieux dire d'ailleurs : l'*homme parlant*, l'*homme agissant* (et j'ajouterai l'*homme souffrant*), l'*homme narrateur* et personnage de son récit de vie, enfin, l'*homme responsable*. Avant de parcourir, dans l'ordre que je viens de dire, ces strates de la constitution de la personne, je me porterai directement au dernier stade de mon enquête, pour lui emprunter la structure ternaire que je verrai ensuite s'esquisser progressivement dans les couches antérieures de cette constitution. Par *structure ternaire*, j'entends ceci : si l'on veut bien distinguer l'éthique de la morale, en entendant par celle-ci l'ordre des impératifs, des normes, des interdictions, on découvre une dialectique plus radicale de l'*éthos*, susceptible de fournir un fil conducteur dans l'exploration des autres couches de la constitution de la personne. Dans un travail en cours de publication, je propose la définition suivante de l'*éthos : souhait d'une vie accomplie – avec et pour les autres – dans des institutions justes*. Ces trois termes me paraissent également importants pour la constitution éthique de la personne.

Souhait d'une vie accomplie : en inscrivant ainsi l'éthique dans la profondeur du désir, on souligne son caractère de souhait, d'optatif, antérieur à tout impératif. La formule complète en serait : Ah ! puissé-je vivre bien, sous l'horizon d'une vie accomplie et, en ce sens, heureuse ! L'élément

éthique de ce souhait ou de ce vœu peut être exprimé par la
notion d'*estime de soi*. En effet, quoi qu'il en soit du rapport
à autrui et à l'institution dont je parlerai un peu plus loin,
il n'y aurait pas de sujet responsable si celui-ci ne pouvait
s'estimer soi-même en tant que capable d'agir intentionnelle-
ment, c'est-à-dire selon des raisons réfléchies, et en outre
capable d'inscrire ses intentions dans le cours des choses par
des initiatives qui entrelacent l'ordre des intentions à celui
des événements du monde. L'estime de soi, ainsi conçue,
n'est pas une forme raffinée d'égoïsme ou de solipsisme. Le
terme *soi* est là pour mettre en garde contre la réduction à un
moi centré sur lui-même. En un sens, le soi auquel va l'estime – dans l'expression estime de soi – est le terme réfléchi
de toutes les personnes grammaticales. Même la seconde personne, dont on marquera plus loin l'irruption, ne serait pas
une personne si je ne pouvais soupçonner qu'en s'adressant à
moi elle se sait capable de se désigner soi-même comme
celle qui s'adresse à moi et ainsi s'avère capable de l'estime
de soi définie par l'intentionnalité et par l'initiative. Il en est
de même de la personne conçue comme troisième personne
– il, elle – qui n'est pas seulement la personne dont je parle,
mais la personne susceptible de devenir un modèle narratif
ou un modèle moral. J'en parle à la troisième personne,
comme foyer de la même estime de soi, celle que j'assume
en me désignant moi-même comme l'auteur de mes intentions et de mes initiatives dans le monde. Tel est le premier
terme de la triade constitutive de l'*éthos* personnel.

Le deuxième terme est marqué par l'expression : avec et
pour les autres. Je suggère d'appeler *sollicitude* ce mouvement du soi vers l'autre, qui répond par l'interpellation du soi
par l'autre, dont nous marquerons tout à l'heure les aspects
linguistiques, pratiques et narratifs. Tout en souscrivant aux
analyses de Lévinas sur le visage, l'extériorité, l'altérité,
voire le primat de l'appel venu de l'autre sur la reconnaissance de soi par soi, il me semble que la requête éthique la
plus profonde est celle de la réciprocité qui institue l'autre
comme mon semblable et moi-même comme le semblable de
l'autre. Sans réciprocité ou, pour employer un concept cher à
Hegel, sans reconnaissance, l'altérité ne serait pas celle d'un
autre que soi-même, mais l'expression d'une distance indiscernable de l'absence. Autre mon semblable, tel est le vœu

de l'éthique à l'égard du rapport entre l'estime de soi et la sollicitude.

C'est dans l'amitié que la similitude et la reconnaissance se rapprochent le plus d'une égalité entre deux insubstituables. Mais, dans les formes de sollicitude marquées par une inégalité initiale forte, c'est la reconnaissance qui rétablit la sollicitude. Ainsi, dans la relation du maître et du disciple, qui est finalement à l'arrière-plan de toutes les analyses d'Emmanuel Lévinas, la supériorité du maître sur le disciple ne se distingue de la supériorité du maître, au sens hégélien du terme, par rapport au serviteur ou à l'esclave, que par la capacité de reconnaissance de la supériorité qui égalise secrètement le rapport dissymétrique d'instruction ou d'enseignement ; en sens inverse, lorsque la sollicitude va du plus fort au plus faible, comme dans la compassion, c'est encore la réciprocité de l'échange et du don, qui fait que le fort reçoit du faible une reconnaissance qui devient l'âme secrète de la compassion du fort.

En ce sens, je ne conçois pas la relation du soi à son autre autrement que comme la recherche d'une égalité morale par les voies diverses de la reconnaissance. La réciprocité, visible dans l'amitié, est le ressort caché des formes inégales de la sollicitude.

On aura remarqué que je n'ai pas borné la dialectique de l'*éthos* à la confrontation entre l'estime de soi et la sollicitude. J'ai mis sur le même plan que cette dernière le souhait de vivre dans des *institutions justes*. En introduisant le concept d'*institution*, j'introduis une relation à l'autre qui ne se laisse pas reconstruire sur le modèle de l'amitié. L'autre est le vis-à-vis sans visage, le *chacun* d'une distribution juste. Je ne dirai pas que la catégorie du chacun s'identifie à celle de l'anonyme, selon une identification trop rapide avec le « on » de Kierkegaard et de Heidegger. Le chacun est une personne distincte, mais je ne la rejoins que par les canaux de l'institution. J'évoque ici bien entendu l'analyse aristotélicienne de la justice qui se prolonge jusque dans les traités médiévaux. Ce n'est pas par hasard que la forme la plus remarquable de justice est appelée justice distributive. Par distribution il ne faut pas entendre ici un phénomène purement économique, qui compléterait les opérations de production. Il n'est pas illégitime de concevoir toute institution comme un schème de distribution, dont les parts à distribuer sont non seulement des biens et des marchandises, mais des droits et des devoirs, des obligations et des charges, des avantages et des désavantages, des responsabilités et des honneurs.

Le problème de la justice devient un problème éthique difficile dès lors que nulle société n'a pu réussir, ni même se proposer une distribution égale, non seulement encore une fois entre les biens et les revenus, mais aussi entre les charges et les responsabilités. C'est à ce problème de la justice dans un partage inégal que s'applique très exactement l'idée de justice distributive depuis Aristote. Je ne m'attarderai pas à la notion d'égalité proportionnelle par laquelle Aristote définit la justice distributive. Je la prendrai seulement comme point de départ d'un long processus argumentatif qui se poursuit jusqu'à notre époque et dont l'œuvre de Rawls, dans *Théorie de la justice*, offre le meilleur modèle. Ce qui distingue la relation à autrui dans l'institution de la relation d'amitié dans le face-à-face, c'est précisément cette médiation des structures de distribution, à la recherche d'une proportionnalité digne d'être appelée équitable. De Rawls je retiendrai seulement la suggestion que, à la différence de l'utilitarisme anglo-saxon où la justice est définie par la recherche de l'avantage maximal pour le plus grand nombre, la justice, dans les partages inégaux, est définie par la maximisation de la part la plus faible. On retrouve, dans ce souci à l'égard du plus défavorisé, l'équivalent de la recherche de reconnaissance sur le plan de l'amitié et des relations interpersonnelles.

Mais il ne faut pas attendre de la relation de justice dans un système de distribution la sorte d'intimité que visent les relations interpersonnelles scellées dans l'amitié. C'est ce qui fait précisément de la catégorie du *chacun* une catégorie irréductible à l'*autrui* de la relation amoureuse ou amicale. Cette incapacité du chacun à s'égaler à l'ami ne marque aucune infériorité éthique : la grandeur éthique du chacun est indiscernable de la grandeur éthique de la justice, selon la formule romaine bien connue : attribuer à chacun son dû.

Avant de procéder régressivement de la sphère éthique vers celle qui la précède dans l'ordre hiérarchique proposé au début, j'aimerais comparer l'analyse que je viens d'esquisser

brièvement avec une structure comparable que je trouve chez
Emmanuel Mounier, par exemple lorsqu'il parle de « révolution personnaliste et communautaire ». On aura remarqué
que Mounier propose une dialectique à deux termes : personne et communauté. Ma formule à trois termes : estime de
soi, sollicitude, institutions justes, me paraît compléter, plutôt
que réfuter, la formule à deux termes. Je distingue les relations interpersonnelles, ayant pour emblème l'amitié, des
relations institutionnelles, ayant pour idéal la justice. Cette
distinction me paraît tout à fait bénéfique pour le personnalisme lui-même. En effet, surtout dans les premières années
de la revue *Esprit*, la spécificité du rapport institutionnel se
trouvait masquée par l'utopie d'une communauté qui serait
en quelque sorte l'extrapolation de l'amitié. L'opposition
qu'on trouve chez certains penseurs allemands du début du
siècle entre communauté et société conduit à la même utopie
d'une communauté d'hommes et de femmes qui serait une
personne de personnes. Il devient alors très difficile de reconnaître l'autonomie du plan politique par rapport au plan
moral. Car, s'il est une différence irréductible entre les deux
plans, c'est bien le fait que la politique a rapport à la distribution du pouvoir dans une société donnée. En spécifiant
ainsi ce qui est à distribuer, à répartir, sous le terme de *pouvoir*, le politique s'inscrit dans la sphère de l'idée de justice
en tant qu'elle est irréductible, précisément par son caractère
distributif, à l'amitié et à l'amour qui ignorent ce genre de
médiation. En distinguant nettement entre relations interpersonnelles et relations institutionnelles, on rend pleine justice à la dimension politique de l'*éthos*. Du même coup, on
libère l'idée communautaire d'une équivoque qui finalement
l'empêche de se déployer pleinement dans ces régions de
relations humaines où l'autre reste sans visage sans pour
autant rester sans droits. En distinguant ainsi fortement entre
amitié et justice, on préserve la force du face-à-face, tout en
donnant une place au chacun sans visage. En d'autres termes,
sous le terme d'autre, il faut mettre deux idées distinctes :
autrui et chacun. L'autrui de l'amitié et le chacun de la justice. En même temps, on ne les sépare pas, dans la mesure
où il appartient à l'idée d'*éthos* d'embrasser dans une unique
formule bien articulée le souci de soi, le souci d'autrui et le
souci de l'institution. C'est cette triade qui va maintenant

nous aider à recomposer une idée plus riche de la personne, en tenant compte des recherches actuelles sur le langage, sur l'action et sur le récit.

II

Une reprise contemporaine de l'idée de personne a tout à gagner d'un dialogue avec les philosophies inspirées par ce qu'on a appelé le *linguistic turn*. Non que tout soit langage, comme il est dit parfois avec excès dans des conceptions où le langage a perdu sa référence au monde de la vie, à celui de l'action et à celui du commerce entre les personnes. Mais, si tout n'est pas langage, tout, dans l'expérience, n'accède au *sens* que sous la condition d'être porté au langage. L'expression « porter l'expérience au langage » invite à tenir l'homme parlant, sinon pour l'équivalent de l'homme tout court, du moins pour la condition première de l'être-homme. Même si, dans un instant, nous serons amenés à faire de la catégorie de l'agir la catégorie la plus remarquable de la condition personnelle, l'agir proprement humain se distingue du comportement animal, et à plus forte raison du mouvement physique, en ceci qu'il doit être dit, c'est-à-dire porté au langage, afin d'être signifiant.

Qu'est-ce que les philosophies du langage apportent à notre investigation sur la personne? On peut répartir sur deux plans les contributions de la philosophie linguistique à une philosophie de la personne.

Le premier plan, celui de la *sémantique*, donne l'occasion d'une première esquisse de la personne en tant que singularité. Le langage, en effet, est structuré de telle façon qu'il peut désigner des individus, sur la base d'opérateurs spécifiques d'individualisation tels que les descriptions définies, les noms propres et les déictiques, y compris les adjectifs et les pronoms démonstratifs, les pronoms personnels, les temps verbaux. Bien entendu tous les individus ainsi visés au moyen de ces opérateurs ne sont pas des personnes. Les personnes sont des individus d'une certaine sorte. Mais c'est à la singularité des personnes que nous sommes particulièrement intéressés. Or le langage nous permet une telle visée individualisante à la faveur de ces opérateurs permettant de désigner une personne, et une seule, et de la distinguer de toutes les autres. C'est là une partie de ce que nous appelons identification.

À cette première propriété du langage s'ajoute une contrainte plus spécifique qui relève encore du niveau de la sémantique considérée du point de vue des implications référentielles. En vertu de cette contrainte à laquelle l'œuvre classique de Peter Strawson – *Les Individus* (Le Seuil, 1973) – est consacrée, il nous est impossible d'identifier un particulier donné sans le classer soit parmi les corps, soit parmi les personnes. La personne apparaît alors comme un particulier de base, c'est-à-dire l'un de ces particuliers auxquels nous devons nous référer lorsque nous parlons comme nous le faisons au sujet des composantes du monde. Le langage ordinaire est à cet égard un remarquable conservatoire des opérations linguistiques les plus fondamentales concernant l'identification en termes de particuliers de base. Trois contraintes sont liées au statut de la personne comme particulier de base. Premièrement, les personnes doivent être des corps en vue d'être en outre des personnes. Deuxièmement, les prédicats psychiques qui distinguent les personnes des corps sont attribués à la même entité que les prédicats communs aux personnes et aux corps, disons les prédicats physiques. Troisièmement, les prédicats psychiques sont tels qu'ils conservent la même signification, qu'ils soient appliqués à soi-même ou à quelqu'un d'autre (ainsi je comprends le mot peur ou le mot désir indépendamment de son application à moi-même ou à tout autre). Comme on voit, la personne n'est pas encore un soi à ce niveau de discours dans la mesure où elle n'est pas traitée comme une entité capable de se désigner elle-même. C'est l'une des choses au sujet desquelles nous parlons, c'est-à-dire une entité à quoi nous faisons référence. Néanmoins, cet accomplissement du langage ne doit pas être sous-estimé, dans la mesure où, en référant aux personnes comme particuliers de base, nous assignons un statut logique élémentaire à la troisième personne grammaticale – lui, elle –, même si c'est seulement au niveau pragmatique que la troisième personne est plus qu'une personne grammaticale, à savoir précisément un soi. Ce plein droit de la troisième personne dans notre discours sur la personne est confirmé par la place que la littérature assigne aux protagonistes de la plupart de nos récits qui sont des récits en *il* et *elle* beaucoup plus souvent que des récits à la première personne, des autobiographies.

Mais c'est sur le plan de la *pragmatique*, plutôt que sur celui de la sémantique, que l'apport de la linguistique à une philosophie de la personne est le plus décisif. J'entends par pragmatique l'étude du langage dans les situations de discours où la signification d'une proposition dépend du contexte d'interlocution. C'est à ce stade que le *je* et le *tu*, impliqués dans le processus d'interlocution, peuvent être thématisés pour la première fois. La meilleure façon d'illustrer ce point est de se placer dans le cadre de la théorie des actes de discours *(speech acts)* et de prendre appui sur la distinction entre acte locutoire et acte illocutoire. L'acte locutoire, c'est la simple proposition. Le papier est sur la table. La force illocutoire d'énonciation diffère selon que le discours est une simple constatation, comme dans le cas précédent, ou une promesse, un avertissement, une menace ; dans ce cas on peut dire que le langage *fait* quelque chose. Quand je dis : « Je promets de vous rendre le livre que vous m'avez prêté », je fais quelque chose. La simple énonciation « Je promets » fait que je suis effectivement engagé. On retrouve ici la notion d'engagement, chère à la tradition personnaliste, mais étayée par des analyses précises des actes de discours. C'est la force illocutoire des actes de discours qui exprime l'engagement du locuteur dans son discours. Cela dit, qu'en est-il de la structure triadique reconnue au niveau de la constitution éthique de la personne ?

Ma thèse est ici qu'il est possible de reformuler la théorie des actes de discours, et à travers elle toute la pragmatique, sur la base de la triade de l'analyse de l'*éthos* moral.

L'équivalent de l'estime de soi sur le plan de la pragmatique est constitué par le « je parle » impliqué dans chacune des configurations d'actes de discours. Tous les actes de discours peuvent être récrits de la façon suivante : « je déclare », « je promets », « j'avertis », etc. L'avancée dans la caractérisation de la personne comme soi est manifeste : tandis qu'au niveau de la sémantique la personne était seulement l'une des choses au sujet desquelles nous parlons, au niveau de la pragmatique la personne est immédiatement désignée comme soi, dans la mesure où le sujet parlant se désigne soi-même chaque fois qu'il spécifie l'acte illocutoire dans lequel il engage sa parole. Je serais tenté de dire que c'est d'abord comme locuteur capable de se désigner soi-même que l'estime de soi est anticipée dans sa signification pré-morale.

Quant à la relation à l'*autre*, elle est bien évidemment mise en jeu dans le contexte de l'interlocution que la pragmatique prend en compte dès lors qu'elle se distingue de la sémantique. On pourrait ainsi définir le discours : quelqu'un dit quelque chose sur quelque chose à quelqu'un d'autre. Dire quelque chose sur quelque chose, c'est le noyau sémantique du discours. Mais que quelqu'un s'adresse à quelqu'un d'autre, cela fait la différence entre le discours effectif et une simple proposition logique. Il est remarquable que, dans cette relation d'interlocution, les deux pôles du discours sont également impliqués comme se désignant chacun soi-même et comme s'adressant soi-même à l'autre. À vrai dire, l'expression s'adresser à l'autre exige le renversement : quelqu'un d'autre s'adresse à moi et je réponds. Nous retrouvons le problème posé plus haut de la reconnaissance : en un sens, on peut dire que c'est l'autre qui prend l'initiative et que je me reconnais comme personne dans la mesure où je suis, selon l'expression de Jean-Luc Marion, interpellé ou, mieux, interloqué. Mais je ne serais pas celui à qui la parole est adressée si je n'étais pas en même temps capable de me désigner moi-même comme celui à qui la parole est adressée. En ce sens, autodésignation et allocution sont aussi réciproques que l'étaient plus haut l'estime de soi et la sollicitude.

J'aimerais dire encore une chose avant de quitter le plan du langage : ce ne sont pas seulement le *je* et le *tu* qui sont ainsi portés au premier plan par le processus d'interlocution, mais le langage lui-même comme *institution*. Nous parlons – c'est-à-dire je parle, tu parles, il parle –, mais nul n'invente le langage ; il le met seulement en mouvement, ou mieux en œuvre, au moment où il prend la parole, comme le dit si bien l'expression populaire. Mais prendre la parole, c'est assumer la totalité du langage comme institution me précédant et m'autorisant en quelque sorte à parler. À cet égard, la corrélation entre le langage comme institution et le discours comme locution et allocution constitue un modèle insurpassable pour toute relation entre les institutions de tout genre (politique, judiciaire, économique, etc.) et les interrelations humaines. Par langue, il faut entendre ici non seulement les règles qui président à la constitution des systèmes phonologiques, lexicaux, syntaxiques, stylistiques, etc., mais aussi l'accumulation des « choses dites » avant nous. Naître, c'est apparaître dans un milieu où il a déjà été parlé avant nous.

La triade langagière : locution, interlocution, langage comme institution est ainsi strictement homologue à la triade de l'*éthos* : estime de soi, sollicitude, institutions justes. Cette homologie devient une véritable implication mutuelle dans le cas de certains actes de discours comme la promesse. La *promesse* conjoint en fait la triade langagière et la triade éthique. D'un côté, la promesse est un acte de discours parmi d'autres. Elle implique simplement la règle constitutive selon laquelle dire : « Je promets », c'est se placer sous l'obligation de faire quelque chose. Mais cet engagement implique plus que soi-même. Qu'est-ce qui, en effet, m'oblige à tenir ma promesse ? Trois choses : d'une part, tenir sa promesse, c'est se maintenir soi-même dans l'identité de celui qui a dit et de celui qui demain fera. Ce maintien de soi annonce l'estime de soi. D'autre part, c'est toujours à quelqu'un que l'on promet : « Je te promets de faire ceci ou cela » ; et le renversement que nous avions observé à propos de la reconnaissance mutuelle se produit ici : c'est parce que quelqu'un compte sur moi, attend de moi que je tienne ma promesse que je me sens moi-même lié. Enfin, l'obligation de tenir sa promesse équivaut à l'obligation de préserver l'institution du langage, dans la mesure où celle-ci, par sa structure fiduciaire, repose sur la confiance de chacun dans la parole de chacun ; à cet égard, le langage apparaît non seulement comme une institution, mais comme une institution de distribution : de distribution de la parole, si l'on ose dire. Dans la promesse, la structure triadique du discours et la structure triadique de l'*éthos* se recouvrent mutuellement.

III

Je voudrais dire maintenant quelque chose sur la personne comme sujet *agissant* et *souffrant*. Ici, la théorie de la personne reçoit un renfort considérable de ce qu'on appelle aujourd'hui *théorie de l'action*. Cette théorie, très en vogue dans le milieu anglo-saxon, repose sur une analyse linguistique des phrases d'action du type : A fait X dans les circonstances Y. Il apparaît que la logique de ces phrases d'action est irréductible à celle de la proposition attributive : S est P. Je ne m'attarderai pas sur ce problème qui concerne la sémantique de l'action, afin de réserver l'essentiel de mon analyse à l'implication de l'agent dans l'action. Ce problème est très embarrassant pour la théorie de l'action. En effet, celle-ci s'est concentrée sur le rapport entre deux questions posées par l'action humaine. La première est celle que l'on vient d'évoquer du sens des propositions se rapportant à des actions humaines. On pourrait dire que cette investigation sémantique répond à la question *quoi*. Le second champ d'investigation a été celui de la motivation de l'action et de toute la problématique tournant autour de la question *pourquoi* ; ainsi, on a pu dire qu'une action est intentionnelle dans la mesure où la question *pourquoi* appelle pour réponse, non pas une cause physique, mais un motif psychologique, plus précisément une raison pour laquelle l'action est faite. Reste la question *qui* autour de laquelle gravitent toutes les difficultés les plus redoutables. On peut dire en gros que la problématique de la personne s'identifie, dans le champ de l'action, à la problématique du qui ? (qui a fait quoi ? pourquoi ?). Or l'attribution de l'action à un agent s'avère être une attribution irréductible à celle d'un prédicat à un sujet logique ; c'est pourquoi, dans la théorie de l'action, on a souvent réservé un terme technique, ayant valeur de néologisme, pour dire cette attribution *sui generis* : c'est ainsi qu'on parle d'*ascription* pour distinguer le rapport de l'action à son agent de l'attribution d'un prédicat à un sujet logique.

Or l'ascription a une parenté certaine avec ce qu'on appelle *imputation* sur le plan moral. Il ne faudrait pas toutefois donner trop rapidement une coloration morale à l'ascription. L'imputation morale suppose plus ou moins une incrimination, donc la possibilité de tenir l'agent pour coupable ou non. L'ascription est à la fois plus simple et plus obscure ; plus simple en ce sens qu'elle n'a pas nécessairement une coloration morale : elle vise simplement à attribuer un segment de changement dans le monde à quelqu'un qui est dit en être l'agent. Mais ce rapport pris dans sa dimension pré-morale est très obscur, en ce sens qu'il nous ramène au vieux problème de la puissance et de l'acte ; le langage ordinaire n'a aucune difficulté à en faire l'aveu. Pour le langage ordinaire, en effet, c'est un trait spécifique de l'action qu'elle puisse être rapportée à quelqu'un qui est dit capable de faire ; mais ce pouvoir d'agir de l'agent s'exprime seulement au travers de métaphores, telles que paternité, domination, propriété (cette dernière étant incorporée à la grammaire des adjectifs et pronoms possessifs).

C'est ici que notre triade de l'*éthos* peut servir de guide pour nous orienter dans la problématique du qui ? en tant que distincte de celle du quoi ? et du pourquoi ? de l'action. Le qui ? de l'action présente la même structure triadique que l'*éthos* moral. D'un côté, il n'est pas d'agent qui ne puisse se désigner lui-même comme étant l'auteur responsable de ses actes. En ce sens, nous retrouvons les deux composantes de l'estime de soi : la capacité d'agir selon des intentions et celle de produire par notre initiative des changements efficaces dans le cours des choses ; c'est en tant qu'agent que nous nous estimons à titre primaire. Mais, d'autre part, l'action humaine ne se conçoit que comme *interaction* sous des formes innombrables variant de la coopération à la compétition et au conflit. Ce qu'on appelle *praxis* depuis Aristote implique pluralité d'agents s'influençant mutuellement dans la mesure où ils ont prise ensemble sur l'ordre des choses. C'est alors que la troisième composante de l'*éthos* intervient : il n'est pas d'action qui ne se réfère à ce qu'on a appelé, en théorie de l'action, des étalons d'excellence. C'est le cas des métiers, des jeux, des arts, des techniques, impossibles à définir sans faire référence à des préceptes (techniques, esthétiques, juridiques, moraux, etc.), qui définissent le niveau de réussite ou d'échec d'une action donnée. Or ces préceptes viennent de plus loin que chacun des sujets agissants pris un à un ou même en relation d'interaction. Ce sont des traditions, révisables certes par l'usage, mais qui insèrent l'action de chacun dans un complexe signifiant et normé en vertu duquel il est possible de dire qu'un pianiste est un bon pianiste, un médecin, un bon médecin. En ce sens, les structures évaluatives et normatives impliquées dans les étalons d'excellence sont des institutions.

Dans ce contexte, le terme institution ne doit pas être

pris en un sens politique, ni même juridique ou moral, mais au sens d'une téléologie régulatrice d'une action dont le meilleur exemple est celui des règles constitutives d'un jeu tel que le jeu d'échecs. Il en est ici comme du rapport entre l'institution du langage et les paroles échangées : dans un jeu comme le jeu d'échecs, il ne dépend d'aucun des joueurs que la valeur de chacune des pièces du jeu soit définie par des règles d'emploi que ces joueurs acceptent ; inversement, de ces règles constitutives du jeu on ne peut déduire qui gagnera la partie en cours. La partie est ici l'équivalent de l'échange de paroles dans la situation d'interlocution. Nul ne peut prévoir ce que deviendra la conversation : accord ou altercation. De même dans le jeu d'échecs, chaque partie est aléatoire, alors même que les règles sont fixes. De ces brèves remarques je conclus qu'il faut donner à la notion d'institution un sens pré-moral, ou mieux pré-éthique, à la dimension même de la praxis humaine.

Mais le passage du plan pratique – ou *praxis* – au plan éthique est aussi facile à voir que le passage du plan linguistique au plan éthique dans le cas de la promesse. Ce qui fait que la *praxis* se prête à des considérations éthiques résulte d'un aspect fondamental de l'interaction humaine, à savoir qu'agir pour un agent, c'est exercer un *pouvoir-sur* un autre agent ; plus exactement, cette relation exprimée par le terme *pouvoir-sur* met en présence un agent et un patient ; il est essentiel à la théorie de l'action de compléter l'analyse de l'agir par celle du pâtir ; l'action est subie par quelqu'un d'autre. Sur cette dissymétrie fondamentale de l'action se greffent toutes les perversions de l'agir qui culminent dans le processus de victimisation : depuis le mensonge et la ruse jusqu'à la violence physique et la torture, la violence s'instaure entre les hommes comme le mal fondamental inscrit en filigrane dans la relation dissymétrique entre l'agent et son patient.

C'est ici que l'éthique de l'interaction se définit par son rapport à la violence et, par-delà la violence, par rapport à la possibilité de victimisation inscrite dans le rapport agir-subir. La règle éthique s'énonce alors dans les termes de la Règle d'or : « Ne fais pas à autrui ce que tu ne voudrais pas qu'il te soit fait. » On remarquera que, dans sa formulation la plus simple, la Règle d'or met en présence non pas deux agents, mais un agent et un patient. Un rapport précis s'établit ainsi entre la Règle d'or et la justice distributive, que nous avons vu culminer dans le principe de Rawls, à savoir la maximisation de la part minimale dans un partage inégal. C'est toujours l'inégalité entre agents qui pose le problème éthique au cœur de la structure inégalitaire de l'interaction.

Mais cette corrélation entre théorie de l'action et théorie de l'éthique doit être respectée selon sa stricte réciprocité. Si la théorie de la praxis débouche spontanément dans une théorie morale et politique de la distribution juste, ce sont inversement les structures fondamentales de l'action, sous le couvert des questions qui ? quoi ? pourquoi ? qui donnent une assise ontologique à l'éthique. Il n'y a d'éthique que pour un être capable non seulement de s'autodésigner en tant que locuteur, mais encore de s'autodésigner en tant qu'agent de son action. C'est de cette façon que se rejoignent la triade éthique : souci de soi, souci de l'autre, souci de l'institution – et la triade praxique : ascription de l'action à son agent, interaction survenant entre agents et patients, étalons d'excellence définissant les degrés de réussite et d'accomplissement des agents et des patients dans les métiers, les jeux et les arts.

IV

Je voudrais maintenant, dans la dernière partie de mon exposé, dire quelques mots de la médiation narrative que je suggère d'intercaler entre le niveau de la *praxis*, ou des pratiques, et celui de l'éthique auquel nous avons emprunté le rythme ternaire de nos analyses successives. Quels problèmes spécifiques pose ce passage par le narratif ? Essentiellement, les problèmes liés à la considération du *temps* dans la constitution de la personne. On aura remarqué que nous n'y avons fait aucune allusion, ni dans notre analyse de l'interlocution, ni dans celle de l'interaction, ni même dans notre élaboration du ternaire de l'*éthos* : souci de soi, souci de l'autre, souci de l'institution. Or, ce qui fait problème, c'est le simple fait que la personne n'existe que sous le régime d'une vie qui se déroule de la naissance à la mort. Qu'est-ce qui constitue ce qu'on peut appeler l'enchaînement d'une vie ? Posé en termes philosophiques, ce problème est celui de l'identité. Qu'est-ce qui demeure identique dans le cours d'une vie humaine ? Il est aisé de voir que cette question prolonge celle du qui par laquelle nous avons introduit notre analyse de l'agent en tant que sujet de l'action. Qui est l'agent ? demandions-nous, et nous aurions pu déjà demander : qui est le locuteur du discours ? qui parle ? La question de l'identité est celle précisément de ce *qui*.

Or une analyse rapide du concept d'identité révèle son équivoque fondamentale. Par identité, nous pouvons entendre deux choses différentes : la permanence d'une substance immuable que le temps n'affecte pas. Je parlerai dans ce cas de *mêmeté*. Mais nous avons un autre modèle d'identité, celui-là même que présuppose notre modèle antérieur de la promesse. Celui-ci, en effet, ne présuppose aucune immuabilité. Bien au contraire, le problème de la promesse, c'est précisément celui du maintien d'un soi en dépit de ce que Proust appelait les vicissitudes du cœur. De quoi est fait ce maintien impliqué dans la tenue d'une promesse ? Je propose de distinguer ici entre l'identité *idem*, que je viens d'appeler mêmeté, et l'identité *ipse*, à quoi correspond le concept peut-être trop savant d'*ipséité*.

Je ne veux pas me borner à opposer purement et simplement mêmeté et ipséité, comme si la mêmeté correspondait à la question *quoi* et l'ipséité à la question *qui*. En un sens, la question *quoi* est interne à la question *qui*. Puis-je poser la question : « *Qui* suis-je ? » sans m'interroger sur *ce que* je suis ? La dialectique de la mêmeté et de l'ipséité est ainsi interne à la constitution ontologique de la personne.

C'est ici que je fais intervenir la dimension narrative ; c'est en effet dans le déroulement de l'histoire racontée que se joue la dialectique entre mêmeté et ipséité. L'instrument de cette dialectique, c'est la mise en intrigue qui, d'une poussière d'événements et d'incidents, tire l'unité d'une histoire. Or ce n'est pas seulement l'action qui est ainsi mise en intrigue, mais les personnages eux-mêmes de l'histoire racontée, dont on peut dire qu'ils sont mis en intrigue au même titre et en même temps que l'action racontée. C'est à partir de là que l'on peut rendre compte de la dialectique entre mêmeté et ipséité, disons la dialectique de l'identité personnelle. On peut la caractériser par ses deux extrêmes. D'un côté, le recouvrement peut être presque complet entre la cohérence du personnage de l'histoire et la fixité d'un caractère qui permet de l'identifier comme même d'un bout à l'autre de l'histoire. C'est à peu près ce qui se passe dans les contes de fées ou les récits folkloriques, voire le roman classique à ses débuts. Mais, à l'autre extrémité, nous sommes confrontés à des cas troublants où l'identité du personnage paraît se dissoudre entièrement, comme dans les romans de Kafka, de Joyce, de Musil et, en général, le roman post-classique. Est-ce à dire que toute identité a disparu ? Non point. Car nous intéresserions-nous encore au drame de la décomposition de l'identité-mêmeté, si ce drame ne mettait en relief le caractère poignant de la question qui ? Qui suis-je ? On pourrait dire que, dans ce cas extrême, la question : *qui* suis-je ? est privée du support de la question : *que* suis-je ? L'ipséité s'est en quelque sorte dissociée de la mêmeté.

Si tel est bien le sens de ces expériences de pensée qui abondent dans la littérature contemporaine, nous pouvons dire que la vie ordinaire se meut entre les deux pôles du recouvrement presque complet de l'ipséité et de la mêmeté, et de leur dissociation presque complète.

Je n'en dirai pas plus sur cette dialectique, afin de me tourner vers la question qui nous rassemble aujourd'hui, à savoir : quel enseignement une philosophie de la personne peut-elle tirer de cette dialectique de l'identité personnelle ? Plus précisément, la médiation narrative nous permet-elle de retrouver, et éventuellement d'enrichir, le fameux ternaire qui constitue la cellule mélodique de toute cette étude ? Je ne voudrais pas céder à l'esprit de système en inventant de fausses fenêtres. Aussi me bornerai-je à des analogies successives sans vouloir en tirer un parallélisme rigide.

Je dirai d'abord que, au premier terme de notre ternaire de l'*éthos* personnel, l'estime de soi, correspond le concept d'*identité narrative* par lequel je définis la cohésion d'une personne dans l'enchaînement d'une vie humaine. La personne se désigne elle-même dans le temps comme l'unité narrative d'une vie. Celle-ci reflète la dialectique de la cohésion et de la dispersion que l'intrigue médiatise. Ainsi la philosophie de la personne pourrait-elle être libérée des faux problèmes issus du substantialisme grec. L'identité narrative échappe à l'alternative du substantialisme : ou bien l'immua-bilité d'un noyau intemporel, ou bien la dispersion dans des impressions, comme on voit chez Hume et chez Nietzsche.

Deuxièmement, l'élément d'altérité, qui figure dans notre ternaire initial comme le second moment sous le titre de la sollicitude, a son équivalent narratif dans la constitution même de l'identité narrative. Et cela de trois façons diffé-rentes. D'abord, l'unité narrative d'une vie intègre la disper-sion, l'altérité, marquée par la notion d'événement avec son caractère contingent et aléatoire. Ensuite, et ceci est peut-être plus important encore, chaque histoire de vie, loin de se clore sur elle-même, se trouve enchevêtrée dans toutes les histoires de vie auxquelles chacune est mêlée. En un sens, l'histoire de ma vie est un segment de l'histoire d'autres vies humaines, à commencer par celle de mes géniteurs, en continuant par celle de mes amis et, pourquoi pas, de mes adversaires. Ce que nous avons dit plus haut sur l'action en tant qu'inter-action a son reflet dans ce concept d'*enchevêtrement des histoires*. J'emprunte ce terme à Wilhelm Schapp dans son ouvrage au titre suggestif : *Enchevêtré dans des histoires*. Enfin, l'élément d'altérité est lié au rôle de la fiction dans la constitution de notre propre identité. Nous nous reconnais-sons nous-mêmes à travers les histoires fictives de person-nages historiques, de personnages de légende ou de roman ; à cet égard, la fiction est un vaste champ expérimental pour le travail sans fin d'identification que nous poursuivons sur nous-mêmes.

Je voudrais dire en troisième lieu que l'approche narrative ici esquissée vaut autant pour les institutions que pour les personnes prises individuellement ou en interaction. *Les institutions elles aussi n'ont d'identité que narrative.* Cela est déjà vrai de l'institution du langage, qui se développe selon le rythme de la traditionalité et de l'innovation. Ce l'est aussi de toutes les institutions de la pratique quotidienne, dont les patrons d'excellence sont aussi des produits de l'histoire en même temps que des modèles transhistoriques. Je ne dirai rien du récit lui-même comme institution, à travers les for-malismes narratifs soulignés par l'analyse structurale des récits : le récit, en ce sens, est lui-même une institution, obéissant à des canons pour lesquels vaut aussi la dialectique temporelle de l'identité. Je voudrais insister sur un dernier point : les institutions, au sens plus précis du terme dont nous usons quand nous leur appliquons la règle de justice, dans la mesure où elles peuvent être tenues pour de vastes systèmes de distribution de rôles, n'ont elles-mêmes d'autre identité qu'une identité narrative. À cet égard, bien des débats sur l'identité nationale peuvent apparaître complètement faussés par la méconnaissance de la seule identité qui convient aux personnes et aux communautés, à savoir l'identité narrative, avec sa dialectique de changement et de maintien de soi par la voie du serment et de la promesse. Ne cherchons point de substance fixe derrière ces communautés ; mais ne leur refusons pas non plus la capacité de se maintenir par le moyen d'une fidélité créatrice par rapport aux événements fondateurs qui les instaurent dans le temps.

Je m'arrête au moment où mon parcours me ramène à mon point de départ : l'*éthos* de la personne rythmé par le ternaire : estime de soi, sollicitude pour autrui, souhait de vivre dans des institutions justes.

Jean Nabert

Préface à
Éléments pour une éthique[1]
(1962)

Faut-il donner une préface à ce livre admirable, que son auteur a voulu sans préparatif d'aucune sorte, sans avertissement, ni introduction ? Dès la première page, en effet, le lecteur se trouve aux prises avec une triple expérience, avec un triple sentiment – de faute, d'échec et de solitude ; la réflexion peut y apercevoir d'un seul coup « la double relation que laissent entrevoir ces expériences : à un non-être qui se répand en elles et à une certitude qui en compense et en fonde à la fois la limitation » (p. 4).

Il n'est proposé aucune justification préalable à cette mise en route ; pour qui admet de commencer ainsi, les raisons viennent en marchant ; la pensée est tirée en avant par la différence intime qui travaille cette expérience initiale ; toute l'énergie de la réflexion procède de cette différence de potentiel entre l'aspiration de son désir d'être et l'épreuve « des résistances que cette expansion a rencontrées ou des défaillances dont le moi s'est rendu coupable » *(ibid.)*.

Ainsi, le philosophe de la réflexion ne cherche pas le point de départ radical ; il a déjà commencé, mais sur le mode du *sentiment* ; tout est déjà éprouvé, mais tout reste à comprendre, à « ressaisir » – selon le bon mot de Jean Nabert –, en clarté et en rigueur ; ce sont précisément ces sentiments initiaux qui attestent que la réflexion est désir et non point intuition de soi, jouissance de son être. La réflexion est justifiée comme réflexion par ce qui paraît la précéder, l'obscurcir et la limiter ; elle est ce mouvement même qui se reprend sur sa confusion initiale et « s'oriente vers l'affirmation à laquelle s'ordonne l'expérience morale tout entière » (p. 4) ;

---

1. Paris, PUF, 1943 ; Aubier, 1962, réédition 1992.

commencer, pour la philosophie réflexive, ce n'est donc pas poser une première vérité, c'est « révéler les structures » de cela même qui précède la réflexion, les structures de la conscience spontanée ; c'est montrer qu'il y a dans cette conscience un ordre, qui peut être compris et qui peut faire comprendre pourquoi ce moi n'est pas toujours déjà arrivé à la satisfaction, pourquoi la réflexion est désir.

Cette relation initiale de la réflexion au sentiment règle toute la courbe du livre. Dans une première partie intitulée : « Les données de la réflexion », la conscience lucide éclaire en arrière d'elle-même les sentiments fondamentaux qui la mettent en mouvement. Dans une deuxième partie – « L'affirmation originaire » –, le mouvement ascendant de la reprise réflexive atteint son sommet. Le *Je suis* qui anime le désir et auquel ce désir d'être tâche de s'égaler est révélé comme la vérité de la réflexion elle-même. « Mais la courbe de cette expérience ne fait que passer par ce moment pour s'infléchir aussitôt dans le sens que lui assignent les actions où cette affirmation se conjugue avec les tendances, avec la nature, pour une promotion des valeurs dans le monde » (p. 4). Dans la philosophie réflexive, en effet, il n'est point de repos sur quelque mont de la transfiguration : parce que la réflexion n'est pas possession intuitive de soi-même, l'affirmation originaire ne s'atteste que par le mouvement même qui produit l'existence du moi à partir du désir sur tous les plans de l'action ; il faut alors que l'existence du moi « imite et vérifie, autant qu'il est possible, la certitude première » (p. 70).

C'est la tâche de la troisième partie – intitulée « L'existence » – de déployer ce mouvement d'expansion vers le monde, afin d'éprouver la libération « à la fois absolue et irréelle » (p. 61) que la réflexion a opérée dans son mouvement rétrospectif ; cette libération, pour devenir réelle, doit attester son efficacité dans l'affranchissement des penchants particuliers à l'égard de la tyrannie de leurs objets, dans la discipline du travail, dans l'édification des institutions économiques, politiques et culturelles, dans le commerce effectif des consciences. On ne sera pas étonné qu'en s'infléchissant ainsi vers les « œuvres » la courbe de l'expérience ramène finalement au sentiment. Mais le sentiment terminal, à la différence de la faute, de l'échec et de la solitude, n'exprime plus la *distance* de la conscience spontanée à la certitude que veut son désir ; il exprime la présence même de cette certitude, en dépit de la distance invincible de la conscience à elle-même. Ce sentiment, plus proche du sublime que de la béatitude, laquelle correspondrait à une jouissance de l'être que la méthode réflexive ne donne pas, Jean Nabert l'appelle la « vénération » (p. 219 *sq.*) ; il naît des exemples divers, mais secrètement parents, de la grandeur : « Quand des actions absolues impliquent un consentement à la perte de la vie, elles suscitent notre plus haute vénération [...] ; elle est inspirée par le sentiment que l'être que nous vénérons vaut au-dessus de toute valeur par ce qui est, en effet, au-delà de la valeur, et que nous allons ainsi, par lui, vers ce qui est aussi au principe de notre être propre. Il nous présente ce que la réflexion nous faisait affirmer » (p. 234-235).

Ainsi la réflexion part du sentiment et retourne au sentiment ; mais d'un sentiment confus à un sentiment instruit ; du sentiment d'une séparation à celui d'une participation. Mais si la réflexion procède du sentiment, elle reste cette libre initiative sans quoi la vie ne serait ni comprise ni changée. Ainsi, la réflexion n'est pas tout, et elle n'est pas rien ; elle est « un moment dans l'histoire du désir constitutif de notre être » (p. 4).

Telle est la raison pour laquelle ce livre parut sans préface : le sentiment est cela en quoi la réflexion trouve sa préface. Il n'est alors nul besoin de poser quoi que ce soit avant ce que la vie a déjà posé, avant ce que la conscience spontanée a déjà vécu...

Maintenant que la mort du maître a fermé le cycle de son œuvre, il est peut-être permis d'écrire une préface qui n'aurait pas l'inutile prétention d'introduire aux thèmes philosophiques eux-mêmes, mais qui se bornerait à situer le livre lui-même dans la tradition de la philosophie réflexive.

Jean Nabert a fourni lui-même les instruments de cette mise au point dans l'article de *l'Encyclopédie française* qu'il consacra à la philosophie réflexive en 1957 (19.04-14/19.06-3). Il y distinguait deux orientations ; laissant de côté la réflexion « où c'est l'absolu qui se réfléchit dans le mouvement d'une conscience particulière », il ne retient que celle « qui constitue, d'abord, le sujet lui-même, et ressaisit après cela, immanentes à ces opérations, les lois et les normes de l'activité spirituelle dans tous les domaines [...]. Le propre de la réflexion ainsi comprise, c'est de toujours considérer l'esprit dans ses actes et dans ses productions, pour s'en approprier la signification, et, d'abord, essentiellement, dans l'acte initial par lequel le sujet s'assure de soi, de son pouvoir, de sa vérité ». Maine de Biran, Lachelier, Lagneau, Brunschvicg relèvent de cette seconde orientation. Chez eux tous on retrouve la même coïncidence entre le redoublement réflexif et l'intuition qui en perçoit la vérité, le même pouvoir de poser et de renouveler l'acte qui ouvre la réflexion, la même aptitude à reprendre les ébauches par lesquelles la conscience immédiate et pré-réflexive préfigure et annonce la réflexion.

C'est à l'intérieur de cette commune méthode d'immanence que Jean Nabert voit se diviser les philosophies de la réflexion, selon le choix de l'acte auquel s'applique la réflexion première.

D'une manière très pédagogique, Jean Nabert part du *Cogito* cartésien qu'il voit incliner soit vers Kant, soit vers Maine de Biran, selon que la réflexion s'attache aux opérations constitutives de l'expérience vraie pour y découvrir les structures d'un sujet transcendantal, d'une pensée universelle, ou selon que la réflexion vise à « approfondir ou à délivrer l'intimité du moi ».

De quel côté se situe Jean Nabert ? Du côté de Maine de Biran ? Oui, si l'on considère que toute son œuvre, depuis *L'Expérience intérieure de la liberté* jusqu'à l'*Essai sur le mal*, tend à distinguer *réflexion et critique*. La tâche principale d'une critique, c'est de dissocier de toute genèse empirique et de toute acquisition *a posteriori* les conditions *a priori* de possibilité de l'expérience. À cet égard la morale de Kant est encore une critique, en ce sens qu'elle construit l'analyse réflexive de la volonté bonne sur le modèle de l'analyse réflexive de la connaissance vraie ; c'est ce parallélisme qui impose de départager, dans la recherche du principe de la moralité, l'*a priori* et l'empirique, et, par voie de conséquence, le formalisme du devoir et la pathologie du désir. Le formalisme en morale résulte ainsi de la transposition sur le plan pratique d'une critique de la connaissance ; il ne fait que transporter dans le domaine de l'action la distinction, propre à la critique, du transcendantal et de l'empirique. En élaborant une *réflexion sur l'agir*, irréductible à toute

critique de connaissance, Jean Nabert se situe incontesta-
blement dans la ligne de Maine de Biran. Bien plus, en appliquant la réflexion au mouvement par lequel nous tâchons de
nous approprier l'affirmation originaire dont nous sommes
en quelque façon séparés ou déchus, Jean Nabert redécouvre
un sens de l'« Éthique », qui est plus proche de Spinoza que
de Kant ; à la distinction entre critique et réflexion correspond en outre une distinction semblable entre morale et
éthique. En effet la « morale », depuis Kant, s'articule sur
l'idée de devoir ; cette idée est inséparable d'une « critique »
de la bonne volonté qui dissocie de la matière du désir la
forme rationnelle de l'impératif. En ce sens, l'éthique de
Jean Nabert n'est pas du tout une morale. L'éthique, chez
lui, désigne l'histoire sensée de notre effort pour exister, de
notre désir d'être. La courbe de la réflexion qui, dans les
Éléments pour une éthique, se déploie de la faute à la vénération, en passant par l'affirmation originaire, n'est à aucun
degré empruntée à une « critique » de la connaissance ; elle
exprime l'irréductibilité du moi personnel au sujet transcendantal. Aussi, Jean Nabert récuse avec énergie le mot de
Lachelier : « Je ne puis quant à moi concevoir un sujet pensant que comme une réflexion de la pensée objective ou de
la vérité sur elle-même » (*Lettres*, p. 81).

Et pourtant, Jean Nabert ne pourrait être rangé dans la
descendance de Maine de Biran. Celui-ci a « échoué à faire
sortir de l'expérience du fait primitif les formes, les catégories de la connaissance objective et à garantir les valeurs ». Il
faut donc maintenir contre lui la pluralité des « foyers de
réflexion », renoncer à toute genèse réciproque des normes
régulatrices de la connaissance et de la science, et des opérations par lesquelles un moi s'approprie sa causalité spirituelle.
La conséquence est immense : c'est parce que la réflexion
sur l'agir ne peut engendrer une critique de la connaissance
que les deux modes de la réflexion peuvent se prêter un
mutuel appui. « C'est de leur solidarité que dépend une juste
conception des rapports de la conscience et de la raison. »
Cette « complémentarité de l'analyse réflexive appliquée à
l'ordre du connaître et de l'analyse réflexive appliquée au
domaine de l'action » distingue Nabert et du criticisme qui
réduit la « dimension de l'intimité » à la conscience transcendantale, et du biranisme qui prétend dériver du fait primitif

du vouloir la conscience transcendantale avec ses exigences d'objectivité.

Grâce à cette « solidarité » entre conscience et raison, la réflexion n'est pas vouée à l'irrationnel : le sentiment lui-même a des « structures », grâce à quoi l'itinéraire de la liberté peut dérouler une histoire exemplaire, susceptible d'être « comprise ». La nécessité de cette histoire sensée, qui procède de son rapport à l'affirmation originaire, assure la coïncidence continuelle de l'existentiel et du rationnel ; les déclarations de l'article de l'*Encyclopédie* rejoignent les *Éléments pour une éthique* : « Pour chaque individu, son histoire est l'histoire de ce désir, de l'ignorance radicale où il est tout d'abord de soi, des erreurs où il se laisse entraîner, des séductions qui l'abusent, et, au travers des échecs qu'il subit, de la lumière qui se fait, enfin, sur son orientation véritable. Mais, quelque contingente que soit pour chaque conscience cette histoire, l'éthique doit parvenir à en fixer les moments essentiels et aider par là même à l'éclaircissement du vouloir profond de l'individu [...]. Elle ne peut se donner que comme l'épure d'une histoire concrète que chaque moi recommence et qu'il n'achève point toujours » (*Éléments...*, p. 141-142). C'est pourquoi l'héritage de Maine de Biran ne peut être exploité que si la méthode réflexive, libérée de la dictature criticiste, reste pourtant dans l'*aura* intellectualiste de la philosophie critique. L'article de *l'Encyclopédie* le dit bien : « Il était nécessaire qu'une théorie critique du savoir eût mis au premier plan dans le "je pense" sa fonction d'objectivité et de vérité pour éviter que les recherches immédiatement attentives aux formes concrètes de l'expérience intérieure ne fussent complaisantes à un irrationalisme stérile. »

On pourrait alors être tenté de rapprocher la *via media* de Jean Nabert, entre Kant et Maine de Biran, de la phénoménologie husserlienne. Certains aspects de la méthode réflexive y invitent ; en particulier, une prescription de l'article de *l'Encyclopédie* sonne comme un thème husserlien : « Il s'agit [...] de mettre au jour le rapport intime de l'acte et des significations dans lesquelles il s'objective [...]. L'analyse révèle toute sa fécondité en surprenant le moment où l'acte spirituel s'investit dans le signe qui risque aussitôt de se retourner contre lui. » Cette prescription, *L'Expérience intérieure de la liberté* l'appliquait déjà à une théorie de la motivation

(p. 123-155), qui n'a rien perdu de sa force ; on y voit les initiatives discontinues de la causalité spirituelle se produire dans la continuité d'un cours de motifs qui étalent la conscience sur le plan des faits : « La causalité de la conscience, en elle-même irreprésentable, et toujours au-delà de son expression, doit s'insérer par les motifs dans le tissu de la vie psychologique pour nous livrer son contenu » (p. 132) ; loin que cette objectivation représente une disgrâce de la liberté ou une comédie de la mauvaise foi, c'est elle qui fait de nos motifs les *signes* par lesquels nous pourrons savoir ce que nous avons voulu, par lesquels nous pouvons dire, communiquer, justifier devant autrui le sens de nos actes. Certes, en signifiant ainsi les initiatives de notre moi par ce que nous venons d'appeler le sens du voulu, qui n'est autre que le sens de nos motifs, nous l'offrons à une lecture objective, scientifique, déterministe : Nabert appelait alors « loi de la représentation » cette exigence selon laquelle l'immanence de notre causalité libre vient s'exprimer et livrer son contenu par le moyen d'un cours de motivation qui doit apparaître comme un enchaînement déterministe : « Si les motifs sont, comme nous l'avons dit, l'expression d'un acte, s'ils déploient l'acte dans la représentation, ils ne peuvent pas être complètement détachés de l'acte dont ils procèdent, quelque tendance que nous ayons à les faire dépendre d'antécédents psychologiques. Grâce à eux, l'action de la conscience se développe. Par eux, nous savons ce que nous avons voulu, ou plutôt nous le saurions, si toujours nous y cherchions les signes d'un vouloir actuel, au lieu de les considérer comme des données qui n'engagent pas encore la causalité du sujet » (p. 129). Cette théorie de la motivation était la première mise en œuvre de cette règle de la méthode réflexive qui consiste, selon l'article de *l'Encyclopédie*, à « surprendre le moment où l'acte spirituel s'investit dans le signe qui risque aussitôt de se retourner contre lui ».

À la même conception du rapport entre l'acte et le signe se rattache, dans les *Éléments pour une éthique*, la très originale théorie des valeurs du chapitre v ; l'objectivité apparente des valeurs tient à la nécessité, pour la liberté, de passer par la méditation de l'histoire et des œuvres. Le moi est contraint de s'approprier indirectement ce que la réflexion saisit et affirme comme conscience pure de soi ; cela, le moi se l'approprie comme valeur d'une œuvre ; Nabert y voit à la fois une « promotion » et une « occultation » : une promotion des valeurs elles-mêmes, et une occultation du principe générateur de la valeur (p. 71) : « La valeur est toujours liée à une certaine occultation du principe qui la fonde et la soutient. Elle ne serait pas valeur s'il n'y avait pas en elle de quoi faire penser qu'elle n'épuise pas le principe qu'elle symbolise ou vérifie [...]. Toute promotion de valeur ne peut être qu'indirecte. À cet égard, l'occultation du principe générateur de la valeur est l'expression d'une loi qui affecte toutes les manifestations de l'esprit humain. Ce que Maine de Biran dit des signes, c'est-à-dire des actes qui révèlent à la conscience sa puissance constitutive, il faut le dire également des valeurs [...]. Tout acte créateur ne peut promouvoir la valeur et s'estimer ou se connaître soi-même qu'en consentant à s'envelopper dans une œuvre, dans une action, où l'on perd tout d'abord sa trace » (p. 71-72).

On ne saurait sous-estimer l'importance de cette théorie du signe chez Nabert : ce qu'il appelle souvent « vérifier » l'affirmation originaire, c'est aussi la « symboliser ».

Mais ce rapprochement de la méthode réflexive avec la phénoménologie, suggérée par cette théorie du signe, est provisoire ; l'opposition qui finalement l'emporte est même très révélatrice de l'intention dernière de la méthode réflexive selon Nabert. En effet, le sujet méditant de l'analyse phénoménologique lui paraît finalement se comporter comme un pur « regard » qui se pose sur des valeurs, des essences, des significations objectives (art. *Encycl.*). Or il a fallu « que se relâche le lien entre l'acte et la signification qui paraît faire corps avec l'œuvre », pour que l'analyse phénoménologique puisse ainsi se donner en spectacle les significations de la conscience. La phénoménologie manquerait donc « la vie réelle des actes saisis à leur naissance et dans leur premier essai » ; il en résulte qu'elle serait attentive de préférence « à la signification déjà détachée de l'acte originaire ». Quoi qu'il en soit de cette objection, qui ne porte à la rigueur que contre les descriptions les plus statiques de la phénoménologie, elle est surtout révélatrice des intentions propres de la méthode réflexive : parce que son ambition est de ressaisir des actes purs, au travers des signes où ils livrent leur signification, elle ne vise jamais à une simple description, mais à une réappropriation de l'affirmation originaire par une conscience qui s'en découvre dépossédée ; sa théorie des signes ou des symboles a tout de suite une signification éthique ; le problème de l'expression est d'emblée celui d'une « occultation » de l'esprit par les signes qui sont nécessaires à la « vérification » de l'affirmation originaire dans une expérience humaine, dans une histoire et dans des œuvres. La philosophie réflexive peut dire qu'« elle s'annexe la pensée symbolique et les relations multiples entre les intentions significatrices et les modes signifiants » : elle vise à faire coïncider ultimement la compréhension de soi, sur la base du « texte que ces actions ont constitué » (*Éléments pour une éthique*, p. 3), avec « une régénération de son être » (*ibid.*).

Cet accent éthique de la méthode réflexive est le plus sensible dans le présent ouvrage : il ne rend pas encore sa sonorité pleine dans *L'Expérience intérieure de la liberté* ; il est couvert par l'autre accent que, pour faire court, j'appellerai hyperéthique, dans l'*Essai sur le mal*. À cet égard, les *Éléments pour une éthique* représentent non seulement l'œuvre médiane du maître, mais l'œuvre canonique de la méthode réflexive.

Or, si *L'Expérience intérieure de la liberté* se tient en deçà du niveau réflexif atteint dans les *Éléments pour une éthique*, ce n'est pas seulement parce que cet ouvrage donne une place importante aux discussions et aux réfutations, entièrement absentes dans les *Éléments pour une éthique*, et se fraie une voie difficile entre les illusions du libre arbitre, entendu comme contingence psychologique, et le déterminisme ; ce n'est pas parce que l'ouvrage reste correctif et protreptique, mais parce qu'il est encore partagé entre deux points de vue qui tendront vers une unité plus intime dans les *Éléments pour une éthique* : l'idée de la liberté est d'abord atteinte par la réflexion avant que soit constituée l'expérience dans laquelle elle se vérifie ; c'est pourquoi « les catégories de la liberté » (p. 184 *sq.*) – fatalité du caractère, ordre de la personnalité, infinité du sacrifice – appartiennent à une seconde réflexion, plus concrète que la première ; elles expriment la structure d'« une croyance qui raconte l'histoire de notre liberté » (p. 188). « Et, en devenant l'histoire d'une croyance, l'expérience intérieure de la liberté devient aussi l'histoire des idées par lesquelles cette croyance, échappant ainsi à la pure subjectivité d'un sentiment, fait apparaître les catégories de la liberté. Chacune de ces idées ou de ces catégories opère comme une cristallisation de la croyance » (p. 189). Une dualité subsiste donc entre le concept philosophique et l'expérience de la liberté : cette dualité est même revendiquée par la méthode propre à la thèse de 1924 : « Nous ne voudrions cependant pas dire que la liberté est substantiellement identique à la croyance que nous en formons. La liberté n'est rien, si elle n'est pas un caractère de la causalité psychologique » (p. 193-194). Alors elle ne peut être donnée dans une expérience ; elle « ne peut se trouver que dans l'idée d'un acte dont nous aurions produit les éléments psychologiques » (p. 194). Mais en retour, cette idée, pour ne pas rester « une hypothèse toute spéculative » *(ibid.)*, doit recourir à la « fonction médiatrice » de la croyance ; ainsi la croyance, en « conjuguant notre réflexion sur cet acte avec l'histoire de notre liberté » (p. 194), masque l'hiatus de la réflexion et de l'expérience ; elle y réussit assez bien, grâce à la structure de cette croyance, grâce aux « catégories » qui assurent le passage de la réflexion à l'expérience. Mais l'hiatus est seulement masqué : dans son principe, l'histoire de la liberté est distincte de la réflexion.

Les *Éléments pour une éthique* veulent annuler cette différence : en commençant par la faute, l'échec et la solitude, la réflexion s'alimente directement à ces sentiments qui correspondent à l'histoire de la liberté selon l'œuvre précédente. Aucune réflexion directe sur la causalité psychologique ne livre une idée de la liberté antérieure à la conscience spontanée ; c'est peut-être la raison pour laquelle le vocabulaire change également d'un livre à l'autre : ce n'est plus l'histoire de la liberté, mais l'histoire de ce désir d'être « dont l'approfondissement se confond avec l'éthique elle-même » (p. 141). « Elle ne peut se donner que comme l'épure d'une histoire concrète que chaque moi recommence et qu'il n'achève point toujours » (p. 142).

C'est ainsi que les *Éléments pour une éthique* tendent à cette unité de méthode dont l'article de l'E*ncyclopédie française* donne la clef. Y réussissent-ils ? On peut se demander si tout dédoublement a cessé entre la certitude suprême dont Nabert dit lui-même qu'elle est « à la fois absolue et irréelle »

(p. 61) et l'action : « L'affirmation absolue qui s'affirme au travers de mon affirmation produit donc tout ensemble une certitude et un appel. L'appel est lancé au moi pour que, dans le monde et dans la durée, par le devoir et, s'il le faut, par le sacrifice, il vérifie le *je suis* et en fasse une réalité. La certitude, c'est l'actualité d'un rapport que n'affectent ni les défaillances ni l'oubli, parce qu'il est immanence au *je suis* d'une affirmation qui passe toute multiplicité autant qu'elle efface toute séparation entre les sujets » *(ibid.).* La certitude et l'appel ne se dédoublent-ils pas, comme tout à l'heure l'idée de la liberté et l'histoire de la liberté ?

Mais cet équilibre de la méthode réflexive – à supposer qu'il ait jamais été atteint – devait être rompu : non plus cette fois par une équivoque tenant au maniement de la méthode réflexive, mais par une expérience, par un sentiment – le sentiment de « l'injustifiable » – qui ne peut plus être traité comme une « donnée de la réflexion » (au sens de la première partie des *Éléments pour une éthique*). L'injustifiable, c'est cette figure innombrable du mal qui ne peut plus être reconnue réflexivement comme résistance ou défaillance, qui n'est donc plus homogène et proportionnée à notre désir d'être ; ce n'est plus un symétrique que je pourrais encore comprendre en l'opposant à l'expérience des normes, au sens du valable ; ce sont des maux qui s'inscrivent dans une contradiction plus radicale que celle du valable et du non valable. Aussi, pour dire l'injustifiable, la méthode réflexive ne peut plus se contenter de pénétrer de raison le sentiment d'insatisfaction qu'alimente la conscience de faute, d'échec et de solitude ; il faut une tactique nouvelle pour suggérer un au-delà du non valable, mais au travers du non valable, par une méthode de transparence et de passage à la limite : « Ce sont des maux, ce sont des déchirements de l'être intérieur, des conflits, des souffrances sans apaisement concevable. » Dès lors, de même que l'injustifiable excède par en bas le non valable, selon la pensée normative, le désir de justification excède par en haut tout effort de rectitude morale, telle que cette même pensée normative la prescrit. L'injustifiable appelle une réconciliation qui passe toute règle.

Le bel équilibre de la méthode réflexive selon les *Éléments pour une éthique* est donc appelé à être rompu dans l'*Essai sur le mal*. Les *Éléments* n'appellent même pas « mal » la faute, encore moins l'échec et la solitude ; l'injustifiable n'est pas encore reconnu, aussi la régénération ne s'appelle pas encore justification.

Et pourtant, on aurait grand tort d'opposer l'*Essai sur le mal* aux *Éléments pour une éthique*. L'*Essai* fait éclater un rationalisme moral qui référerait toutes les actions, tous les sentiments, tous les jugements à des normes ; mais ce rationalisme moral ne caractérise aucunement les *Éléments* ; le devoir y est « déduit » très tard – au chapitre VIII – à titre de « point d'appui » du désir d'être ; il appartient à l'histoire essentielle de ce désir : « Les impératifs moraux, l'ordre du devoir en général, sont un moment de cette histoire dont il appartient à l'éthique de déduire et de fixer la signification » (p. 142). L'*Essai sur le mal* n'obtient donc son effet de rupture qu'en prenant appui sur un moment dérivé de l'éthique, le moment de la loi, de la règle, de la norme, qui était seulement destiné dans les *Éléments* à « tenir en échec les forces centrifuges qui aggraveraient la dissension intérieure des tendances et l'opposition des individus » (p. 146).

Si donc le désir de justification, selon l'*Essai sur le mal*, porte plus loin que l'effort de régénération, selon les *Éléments*, c'est parce qu'il rebondit sur une expérience des normes qui n'est pas l'expérience la plus fondamentale de l'éthique. Certes, il n'est pas question de nier la nouveauté du ton – à la fois plus tragique et plus religieux – de l'*Essai sur le mal*. Mais il serait entièrement erroné d'y voir une réfutation des *Éléments* ou même simplement une phase nouvelle de la méthode réflexive qui romprait avec la précédente. L'évocation de l'injustifiable et le recours au désir de justification permettent plutôt d'explorer les confins et les limites de cette réflexion, dont les *Éléments pour une éthique* avaient reconnu l'un des principaux « foyers ».

L'*Essai sur le mal*

(1959)

Il est peu de livres dont le critique ose dire, en le refermant, que c'est celui-là qu'il aimerait avoir écrit ; peu de livres qui lui arrachent un tel aveu, sans une teinte de regret ou d'envie, en pleine reconnaissance pour son auteur.

Chaque livre de Jean Nabert – *L'Expérience intérieure de la liberté*[1], *Éléments pour une éthique*[2], *Essai sur le mal*[3] – est une sphère pleine à laquelle on ne saurait ni retrancher ni ajouter ; le discours est sans défaillance et sans détente ; le ton soutenu par je ne sais quelle alliance subtile de la rigueur et du style, de l'austérité et de la bienveillance, qui satisfait à la fois la raison et le sentiment.

Ce qui fait le prix de cet *Essai sur le mal*, c'est qu'il est de bout en bout mené à la façon d'une épreuve par le feu, à travers quoi la philosophie doit se sauver à grand-peine et à grands frais.

Mais quelle philosophie est ainsi à risquer et à sauver à travers le dur écolage d'une méditation sur le mal ?

La philosophie sans cesse présupposée dans cette œuvre est en gros une philosophie de style kantien. Le sujet humain, c'est d'abord une connaissance intellectuelle qui, en réfléchissant sur ses propres opérations, découvre en soi une spontanéité obéissant à des règles, donc, une initiative hasardeuse sans cesse redressée et corrigée par une loi de nécessité qui habite ses opérations productrices de vérité ; de ce premier point de vue, le « je » du *je pense* ne nous renvoie pas à un moi singulier, mais à l'acte qui unifie les moments dispersés du travail de pensée. Le sujet humain, c'est encore une

---

1. PUF 1924.
2. PUF 1943 ; Aubier, 1962 ; réédition 1992.
3. PUF, coll « Épiméthée », 1955 ; réédité chez Aubier, 1970.

volonté orientée et commandée par des règles, par des normes, qui dessinent un champ du « valable » et par là même excluent certaines actions, certains motifs, certaines intentions comme non valables ; la liberté que présuppose une pensée normative n'est pas définie par sa contingence, par un enfantement dans la solitude et l'angoisse ; elle est définie par son pouvoir de se placer sous une règle raisonnable ; de ce second point de vue, celui de l'éthique, la singularité des consciences n'est pas plus accentuée que du point de vue de la connaissance intellectuelle. Conscience morale et connaissance intellectuelle sont, en dernier ressort, animées par une affirmation originaire qui préside à l'opération de conscience des sujets pensant et voulant, donnant à chacun d'être ce qu'il est et de produire ses actes, et fondant leur réciprocité dans leur unité originaire.

C'est *cette* philosophie qui se met à l'épreuve du problème du mal.

C'est son style même qui commande son point de départ ; une philosophie rationaliste a deux manières d'aborder le problème du mal : une manière « morale » et une manière « spéculative » ; selon la première manière, le mal, c'est le contraire de ce que prescrivent les normes sur lesquelles elle réfléchit, c'est du : « ne doit pas être » ; la pensée morale comprend ainsi le mal qu'elle appelle le faux, le laid, l'injuste ; pour elle, le mal, c'est le non valable : elle le comprend comme le *contraire* de ce qu'elle détermine intellectuellement par des règles. Le rationalisme a une seconde ressource en face du problème du mal : c'est de se placer à un niveau plus élevé que la perspective courte du sujet moral, au niveau de l'esprit ou de l'être ; la souffrance et la méchanceté, qui tout à l'heure apparaissaient comme déchet pour la pensée normative, sont en quelque sorte récupérées par une rationalité plus haute ; à l'échelle de la totalité, le mal n'est plus que limitation, finitude, privation, retard ou négativité douloureuse, mais bienfaisante pour le progrès de l'histoire ou de l'esprit.

Le point de départ de Jean Nabert, c'est la considération des maux qui mettent en défaut le rationalisme sous sa double forme « morale » et « spéculative », et qu'il appelle l'*injustifiable*.

L'injustifiable, c'est ce qui excède la simple opposition du non-valable au valable ; telle cruauté, telle bassesse, telle inégalité extrême dans les conditions sociales me bouleversent sans que je puisse désigner les normes violées ; ce n'est plus un symétrique que je comprendrais encore par opposition au valable ; ce sont des maux qui s'inscrivent dans une contradiction plus radicale que celle du valable et du non valable et suscitent une demande de justification que l'accomplissement du devoir ne satisferait plus. Ainsi, dès le début, la méditation entre dans une zone d'insécurité : la limite inférieure et la limite supérieure de la réflexion rationnelle sont transgressées ; comme l'injustifiable excède par en bas le non valable, tel que la pensée normative le domine encore par son jeu d'oppositions, le désir de justification excède par en haut la simple rectitude morale telle que cette même pensée normative la prescrit.

Désormais, toute cette méditation va se mouvoir entre ces deux extrêmes : l'injustifiable et le désir de justification.

Mais le philosophe ne se donne aucune facilité, surtout pas le philosophe rationaliste explorant les marges de la rationalité qu'il a fait serment d'exercer. Comment, dès lors, *parler de l'injustifiable* ? La tactique de Jean Nabert consiste à suggérer cet *au-delà* du non-valable *au travers* du non valable, par une méthode de transparence et de passage à la limite. En deçà mais au travers du faux, du laid, de l'injustice et de toutes les formes spécifiées du non valable se dessine un fond de résistance qui alimente les oppositions spécifiées et, face aux exigences suprêmes de l'esprit, demeure irréductible : « Ce sont des maux, ce sont des déchirements de l'être intérieur, des conflits, des souffrances sans apaisement concevable. » Ainsi le rationalisme s'approfondit sans se renoncer ; il ne se renonce pas, car lors même qu'il invoque le sentiment du tragique pour suggérer l'en deçà du non valable, l'exercice de la pensée normative est sans cesse présupposée par cet « en deçà de... », mais « au travers de... ». Le rationalisme s'approfondit aussi, car, sans l'injustifiable, la pensée normative se fixerait sur le plan des règles qui commandent des actes déterminés : l'injustifiable appelle une réconciliation avec soi-même qui passe toute règle.

En même temps qu'il échappe aux oppositions claires de la pensée normative, l'« injustifiable » résiste aux assimilations rassurantes de la pensée spéculative ; le mal, en effet, est plus que privation, que limitation, que négativité ; l'injustifiable est-il alors une espèce d'absolu, c'est-à-dire quelque chose qui ne se rattache à rien du tout ? Nullement : « Il est de toute évidence qu'il ne saurait être question d'un injustifiable en soi qui ne serait pas le corrélatif de quelque acte spirituel ; car l'affirmation de l'injustifiable procède d'un acte intérieur qui fait surgir dans le même temps une opposition absolue entre la spiritualité dont il témoigne et la structure du monde » (p. 31). L'injustifiable, ainsi, n'est ni l'absurde (c'est-à-dire l'autre absolu de toute raison d'être) ni une limitation compréhensible, mais le contraire d'un acte spirituel que Nabert, tout au long de son livre, appelle la « forme de l'absolu spirituel » d'où procèdent les normes morales et qui les dépasse. C'est donc le même mouvement de conscience qui s'assure de cet acte spirituel et dénonce la contradiction absolue entre cet acte et le cours de ce monde ; la critique de la pensée spéculative comme celle de la pensée normative conduit donc au même point : le sentiment de l'injustifiable et le désir de justification s'approfondissent simultanément, le premier au-delà du non valable, le second au-delà des normes du valable.

Pourtant, l'injustifiable n'est pas encore le mal ; il y faut la complicité du vouloir ; mais c'est ce qui permet de restituer au mal toutes ses dimensions ; en effet, comme on le verra plus loin, le « mal moral » n'est mal que parce qu'il engendre, chez ses victimes, des maux subis, des malheurs, qui sont injustifiables pour ceux qui les souffrent et font que le mal moral lui-même devient irréparable chez celui qui le commet.

Cette réciprocité entre l'« injustifiable » et le « péché » chez M. Nabert n'est pas sans rappeler la relation du mal d'absurdité avec le mal de scandale chez M. Jankélévitch ; on y reviendra plus loin.

Comment le philosophe abordera-t-il le problème du « mal moral » ? Comme il a fait pour l'injustifiable : par correction des thèses d'une philosophie de la moralité, c'est-à-dire d'une philosophie où la liberté est définie par le pouvoir d'agir selon la représentation d'une loi ; la philosophie morale, en effet, postule que cette liberté, même après ses transgressions, dispose de soi, c'est-à-dire est capable de se replacer, l'instant d'après, devant le choix toujours jeune et neuf de l'obéissance ou de la désobéissance. Mais l'expérience du mal met en question cette intégrité de la causalité du moi ; l'« impureté » qu'elle dénonce consiste précisément dans un empêchement intime, dans une impuissance radicale à coïncider avec ce modèle de causalité spirituelle ; je suis empêché d'être cette spontanéité obéissant à des règles : c'est là le mal.

Ici encore, le philosophe ne se rend pas la tâche facile : car je n'ai pas d'intuition de la causalité du moi ; je ne connais que des actes que je regrette et réprouve ; comment atteindrais-je le moi impur dans des actes non valables ? Le remords est ce sentiment qui me ramène des actions aux motifs et des motifs constitués aux possibles que la causalité spirituelle engendre ; c'est la génération même des possibles qui se révèle impure, « *toujours et en toutes circonstances* ». Et pourtant, c'est seulement en deçà et au travers des actes et des motifs que nous discernons la « causalité impure » ; par conséquent, c'est sur la base d'une philosophie rationaliste de la moralité que, par une méthode qu'on pourrait dire de débordement par l'intérieur, le philosophe passe de l'idée éthique de transgression à l'idée spirituelle d'impureté et, corrélativement, du problème éthique de la correction des actes au problème spirituel de la régénération du moi.

Ce dépassement, la philosophie morale de style kantien l'élude d'ordinaire en rejetant dans la nature, ou la sensibilité, la résistance au devoir et en juxtaposant une liberté intacte et une nature indocile ; le sentiment du remords m'assure que c'est la complaisance du moi à lui-même, la préférence de soi qui fait la résistance de la « nature » ; c'est pourquoi la méditation sur le mal ne s'égarera pas dans une psychologie d'instincts méchants (amour de soi, volonté de puissance), mais, à travers ces thèmes psychologiques, discernera la causalité impure qui n'est plus du tout penchant de nature, mais acte, contemporain de la constitution d'un moi qui se préfère. Il apparaît alors que le jugement moral est à la fois un appui et un obstacle pour ce dépassement : sans le discernement de la valeur des actes, il n'y aurait point de sentiment du mal ; mais ce discernement tend à détourner la réflexion du foyer même d'où procèdent et les normes et les actes. C'est pourquoi la réflexion sur les possibles est essentielle ; c'est elle qui sort la méditation de l'ornière de la réflexion morale :

« En choisissant entre des possibles, le moi se fait sujet de la moralité, mais ces possibles attestent qu'il s'est *déjà* choisi lui-même par un acte qu'il prend en charge, qu'il ne peut penser que comme une *déchéance irrémédiable du moi pur*, et dont il travaille à discerner, à redresser, à évacuer les conséquences, sans céder jamais à la croyance ou à l'illusion d'une pleine justification de soi » (p. 66).

Mais, comment continuer, une fois qu'on a désigné la source impure des actes ? Deux directions s'ouvrent : celle du rapport à soi, celle du rapport à autrui ; dans ces deux directions, la causalité impure se révèle comme la lésion d'un rapport, comme une scission. C'est en effet en termes de rapport rompu qu'on peut parler du mal, soit qu'on l'appelle « *péché* », c'est-à-dire « rupture opérée dans le moi par le moi » (chapitre III), soit qu'on l'appelle « *sécession des consciences* » (chapitre IV).

Suivons la première direction – celle du rapport à soi-même. En remontant des actes discontinus à la causalité du moi, nous passons des fautes au péché : la faute est transgression d'une règle, le péché « diminution de l'être même du moi, à quoi ne correspond aucune échelle objective des devoirs » (p. 69) ; ce n'est plus une loi qui est violée, mais l'exigence même que le moi voulant soit égal au moi pur, à l'âme de son vouloir ; du même coup, l'instance suprême n'est plus la loi morale, mais cette exigence même de coïncidence avec l'acte spirituel fondateur.

Appellera-t-on cette scission intérieure un choix, un choix originaire ? On le peut, à condition de tenir ce choix non pour une expérience, mais pour une idée, une « *pensée* » par laquelle nous concilions le caractère radical du mal, au-delà de tous les choix, et l'espérance de la régénération ; car l'idée d'un destin satisferait à l'expérience d'un mal radical, mais barrerait la voie de la régénération. Il est vrai qu'on ne dépasse pas aisément les catégories de la raison pratique ; l'idée de choix – même sous le titre de choix originaire – en est encore tributaire : mais ce que ce choix exprime et dissimule tout à la fois, c'est « un fait originaire qui échappe aux prises de la conscience réflexive parce qu'il est à la racine de toute conscience possible et qu'il coïncide avec une *rupture spirituelle constitutive d'un moi singulier* » (p. 74).

C'est de cette rupture – entraperçue par le moyen de l'idée

d'un choix originaire du moi – que la régénération du moi serait la reprise totale ; mal radical et régénération sont ainsi les contraires exacts que la philosophie morale salue de loin à travers sa propre opposition entre hétéronomie et autonomie.

Mais alors, si originairement et de tout temps nous ne sommes pas ce que nous devrions être, c'est-à-dire un acte entièrement spirituel, mais un moi attaché à soi, toute différence s'efface entre « bons » et « méchants » et la philosophie morale débouche dans une égalité essentielle des consciences qui annule toutes les différences que le jugement tant juridique que moral met entre les fautes et entre les coupables eux-mêmes.

Certes, l'*action* comme telle crée entre les êtres des différences ; un même penchant au mal s'*actualise* dans des actions de valeur morale différente. Mais c'est la réflexion sur l'action et sur la causalité dont elle procède qui précisément ramène à la similitude essentielle des hommes, car nous n'opérons pas plus que le méchant le dépouillement de tout ce qui ramène le moi à lui-même et à la conscience de soi ; nous sommes *tous* la négation vivante de l'idée d'une conscience pure. Ainsi, toujours la méditation sur le mal dépasse les catégories morales, mais à la condition de prendre appui sur elles.

Tout, dans l'analyse antérieure, prépare au *second* moment de l'étude du mal : le mal envisagé au point de vue d'une conscience isolée est déjà une rupture, une *opposition* de la conscience individuelle à la conscience pure ; mais cette opposition qui fait qu'il y a un moi qui s'aime lui-même est corrélative « d'une sécession qui sépare les consciences les unes des autres, en même temps qu'elle les sépare du principe qui fonde leur unité » (p. 90). Ce qui était apparu comme le rapport de la conscience *pure* à la conscience *particulière* apparaît maintenant comme le rapport de l'unité à une conscience qui se constitue par ses rapports de réciprocité. Cette analyse fait corps avec la précédente, s'il est vrai que je ne suis rien pour moi tant que je ne suis pas quelque chose pour autrui.

Où le mal va-t-il s'insérer ? Si l'on considère que la réciprocité ne peut être fondée en vérité que dans une *unité* vivante qui requiert la refonte constante des schémas dans lesquels se stabilisent et s'enlisent nos rapports sociaux, c'est toujours cette unité que le mal infecte : la défiance, l'hostilité, l'agression interrompent, rétrécissent, appauvrissent la réciprocité et c'est alors que l'autre devient un autre et moi-même impénétrable.

Ici encore, la psychologie ne donne aucune clef : car la haine, par exemple, n'est pas la condition de la sécession des consciences, mais son expression et, si l'on peut dire, sa trace psychologique. Il faut un acte intérieur de rupture de la relation de réciprocité pour que se constituent des sentiments dont aucun jeu de tendances naturelles ne saurait rendre compte.

Cette approche du mal de sécession nous ramène aux environs d'un problème plusieurs fois côtoyé : celui de la pluralité des consciences. Nul doute pour Nabert qu'une réciprocité vivante des consciences n'impliquerait pas la représentation d'une pluralité numérique. Pour que les âmes puissent être comptées, il faut qu'elles deviennent mutuellement étrangères, autres à la manière des objets, bref, il faut que la guerre les ait séparées. N'y a-t-il point de *différence* dans la réciprocité ? Sans doute, mais une différence impliquée dans un mutuel enrichissement n'est pas encore une multiplicité numérique, car je ne puis rompre la réciprocité sans me séparer du principe d'unité qui fondait cette réciprocité.

Cette nouvelle figure du mal n'est fondamentalement pas différente de la première : ce qui abîme mon rapport à moi-même ne saurait différer de ce qui détruit mon rapport à autrui, s'il est vrai que la conscience de soi ne s'acquiert que dans la réciprocité ; le « pour moi » et le « nous » ont donc même racine et le mal qui affecte l'un affecte l'autre.

Mais cette unité des deux formes du mal reste dissimulée pour une réflexion de type exclusivement moral, qui se place après la séparation et propose d'unir ou de rapprocher des consciences étrangères ; le devoir paraît ainsi consacrer l'idée d'une séparation originaire en ordonnant de la corriger. Ainsi passent inaperçus les consentements ténus par lesquels l'universelle réciprocité se fragmente, les sociétés closes se scindent, les oppositions de race, de religion, de rang, de classe se constituent ; à l'inverse de tant de doctrines qui réduisent le mal à la finitude, Jean Nabert tendrait plutôt à réduire la finitude au mal (p. 99) ; ce qui est peut-être une manière inverse de les confondre.

Toute cette méditation conduit aux « approches de la justification » (chapitre v) ; c'est bien le « désir de justification » qui fait éprouver le mal comme « injustifiable » et le devoir lui-même comme impuissant à me « justifier ». Mais ce désir n'est-il pas tué par l'expérience du mal ? « À la connaissance du mal qui lui est imputable, le moi peut-il donc répondre de telle manière que, sans déposer le fardeau de la faute, il s'avance vers quelque réconciliation avec soi ? » (p. 116).

On voit bien la direction dans laquelle il faudrait avancer : sans céder à la tentation d'un pardon à bon marché, obtenu par l'oubli, à quoi m'encouragent l'effritement du souvenir et l'atténuation avec le temps du sentiment même de la faute, c'est à une régénération qui aurait traversé l'entière appropriation du passé que toute cette méditation tend.

Mais que peut en dire le philosophe ? Une révolution dans l'intention, dans le choix des motifs serait « une conversion changeant radicalement l'être du moi par la création d'une loi spirituelle à quoi s'ordonnent toutes les pensées et les mouvements du cœur » (p. 121). Mais il n'y a pas d'intuition de la causalité spirituelle et, d'autre part, notre destinée est faite de trop d'opérations discontinues et d'intentions enchevêtrées pour qu'une ligne de progrès soit aisée à lire, comme le veut Kant. À cette difficulté qui ne concerne encore que la certitude de l'amélioration de l'être intérieur s'ajoute celle d'une réparation du mal fait à autrui ; pour lui, le mal subi, c'est de l'injustifiable ; l'injustifiable pour autrui, c'est de l'irréparable pour moi, dès lors, nulle expiation dont je puisse décider en vue de mon propre acquittement ne peut compenser l'injustifiable dont un autre est à jamais blessé.

En s'approfondissant, en s'élargissant, la justification paraît s'éloigner : ce n'est rien moins que la délivrance et la promotion réciproque de toutes les consciences que j'attends : « Elle ne demanderait rien de moins qu'une opération capable d'annuler les actes ou plutôt les conséquences des actes qui se sont inscrits dans la nature, sans que nous puissions en retrouver l'origine ou la trace » (p. 128).

Une seule voie est possible, puisque la « spéculation » réductrice du mal est à jamais condamnée par l'expérience du mal ; une seule voie : la restauration en nous de l'affirmation originaire qui *est intérieure à la reconnaissance même du mal* ; c'est cette affirmation qui en se posant s'oppose le mal, « comme la négation de l'acte spirituel par quoi elle est pour soi et se fait juge de ce qui la contredit » (p. 135). La pensée spéculative expliquait le mal et ainsi le rendait illusoire ; l'affirmation justifiante appartient aux « conditions de possibilité d'une affirmation du mal » (p. 136) ; elle est strictement contemporaine de l'aventure du mal dans la conscience : « Ce dont la conscience s'avise en dernier lieu, c'est de l'acte spirituel qui rend possible l'expérience réflexive du mal » *(ibid.).*

Mais plus nous nous enfonçons en direction du principe de la régénération, plus les difficultés s'accumulent : n'y a-t-il pas des consciences trop frustes ou trop écrasées pour accéder à la justification ? Autrement dit : *« Y a-t-il de l'injustifiable absolument ? En cette question toutes les questions se ramassent, et l'on n'a rien dit, si elle demeure sans réponse »* (p. 142). C'est en disant ce que serait l'injustifiable absolu que nous apercevons les « approches de la justification » (c'est le titre du dernier chapitre) : la condamnation d'un innocent dans le silence, une trahison qui jette dans la détresse, la misère qui barre l'accès à l'être intérieur, « ce sont des maux qui perdent leur relativité et qui deviennent de l'injustifiable, absolument, s'ils ne sont pas compensés par les actes d'une autre conscience qui les prend à sa charge […]. Rompue, en fait, par le mal, la réciprocité des consciences ne redevient possible que par une souffrance gratuitement consentie pour restaurer les chances perdues d'un univers spirituel » (p. 144).

Les dernières pages du livre (146-158) sont très énigmatiques : la justification est-elle encore philosophique ? Oui, en ce sens qu'elle prend appui sur « le rapport absolu qui fonde la possibilité de relations contingentes entre consciences particulières » (p. 147). Nous retrouvons au terme de la méditation le moi pur, la conscience pure de l'un, qui est aussi bien loi spirituelle, principe originaire d'unité, qui est en moi sans être de moi, et qui est justifié par soi ; ce principe était au début de la méditation comme le contraire que l'injustifiable trahit ; pas plus à la fin qu'au commencement Jean Nabert ne l'appelle Dieu ; cette loi spirituelle ne requiert qu'une « reprise de l'attention pour qu'elle soit là tout entière » (p. 154), et non une révélation historique ; d'autre part, à la différence de l'expérience religieuse, dont elle est pourtant proche par son refus des explications spéculatives du mal et la subordination de la rectitude morale au désir de justification, l'expérience spirituelle telle que la comprend M. Nabert n'a pas l'assurance que l'injustifiable est vaincu ; cette expérience métamorale « entretient un désir de justification toujours déçu » (p. 157). Pour ces deux raisons – justification par soi de l'absolu, insécurité de la justification du moi –, l'issue de la méditation sur le mal demeure d'ordre philosophique et non religieux.

Et pourtant, ces dernières pages sont énigmatiques, parce que je ne m'approche de cette loi spirituelle, principe originaire d'unité, que par l'acte contingent d'une conscience qui prend sur soi la souffrance injustifiable ; il arrive à Jean Nabert d'évoquer « une présence, non plus précaire, intermittente, ou menacée, comme l'est celle d'un moi singulier, mais constante et assurée, aussi concrète que celle d'un ami – "Je te suis plus ami que tel ou tel" – et cependant médiatrice entre les consciences particulières et leur commun principe » (p. 146).

Cette médiation est donc à la fois une « communication absolue » et liée à des événements, des rencontres où se trouve engagée la justification du moi. « À la contingence des actes qui ont inséré l'absolu dans l'histoire répond la contingence des initiatives qu'ils inspirent » (p. 149). Nabert n'est-il pas bien près de Kierkegaard lorsqu'il supplie de « ne pas rabattre sur le plan de la représentation ou d'une forme subalterne d'intellection, l'aperception de cette union intime de l'absolu et de l'historique qui donne un sens au devenir » (p. 149). « Il ne faut pas clouer le Christ sur la croix du concept », dit-il encore, en reprenant le mot d'un critique de Hegel.

C'est bien, en effet, ce qui rend perplexe le lecteur : on dirait un livre qui finit de façon très peu théiste, mais très christique ; d'une part, la « forme de l'absolu » est une conscience pure qui ne se saisit que dans l'acte de son opposition au monde ; d'autre part, « le passage et le souffle de l'absolu » se manifestent dans l'acte gratuit d'une autre conscience, dans une libre et totale reconnaissance qui rétablit la possibilité d'un échange.

Jean Nabert, dans ce livre bref mais d'une densité difficile à supporter, donne une leçon de probité philosophique sans égale ; dépasser le rationalisme avec les ressources du rationalisme est une entreprise pleine de périls ; elle se joue tout entière sur quelques « passages » difficiles : passage du non valable, au sens de la théorie de la moralité, à l'injustifiable, passage des actes discontinus et de leurs motifs à la causalité impure, surprise à l'origine des possibles, passage des consciences singulières au « moi pur » qui opère en elles. Comme j'ai essayé de le montrer, toute la rigueur de ce livre consiste à éprouver la solidité de ces passages, à les rendre tour à tour difficiles et praticables.

D'autre part, son refus de la « spéculation », c'est-à-dire d'une philosophie qui réduirait le mal à un défaut, à une limitation, à une partie, ou à une négation surmontée dans le tout, me paraît fondamentalement sain et honnête ; je dirais que c'est l'*alpha* d'une méditation sur le mal. Le problème est précisément que l'échec de la spéculation n'en soit pas également *l'oméga* et que le mal soit réciproque d'un acte de justification qui pourtant ne l'explique pas ; c'est ce tour de force métaphysique que Jean Nabert a réussi : les *« approches de la justification » coïncident avec l'acte spirituel qui rend possible l'affirmation du mal comme injustifiable.*

Mon dissentiment se situe à l'intérieur d'un fondamental accord. Je m'inquiète de la tendance constante de ce livre à identifier l'individuation des consciences au mal ; le mal paraît bien coïncider avec la constitution d'un moi singulier ; aussi, la justification « n'exigerait rien de moins que l'éviction du moi » (p. 86), que le « dépouillement » de la singularité. En excluant la pluralité numérique du moi pur, cette philosophie ne tend-elle pas à réduire la finitude en mal ? À une époque où d'autres réduisent le mal à la finitude, la confusion inverse ne ramène-t-elle pas au même point ? Il me semble que c'est une tâche de la philosophie du mal de distinguer mal *et* finitude et, en conséquence, de distinguer la pluralité originaire des vocations personnelles *et* la jalousie qui isole et oppose les consciences. Le livre de J. Nabert plaide lui-même en faveur de ce caractère originairement bon du « plusieurs » ; à la fin de son livre, il évoque cette justification qui vient à une conscience par une autre, par la générosité de son secours, de sa souffrance, de sa présence ; la justification est ainsi approchée par des actes concrets, singuliers, contingents qui attestent la venue d'un royaume de personnes.

Or, si l'on prend pour thème la distinction du mal et de la finitude, n'arrive-t-on pas à donner à la chute une autre signification que celle d'un mythe qui nous rend responsables de la causalité entière d'un mal, à l'exclusion d'un passé qui, en nous déterminant, nous disculperait ? Le sens irremplaçable de ce mythe n'est-il pas de maintenir l'écart entre le principe « originaire » – et originairement bon – de la *différence* des consciences *et* le principe « historique » par lequel cette différence devient « soudain » la *préférence* que chaque conscience a pour soi et à partir de laquelle elle poursuit la mort de l'autre ? La chute serait ce « saut » de la différence à la préférence, que le mythe raconte comme un « événement » et que nul système n'intègre. Ce serait l'injustifiable par excellence : l'hiatus entre la finitude et le mal.

À partir de là, je trouve simplement admirable tout le mouvement de l'injustifiable aux « approches de la justification ».

*

RELECTURE[1]
(1992)

En relisant, après plus de trente ans, ma note consacrée à l'*Essai sur le mal* de J. Nabert, je suis frappé par une intonation de ce livre extraordinaire qui m'avait échappé autrefois. Si j'avais aujourd'hui à caractériser la différence qui sépare cet essai commençant par l'injustifiable de celui qui commençait par la faute, je dirais que c'est une rhétorique de l'hyperbole mise au service tour à tour d'un sentiment excessif et d'une riposte excessive à ce sentiment. Oui, c'est bien ce double excès qui met à part l'*Essai sur le mal*.

Le terme même d'injustifiable constitue une expression excessive, appliquée à une expérience fondamentale qui ne

---

1. Extrait d'une communication donnée au Colloque « Jean Nabert » organisé par Emmanuel Doucy (Sorbonne, 3-4 avril 1992).

se laisse plus définir, comme le pouvait encore la faute, par une transgression des normes. Dès le début la question est posée : « Pouvons-nous dire aisément quelles sont les normes de nos jugements dans des cas où le sentiment de l'injustifiable est particulièrement fort et repousse toute atténuation ? » (p. 1). La réponse est non. Quelles sont donc les expériences-témoins de l'injustifiable ? En bref, ce sont de *grandes* souffrances, de *graves* blessures de la sensibilité, et non pas n'importe lesquelles. Ce n'est pas un hasard si, au détour des pages, reviennent des mots comme trahison, délation, bassesse, cruauté, abaissement de certains hommes, inégalités extrêmes... Et « quand la mort, interrompant prématurément une destinée, nous frappe de stupeur, ou qu'elle nous apparaît comme la rançon d'une haute ambition spirituelle, est-ce par l'idée de l'injuste que nous apprécions l'événement ? » Il faut que la stupeur nous laisse d'abord sans réponse. Et ce qui frappe de stupeur, c'est ce qui dans la souffrance est excès. Souffrir, n'est-ce pas d'ailleurs trop souffrir ? Voilà ce qui met en déroute le normatif sur le plan du jugement. Certes, nous restons dans la dimension du jugement lorsque nous parlons d'injustifiable et de justification. Mais c'est un jugement arraché à ses gonds par l'excès du souffrir, un jugement condamné à un excès en retour. Si la norme marque la mesure, la démesure du souffrir appelle la démesure inverse d'un recours hors norme.

Ce début pose problème, et un problème que ne posait pas le début par la faute des *Éléments pour une éthique* : à savoir que la souffrance pourrait conduire à une interrogation tout à fait étrangère au style réflexif de la philosophie de l'affirmation originaire. Elle pourrait poser un problème concernant l'ordre du monde. Le mal, n'est-ce pas que la nature nous ignore, que la contingence nous poignarde ? Non, dit en substance Nabert, la sorte de trahison dont nous voudrions accuser l'ordre du monde n'est pas encore le mal : la souffrance qui suscite ce discours n'est pas encore injustifiable, tout au plus est-elle intolérable. Pour être injustifiable, il faut encore que la volonté soit directement ou indirectement impliquée dans les blessures infligées à notre sensibilité. La discordance entre la finalité humaine et le cours du monde nous fait souffrir, mais elle n'est un mal que si la méchanceté humaine s'y mêle. Il faut insister : l'intolérable n'est pas l'injustifiable.

C'est à ce prix que l'*Essai sur le mal* se replace et se maintient sur l'axe des *Éléments* : à savoir l'inadéquation, l'impuissance du moi à s'égaler à l'affirmation originaire qui le constitue. Dès lors, face à l'excès de l'injustifiable, le mouvement d'approche de la justification présentera les signes d'un excès contraire à celui qui marque le sentiment de l'injustifiable.

C'est sous le signe de l'excès, me semble-t-il, qu'il faut placer la suite des trois chapitres centraux : « La causalité impure », « Le péché », « La sécession des consciences ».

Le premier désigne le tronc commun qui se divise en deux branches : rapport de moi à moi-même, rapport de moi à autrui. Or, dans ces trois registres, la réflexion est portée à un excès par en haut qui réplique à l'excès par en bas du sentiment de l'injustifiable ; l'au-delà des normes répond à l'en deçà des normes. L'impureté de la causalité désigne ainsi un empêchement intime dont il ne peut plus être rendu compte dans le cadre de l'idée morale de transgression, laquelle a pour condition la capacité qu'aurait la volonté de se replacer, l'instant d'après, devant le choix jeune et neuf de l'obéissance et de la désobéissance. C'est ici la place de l'hyperbole, sous la figure d'une génération toujours déjà impure des motifs ; toujours déjà ? Nabert dit : « Toujours et en toutes circonstances » ; cette expression excède toute phénoménologie. C'est seulement en deçà et au travers des actes et des motifs que nous discernons une « causalité impure » ; nous prenons d'abord appui sur une philosophie rationaliste de la moralité, où la liberté est définie par le pouvoir d'agir selon la représentation d'une loi ; puis, par une méthode de débordement par l'intérieur, le philosophe passe de l'idée morale de transgression à l'idée spirituelle d'impureté et, corrélativement, du problème moral de la correction des actes au problème spirituel de la régénération du moi, lequel surgit au foyer de la genèse des possibles. Il apparaît alors que le jugement moral constitue à la fois un appui et un obstacle : sans le discernement de la valeur des actes, il n'y aurait pas de sentiment du mal ; mais ce discernement tend à détourner la réflexion du foyer même d'où procèdent et les normes et les actes. C'est pourquoi la réflexion hyperbolique sur la genèse impure des possibles s'avère essentielle ; elle arrache la méditation à l'ornière de la réflexion morale.

C'est la même lecture en termes d'excès ou d'hyperbole qu'il faudrait poursuivre dans les deux registres du rapport à soi et du rapport à autrui. Le péché, consistant en une « rupture opérée dans le moi par le moi », n'est pas moins un concept hyperbolique que celui de causalité impure. Quant à la sécession des consciences, elle ne se comprend que placée dans le registre de l'excès : le concept est hyperbolique en ce sens que l'altérité, que la moralité a pour tâche de transformer en reconnaissance mutuelle, apparaît comme le résultat déjà échu d'une rupture consommée au sein d'une conscience immense qui ignore la différence numérique des consciences. Est-il un autre philosophe qui ait osé mettre au compte du mal l'altérité elle-même ?

Préface à
Le Désir de Dieu
(1966)

Avait-on le droit – le droit moral – de publier, en dépit de son inachèvement, l'ouvrage qui devait prolonger et justifier le dernier écrit de Jean Nabert, le bref article des *Études philosophiques* (1959/3) sur *Le divin et Dieu* ?

Je sais bien ce que l'on peut faire valoir contre une telle entreprise ; les livres de Jean Nabert sont des œuvres rares ; ils sont rares en nombre : outre sept articles de revues, Jean Nabert publia seulement trois livres : *L'Expérience intérieure de la liberté*, en 1923, les *Éléments pour une éthique*, en 1943, l'*Essai sur le mal*, en 1955 ; mais ce sont surtout des œuvres rares par leur densité intérieure ; elles sont le fruit d'une sorte de raréfaction de l'écriture ; Nabert créait un livre autant par suppression que par addition : redites et reprises, références historiques et considérations annexes, transitions et pauses étaient impitoyablement éliminées. Or ce livre nous échoit avant que l'auteur ait eu le temps d'exclure ce que sa vérité – peut-être excessive – eût certainement tenu pour inessentiel.

Bien plus, ce livre a été, si j'ose dire, surpris par la mort, avant même d'avoir atteint la stature de l'ouvrage brut qui, à son tour, eût subi l'impitoyable travail de dépouillement ; le plan n'est pas absolument certain ; l'ordre même des feuillets est douteux ; les rédactions partielles se répètent et empiètent les unes sur les autres. Bref, ce n'était pas encore un livre.

Dès lors, ne fallait-il pas tenir ces feuillets pour des pages perdues ?

Ces arguments sont forts et ne sauraient être levés par des considérations de pur droit : certes, le maître n'a rien dit, ni écrit, qui permît de dire que cette publication enfreint sa volonté ; mais cette absence même de dispositions contraires rend plus grave la responsabilité de ses amis, qui est ainsi livrée à elle-même ; c'est dans l'œuvre même qu'ils doivent puiser les raisons de passer outre aux objections.

Je suis de ceux qui, après avoir pesé les arguments contraires, ont accepté de partager la responsabilité de publier cette œuvre à plusieurs égards inachevée. Voici pourquoi.

D'abord Mme Paule Levert, dans son travail d'édition, succédant au déchiffrage et à la transcription scrupuleuse de Mlle Nabert, n'a pas tenté de simuler le travail de réduction que seul l'auteur pouvait opérer à partir de son exigence et de son goût ; elle n'a même cherché ni à composer ni à rédiger le livre qui manquera à jamais. Elle s'est bornée à faire franchir à cet inédit le seuil de la lisibilité ; elle a éliminé les doublets les plus inutiles, regroupé les feuillets errants autour des textes les plus achevés, conjecturé un ordre plausible, sinon probable, sur la base de l'article des *Études philosophiques* et des propositions contenues dans les papiers mêmes de Nabert. Ainsi, le scrupule a porté l'éditeur à donner forme de publication à un dépôt qui est ainsi laissé en l'état et qui ne saurait s'ajouter, comme un quatrième et dernier livre, aux trois œuvres maîtresses que nous avons aimées. Le lecteur voudra donc pénétrer dans ce texte comme dans l'atelier d'un artiste mort et y chercher les linéaments et les raisons d'une œuvre qui ne sera pas.

Or ce sont ces linéaments et ces raisons même que l'on a voulu arracher à la perte : en effet, le présent travail prolonge directement le grand texte central des *Éléments pour une éthique* consacré à l'« affirmation originaire ». Or ce texte ne constituait à aucun titre une exposition complète de ce que l'on pourrait appeler une expérience de l'absolu. Au contraire, l'affirmation originaire demeure un acte purement intérieur, non susceptible de s'exprimer au-dehors et de se maintenir au-dedans. L'affirmation originaire a quelque chose d'indéfiniment inaugural et ne concerne que l'idée que le moi se fait de lui-même. Or, pour aller plus loin, disons jusqu'à une expérience positive de l'absolu, la philosophie de l'affirmation originaire offrait une difficulté majeure ; on en trouvera l'examen le plus lucide dans le dernier chapitre du solide ouvrage de Paul Naulin, *L'Itinéraire de la conscience*[1],

---

1. *L'Itinéraire de la conscience. Étude de la philosophie de Jean Nabert*, Paris, Aubier, coll. « Analyses et raisons », 1963.

consacré à la philosophie de Jean Nabert : comment une philosophie réflexive, qui refuse de dissocier la prise de conscience de l'opération absolue qui la fonde, par conséquent qui pose l'identité numérique de la conscience réelle en chacun et de l'affirmation originaire qui l'instaure, peut-elle faire place à une *expérience* qui témoignerait, hors de nous et dans l'histoire, de cet absolu ? Or cette difficulté, le progrès de la pensée de Nabert n'a cessé de la creuser : d'un côté, la philosophie réflexive récuse avec une force croissante toute ontologie de l'absolu, tout argument concluant à un être transcendant ; elle n'a donc de recours que dans l'approfondissement d'un acte immanent à chacune de nos opérations ; d'autre part, la considération du mal et de l'injustifiable conduit à placer dans des actes rares, incoordonnables, à la limite de toute norme, les références de cette expérience absolue. On peut alors se demander légitimement comment une philosophie de l'intériorité radicale peut se déployer en direction d'événements ou d'actes parfaitement contingents qui attesteraient que l'injustifiable est surmonté ici et maintenant.

Or les trois maîtres livres de Jean Nabert contiennent des indications qui, selon la remarque de Paul Naulin, « constituent [...] trois tentatives pour justifier, à partir de problématiques très différentes, une certaine expérience de l'absolu » (*op. cit.,* p. 482).

Les *Éléments pour une éthique* s'achèvent par un chapitre intitulé « Les sources de la vénération » ; l'incarnation de l'affirmation originaire dans des personnes dignes de notre vénération y apparaît comme la réplique, dans l'histoire, de la pensée de l'inconditionné qui est au principe même de chaque conscience ; mais on peut craindre que les exemples de « sublimité morale » n'attachent notre vénération à l'ordre de la moralité que l'existence du mal nous contraint de dépasser.

C'est pourquoi le thème de l'injustifiable, dans l'*Essai sur le mal*, contraint à radicaliser le témoignage de l'absolu au-delà des normes de la moralité, dans l'exacte mesure où le mal lui-même nous découvre un fond d'iniquité qui n'a plus pour mesure les normes ; du même coup, la certitude de la régénération, qui restait liée à des exemples de sublimité morale dans les *Éléments*, se radicalise en une expérience qui

paraît en recul par rapport à la précédente : Nabert ne parle-
t-il pas des « approches de la justification » après avoir parlé,
une dizaine d'années plus tôt, des « sources de la vénération » ? Bien plus, il s'attarde à méditer sur le « retard de la
justification réelle sur la réflexion spirituelle » (*Essai*, p. 141)
et s'élève jusqu'à la question : « Y a-t-il de l'injustifiable,
absolument ? » (p. 142). Il faut donc plus qu'un exemple
de sublimité ; il faut une communication effective et singulière avec l'« acte gratuit d'une autre conscience », « d'une
conscience particulière assumant pour une autre le rôle d'une
providence » (p. 134). Ainsi s'esquisse l'idée d'une médiation entièrement contingente, témoignant de l'absolu. Mais
comment une communication peut-elle être « tout ensemble
concrète et absolue » (p. 147) ? Peut-on « investir d'un caractère absolu un moment de l'histoire » (p. 148) ? Comment
l'« identité numérique » entre l'absolu et la multiplicité des
consciences empiriques s'accorde-t-elle avec la contingence
des actes et des existences qui témoignent de l'absolu et dont
le philosophe ne peut parler qu'en termes hypothétiques du
style : « Rien n'interdit d'affirmer que... » (p. 148) ?

Le troisième texte de Jean Nabert – l'article des *Études
philosophiques* sur *Le divin et Dieu* – est le plus proche par
son dessein du livre projeté ; c'est pourquoi nous nous y attar-
derons, en dépit de sa brièveté ; il fait apparaître un thème
nouveau, destiné à devenir le centre de gravitation de toute la
méditation, celui d'une « problématique du divin » (p. 325).

Cette réflexion sur le divin se déploie dans trois directions
absolument solidaires, dont l'articulation commande la composition du présent manuscrit.

Selon la première direction, plus proprement polémique, il
importe de dissocier entièrement les déterminations du divin
de tout sujet d'inhérence, de tout être porteur des prédicats
divins. Cette dissociation est poussée si loin que l'idée même
de Dieu ou de « désir de Dieu » paraît frappée d'un agnosti-
cisme définitif. Qu'est-ce que Jean Nabert refuse sous le titre
de *sujet* des prédicats divins ? Essentiellement l'idée d'un
être nécessaire, numériquement distinct de l'acte par lequel
une conscience poursuit la compréhension de soi-même.
Après avoir rappelé les difficultés classiques de la théologie
naturelle, incapable de concilier l'univocité de l'être avec
l'équivocité de ses prédicats et de satisfaire à la fois à l'exi-

gence d'intelligibilité impersonnelle et à la demande d'intimité personnelle, Nabert élabore l'argument fondamental de
la philosophie réflexive : « L'entendement objective tout ce
à quoi il s'applique » (p. 325). Qu'est-ce en effet que l'idée
d'être nécessaire ? C'est l'application à l'acte réflexif fondamental de la logique de la prédication. Mais alors la pensée
réflexive a-t-elle encore le droit d'invoquer le nom de Dieu ?
Peut-on encore écrire : « Il est bien vrai que le désir de Dieu
ne fait qu'un avec le désir d'une compréhension de soi, et
que ce désir surgit et ne peut manquer de surgir dans une
conscience qui aspire à se reprendre sur ce qu'elle est et
sur ce qu'elle a été, dans l'impatience d'une délivrance
et d'une justification de soi » (p. 325) ? On voit bien ce qui
fait de la compréhension de soi un désir : c'est la découverte
du contraste entre l'acte même de la réflexion et l'impuissance de chaque conscience à s'égaler à soi ; mais qu'est-ce
qui fait de ce désir un « désir de Dieu », en l'absence d'un
être en soi ? Le bref essai esquisse une réponse qui commande les premiers chapitres du présent ouvrage : s'il n'y a
pas dualité entre l'affirmation originaire, comme on disait
dans les *Éléments*, et chaque conscience, il y a « une structure de la conscience de soi » (p. 326) qui autorise à distinguer, mais non à séparer, la conscience particulière et la pensée de l'inconditionné, si l'on entend par ce mot « la pensée
de ce qui est radicalement étranger à la causalité qui vaut
pour tout ce qui est, pour tout ce qui est de l'ordre de l'étant »
(p. 326). Le manuscrit inédit est d'abord une lutte pied à
pied avec les difficultés contenues dans cette simple phrase
de l'article de 1959 : « Lorsque la pensée de l'inconditionné
revient en quelque sorte sur soi, elle se fait affirmation de soi,
dans et par la conscience de soi, sans qu'il y ait possibilité de
dissocier la pensée et la conscience » (p. 326). Toute la difficulté réside non dans l'impossibilité de séparer, mais dans la
possibilité de distinguer la pensée de l'inconditionné et la
conscience particulière. L'idée d'une réflexion de la pensée
sur elle-même qui « devient » conscience de soi, d'une pensée qui « communique son caractère » à la conscience, d'un
inconditionné « se faisant acte pour soi dans une conscience
particulière » *(ibid.)*, cette idée contient une difficulté majeure,
celle d'une distinction non duelle, d'une distinction identique, si l'on peut dire, dont l'origine est indubitablement

fichtéenne. Il n'est pas douteux que c'est cette distinction, annulée aussitôt que posée, qui permet de maintenir l'idée de Dieu et le désir de Dieu, comme d'un lieu vide pour l'entendement, au début d'un itinéraire qui pourtant « s'avance vers Dieu au lieu d'en partir » (p. 329).

Le lecteur appréciera jusqu'où Nabert s'est avancé, à la fois dans la position et dans la résolution d'un problème qui prend figure d'aporie dans l'article de 1959 : la philosophie réflexive n'est-elle pas sollicitée avec une force égale par l'idée d'un divin sans Dieu et par celle d'un Dieu inobjectivable et incompréhensible ? Il semble que tout se joue sur le sens de l'inconditionné : le difficile rapport entre la conscience de soi et la pensée de l'inconditionné qui la fonde permettra-t-elle encore de dire : « La conscience que Dieu acquiert de soi coïncide avec celle que la conscience acquiert de Dieu » (p. 326) ?

La deuxième direction dans laquelle s'engageait le bref essai sur *Le divin et Dieu* est celle que notre manuscrit appelle une « critériologie du divin ». C'est l'axe de l'ouvrage ; c'était aussi la pointe de l'article. Voici de quoi il s'agit : si le divin n'est pas le prédicat d'un être, mais le caractère d'un acte inséparable de notre réflexion, elle-même mue par le désir de la délivrance et de la justification, le divin devient le foyer d'une activité *normative*, dans laquelle la pensée réfléchissante se fait « juge du divin » (p. 329) : « Le divin, qualité axiologique, fait alors fonction d'*a priori*, normatif tant à l'égard de nos actes qu'à l'égard de l'idée de Dieu » (p. 327). On aperçoit la position centrale de cette critériologie – pour l'appeler du nom qu'elle porte dans le présent ouvrage : elle regarde vers le premier moment, celui de la purgation des idoles de Dieu, et vers le troisième moment, celui du discernement des témoignages ; elle est le critère à la fois de l'absolu et de la manifestation de l'absolu ; elle en règle conjointement l'« avance ».

La critique des faux absolus va loin : « Partir du divin, c'est aller vers un Dieu qui n'est que divin, qui n'a aucune part dans l'injustifiable et dans le mal, qui n'est ni tout-puissant ni omniscient, et dont il n'y a plus lieu de se demander comment il est compatible avec l'existence d'un monde où il n'est pas de succès spirituel qui ne soit précaire, pas de finalité qui ne soit contrariée par des forces hostiles, pas de régulation rationnelle qui ne laisse entrevoir le fond de négativité qui demeure rebelle » (p. 330). N'entend-on pas Platon tonner contre le Dieu de la tragédie grecque ?

Mais on voit tout de suite les difficultés. La plus apparente n'est pas la plus considérable : objectera-t-on que l'homme se fait juge de Dieu ? Non, c'est le divin, impliqué dans l'acte fondateur de la conscience, qui se fait juge des idées que les hommes ont de Dieu ; la fonction d'*a priori* s'appuie sur la reconnaissance d'une motivation inaccessible à la psychologie, inépuisable par la réflexion, que Nabert appelait dans ses ouvrages antérieurs la « causalité spirituelle », et qui implique tout à la fois docilité à l'impulsion vers le fondement de la réflexion, détachement du souci égoïste de soi-même, mouvement de réalisation infini de la liberté, reprise sur la dispersion et la sécession des consciences. C'est *cette* conscience qui se fait « juge du divin » ; le discernement revient en quelque sorte vers nous ; c'est nous qu'il juge, car c'est l'« idée du divin » qui est normative.

Plus dissimulée et plus grave est l'objection que cette « idée normative du divin » ramène une pensée de type moral. Ce serait perdre la leçon de l'*Essai sur le mal* ; l'« injustifiable » que cet essai découvre situe les « approches de la justification » au voisinage d'expériences privilégiées qui sont elles-mêmes au-delà des normes, comme le mal radical est en deçà des normes ; pour rester fidèle à l'*Essai*, la critériologie du divin doit donc devenir, avec toutes les difficultés que cela comporte, une pensée normative au-delà des normes : « Quand le divin procède de la conscience pure de soi, l'orientation qu'il imprime à l'existence entière ne peut pas ne pas entrer en opposition avec celle d'une expérience morale qui demande le secours de quelque violence » (p. 328). On entre alors dans une région « incoordonnable » (pour reprendre le mot du philosophe genevois J.-J. Gourd) avec les divers « foyers de la réflexion » que désignait l'article de l'*Encyclopédie française* sur les *philosophies de la réflexion* : foyer de la réflexion intellectuelle, foyer de la réflexion morale, foyer de la réflexion esthétique, etc. ; le divin est ainsi « incoordonnable » non seulement à ces foyers de réflexion, mais aux normes correspondantes de la conscience : elle échappe à ces normes « par en haut ». On retrouve ainsi Pascal : l'ordre de la charité est d'un autre ordre. La question est alors de savoir comment la critériologie du divin pourra échapper au moralisme sans retourner à l'ineffable et affirmer l'incoordonnable sans rompre la continuité entre la conscience de soi et la pensée de l'inconditionné.

Enfin, c'est d'un même mouvement que la réflexion, maîtresse de cette « critériologie », peut aller au-devant des actes et des êtres qui, hors d'elle, dans l'expérience humaine, « témoignent pour le divin » (p. 327). Critériologie du divin et « compréhension des témoignages » (p. 329) sont à vrai dire inséparables : car la réflexion sur soi et l'interprétation des signes et indices nés de l'histoire vont de pair ; on ne saurait accueillir ces signes, ces indices d'un autre mouvement que celui qui règle la purification de la conscience de soi ; c'est cette parenté profonde entre la réflexion et le discernement du témoignage qui laisse apercevoir quelque chose du rapport entre la raison et la foi : « Irréductible serait leur hétérogénéité, impossible le passage de l'une à l'autre, si la raison et la foi procédaient de deux actes foncièrement différents » (p. 329).

C'est enfin cette liaison de la critériologie du divin au discernement des témoignages qui assure l'avance de la réflexion du divin vers Dieu : « Qu'une conscience choisisse librement un hors-la-loi qui l'a particulièrement frappée, et s'y arrête, il symbolise tous les autres, il conduit à un Dieu qui n'est pas l'être universel et infini de la théologie traditionnelle. Une sorte de personnalisation de l'absolu devient possible » (p. 329). Une telle avance est possible, parce que les manifestations du divin ne sont pas, comme chez Kant, de simples exemples qui n'ajoutent rien au modèle, à l'original qui est en nous et par lequel nous décidons de ce qui lui répond : l'apparition du divin est vraiment imprévisible ; c'est pourquoi Nabert écrivait : « La vie de Dieu, le progrès de la conscience de Dieu se produisent par ces exemples qui donnent chaque fois au divin un sens nouveau ou plus profond. Ce sens n'eût pas été découvert par la seule analyse de l'idée. À celle-ci il ne faut demander que la direction et la dilatation de l'attention requise pour la reconnaissance et l'appropriation de l'exemple » (p. 331). Par là, le philosophe réflexif semble accueillir quelque chose de l'idée d'une production et d'une avance, non seulement de la conscience de Dieu, mais de la vie de Dieu.

Il y a donc entre la critériologie, qui fait la conscience juge du divin, et le discernement du témoignage, qui laisse l'initiative à l'événement, un rapport circulaire. C'est pourquoi les exigences qu'apporte la réflexion « doivent être assez rigoureuses pour exclure maintes figures du divin – ou du sacré –, assez indéterminées cependant pour laisser à l'expérience et à l'histoire toute leur imprévisibilité quant à l'apparition du divin » (p. 327).

Ce rapport circulaire suscite des difficultés qui demeurent implicites dans l'essai sur *Le divin et Dieu* et que le présent ouvrage déploie largement : ces témoignages ne sont-ils pas incoordonnables entre eux, autant que le divin est incoordonnable aux normes ? On l'a entendu : chaque hors-la-loi « symbolise tous les autres ». Mais qu'est-ce que cette « ressemblance profonde » (p. 328) sans laquelle l'unité du divin serait aussi compromise que celle de Dieu dans l'ontologie des attributs ? Nabert ne disait-il pas aussi qu'« il n'y a pas de totalisation d'indices » (p. 330) ? Il semblerait plutôt que la consonance entre la réflexion sur soi et le témoignage offert par l'histoire ne soit atteinte que si la conscience tient chaque fois pour unique l'exemple qui pour elle lui révèle le divin : « Il n'y a pas de contradiction entre la tendance de la conscience à diviniser le révélateur du divin et les caractères de la causalité spirituelle qui procèdent de l'idée pure du divin » (p. 330). L'idée du divin, qui comporte la nécessité de l'*a priori*, a ainsi en face d'elle des témoignages divers, imprévisibles, non totalisables, brefs, contingents, qui sont autant d'initiatives que la conscience découvre mais ne produit pas. On retrouve ici la difficulté évoquée plus haut : celle du raccord entre une idée *a priori* du divin et une expérience contingente. Mais on voit maintenant dans quelle direction il faut chercher la solution : la réflexion aussi est une initiative, l'initiative d'un approfondissement ; et cette initiative « intérieure » se signifie, à son tour, par le moyen d'une compréhension appliquée aux témoignages qui attestent la présence du divin. La compréhension de soi et l'interprétation des signes sont ainsi une seule et même compréhension, sans qu'aucune totalisation de ces signes ne vienne garantir l'authenticité de l'accord : l'accord lui-même est une « avance », un « progrès » de la réflexion[1].

---

1. On retrouve ici le rapport entre *acte et signe* qui court à travers toute la philosophie de Nabert : dans *L'Expérience intérieure de la liberté*, il

Cette avance est, si l'on veut, une avance de la philosophie elle-même, procédant de la négation de l'être nécessaire vers la critériologie du divin, pour déboucher dans le discernement du témoignage. Mais, dans cette avance, la réflexion n'efface aucun de ses pas antérieurs : la critériologie du divin accompagne de part en part ce recours au témoignage, comme la substitution d'une philosophie de l'acte réflexif à une philosophie de l'être nécessaire accompagne de part en part la critériologie du divin. C'est dans cette mesure seulement que l'on a le droit d'abréger, dans l'expression « désir de Dieu » – choisie pour titre au présent ouvrage –, tout le mouvement qui va du désir lié à la compréhension de soi à la critériologie du divin et à cette sorte de personnalisation de l'absolu par le témoignage. Il importe que cette expression ne serve pas à cacher et à abolir ses propres conditions de sens ; parler du désir de Dieu, dans une philosophie réflexive, n'autorise jamais à renier la critique de l'être nécessaire ; la dissolution de ce que d'autres appellent onto-théologie fait partie de ces conditions de sens ; d'autre part, la reconnaissance, l'aveu, l'écoute des actes et des êtres révélateurs du divin n'autorisent jamais à renier la critériologie du divin, où la réflexion s'érige en tribunal de l'idée de Dieu et des manifestations de l'absolu.

Soumission au témoignage, vigilance critique, remontée au fondement de la réflexion sont des moments indissolublement liés dans *Le Désir de Dieu*. Que le lecteur ne sépare pas ce dont l'union fait la véracité, la fierté et l'humilité – éventuellement la limitation – de la philosophie réflexive.

éclaire le problème de la causalité psychologique ; dans les *Éléments pour une éthique*, il est la clef du rapport entre la liberté et les valeurs (cf. mon article sur « L'acte et le signe chez J. Nabert », *Le Conflit des interprétations*, Paris, Le Seuil, 1969.

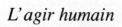

L'agir humain

Le *Marx*
de Michel Henry
(1978)

Le *Marx* de Michel Henry[1] est issu d'une grande ambition : « Rendre la parole à Marx lui-même » (p. 33). L'auteur pense que la tâche est nécessaire, qu'elle est sensée et qu'elle est possible.

Elle est devenue nécessaire, s'il est vrai que « le marxisme est l'ensemble des contresens qui ont été faits sur Marx » (p. 9). Le marxisme, d'Engels à Riazanov et Althusser, a pour principe constant, selon Michel Henry, de construire toutes ses explications sur des concepts dérivés – formations sociales, classes et lutte des classes, etc. – et non sur les concepts fondateurs – les individus vivants et leur *praxis* effective –, dont la mise au jour est justement l'un des accomplissements de la philosophie de Marx. Ce contresens massif explique que l'on ait pu voir dans le marxisme la fin de la philosophie, alors que Marx donne seulement congé aux concepts fondateurs qui, des Grecs à Hegel et Feuerbach, ont dessiné l'horizon philosophique de la pensée occidentale ; est philosophique plus que jamais la théorie qui établit les nouveaux concepts fondamentaux. Le même contresens explique encore que l'on ait pu, soit tenir pour fondamentaux des concepts tels que matérialisme et dialectique, que la pensée de la *praxis* rejette précisément dans l'idéologie, soit assimiler la pensée de Marx à un darwinisme social, dans l'horizon d'un positivisme scientiste également « réduit » par l'ontologie de Marx. On se méprend tout autant sur le sens de l'œuvre de Marx si l'on y voit, avec Althusser, le remplacement de l'idéologie par la science, alors que l'intention de la *praxis* place la science du côté de l'idéologie. Ce contresens

---

1. Paris, Gallimard, 1976.

est le plus grave de tous, car il aboutit à rejeter en deçà d'une prétendue coupure épistémologique, donc à côté de l'idéologie, le texte même qui « ouvre la dimension nouvelle où Marx situe désormais le lieu de la réalité en même temps que celui de tous les problèmes qui vont constituer le thème exclusif de la réflexion » (p. 14), à savoir *L'Idéologie allemande*. On ne voit pas alors que les concepts théoriques marxistes, adoptés comme critères de ce qui n'est pas encore marxiste chez Marx, sont précisément ceux qu'il fait régresser au rang de concepts dérivés. « La prétendue relecture ne fait donc que refaire ce que le marxisme a toujours fait. Une pensée de génie va être mesurée à l'aune d'un catéchisme primaire » (p. 25).

L'*époché* du marxisme constitue ainsi la condition négative de la lecture de Marx. Quel en sera donc le sens ? Une lecture philosophique de Marx, dit Michel Henry, doit consister dans une « histoire transcendantale des concepts » (p. 24). L'auteur appelle de ce nom la restitution de l'ordre, non pas seulement chronologique, mais théorique « de leur fondation, de leur surgissement, de leur élaboration, de leur rectification, de leur remplacement enfin par des concepts adéquats » (p. 25). Pour que cet ordre soit un ordre de fondation, il faut admettre un certain nombre de principes. D'abord, il y a des concepts fondateurs qui identifient « ce qui doit être compris comme la réalité et, du même coup, comme un fondement » (p. 26) : tels sont, on va le voir, les concepts d'individu, de subjectivité, de vie, de *praxis*, etc. Ensuite, ces concepts régissent un unique projet philosophique qui confère à l'œuvre entière son unité : selon cette présupposition, il n'y a nulle part de franche coupure épistémologique, mais une unique marche vers la réalité. Enfin, l'histoire transcendantale des concepts permet de discerner les concepts fondateurs des concepts dérivés : on verra comment les concepts ontologiques de *L'Idéologie allemande* et des *Thèses sur Feuerbach*, loin de disparaître avec la rédaction du *Capital*, restent les concepts fondateurs par rapport auxquels les catégories de cette œuvre – forces productrices, classes sociales, etc. – restent des concepts dérivés ; ceux-ci ne peuvent donc servir de principes d'explication, puisqu'ils doivent être eux-mêmes expliqués. Les deux termes de l'ouvrage de Michel Henry se relient l'un à l'autre selon ce troi-

sième postulat : le premier dégage des écrits antérieurs au
Capital « une philosophie de la réalité » (titre du premier
volume) ; le deuxième édifie sur les concepts fondateurs de
cette philosophie de la réalité les concepts dérivés qui, dans
Le Capital et les œuvres apparentées, constituent une « philosophie de l'économie » (titre du second volume).

Si l'entreprise est sensée, dans la mesure où elle se constitue en histoire transcendantale des concepts, est-elle possible ? La difficulté est double. L'auteur admet d'abord qu'on
peut *répéter* une philosophie, c'est-à-dire accéder à la pensée
de Marx « à partir d'elle-même, de ses intuitions et de ses
évidences propres » (p. 31). L'argument est celui-ci : « Que
la pensée de Marx rende compte d'elle-même et soit à elle-
même son propre fondement théorique, c'est là ce qui fait
d'elle une philosophie » (p. 31). Mais une répétition philosophique est-elle possible qui simplement laisse se dire « ce
que Marx a voulu dire » (p. 33) ? Toute grande interprétation
philosophique n'est-elle pas plutôt un débat où l'on entend
deux voix ? N'est-elle pas même, comme le suggèrent à la
fois Heidegger et Strawson, un acte de violence ? Je voudrais
montrer, dans cette chronique, que la voix de Michel Henry
ne cesse de se laisser entendre. Écoutez-la, dès le premier
chapitre (« Lecture de textes ») : « Comme Marx l'a compris,
la réalité n'est pas identifiable dans une ontologie de l'objectivité » (p. 27). Si vous ne savez rien de l'œuvre de Michel
Henry, si vous n'avez aucune idée de ce qui se débat et se
décide dans *L'Essence de la manifestation, vous* ne saisirez
pas la pointe. Si vous ne savez pas que l'ontologie de la
subjectivité, c'est cette philosophie qui a régné des Grecs à
Hegel, à savoir la philosophie selon laquelle la conscience se
pose en se transcendant, en se dépassant, en se projetant dans
des objets, à partir desquels ensuite cette conscience entreprend de se comprendre, vous ne soupçonnez pas combien,
dès les premières pages du *Marx* de Michel Henry, est lourd
de sens le mot *réalité*, pesant le mot *praxis*. Avec Marx, et
en écrivant son *Marx*, Michel Henry continue son vieux
combat contre le prétendu primat de la transcendance de la
conscience, autrement dit le primat d'une conscience se donnant des objets, s'y aliénant pour se prendre enfin elle-même
dans la transparence à soi. Du même coup, et en contrepartie,
le primat de la *praxis* chez Marx est aligné, par la lecture de

Michel Henry, sur le primat que toute son œuvre assigne *au vivre immanent à lui-même*, antérieurement à tout mouvement de transcendance. En signalant, dès le début de ma chronique, cette connivence profonde entre *L'Essence de la manifestation* et le *Marx*, je n'entends pas jeter la suspicion sur le livre. Bien au contraire, je veux suggérer que, si Michel Henry a pu ainsi rétablir la *praxis* dans la position de fondement réel à l'égard de tous les autres concepts dérivés que le marxisme ultérieur a poussés au premier rang, c'est parce que toute son œuvre menait déjà une lutte semblable contre le règne de la représentation, de la transcendance de la conscience, et contre le règne corrélatif de l'objet, en faveur du primat de l'être immanent à lui-même. Sa lecture est pénétrante, révélante, précisément parce qu'elle n'est pas innocente. « Ce que Marx a voulu dire » n'apparaît qu'à celui qui a lui-même quelque chose à dire, comme Michel Henry. C'est donc un duo et un duel qui nous sont donnés à comprendre dans ce livre.

Mais je vois une autre difficulté initiale, qui ne prendra corps que lorsque la théorie de l'idéologie chez Marx aura été poussée à bout ; elle montre l'oreille dès le premier chapitre. La voici : si la *praxis* est la réalité qui reporte dans la sphère idéologique la conscience et ses représentations, donc aussi toute théorie se donnant comme science, qu'en est-il, chez Marx lui-même, de la théorie comprise comme l'ensemble des concepts fondateurs ? Ne tombe-t-elle pas sous sa propre critique de l'idéologie ? Michel Henry, quand il aperçoit la difficulté, l'écarte très vite : une pensée qui rend compte d'elle-même, estime-t-il, ne peut pas être une idéologie. Et pourquoi ? La riposte est cryptique : « La pensée chez Marx est la vision de l'être dont la structure interne est irréductible à celle de cette vision, est irréductible à la théorie, est *praxis* » (p. 32). J'avoue que le statut d'une théorie *de* la *praxis* qui, parce qu'elle serait une vision, serait homogène à la *praxis* ne laisse pas d'intriguer. On verra comment Marx lui-même la rencontre lorsqu'il parle de science vraie, de vrai langage de la réalité. Je me demande si une pensée non idéologique, c'est-à-dire adéquate à la *praxis*, ne présuppose pas que cette *praxis* ait été depuis toujours articulée par des représentations, des normes, des symboles, bref, que la *praxis* soit, à titre originaire, de structure sémiotique. Cette question, on l'aperçoit déjà, s'adresse globalement à Marx et à Michel Henry, dans la mesure où celui-ci lie correctement le rapport de toute représentation et de toute idéologie à la réalité praxique qui la précède. Cette question atteindra son extrême acuité avec la discussion des deux derniers chapitres du tome I.

Les cinq chapitres qui composent le tome I jalonnent une unique marche vers la réalité, avec ses avancées, ses reculs, ses moments décisifs et, si l'on peut dire l'exploitation de la conquête. La première percée se lit dans le manuscrit de 1842, la *Critique de la philosophie de l'État de Hegel* (particulièrement p. 261-313). Avancées et reculs s'observent dans les *Manuscrits économico-politiques* de 1843-1844. La percée décisive est opérée par *L'Idéologie allemande* (où Michel Henry lit attentivement non seulement la critique de Feuerbach, mais celle de Bauer et celle de Stirner) et les *Thèses sur Feuerbach*. L'occupation du terrain est figurée par la théorie de l'idéologie qui résulte de la reconnaissance principielle de la *praxis* comme réalité fondatrice.

AVANCÉES ET RECULS

Rien, chez Marx, selon Michel Henry, n'est radicalement étranger aux « évidences essentielles par lesquelles se constitue progressivement la pensée de Marx et qui vont définir le sol sur lequel s'édifiera à son tour l'analyse économique » (p. 35). La « répétition » de ces évidences essentielles prend nécessairement son point de départ dans l'élucidation systématique du *Manuscrit* de 1842. Quel est, en effet, dans ce premier grand travail théorique de Marx, le principe de la critique de l'État hégélien ? C'est que l'essence politique est une idéalité et, en tant que telle, reste étrangère au réel. Bien que l'opposition explicite entre *étranger* et *propre* appartienne au langage de Feuerbach, une opposition plus fondamentale se fait jour, celle entre *réel* et *non-réel*. Dire que l'État a son origine dans l'activité des individus, c'est déjà refuser de placer la réalité dans un lieu autre que les individus. Hegel peut bien reconduire l'État vers l'individu dans la figure du monarque, il reste que, « si Hegel avait pris comme point de départ les sujets réels considérés comme base de l'État, il n'aurait pas besoin de faire, de façon mystique, l'État se subjectiver [...]. Hegel part de l'État et fait de l'homme l'État subjectivé ; la démocratie part de l'homme et fait de l'État l'homme objectivé » (*Manuscrit* de 1842). Le vice de la philosophie hégélienne de l'État n'est donc pas qu'elle n'ait pas aperçu les intérêts de castes ou de groupes qui détournent et captent cette essence politique, mais que l'État soit précisément une essence objective élevée au-dessus des individus réels.

Mais, dans cette critique, les deux voix de Marx et de Michel Henry se font entendre conjointement. La critique par Marx de l'idéalité abstraite (que Marx appelle mysticisme) est identiquement, dans le langage de M. H., critique de la « subjectivité ekstatique » (p. 52), c'est-à-dire de la subjectivité comme principe de toutes les extériorités, de toutes les transcendances : « C'est une philosophie de l'immanence, déclare M. H., qui dicte maintenant à l'analyse ses prescriptions » (p. 56).

Du moins, cette lecture permet-elle d'apercevoir les contradictions du *Manuscrit* qui, d'une part, place sous la catégorie de l'irréel l'Idée hégélienne et tout ce qui se tient sous la lumière de l'Idée et, d'autre part, cherche dans le concept feuerbachien du « genre » la liaison entre l'individu et l'universel, sans voir que le « genre » feuerbachien – l'humanité comme être générique – est encore un avatar de l'idéalité hégélienne, « un sous-hégélianisme dérisoire » (p. 82).

M. H. est d'accord avec les autres commentateurs pour rattacher l'humanisme du jeune Marx au concept feuerbachien de « genre ». Mais, en prenant pour fil conducteur l'opposition réel-irréel, M. H. tient pour inessentielle la différence entre l'idéalisme hégélien et l'humanisme de Feuerbach. Le « genre » ne peut apparaître que comme un dérivé bâtard du concept hégélien d'esprit, mais inférieur à son modèle, en ce qu'il laisse échapper ce qu'il y avait de substantiel dans l'ontologie hégélienne. Le « genre » de Feuerbach, c'est l'esprit hégélien avec un indice supplémentaire d'absurdité : car si le genre est la simple collection de toutes les propriétés humaines portées à l'extrême, comment une telle collection de prédicats irréels serait-elle autoproductive ? Dès lors, s'il y a une coupure chez Marx, elle n'est pas chronologique, mais elle est, à l'intérieur même des textes, entre l'idéalité du « genre » feuerbachien et la réalité de l'individu et de sa *praxis*. De ce point de vue, les *Manuscrits* de 1843 et surtout de 1844 paraissent traversés par une contradiction profonde. D'un côté, la visée principielle reste la critique de toute irréalité, de l'autre, Marx s'appuie sur Feuerbach pour se libérer de Hegel, tout en empruntant à la philosophie hégélienne ce qu'elle a de substance, toutes les fois que Marx perçoit la pauvreté de ce fantôme qu'est le « genre » chez Feuerbach. Dès lors, tout ce qui, dans les *Manuscrits* de 1843-1844, porte la marque de Feuerbach est frappé de la même appréciation entièrement négative et marque un recul par rapport à la fulgurante lucidité du *Manuscrit* de 1842.

Je retiendrai quatre ou cinq traits de l'analyse extraordinairement détaillée de M. H.

D'abord, la critique de la religion, dans la mesure où elle restera un morceau feuerbachien préservé intact dans le marxisme orthodoxe, est une critique idéaliste. Dire que l'homme fait la religion et non que la religion fait l'homme, c'est la tenir pour une représentation, un objet que la conscience pose. Mais on ne voit pas qu'il faut alors donner à la conscience le pouvoir proprement fabuleux d'engendrer les dieux sans le savoir, et le pouvoir non moins souverain de soudain renverser cette sujétion par la seule force de la représentation. Dire que la conscience est aliénée, puis non aliénée, c'est ou ne rien dire ou chercher hors de la conscience la clef. Mais Marx gardera le préalable idéaliste que la religion est identifiée à sa représentation, même quand il renoncera à la critique idéaliste de la religion. Or c'est contre ce préalable idéaliste d'une conscience autopositionnelle – de Fichte à Stirner et à Feuerbach – que toute l'ontologie de Marx est dirigée, avec son concept directeur de l'individu vivant. Ici la voix de M. H. : « Dans la vie de l'individu se manifeste la passivité originelle de l'être. Mais la passivité originelle est le texte de la religion » (p. 92).

Deuxième trait. L'identification chez le jeune Marx de l'*humanisme* et du *naturalisme* cesse d'apparaître comme un progrès par rapport à Hegel, dès que l'on comprend que cette équation exprime le pouvoir de la conscience intersubjective de se déployer dans l'objectivité. D'où la conscience tirerait-elle, en effet, ce pouvoir ? De ce que la structure originelle de la conscience est l'objectivation. Or c'est la thèse qui règne identiquement de Jacob Boehme à Hegel. Selon cette thèse, l'être dans le monde est une production de la conscience, laquelle, en donnant la forme de l'objet à sa production, produit aussi la conscience comme objet.

La grande dramaturgie de l'objectivation assure ainsi l'identité de l'humanisme (puisque c'est la conscience qui produit) et du naturalisme (puisque la conscience est produite comme nature humaine).

Le même idéalisme abâtardi domine encore le concept de *travail*. M. H. voit en effet la même métaphysique allemande de la négativité et de l'objectivation envahir l'économie, avec un concept de travail dérivé de cette métaphysique et non de l'expérience de l'individu vivant. Le travail, pensé métaphysiquement, c'est encore une figure de l'extériorisation de l'homme se produisant lui-même. Et c'est la pensée qui reste la vérité du travail, dans la mesure où le travail est une figure de l'objectivation de la conscience. Un texte des *Manuscrits* de 1844 le dit très bien : « Le rapport réel actif de l'homme à lui-même en tant qu'être générique ou la manifestation de soi comme être générique réel, c'est-à-dire comme être humain, n'est possible que parce que l'homme extériorise réellement par la création toutes ses forces génériques » (Éditions sociales, p. 132). Tous les textes « humanistes » où Marx distingue l'activité humaine libre et consciente de la vie animale, sont ainsi renvoyés à leur fonds hégélien : « L'opposition de l'homme et de la vie en lui sur le fond de la conscience et comme expression, comme structure de cette conscience même, est hégélienne » (p. 112).

Est donc aussi hégélien le premier concept d'*aliénation* qui intervient dans les *Manuscrits* de 1844, dans la mesure où l'aliénation est le renversement du rapport qui subordonne la vie à la conscience. En effet, qu'a perdu l'ouvrier qui travaille pour manger et non pour se libérer de la nature ? Il a perdu l'essence de sa vie générique, sa « véritable objectivité générique ».

La même structure idéaliste régit les concepts de *prolétariat* et de *révolution*. Une société réelle, sans doute, se fait jour avec ces concepts. Mais l'hypothèse du travail non aliéné reste tributaire de la même philosophie de la conscience. Il en résulte que le concept même de prolétariat est une construction destinée à répondre aux exigences de la philosophie de la conscience aliénée. Il *faut* qu'une classe représente toute la société en négatif. (Le texte cité par M. H. p. 134 est en effet frappant par sa répétition des « il faut », « il faut... ».) Le primat de la théorie, au sens des revendications de la pensée allemande, se lit dans un texte comme celui-ci : « L'émancipation de l'Allemand, c'est l'émancipation de l'homme. La philosophie est la tête de cette émancipation, le prolétariat en est le cœur. La philosophie ne peut être réalisée sans la suppression du prolétariat ; et le prolétariat ne peut être supprimé sans la réalisation de la philosophie » (p. 137). M. H. n'hésite pas à discerner dans ces textes la résurgence de la vieille dialectique allemande, depuis l'alchimie médiévale qui revendique la transformation intérieure et réelle d'un étant dans un autre, en passant par Boehme, avec qui la dialectique de l'étant devient le devenir-objet de l'être, jusqu'à la dialectique ontologique de Hegel : « À cette signification originelle se rattache en tout cas l'interprétation dialectique du prolétariat dans l'introduction de 1844, interprétation à la lumière de laquelle la structure du prolétariat apparaît comme la structure de la conscience elle-même, telle que l'entend la métaphysique allemande » (p. 144).

Mais c'est ici aussi que les deux voix de Marx et de Michel Henry commencent à se distinguer. Sommé de dire d'où vient le changement, si l'on récuse l'intuition alchimiste d'une transformation intérieure aux choses, M. H. déclare : « C'est la vie subjective individuelle telle qu'elle s'éprouve dans l'expérience immédiate de son immanence phénoménologique radicale qui révèle en elle le changement pour autant qu'elle change et qu'elle est elle-même "changement" dans le flux de ses impressions et de ses tonalités affectives cachées, flux tel que celles-ci ne cessent de passer les unes dans les autres, dans un passage incessant qui est la vie même [...]. C'est parce qu'elles prennent naissance dans la passivité ontologique qui détermine l'essence de la vie et la constitue originellement comme affective que ces modalités se présentent elles-mêmes et se proposent comme affectives, plus précisément comme souffrance et comme joie, et comme leur incessant passage » (p. 142).

Voilà donc les modalités affectives de la vie placées à la

racine de toute effectuation, selon les analyses de *L'Essence
de la manifestation*, notamment au paragraphe 70. Il apparaît
alors que Michel Henry apporte, dans sa rencontre de la
réalité *pratique* chez Marx, une philosophie de la réalité
pathique qui, peut-être, en diffère secrètement. Mais M. H.
fait fond sur la dialectique immanente à la vie, sur la loi des
contraires qui règle ces changements pour rejoindre le pratique à partir du pathique. Le texte suivant donne peut-être la
clef de la parenté profonde entre le pâtir le plus originel et
l'agir le plus fondamental, et du même coup la clef de la
lecture de Marx par Michel Henry : « Car l'essence de la
souffrance réside dans la passivité radicale de la vie et dans
son souffrir, et contient comme telle, pour autant que le souffrir de la vie est sa donation originelle à elle-même dans
l'adéquation d'une immanence sans partage et l'expérience
de sa propre plénitude, la possibilité et l'essence de la détermination opposée, la possibilité et l'essence de sa transformation incessante dans la joie. L'essence originelle de la
dialectique réside dans la vie pour autant qu'elle enferme en
elle la possibilité apriorique et pure de ces tonalités fondamentales et conjointement celle de leur commune transformation » (p. 142).

Replacée sur ce fond, la philosophie idéaliste tout entière
n'est qu'un déplacement indu de la véritable dialectique à la
sphère des idées chez Hegel et des choses matérielles dans le
marxisme orthodoxe. Or tout ce qui procède de ce déplacement indu est idéologique. Idéologique, non parce que faux,
illusoire, mais parce que les concepts ainsi engendrés ne pro-
viennent pas de la réalité et, en conséquence, ne peuvent lui
être adéquats.

Sont en ce sens idéologiques les concepts de *prolétariat* et
de *révolution* dans les *Manuscrits* de 1843-1844 : « La première philosophie du travail qu'exposent les *Manuscrits* de
1844 marquait l'invasion de la métaphysique allemande dans
l'économie ; la construction *a priori* du prolétariat et la théorie de la révolution qu'elle définit marquent l'invasion de la
métaphysique allemande dans la politique et dans l'histoire »
(p. 149). Le plus idéologique de tous ces concepts, aux yeux
de M. H., est celui de la révolution, dans la mesure où il
rassemble en lui les éléments constituants du schéma dialectique de la métaphysique allemande : le négatif y accomplit

l'œuvre de l'être en produisant toute positivité. Mais c'est la voix de Michel Henry qui prononce : « C'est dans la vie et seulement en elle qu'est possible et se produit un changement "total", que les vécus qualitativement hétérogènes se substituent proprement l'un à l'autre, que la haine par exemple disparaît et fait place à une tonalité entièrement nouvelle, à l'amour. C'est dans la vie que quelque chose, à savoir la vie elle-même, peut être tout entier perdu ou tout entier sauvé » (p. 135). Mais cette phénoménologie de la vie, de l'hétérogène et du saut kierkegaardien rejoindra-t-elle jamais l'histoire ? C'est ce que la théorie de la *praxis* devra établir plus loin. En attendant, nulle sympathie pour la métaphysique de la révolution : « La révolution est la représentation imaginaire de ce qui se produit et ne peut se produire qu'en nous. La révolution est un phantasme de la vie » (p. 153).

Fallait-il aller si loin dans l'opposition entre l'humanisme de la conscience aliénée et l'ontologie véritable de la *praxis* ? N'est-ce pas l'intuition de la *praxis* qui se fraie son chemin à travers un langage inadéquat ? M. H. ne méconnaît-il pas ce qu'il appelle la marche à la réalité, qu'il discerne pourtant dans d'autres textes, lorsqu'il écrit : « La dissociation de l'aliénation et de l'objectivation appliquée par les *Manuscrits* de 1844, reprise notamment par Lukács et par laquelle on prétend caractériser la position propre de Marx par opposition à celle de Hegel, appartient en fait à l'horizon de la problématique hégélienne et se meut en lui » (p. 115). Pourquoi ne discernerait-on pas, également dans les pages des *Manuscrits* de 1844 sur le prolétariat et la révolution, le même jeu de reconnaissance et de méconnaissance de la réalité ? La reconnaissance, pour autant qu'une philosophie de la *praxis* s'y anticipe, la méconnaissance, pour autant qu'un langage inadéquat, celui de la métaphysique allemande, reste en retard sur sa propre trouvaille, comme c'est le cas pour toutes les grandes découvertes ? Peut-être l'hostilité déclarée de M. H. à l'égard du marxisme constitué (voir définition ci-dessus !) l'empêche-t-elle ici d'appliquer cette justice que tout son livre exerce par ailleurs.

LA PERCÉE DÉCISIVE

Avec *L'Idéologie allemande*, le mouvement de « réduction des totalités » (c'est le titre du chapitre II du 1er volume du *Marx* de Michel Henry) renoue avec les intuitions des *Manuscrits* de 1842. Et ce mouvement est conduit jusqu'à son terme, à savoir la reconnaissance des individus vivants comme seule présupposition de l'histoire. On comprend pourquoi la *conception dialectique de l'histoire* est le *lieu* privilégié de ce travail de réduction ; cette conception est d'abord le *lieu* même de la plus grande confusion entre idéalité et réalité résultant de l'invasion de la métaphysique allemande ·dans la sphère de la positivité historique et sociale : « La présupposition dernière – bien que souvent inaperçue – de la conception dialectique de l'histoire est métaphysique », dit M. H. (p. 179). Dissoudre cet amalgame d'idéalité et de réalité, c'est, pour Marx, affirmer que « ni la "société" ni l'"histoire", comme réalités ontologiques tirant leur unité du processus universel de l'objectivation et produites par lui, comme réalités objectives substantielles et unes, n'"existent" » (p. 184).

Si la réduction de toutes les totalités dites « objectives » à la seule présupposition de l'histoire, à savoir les individus vivants, a été si mal comprise, c'est parce qu'elle est accompagnée, dans *L'Idéologie allemande*, par la réduction du « genre » feuerbachien aux individus vivants et que cette réduction principielle a été entièrement méconnue. À cet égard, le pire des contresens est celui commis par Althusser, lorsqu'il situe dans le même champ idéologique le « genre » feuerbachien et le concept d'individu agissant de *L'Idéologie allemande*. La coupure est précisément entre l'un et l'autre, entre un concept qui reste dans l'orbite des idéalités hégéliennes et le concept qui désormais règle le procès même de réduction de toutes les idéalités et de toutes les totalités. Il est dès lors absurde de penser qu'en renonçant au « genre » feuerbachien et à l'humanisme qui s'y rattache Marx ait abandonné l'individu au bénéfice de structures économiques et sociales. Il l'a au contraire placé au centre de toute la problématique, alignant les « structures », en particulier les classes sociales, sur les objectivités constituées. L'opposition entre la lecture de M. H. et celle d'Althusser est donc radicale.

Dans sa démonstration, M. H. s'appuie essentiellement sur *L'Idéologie allemande*, avec une attention particulière pour la critique de Bauer et de Stirner. À quoi il joint l'importante critique de Proudhon dans *Misère de la philosophie* (1847) – Proudhon étant précisément celui pour qui les structures sociales sont des réalités irréductibles. M. H. voit en outre une grande continuité entre ces textes et tous les suivants : dans l'Introduction générale à la *Critique de l'économie politique* de 1857, Marx écrira encore : « Il est faux de considérer la société comme un sujet unique : c'est un point de vue spéculatif » (Pléiade, I, p. 247). Si donc *Le Capital* accorde un rôle explicatif à la force productive collective supérieure à celle des individus isolés, il ne saurait conférer à cette force collective une réalité ultime, une existence unitaire et effective. Il part désormais de la réalité sociale constituée. Dans *L'Idéologie allemande* il remonte de cette réalité constituée à la réalité constituante. Or que trouve-t-il à ce niveau de radicalité ? Les trois « présuppositions de l'histoire » qui sont : les activités par lesquelles l'individu satisfait son besoin, la production de besoins nouveaux, la reproduction sexuelle de l'individu lui-même. Pour M. H. commentant ce texte, « la vie phénoménologique individuelle, toutes ces vies ou, pour parler comme Marx, les "individus vivants", bien qu'ils entrent dans l'histoire et soient déterminés par elle, la déterminent au contraire, et cela en un sens ultime : non pas parce qu'ils concourent, chacun pour sa modeste part, pour une part infime à vrai dire, à produire le cours du monde et à façonner sa physionomie d'ensemble, mais parce qu'ils constituent *sa condition de possibilité, ce sans quoi l'histoire ne serait pas*. En tant qu'elle constitue la condition de possibilité de l'histoire, la vie, bien qu'elle appartienne à l'histoire, ne lui appartient pas, doit être comprise comme métahistorique et comme ce fondement hétérogène à la possibilité du développement qu'il fonde, comme métaphysique. Il n'y a pas d'histoire, il n'y a que des individus historiques » (p. 195-196). Je reviendrai plus loin sur cette exégèse qui, par certains côtés, est éclairante, mais par d'autres est peut-être dissimulante. Suivons plutôt le travail de cette lecture.

Il résulte de cette identification des conditions de l'histoire à la réalité du besoin – interprétée elle-même par M. H. comme la dialectique de l'affectivité souffrante se convertissant dans l'activité de travail – que les classes sociales n'appartiennent pas à ces présuppositions de l'histoire et qu'elles doivent être réduites à ces présuppositions en tant que totalités constituées, « objectives ».

C'est donc sur l'interprétation de la notion de classe que se joue cette interprétation. S'appuyant sur la polémique contre Stirner dans *L'Idéologie allemande*, M. H. tient que, pour Marx, la notion de classe doit être aussi radicalement réduite que toutes les autres totalités, sur le modèle de la réduction de l'État hégélien, dont la classe est l'homologue. On comprend maintenant pourquoi M. H. attachait une si grande importance aux *Manuscrits* de 1842. De la même manière, une généalogie des classes doit se substituer à l'hypostase des classes. Marx en pose le principe en écrivant : « Dans la classe bourgeoise comme dans toutes les autres classes, les conditions personnelles sont simplement devenues des conditions communes et générales » (Éditions sociales, p. 394). M. H. lit : « La réalité d'une classe sociale ne lui est pas propre, n'est pas, pour parler de façon rigoureuse, sa réalité, une réalité générique. La réalité d'une classe sociale est constituée par un ensemble de déterminations, la réalité de ces déterminations réside dans la vie phénoménologique individuelle et trouve en elle seulement le lieu de sa possibilité et de son efficacité » (p. 228). C'est donc seulement dans la représentation que se forme le concept de classe, au sens d'une unité idéale rassemblant un ensemble de caractères eux-mêmes idéaux, irréels. Le concept de classe est à verser au compte de l'illusion objectiviste.

L'argument principal, tiré de *L'Idéologie allemande*, est que Marx a produit lui-même la généalogie des classes sociales, avec le concept de division du travail qui, désormais, tient la place du concept secrètement idéaliste d'aliénation. Les classes ne sont pas des principes explicatifs, puisqu'elles sont produites par la division du travail. Si les classes s'autonomisent, c'est parce que, dans la division du travail, les « puissances personnelles » – c'est le langage de Marx – se transforment en « puissances objectives », et ainsi s'assujettissent à ces puissances. C'est pourquoi Marx ne conçoit pas que la suppression des classes puisse se produire sans celle de la division du travail. C'est Proudhon, et non pas Marx, qui fait de *la* division du travail une loi éternelle, une catégorie simple et abstraite. Il faut au contraire la ramener à ses multiples formes concrètes, lesquelles à leur tour se laissent ramener à la décomposition des opérations effectuées par chaque individu. Finalement, on arrive au morcellement même de l'individu, à sa mutilation : « Ce n'est pas seulement le travail qui est divisé, subdivisé et réparti entre divers individus, dit Marx dans *L'Idéologie allemande* (Editions sociales, p. 903), c'est l'individu lui-même qui est morcelé et métamorphosé en ressort automatique d'une opération exclusive. » Ce qui est atteint, en chaque individu, ce sont donc les « puissances personnelles », c'est-à-dire les potentialités d'agir qui constituent la subjectivité de chacun. Point besoin donc de postuler quelque extériorité originelle. Car une potentialité non réalisée chez un individu l'est chez un autre, comme lorsque la production et la consommation échoient à des individus différents. L'illusion selon laquelle ce qui ne se réalise pas chez l'un existe à part de tous est un effet de la représentation.

Dira-t-on que l'*atelier* est le lieu où le travail se recompose objectivement ? Mais c'est la thèse de Proudhon, que Marx réfute : « La machine est une réunion des instruments de travail et pas du tout une combinaison de travaux pour l'ouvrier lui-même » *(Misère...*, Pléiade, I, p. 104). Donc la machine ne travaille pas. Confondre les déterminations subjectives du travail divisé et les déterminations objectives de l'industrie, c'est tomber sous la critique issue de l'ontologie de Marx. On retombe dans l'hégélianisme dès qu'on invoque une totalité quelconque, fût-ce l'atelier. La critique de la division du travail perd son sens, si elle n'est pas celle de l'individu morcelé. La seule totalité est l'individu. Elle seule peut être atteinte. « Voilà pourquoi Marx réclame de façon apparemment démente que chacun soit chasseur, pêcheur, pâtre, peintre, sculpteur, critique : parce que son analyse est une analyse phénoménologique de la subjectivité absolue » (p. 273).

De la division du travail on passe à l'objectivité des classes par une double transition, dont la première est réelle, et dont la seconde se fait dans la représentation. La transition réelle est celle-ci : des individus ayant, en vertu de la division du travail, une conduite semblable, des habitudes, des croyances semblables, développent des relations pratiques présentant une certaine configuration. C'est alors que la représentation, s'emparant de ces relations pratiques, les transforme en spectacle et en fait un « objet » de pensée distinct, autonome. On parle alors de relations « objectives » que l'on substitue dans la représentation à la seule réalité, celle des individus affectés dans leur intégrité par la division du travail.

On verra plus loin l'importance, pour la théorie de l'idéologie, de cette réduction de l'objectivité des classes sociales à ce que subissent et font les individus réels. On peut déjà anticiper que les classes, n'ayant pas de réalité propre, ne sauraient être des causes réelles de quoi que ce soit dans l'ordre de la représentation.

Soulignons seulement deux conséquences importantes. La première concerne la nouvelle manière dont Marx parle du *prolétariat*, lorsqu'il ne construit plus *a priori* son essence selon les exigences d'une dialectique abstraite. Le prolétariat, dit Marx, est ce que la propriété privée produit, lorsque dans son mouvement économique elle s'achemine d'elle-même vers sa dissolution. Est-ce à dire que la dialectique de la propriété privée se déroule dans les structures ? Non, dit Marx, la propriété privée « ne le fait que par une évolution indépendante d'elle, inconsciente, se réalisant contre sa volonté, uniquement parce qu'elle produit le prolétariat en tant que prolétariat » (*L'Idéologie allemande*, Éditions sociales, p. 47). Or cette production du prolétariat n'est réelle qu'en tant que des individus déterminés sont affectés dans leurs tonalités particulières, selon les lois qui régissent ces tonalités ; le même texte de Marx identifie le prolétariat comme étant « la misère consciente de sa misère morale et physique, l'abrutissement conscient de son abrutissement et, pour cette raison, essayant de se supprimer soi-même » (*ibid.*, p. 47). M. H. commente : « Il s'agit d'une définition affective du prolétariat, définition qui emprunte toutes ses déterminations aux déterminations subjectives de la vie phénoménologique individuelle » (p. 214).

Seconde conséquence : la dialectique n'est plus l'histoire

fantastique d'un esprit, ou de son succédané, s'objectivant et revenant à soi : « S'il peut encore être question de dialectique, c'est seulement d'une dialectique de la vie, c'est de son mouvement, celui de la souffrance qui, de par sa nature et en vertu de ce qu'elle est, "essaie de se supprimer soi-même" » (p. 214). La seule extériorité réelle, c'est la lutte entre des individus vivants, la contradiction externe, si l'on veut garder ce vocabulaire quasi hégélien. Mais bien qu'extérieure à chacun, elle touche et affecte chacun dans son existence subjective.

Telle est la lecture que M. H. fait de *L'Idéologie allemande*. Pour ma part, je voudrais dire deux choses. D'abord, la lecture de *L'Idéologie allemande* par M. H. dans le contexte de l'*Essence de la manifestation* est à mes yeux une lecture créatrice qui restitue au texte de Marx la voix que l'interprétation épistémologique lui avait retranchée. Après Michel Henry, on ne pourra plus dire que le « genre » feuerbachien et les « individus agissants » de *L'Idéologie allemande* appartiennent au même champ idéologique, sont à titre égal des expressions idéologiques.

Mais, dans la mesure où la philosophie de M. H. est une philosophie de la passivité originelle et de l'immanence de la vie à elle-même, je me demande si elle n'obture pas un trait important de cette même ontologie des individus vivants et agissants, un trait qui, précisément, rend possible une interprétation structurale et que, par conséquent, doit prendre en compte l'interprétation phénoménologique.

Pour dégager ce trait, revenons au texte important de la page 195 : « Les individus vivants, dit M. H., bien qu'ils entrent dans l'histoire et soient déterminés par elle, la déterminent au contraire, et cela en un sens ultime. » Et ce sens ultime relève d'une « phénoménologie individuelle » qui ne comporte plus aucun trait d'histoire. La condition *de* l'histoire est hétérogène aux circonstances historiques. En effet, désir, besoin, travail, qui font qu'il y a une histoire, se répètent sempiternellement semblables à eux-mêmes. Cette réitération des déterminations fondamentales de la vie met celle-ci hors histoire. En quel sens la vie est-elle donc condition *de* l'histoire ? Parce que l'ontologie du besoin prescrit que l'histoire soit une histoire de la production et de la consomma-

tion ? Mais un écart infranchissable est creusé entre le transcendantal commun à la production capitaliste et à la production non capitaliste et les conditions historiques différentes
dans chaque cas. Certes, par cette dissociation, on rend à la
philosophie l'explication des conditions de l'histoire et on
reverse à une histoire empirique, non grevée de métaphysique, l'histoire de la production, des classes, etc. Marx ne
le suggère-t-il pas en ajoutant une clause restrictive à une
déclaration qui, en vertu même de son souci polémique et
politique, se meut pourtant dans les généralités : « L'histoire
de toute société jusqu'à nos jours, dit *Le Manifeste communiste*, c'est l'histoire de la lutte des classes » ? L'expression
« jusqu'à nos jours » soustrait l'énoncé entier au domaine des
présuppositions de toute histoire. M. H. en tire ce beau paradoxe : « La théorie de la lutte des classes est étrangère au
matérialisme historique » (p. 201). Autrement dit, cette théorie appartient à l'histoire des historiens et non à la théorie des
conditions de toute histoire, que l'on continue d'appeler
matérialisme historique, parce que cette théorie dit les conditions matérielles, c'est-à-dire réelles, de toute histoire.

Mais encore faut-il que ce matérialisme soit *historique*,
c'est-à-dire rende réellement possible une histoire. Or M. H.
a dissocié, d'une part, l'appartenance de l'individu à l'histoire, ce que Marx appelle constamment les « circonstances »
ou les « conditions », et, d'autre part, la présupposition de la
vie individuelle qui n'appartient pas à l'histoire, qui est hétérogène à l'histoire. Aussi le texte que je discute ici continue :
« Les individus vivants, bien qu'ils entrent dans l'histoire et
soient déterminés par elle... » Faut-il dire : bien que... ?
L'anthropologie de Marx n'est-elle pas originale en ceci précisément qu'elle ne sépare jamais l'individu agissant des
« circonstances » ? Le paradoxe est même celui d'un individu
agissant dans des conditions qu'il n'a pas faites. S'il en est
ainsi, on ne peut dire que la condition de l'histoire (la vie
phénoménologique individuelle) est hétérogène aux conditions historiques (les circonstances).

La réalité fondamentale, chez Marx, c'est bien l'individu
agissant : sur ce point, M. H. a mille fois raison. Mais l'entrée de l'individu en histoire, sous la double modalité d'être
en même temps déterminant et déterminé, est constitutive
de l'essence la plus originale de l'individualité agissante. En

dissociant l'appartenance à l'histoire et sa présupposition individuelle, M. H. ne risque-t-il pas de casser un ressort important de l'anthropologie de Marx, à savoir que l'individu est dès toujours entré dans l'histoire sous des conditions et dans des circonstances qu'il n'a pas produites et à travers lesquelles il est pourtant sommé de produire l'histoire ? C'est ici qu'on peut se demander si la philosophie du souffrir immanent, propre à Michel Henry, ne dissimule pas autant qu'elle révèle.

M. H., il est vrai, offre une première réponse partielle à cette difficulté. La passivité radicale de l'expérience fait que la vie n'est jamais le fondement d'elle-même, mais « éprouve sa propre venue en elle-même et son accroissement comme ce qui ne dépend pas d'elle » (p. 242). Mais les déterminations sociales dont parle Marx sont-elles du même ordre ? Elles affectent certes la vie de chacun et, en ce sens, elles sont toujours plus qu'un spectacle, un objet de représentation. Mais elles affectent la vie dans son agir et non dans son souffrir. C'est pourquoi elles comportent un coefficient d'extériorité originaire qu'exprime bien le terme de « circonstances » *(Umstände)*.

M. H. offre une seconde réponse partielle. Les individus d'une génération, dit-il, sont affectés dans leur vie par les effets de l'activité de la génération antérieure (p. 251-252). Ce phénomène de transmission et d'héritage équivaut à une « genèse passive » au cœur de la vie individuelle. Mais peut-on dire que les conditions résultant de l'activité de la génération précédente « ne sont cependant rien d'autre que l'activité de la génération actuelle, une activité subie par elle, mais comme sa propre activité » (p. 251) ? Il me semble qu'on méconnaît ainsi ce qu'il y a de spécifiquement extérieur dans la notion de « circonstances ».

L'agir, me semble-t-il, diffère du souffrir en ce qu'il n'est pas défini purement par l'immanence de ses modalités affectives. L'agir a une visée, donc un moment d'extériorité, et, pour remplir cette visée, l'agir doit toujours composer avec des « circonstances » qu'il n'a pas faites. Récemment, Henrik von Wright, dans *Explanation and Understanding*, propose de tenir pour paradigmatique de l'action le cas où un agent intervient dans la nature en faisant coïncider une action qui est en son pouvoir avec l'état initial d'une chaîne causale formant système hors de lui. N'en est-il pas de même avec les circonstances sociales de l'action ? Agir n'est-ce pas toujours intervenir, c'est-à-dire composer avec les circonstances ?

Cette déficience propre à une philosophie de l'agir trop proche d'une phénoménologie du souffrir se répercute dans la théorie des classes sociales. On a vu comment M. H. interprète le texte qui dit : « Dans la classe bourgeoise comme dans toute autre classe, les conditions personnelles sont simplement devenues des conditions communes et générales. » Si on voit bien en quel sens ce sont des conditions *personnelles* qui sont devenues communes et générales, on voit moins bien pourquoi, de personnelles, elles *deviennent* communes et générales. Certes « une condition personnelle ne cesse pas d'être personnelle au moment où elle devient générale » (p. 229). Et cela suffit pour ne pas en faire une structure intelligible en elle-même. Mais j'ai de la peine à souscrire à ce qui suit : « Ce devenir lui est devenu totalement extérieur et ne l'affecte en rien, ne change rien à la structure monadique de l'expérience avec laquelle elle se confond ni au contenu spécifique de cette expérience » (p. 229). Cette thèse extrême rend difficilement compte de cet autre texte de *L'Idéologie allemande*, cité par M. H. : « Les rapports personnels deviennent nécessairement et inévitablement des rapports de classe et se fixent comme tels » (Éditions sociales, p. 480).

Avec Marx, semble-t-il, il faut procéder à deux opérations inverses : d'une part, réduire les classes en tant qu'entités distinctes des individus et capables de devenir des causes par elles-mêmes ; d'autre part, rendre compte de leur autonomisation. C'est la seconde opération qui fait difficulté. Il ne semble pas en effet que ce soit seulement dans la représentation que les classes sont « objectives ». Leur concept n'est pas seulement à verser au compte de l'illusion objectiviste. Quand Marx dit : « Les relations sociales et personnelles ainsi données devaient, pour autant qu'elles étaient exprimées en pensée, prendre la forme de conditions idéales et de rapports nécessaires » (*ibid.*, p. 210), il ne semble pas impliquer que leur expression « en pensée » épuise le phénomène. L'idéalisation dénoncée ici part de « relations sociales et personnelles ainsi données » (Marx), et non du « flux de la vie

phénoménologique individuelle » (M. H.). S'il est dénué de
sens de dire que la vie de l'individu est causalement déterminée par des relations de classes – car on ne comprendrait pas
que les individus puissent avoir le projet de supprimer ces
conditions –, il n'est pas dénué de sens de dire que l'individu
entre dans des relations qui le déterminent dans la mesure où
il agit sur elles. L'illusion objectiviste se greffe précisément
sur ce trait qui est peut-être la véritable découverte de Marx,
à savoir que l'individu souffrant et agissant est dès toujours
entré dans des relations qui le déterminent. C'est pourquoi on
est sans cesse tenté de séparer, dans la représentation, les
« circonstances » de l'agir lui-même. C'est alors qu'on produit dans la représentation, et qu'on hypostasie, la classe
sociale comme une idée conceptuelle. Mais la représentation
ne peut porter tout le poids du phénomène d'autonomisation,
affirmé avec tant de force par Marx dans *L'Idéologie allemande* (en particulier, Éditions sociales, p. 92-94). Le statut
de la classe comme relation objectivée me paraît échapper à
l'alternative posée par M. H. entre des conditions éprouvées
comme des déterminations de la vie et une objectivité qui ne
se soutiendrait que dans la représentation. Entre la pure
objectivité de représentation – qui est idéologique – et la passivité radicale de l'existence – qui est phénoménologique –,
Marx, me semble-t-il, a conçu un type de réceptivité aux
circonstances, aux conditions sociales, par quoi l'agir diffère
précisément du souffrir.

L'ÉQUATION CENTRALE

La marche à la réalité se conclut sur une double équation.
Réalité = *praxis*, idéologie = irréalité.

Que la détermination de la réalité soit le thème central de
la pensée de Marx, « ou pour mieux dire sa grande obses-
sion » (p. 280), nous l'avons assez dit. Mais que la *praxis*
suffise à déterminer ce qui est réel, cela n'est pas d'abord
évident. Le réel n'est-il pas la même chose que le *sensible ?*
Cette équivalence paraît évidente dans un matérialisme sensible comme celui de Feuerbach. Elle est même d'autant plus
séduisante qu'elle paraît constituer un formidable argument

antihégélien. Nulle part, peut-être, M. H. n'est plus convaincant que lorsqu'il révèle l'identité propre d'une philosophie du sensible et d'une philosophie hégélienne du primat du théorique. (Ce n'est pas par hasard si, dans de nombreuses langues, le sens et les sens sonnent identiquement. Marx, à bon escient, dit dans *L'Idéologie allemande* : « Les sens dits spirituels, les sens pratiques (volonté, amour, etc.), en un mot le sens humain, l'humanité des sens », Éditions sociales, p. 94.) Il en résulte que la véritable critique de l'hégélianisme n'est pas le matérialisme des sens, mais la critique de l'objectivation. L'intuition selon Feuerbach se meut dans le même horizon ontologique que la pensée hégélienne, dans la mesure où son être est l'objectivité.

Si on a compris cela, on a compris que le contraire de la *praxis*, c'est l'objectivité dans son ensemble, dont le règne englobe la pensée et le matérialisme sensible de Feuerbach. Là est la clef des *Thèses sur Feuerbach*. À la réduction de la pensée à l'objet sensible dans le matérialisme intuitionniste, elles opposent le retour plus radical de la *théorie* dans son ensemble à la *praxis*. Mais cela ne peut signifier non plus le retour de l'homme abstrait aux rapports sociaux « objectifs » : une nouvelle hypostase remplacerait seulement celle du « genre » et resterait dans l'objectivisme. C'est le cas avec le structuralisme et Althusser : l'objet pensé qu'est la « structure » appartient encore au règne de la *theoria*. La réalité originelle est ailleurs, dans l'action, dans la pure activité en tant que telle. L'erreur de l'épistémologisme est de croire que le renversement de l'intuition à l'activité reste dans l'horizon de Feuerbach, alors qu'il en est la subversion. Agir n'est pas voir, avoir un spectacle, un objet ; savoir faire n'est pas se regarder. Entre agir et voir, le lien est contingent. De l'un à l'autre, l'exclusion est d'essence. Dire que l'action est subjective, c'est dire qu'elle n'est pas constituée par la relation à l'objet.

C'est ici que M. H. voit le renversement de toute la philosophie occidentale, qui fait du rapport à l'objet la condition de possibilité du sujet. C'est aussi la clef de la fameuse neuvième *Thèse* et de son opposition entre « interpréter » et « changer » le monde. L'hégélianisme reste une interprétation, en dépit de l'admirable philosophie de l'action qu'on lit dans la *Philosophie d'Iéna*, dans la *Phénoménologie de l'es-*

prit, dans les *Principes de la philosophie du droit*. Car la *théorie* reprend en elle l'action, la convertit en objectivité et en savoir.

C'est ainsi que l'interprétation de Hegel élaborée dans l'*Essence de la manifestation* sert de guide pour interpréter les *Thèses* et pour en élucider maintes contradictions apparentes. Ainsi, Marx tantôt se sert de la philosophie hégélienne de l'action contre l'intuitionnisme de Feuerbach (« C'est ce qui explique, dit la première *Thèse*, pourquoi l'aspect actif fut développé par l'idéalisme en opposition au matérialisme »), tantôt paraît revenir à Feuerbach pour éliminer le côté idéaliste de l'action (« l'activité humaine sensible »). La terminologie ici retarde sur le projet (il arrive à M. H. de forcer un peu le texte : ainsi lorsque Marx parle d'activité objective, il faut comprendre réelle, c'est-à-dire subjective !).

Telle est la règle herméneutique que M. H., se souvenant de Maine de Biran, applique aux *Thèses sur Feuerbach*, qui, dans le contexte à lui offert, parlent à nouveau. Un autre bénéfice de lecture est que les *Thèses* sont mises en résonance avec ceux des textes de *L'Idéologie allemande où* il est parlé des « individus qui agissent », des « individus vivants et agissants ».

Loin donc que cette essence originelle de la *praxis* constitue un simple résidu métaphysique, le chant du cygne d'une philosophie sur le point de s'effacer devant la science, le concept de *praxis* constitue la prémisse ontologique de l'œuvre économique : « La problématique de la *praxis* définit le statut originel du travail qui constitue à la fois l'essence de la réalité économique et le thème central de la réflexion théorique que Marx poursuivra jusqu'à sa mort » (p. 35). Et encore : « Enfermée en elle-même, tout entière subjective, coïncidant avec son faire et s'épuisant en lui, elle n'est justement que ce qu'elle fait ; le pathos de son effort propre circonscrit les limites insurmontables de son individualité et confère à celle-ci sa signification ontologique radicale » (p. 358). Encore une fois, les deux voix de Marx et de Michel Henry...

Mais M. H. n'a-t-il pas institué entre pratique et théorie, comme tout à l'heure entre la condition anhistorique de l'histoire et les circonstances historiques, une coupure si radicale qu'il deviendra difficile de concevoir une théorie *de* la pratique, et en général le passage de la *praxis* à un univers de la représentation fausse ou vraie ? Suffit-il de dire que faire donne à voir (p. 261-262) ? Mais en quel sens comprendre le « pouvoir de révélation » qui s'attache à la *praxis* (p. 364) ? M. H., à vrai dire, ne s'en tient pas là. Craignant de voir le théorique faire retour en force, il déclare que le seul type de proposition théorique qui ne renie pas le primat du pratique est d'ordre prescriptif : « Dans une ontologie radicale de la *praxis*, la théorie revêt en fin de compte la forme d'une prescription » (p. 364). Entendons : une proposition qui ne dit pas : cela est, mais : il faut faire. Voix de Marx : « Les philosophes ont pensé le monde, il *faut* le transformer. » Voix de Michel Henry : « Le pouvoir de révélation appartient désormais et de façon exclusive au faire : seul celui qui fait sait, par ce faire toutefois et en lui, ce qu'il en est de l'être, qui est ce faire lui-même » (p. 364). Ainsi en est-il du dire religieux, non théorique, non théologique, abrupt : « Il retentit au milieu des nuées dans l'effacement de l'univers objectif en des circonstances douteuses ou mal assurées » (p. 365). Mais, si la *praxis* est « enfermée en elle-même, tout entière subjective, coïncidant avec son faire et s'épuisant en elle », comment comprendre qu'une théorie infiniment *différente* d'elle puisse jamais se *référer* à elle ?

La théorie de l'idéologie est le lieu critique de cette question.

De toute l'analyse antérieure une conséquence s'impose concernant l'idéologie. Elle n'a pas pour contraire la science, mais la réalité. Elle n'est donc pas définie par la fausseté ou l'inadéquation, mais par l'irréalité. Ce qui n'est que représentation n'est pas la réalité : l'imagination religieuse y est incluse, mais aussi l'abstraction politique et philosophique. L'opposition entre l'abstrait et l'empirique est elle-même seconde par rapport à l'opposition entre représentation et vie. Dès lors, la substitution du couple idéologie-science à cette distinction première ne saurait qu'être idéologique selon ses propres critères. Car une théorie irréelle ne peut décider de ce qui est réel.

Ainsi se lisent les textes de *L'Idéologie allemande*, qui distinguent entre les individus « tels qu'ils peuvent apparaître dans leur propre représentation ou dans celle d'autrui » et les individus « tels qu'ils sont réellement, c'est-à-dire agissant, produisant matériellement » (Éditions sociales, p. 50). De même, ceux qui disent que « la conscience *(Bewusstsein)* ne peut jamais être autre chose que l'être conscient *(bewusstes Sein)* » *(ibid.)*. Conscience signifie avoir des objets, des représentations. Il en résulte qu'une explication par la structure ne dépasse pas une explication par la conscience. Elle méconnaît tout simplement l'identité entre la conscience et ses objets. (On lira à cet égard la note 4, p. 383, très vive, contre Althusser et toute interprétation épistémologique de Marx.) On n'oubliera pas, toutefois, que si M. H. peut prétendre lire mieux les textes de Marx, c'est parce que l'accès à ces textes lui a été ouvert par l'élucidation systématique, conduite dans *L'Essence de la manifestation*, de la distinction majeure qui commande sa lecture de Marx : la distinction « entre la relation de la conscience à ses représentations et, d'autre part, celle de la vie à ses déterminations immanentes » (p. 353).

Mais l'efficacité de cette lecture se mesure, à mon avis, à la question de savoir si une interprétation qui rend bien compte de la *différence* entre le réel pratique et l'irréel représentationnel rend également compte de la *référence* de la représentation au réel. Dans la fameuse déclaration de Marx : « Ce n'est pas la conscience qui détermine la vie, c'est la vie qui détermine la conscience », c'est la seconde partie qui devient obscure, dans la mesure où la première a été éclaircie. Si on a renoncé une fois pour toutes à expliquer la conscience par des forces productives ou des forces sociales, c'est-à-dire encore des structures objectives relevant de la représentation, il faut bien que ce soit la vie des individus qui produise les idées à partir d'elle-même. Mais si la généalogie des idées fait bien le chemin de la représentation vers la vie, fera-t-elle aussi bien le chemin inverse de la vie vers la représentation ? La thèse de l'hétérogénéité radicale entre l'immanence de la vie et la transcendance de la représentation offre ici des difficultés considérables. Même si l'autonomisation est une illusion, cette illusion est déjà elle-même séparée de la vie. Bref, comment la subjectivité représentative se scinde-t-elle de la subjectivité pratique ?

La question a deux aspects, dont le premier nous est déjà familier. Seul le second nous arrêtera ici.

Sous un premier aspect, la question n'est pas différente de celle que pose le statut d'autonomie des classes. La séparation de l'idéologie est comparable à celle des relations de classe par rapport aux individus agissants. C'est même parce que classes sociales et idéologies partagent le même statut que le marxisme orthodoxe a cru pouvoir expliquer le contenu des idéologies par la position de classe des individus. Mais si les classes ont une réalité dérivée, elles ne sauraient rien produire radicalement. C'est donc une seule et même origine qui produit les conditions de production, les classes et les idées. La relation entre classes sociales et idéologies est ainsi fondée globalement dans la subjectivité vivante.

Je ne reviens pas sur la difficulté qu'il y a à concevoir que les individus constituent les conditions dans lesquelles ils produisent relations de classe et représentations idéologiques (« Ce sont les individus, dit M. H., qui constituent en réalité la substance de ces conditions » p. 415). Je l'ai déjà observé, Marx ne cesse jamais de dire « les hommes et leurs conditions ». Dans tous les textes que M. H. cite à l'appui de sa thèse radicale (p. 414-416), Marx parle toujours de ce que les hommes font « dans des conditions », « conformément à leur productivité matérielle », etc. La théorie de l'idéologie, dans la mesure où elle suit le sort de la théorie des classes sociales, fait à nouveau apparaître l'écart entre le concept, propre à Marx, de l'action des individus dans des conditions extérieures à leur activité, et le concept, apporté par M. H., de la passivité originelle de l'existence et de la tension immanente par laquelle la souffrance vient s'inverser en joie. Ce paradoxe d'un agir déterminant-déterminé est, peut-être, ce qui distingue Marx de ses pairs les plus proches, Maine de Biran et Kierkegaard.

Je m'arrêterai plus longuement sur le second aspect du rapport entre *praxis* et idéologie. Si la *praxis* est, comme le dit M. H., « enfermée en elle-même, tout entière subjective, coïncidant avec son faire et s'épuisant en lui » (p. 358), comment *passera*-t-elle jamais dans la représentation ? Pour ma part, je n'arrive pas plus à concevoir une action hétérogène à toute représentation qu'une action produisant ses propres conditions. La phénoménologie de l'action, me semble-t-il, suggère que l'action, non seulement doit toujours composer avec des circonstances qu'elle n'a pas faites, mais doit toujours se régler sur la lumière de la représentation (d'un but, de moyens, d'obstacles, de chemins). Je n'arrive pas à concevoir une modalité de l'action qui ne serait pas originairement articulée par des règles, des normes, des modèles, des symboles. La généalogie nous reconduit sans fin de formations symboliques en formations symboliques, sans jamais nous mettre en face d'un agir nu, pré-symbolique. J'entends bien que M. H. n'accorde aucune antériorité chronologique à la vie par rapport aux formations idéologiques. La vie, dit-il, est hétérogène à la pensée en ce qu'elle est la condition de l'histoire sans lui appartenir. L'antériorité est transcendantale, non empirique ; principielle, non historique. Mais c'est précisément ce qui est difficile à penser. Si l'ordre symbolique n'est pas consubstantiel à l'agir humain, comment s'y ajoutera-t-il ? L'anthropologue Clifford Geertz fonde précisément toute son *Interpretation of Cultures* sur ce rôle formateur des systèmes symboliques à l'égard de l'agir humain. Les codes symboliques, montre-t-il, sont à l'existence sociale de l'homme ce que les codes génétiques sont à l'existence biologique des vivants. Et la différence qui sépare ces deux sortes de codes consiste précisément dans le caractère *intrinsèque* des cadres symboliques à l'égard de la vie à l'opposé de l'immanence des codes génétiques. La théorie de l'action, chez E. Anscombe, A. Danto, D. Davidson, etc., va dans le même sens : la différence entre l'action et le simple mouvement est que l'action est rendue signifiante par le réseau d'intentions, de motifs, de règles et de normes, qui permettent de la nommer, de la décrire, de la justifier (de l'accuser, de la louer, de la blâmer). Or décrire et justifier, c'est placer l'action sous la lumière de la représentation.

Il faut donc s'accorder, sur le plan même des concepts fondateurs, une double extériorité, celle des « circonstances », qui « déterminent » l'action, et celle de l'ordre symbolique, qui éclaire l'action. La vie ne peut être radicalement immanente à elle-même et être humaine. En ce sens, il n'y a pas de genèse radicale de l'idéologie, au sens d'une généalogie de l'ordre symbolique dans son ensemble à partir de la vie. On peut parler d'une genèse de l'idéologie en un sens limité, pour désigner les phénomènes de distorsion systématique qui surviennent dans un ordre symbolique déjà constitué.

Bref, ce qui me paraît difficile à concevoir, c'est l'hétérogénéité de la *praxis* par rapport à la représentation.

Si l'on accorde ainsi le caractère originaire de la symbolisation de l'agir humain, il devient plus facile de donner un
sens à l'idée d'une théorie *de* la pratique. M. H. aborde le
problème dans ces termes : « L'idéologie n'est ni un rêve, ni
une folie, ni un délire, elle est la raison même. L'exposé
au plan de la raison du principe qui régit toute chose, de la
raison de toutes les raisons de la raison cachée dans les pro-
fondeurs de la vie » (p. 418). Cette déclaration s'accorde mal
avec l'idée de l'hétérogénéité de la vie et de la représentation. Elle s'accorde mieux avec celle d'une symbolisation
primordiale de la vie en tant qu'humaine.

La tâche n'est plus insoluble, pour les mêmes raisons, de
penser un ordre des *catégories* qui ne soit pas une simple
réplique des déterminations affectives de la vie. Bien plus,
une certaine visée d'universalité semble constituer l'horizon
de tout ordre symbolique. Sinon, comment comprendrait-on
qu'une classe dominante doive, selon Marx, présenter ses
idées comme ayant une valeur universelle, « comme étant les
seules raisonnables et universellement valables » (*L'Idéologie allemande*, Éditions sociales, p. 77) ? Si les idées par
lesquelles un intérêt particulier se représente ne se détachaient
pas sur un certain horizon d'universalité, une classe ne serait
pas dans la nécessité de donner fallacieusement une valeur
universelle à la représentation de ses intérêts particuliers. Ce
qu'une « lecture référentielle des catégories » (M. H., p. 440)
ne peut, semble-t-il, engendrer, c'est l'idée même de catégorie. C'est pourquoi je comprends mal cette déclaration de
M. H. : « L'ordre des catégories est celui de leur apparition
au sein d'une réalité qui lui est étrangère, un ordre prescrit
par cette réalité autre. L'ordre de la théorie n'est pas un ordre
théorique » (p. 445). Michel Henry a certainement raison de
maintenir, contre toute autonomie de l'épistémologie, la *référence* de l'idéalité à l'ordre de l'action. Mais je doute que
cette *référence* puisse être entendue au sens où l'agir, en lui-
même étranger à l'ordre de la représentation, engendrerait cet
ordre.

Je reviens à mes deux questions initiales : premièrement,
le philosophe peut-il *répéter* les intuitions de Marx ? Une
répétition qui ne laisserait entendre qu'une voix est sans

doute impossible. La voix de M. H., en se mêlant à celle de Marx, tantôt la fait mieux entendre, tantôt la couvre de sa propre diction. Replacé dans le contexte de *L'Essence de la manifestation* et de *Philosophie et Phénoménologie du corps, essai sur l'ontologie biranienne* (en particulier pour la tentative de dérivation des catégories à partir de l'effort), la philosophie du jeune Marx retrouve son droit à ne pas être abolie par la critique de l'économie politique. La philosophie de la réalité est replacée dans la position de fondement à l'égard de la philosophie de l'économie. Mais ce que cette lecture éclaire, elle le déplace aussi dans son champ et peut-être contribue à l'obscurcir. C'est le cas, me semble-t-il, pour ce qui concerne le rapport de la *praxis* aux conditions qui la déterminent et aux systèmes symboliques qui l'éclairent et l'articulent.

Deuxièmement, quel peut être le statut de la théorie *de* l'idéologie dans une philosophie pour laquelle la théorie est impuissante et la vie seule opérante ? « La pensée, dit M. H., n'est jamais rien d'autre que la représentation de la vie par elle-même » (p. 469). Marx, de même, demande une « représentation réelle » (Éditions sociales, p. 52). Et représentation réelle se dit alors *wirkliche Darstellung* (exhibition véritable). « Là où cesse la spéculation, c'est dans la vie réelle que commence donc la science réelle, positive, l'exposé de l'activité pratique, du processus de développement pratique des hommes » (*ibid.*, p. 51). Les objections qu'on peut faire à toute généalogie de la pensée vraie à partir de la vie semblent donc s'adresser également au Marx de *L'Idéologie allemande* et à Michel Henry. Ces objections concernent, à titre ultime, la possibilité de définir la *praxis* elle-même avant ou sans un espace symbolique où elle puisse s'articuler. Bref, peut-on distinguer entre les individus « tels qu'ils peuvent apparaître dans leur propre représentation ou dans celle d'autrui » et les individus « tels qu'ils sont réellement, c'est-à-dire agissant, produisant matériellement » ?

C'est la tâche du tome II – une *Philosophie de l'économie* – de montrer comment « sur le fond d'une phénoménologie de la vie individuelle et de sa pratique quotidienne, l'économie, la théorie de l'économie et sa critique sont possibles » (p. 479).

Préface à
Heidegger et le Problème de l'histoire de Jeffrey Barash
(1988)

Prenant appui sur des textes rares et des correspondances inédites, le livre de Jeffrey Barash, *Martin Heidegger and the Problem of Historical Meaning**, propose une interprétation de Heidegger à partir d'une reconstruction du paysage philosophique du début du siècle, puis de l'entre-deux-guerres – paysage sur lequel se détachent les deux grands massifs de *Sein und Zeit* et de l'œuvre heideggérienne postérieure à la *Kehre*. Cette reconstruction ne vise aucunement à établir des « influences » au sens médiocrement causal, mais plutôt des continuités *souterraines* entre l'œuvre heideggérienne et son environnement intellectuel, en vue d'accroître par cet effet de contraste l'intelligibilité spécifique de cette œuvre. Afin d'apprécier les effets de continuité aussi bien que les effets de rupture, il fallait identifier et privilégier une question témoin, dotée d'une grande perdurance, et faire comparaître devant elle tous les protagonistes, Heidegger compris, d'un combat intellectuel presque centenaire. Cette question, affichée dans le titre de l'ouvrage, est celle de la *signification historique*. Par ce terme, L'auteur a voulu désigner la question insistante dont l'approximation la plus exacte est offerte par le terme de *cohérence* appliquée à l'histoire. Le lecteur aura tôt fait de repérer l'incessante récurrence de ce terme clef et de la question témoin qu'il signale. Étrange insistance, si l'on considère la variété des acceptions du terme d'his-

* 1988, Kluwer Academic Publishers, coll. « Phaenomenologica », 102, Dordrecht. Ce texte de Paul Ricœur est une version légèrement remaniée de la préface, inédite dans sa version française originale, au livre de J. Barash *(N.d. E.)*.

toire, dont précisément on cherche à évaluer la cohérence. Par histoire, en effet, on entend successivement, au cours de cet ouvrage, l'ensemble des événements passés (le cours de l'histoire), le discours tenu sur ces événements (l'historiographie), la condition historique de l'être que nous sommes (l'historicité), l'être lui-même dans ses manifestations épochales. La trouvaille de l'auteur est précisément celle-ci : aussi vaste que soit l'espace de variations parcouru par le terme d'histoire, comme le suggère déjà la grossière énumération qui précède, une question revient chaque fois, même et autre, autre et même : qu'est-ce qui fait « tenir-ensemble » – *Zusammenhang* – les phases, s'il s'agit du cours de l'histoire, les conditions de possibilité, s'il s'agit de la critique de la connaissance historique, les composantes ontologiques de ce qu'on appelle historicité, et finalement les époques d'une histoire de l'être qui seraient réputées n'être plus le nôtre ? C'est à situer Heidegger dans l'espace de variations ouvert par les réponses à cette lancinante question qu'est consacré cet ouvrage : Heidegger y paraît à la fois consonant avec la question de cohérence, identifiable dans ses guises nouvelles, et dissonant par rapport à toutes les autres réponses. De là l'impression étrange qui ressort de la lecture du livre : Heidegger y paraît tour à tour infiniment plus intégré à son temps que ne le laisse, par exemple, soupçonner une lecture délibérément hors contexte de *Sein und Zeit* et plus rebelle à tout enrôlement sous quelque terme générique que ce soit : existentialisme, relativisme, irrationalisme…, ou à toute catégorisation en termes progressistes ou réactionnaires.

Et pourtant, c'est bien le lien noué par la question de la signification, de la cohérence de l'histoire – en quelque sens qu'on prenne ce terme – qui fait que Heidegger et son temps *tiennent-ensemble*.

Le lecteur trouvera d'abord un exposé remarquablement articulé du grand débat suscité en Allemagne, avant et après la Première Guerre mondiale, par le problème du sens de l'histoire. Il prendra ainsi une première mesure de la proximité de Heidegger à ce débat, – proximité qu'invitent à sous-estimer les brèves discussions, voire les silences de *Sein und Zeit* concernant principalement l'épistémologie de la connaissance historique. Du même coup, le lecteur sera préparé à voir dans l'« histoire de l'Être » des années quarante et cinquante une résurgence inattendue de la question sous-jacente aux controverses du début du siècle. Ce n'est pas l'une des moindres audaces de ce livre qu'il tente de renouer ce fil ténu – et, si j'ose dire, têtu – entre le début et la fin d'une œuvre dont on dirait plus facilement qu'elle n'a cessé de s'éloigner d'elle-même. Mais, avant d'en venir à la question de l'histoire de l'Être, à laquelle est consacrée toute la seconde partie du livre, il faut accompagner la patiente mise en place du thème de l'historicité du *Dasein* dans *Sein und Zeit*, qui occupe la première partie. Ce thème, que l'on croyait bien connaître, prend un relief nouveau dès lors qu'on s'est familiarisé avec les positions philosophiques auxquelles ce thème apporte une réplique résolument discordante, sans quitter néanmoins un certain champ commun de questionnement.

Tenant ferme son fil conducteur, Jeffrey Barash s'emploie essentiellement à dégager de la philosophie critique de l'histoire du début du siècle le *dilemme* que cette philosophie n'a cessé de renforcer par les efforts mêmes qu'elle employa à le résoudre. Ce dilemme est la forme que prend la question même du sens de l'histoire, dès lors que l'on a renoncé à chercher avec Hegel dans le présent éternel de l'esprit absolu la totalisation des significations culturelles et spirituelles déposées par l'histoire au cours de son développement, ou que l'on a abandonné l'espoir de soustraire au flux de l'histoire un îlot de vérités métaphysiques immuables. Si tout est historique, comment la vérité elle-même ne le serait-elle pas ? Le destin du terme « historicisme » est à cet égard éloquent : tantôt il célèbre le triomphe d'une vision du monde qui fait de l'*histoire de la culture* la matrice de toutes les conceptions, de toutes les normes, de toutes les valeurs ; tantôt il stigmatise le relativisme qui semble être le lourd tribut à payer pour cette glorieuse découverte. Que la vérité soit historique, voilà ce qui demande à être pensé. Or en quoi consiste la difficulté ? Précisément dans la possibilité de continuer à concevoir quelque chose comme une cohérence de l'histoire, sans quoi rien ne serait plus signifié par le terme même d'histoire.

On trouvera dans le premier chapitre une étude extrêmement détaillée des formes diverses qu'a revêtues ce dilemme chez les penseurs aussi différents que ceux de l'école de

Marburg, H. Cohen et P. Natorp – et surtout de l'école de Bade, Windelband et Rickert, ceux-ci plus directement confrontés au problème des critères de validité dans le jugement historique. On connaît bien la lutte menée par ces penseurs en faveur de l'autonomie de la connaissance historique par rapport aux sciences de la nature. En revanche, ce que cet ouvrage fait bien apparaître, c'est le lien ordinairement méconnu entre deux questions : celle du rôle de la compréhension historique dans les disciplines dites « humaines » et celle de la cohérence de la vérité normative face à la diversité de ses expressions historiques. Plus, en effet, on souligne la spécificité de la compréhension historique en tant que méthode propre des sciences humaines, plus devient urgent l'établissement de critères universels de cohérence transcendant l'individualité historique et la diversité des perspectives culturelles. On s'attardera tout particulièrement à la tentative de Rickert pour assurer la stabilité systématique et la cohérence des valeurs normatives au-dessus de la diversité des contextes empiriques. Mais c'est à Dilthey et à Husserl, répliquant eux-mêmes au néokantisme des auteurs précités, que le Heidegger de *Sein und Zeit* fera face. Avec ces deux importants penseurs, c'est encore la possibilité de critères normatifs de la vérité, au regard de l'historicité de cette dernière, qui demeure le pivot de toutes les analyses ; à cet égard, l'article de Husserl de *Logos* : « La philosophie comme science rigoureuse », et sa réfutation de l'historicisme revêtent une importance décisive. Ce n'est plus dans des normes supra-historiques que le principe de cohérence est cherché, mais dans les structures d'une conscience préhistorique autant que pré-naturelle. Heidegger pourra prétendre que Husserl n'a jamais pris sérieusement en compte l'historique. Plus complexe apparaît le rôle de Dilthey, dans la mesure où c'est vraiment lui qui a élaboré le problème d'un enchaînement *(Zusammenhang)*, donc d'une cohérence inhérente aux manifestations de la *vie* humaine. Le thème d'une *cohérence de la vie* sera assumé par Heidegger lui-même pendant quelque temps, sous le vocable voisin d'« expérience de la vie » ; l'on peut donc légitimement voir dans l'historicité du *Dasein* une thématisation substituée au concept diltheyen. Mais ce qui demeure difficile à penser, chez Dilthey lui-même, c'est précisément le principe de

cohérence, surtout si on le transpose de la conscience individuelle sur le plan de l'histoire universelle : se pose en effet la
question du statut des médiations objectives qui assurent
cette cohérence ; et on retombe sur les difficultés de l'école
de Bade.

C'est cette parenté dans le dilemme que l'auteur a réussi à
faire apparaître entre tous ces penseurs : dilemme issu de la
double assertion de la primauté de la compréhension historique et du caractère transhistorique des normes et valeurs, la
première assertion sapant la seconde, et celle-ci étant réputée
fonder la première.

Ce qui surprendra peut-être davantage le lecteur, c'est le
rôle médiateur exercé par la théologie dans la formation de
la pensée de Heidegger. Jeffrey Barash montre très bien les
deux côtés de la question : d'un côté, des théologiens comme
Troeltsch, Harnack sont affrontés au même problème que
la philosophie critique de l'histoire, celui du statut transhistorique, voire anhistorique des valeurs du christianisme au
regard du caractère résolument historique des phénomènes
culturels auxquels ces valeurs ne laissent pas d'appartenir.
L'approche culturelle du christianisme était condamnée à
engendrer le même dilemme, que Karl Barth dénoncera avec
force dans le fameux *Römerbrief* de 1919. D'un autre côté, il
y a précisément la riposte antihistoriciste et anticulturaliste
de Barth, Bultmann, Gogarten. Et l'on découvre le Heidegger
de l'immédiat après-guerre, presque protestant, après avoir
été presque catholique dans sa phase néothomiste de l'avant-
guerre.

À cette occasion, on notera l'apparition du terme « destruction », destruction culturelle, destruction dans l'histoire
de l'esprit, dans les Remarques sur la *Psychologie des visions
du monde* de Karl Jaspers, expression, il est vrai, inséparable
de celles de l'« expérience de la vie » et de l'« interprétation
de l'existence par le *Selbst* ».

Mais il importe surtout de prendre la mesure de l'effondrement des convictions des penseurs de l'avant-guerre – effondrement spirituel parallèle à celui de l'Allemagne politique –,
auquel toute une génération a dû faire face après la Première
Guerre mondiale. Rien ne tient plus : ni le formalisme méthodologique du néokantisme ni l'immédiateté phénoménologique de Husserl. À cet égard, le choc provoqué par la

publication de l'ouvrage fameux de Spengler, *Le Déclin de l'Occident*, devient compréhensible, s'il nous étonne aujourd'hui.

C'est sur cet arrière-plan que se détachent les tentatives de solution du problème de la signification historique dans les cours professés par Heidegger à Fribourg en 1920-1921 : « Introduction à la phénoménologie de la religion », « Augustin et le néoplatonisme », puis plus fermement dans la conférence de 1927 : « Phénoménologie et théologie ». L'analyse module avec grande précision, d'une part, la parenté avec les néo-orthodoxes protestants concernant ce qu'il dénomme très justement le potentiel négatif de la culture moderne (à vrai dire déjà dénoncé par Nietzsche dans la *Deuxième Considération intempestive*), d'autre part, la secrète discordance qui s'insinue entre la théologie dialectique et ce qui va devenir chez Heidegger une tentative purement philosophique, sans présupposés théologiques, pour répondre au défi de l'historicisme et du nihilisme. D'une part, une philosophie de la culture ne peut décidément plus répondre à la question du sens de l'historique ; du même coup, le *Methodenstreit* – le débat méthodologique –, auquel pareille philosophie avait donné lieu dans les décennies passées, est lui-même dénué de sens. D'autre part, un retour à l'eschatologie du christianisme primitif est devenu hors de portée, comme l'avait aperçu Franz Overbeck, même si c'est dans la méditation d'Augustin et de Luther et dans l'amitié avec Bultmann que Heidegger aura appris à discerner dans la « curiosité » et la « concupiscence des yeux » la manifestation première de la déchéance et de l'oubli du sens de l'existence, et à placer dans l'attente vigilante et dans la décision l'origine intime de l'historicité.

Ce qu'il faut changer radicalement, ce sont les catégories de la pensée *philosophique*.

C'est à ce point que se pose la question de confiance : Heidegger n'a-t-il pas exacerbé le dilemme proposé par la pensée historique de son temps ? A-t-il mieux répondu que ses devanciers, devenus la cible de sa critique, à la question de savoir ce que signifie penser historiquement ? En subordonnant cette question à celle de la signification du sens de l'Être, a-t-il résolu la question, ou bien l'a-t-il neutralisée, au point d'en montrer la non-pertinence ? C'est armé de ces questions que Jeffrey Barash offre sa propre lecture de *Sein und Zeit*. Je n'essaierai pas de la résumer, tant elle est déjà concise J'insiste seulement sur l'originalité d'une approche qui ne perd jamais de vue le dilemme de l'historicisme, lors même que le changement de problématique, introduit par l'analytique du *Dasein* et sa référence à la question de l'Être, est pleinement reconnu. L'avantage d'une telle stratégie est d'offrir une interprétation très forte des paragraphes sur le *on*, qui occupe très exactement le terrain naguère délimité par une philosophie de la culture – terme absent de *Sein und Zeit* – et des paragraphes terminaux de la section « historicité », consacrés à la critique de Dilthey par le comte Yorck. On y mesure à quel point la relégation à un rang d'extrême subordination du problème épistémologique équivaut à une destitution de toute la philosophie critique de l'histoire, désormais placée dans l'ombre de l'oubli de la question de l'Être. Mais la question initiale de la cohérence de l'histoire a-t-elle pour autant disparu ? Non, elle s'est seulement déplacée pour se réfugier dans celle de l'unité des ek-stases temporelles, imposant le choix entre un mode inauthentique et un mode authentique de confronter la problématique de cette unité. Dès lors que la résolution anticipante et la répétition, modes authentiques de temporalisation, constituent l'historicité, la cohérence de cette historicité, qui permet de penser historiquement, n'est pas séparable de la décision pour l'authenticité. Dans cette mesure, elle ne peut plus être un phénomène objectif, même de rang culturel.

L'auteur ne cache pas que ce déplacement de la question de la cohérence – déplacement qui, selon lui, ne la supprime pas – rend plus opaque le transfert du choix authentique du *Dasein* que nous sommes chacun à une communauté historique et à la destinée d'un peuple. On voit bien ce qu'est une communauté inauthentique : c'est le *on*. Mais *quid* d'une communauté authentique ? C'est ici qu'un dérapage bien connu, dans une situation où le discernement des esprits était pourtant requis par la circonstance, trouve sinon son explication, du moins le point de moindre résistance, sinon l'occasion de chute. Plus opaque, également, apparaissent les développements sur la dimension « mondaine-historique » attenant à la facticité du *Dasein*, dimension historique dont Heidegger dit qu'elle peut être appréhendée sans le secours de l'historiographie.

J'apprécie l'obstination avec laquelle revient la question de la cohérence, une fois qu'elle est déplacée du plan de l'histoire des cultures à celui de l'historicité du *Dasein*. Car ce qui est finalement en question, c'est le statut de vérité des propositions même sur l'historicité. Question homologue à celle que n'avait pas résolue la philosophie critique de l'histoire. Or ne faut-il pas accorder une ambition universelle à l'ontologie, pour que l'historicité chaque fois singulière du *Dasein* fasse sens ? La notion même de finitude ne s'établit-elle pas ainsi sur une base anhistorique ? L'oubli de l'Être ne désigne-t-il pas – en négatif – l'unité transhistorique des traditions intellectuelles de l'Occident ? C'est sur cette dernière question qu'enchaîne la seconde partie du livre.

L'ouvrage aurait pu légitimement se conclure sur ces questions posées par *Sein und Zeit*. En effet, autant l'appartenance de ce maître livre au même espace de questionnement que les philosophes critiques ou que la phénoménologie paraît indéniable, autant l'œuvre postérieure à la *Kehre* paraît au contraire avoir rompu les amarres, non seulement avec la manière ancienne de poser le problème du sens de l'histoire, mais avec la question elle-même. Le dialogue avec les poètes et avec les présocratiques n'éloigne-t-il pas radicalement et définitivement la pensée de l'ancien champ de bataille ? C'est précisément à l'encontre de cette conclusion apparemment raisonnable que va la seconde partie du livre. Elle met à l'épreuve l'hypothèse audacieuse selon laquelle la notion nouvelle d'« histoire de l'Être », en dépit de son absence apparente de lien avec l'histoire des historiens, atteste une émergence nouvelle de la question primitive de la signification de l'histoire, cette question même qui, au début du siècle, avait donné naissance au fameux *Methodenstreit*.

Le cheminement de pensée de Jeffrey Barash me paraît avoir été le suivant : après la réception enthousiaste de *Sein und Zeit*, sanctionné par le fameux débat de Davos avec Cassirer, Heidegger traverse une crise profonde suscitée par les interprétations anthropologiques de *Sein und Zeit*. Celles-ci procèdent certes d'une mécompréhension du terme même de *Dasein* et de toute l'ontologie de la finitude. Cela, Heidegger ne le reniera jamais. Mais comment prouver que la lecture anthropologique est une méprise ? En retournant l'accusation : c'est toute la métaphysique occidentale qui, en déployant un monde de représentations structurées par l'image de l'homme, est secrètement anthropologique, lors même qu'elle projette dans un absolu anhistorique un fondement de sens qui reste sous le contrôle du sujet humain. C'est ce « retournement » même qui fait de l'Être, soustrait au contrôle de l'homme, l'origine de sa propre histoire. Mais, s'il est vrai que la question de l'Être ne se donne jamais que de manière épochale, la question se pose à nouveau inéluctablement de la cohérence d'une histoire de l'Être dont l'histoire des mortels n'est ni la mesure ni la clef. Cette cohérence n'est évidemment plus celle d'une *production* culturelle, c'est celle d'une *errance*; mais cette errance a, si l'on peut dire, une structure, un sens, une orientation; c'est ce sens qui en fait précisément un mouvement épochal. Les critères anthropocentriques peuvent s'évanouir, l'histoire de l'Être n'en a pas moins ses articulations propres, qui permettent de parler d'une certaine unité de la métaphysique occidentale; certes, la « considération historique » qu'autorise cette histoire de l'Être ne se confond pas avec la « cohérence historique » qu'offrirait une périodisation par grandes cultures. Il reste qu'entre l'Antiquité grecque et la modernité occidentale, avec sa technologie, il y a un lien de filiation et de convenance qui équivaut à une cohérence sous-jacente à l'histoire des mortels.

C'est à partir de cette hypothèse de lecture que se posent les deux questions suivantes : comment penser l'histoire de l'Être comme source non humaine du mouvement historique de la vérité ? De quelle façon cette historicité de la vérité, incorporée à l'unité de l'histoire occidentale, met-elle en question les critères de vérité de la rationalité scientifique et permet-elle de penser la signification de l'histoire au-delà de ces critères ? C'est dans la formulation de ces questions que l'auteur voit la résurgence du même problème de sens et de cohérence qui avait conduit à l'impasse les philosophies critiques de l'histoire, la phénoménologie elle-même, et peut-être également *Sein und Zeit*. Or comment ne pas parler de cohérence – fût-ce dans l'errance –, si l'on veut accorder quelque sens à l'affirmation sans cesse répétée que le fondamental retrait de l'Être est le fil qui fait « tenir-ensemble » les époques de l'histoire de l'Être jusqu'aux Temps modernes ? Revient ainsi au premier plan, par ce détour de l'oubli de l'Être et de l'errance, la question de la cohérence du mouvement qui fait l'unité des traditions intellectuelles de l'Occident. L'errance croissante de la métaphysique et le retrait toujours plus opaque de l'Être sont, par rapport aux variations de la vérité, dans la position d'un fondement inversé. Mais c'est encore et toujours pour l'historicité de la vérité que le philosophe cherche un fondement non humain dans une histoire que les mortels ne conduisent pas.

Ainsi considéré, le mouvement propre de la pensée de Heidegger apparaît moins, contrairement à une interprétation suggérée plus haut, comme un incessant éloignement de soi que comme une manière de *repenser* le problème de la signification historique qui avait mis en mouvement sa recherche et celle de ses prédécesseurs dès avant la Première Guerre mondiale. Heidegger et son temps : tel est le problème que la stratégie interprétative mise en œuvre dans cet ouvrage éclaire d'un jour nouveau.

Éthique et philosophie de la biologie chez Hans Jonas

(1991)

Ma contribution à l'étude de Hans Jonas porte pour l'essentiel sur le lien que l'auteur du *Principe responsabilité*[1] établit entre l'éthique et la philosophie de la biologie sous-jacente à cette dernière.

Une première fois, la vie est expressément *nommée* dans l'une ou l'autre des formulations de l'impératif catégorique que Hans Jonas propose de substituer à l'impératif kantien : « Agis de façon que les effets de ton action soient compatibles avec la permanence d'une vie authentiquement humaine sur terre » ; « agis de façon que les effets de ton action ne soient pas destructeurs pour la possibilité d'une telle vie ». Il est important que l'on ne puisse formuler l'impératif de la responsabilité sans y impliquer la vie. Pour le faire comprendre, partons de ce qui est le plus connu de l'éthique de Jonas, à savoir la réorientation vers le futur du concept ordinaire de responsabilité, que l'auteur estime limité par le regard rétrospectif jeté sur des actions déjà commises. À cet égard, l'extension de la responsabilité aux conséquences de l'action ne change rien à l'affaire, dans la mesure où il s'agit de conséquences prochaines, par exemple d'un dommage que son auteur est tenu de réparer, ou d'un délit pour lequel il est obligé de subir la peine ; ce futur prochain, impliqué dans l'usage du concept de responsabilité en droit civil ou en droit pénal, fait encore partie de la sphère d'action contrôlée par l'agent lui-même et s'inscrit dans un rapport de réciprocité entre celui-ci et la victime éventuelle qui a subi de sa part dommage ou tort. En ce sens, le concept de responsabilité ne se distingue pas de celui d'imputabilité. Tout autre est le

---

1. Trad. française par Jean Greisch, Paris, Cerf, 1990.

futur visé par le nouveau « principe responsabilité » : c'est certes encore le futur d'hommes agissants et souffrants, mais sous la condition de la survie de l'humanité ; le nouveau principe ne vise donc l'agir de l'humanité future qu'à travers son vivre et son survivre. On comprend pourquoi : ce futur lointain est le lieu d'une crainte spécifique pour laquelle Jonas mobilise une « heuristique de la peur », une crainte portant sur des dangers – possibles, même s'ils ne sont pas probables – qui menacent l'humanité au niveau de son vivre et de son survivre : c'est le cas des dangers qui affectent l'écosystème à l'abri duquel se déploient les activités humaines, ou qui résultent de l'application des sciences de la vie à la reproduction, à l'identité génétique de l'espèce humaine, au fonctionnement cortical ou au comportement biologique de l'homme. Si, par la technique, l'homme est devenu dangereux pour l'homme, c'est dans la mesure où il met en péril les grands équilibres cosmiques et biologiques qui constituent le socle vital de l'humanité de l'homme. Bref, l'homme met en danger l'homme en tant que *vivant*.

Cette inscription de la vie dans la formulation même d'un nouvel impératif catégorique peut être illustrée de manière plus frappante encore : ce qui caractérise le nouvel impératif, ce n'est pas seulement son orientation vers le futur, plus précisément vers un futur qui excède l'horizon fermé à l'intérieur duquel le même agent peut réparer des dommages causés par lui ou subir la peine des délits dont il est présumé coupable. Le lien entre responsabilité et danger pour l'humanité à venir impose d'ajouter au concept de responsabilité un trait qui le distingue définitivement de celui d'imputabilité ; se tient pour responsable, se sent affectivement responsable celui à qui est confiée la garde de quelque chose de périssable ; l'objet ou, pour mieux dire, le vis-à-vis de la responsabilité, c'est le périssable en tant que tel. Cette notation dérive du lien évoqué plus haut entre les menaces issues de la technologie moderne et la riposte d'une « heuristique de la peur ». Or qu'est-ce qui, plus que tout, peut être menacé, sinon ce qui peut être perdu ou sauvé, c'est-à-dire le périssable ? Et quoi de plus périssable que la vie, reconduite à la mort par l'intervention maléfique de l'homme ? Par ce nouveau biais, l'idée de vie paraît indissociablement impliquée par la formulation du nouvel impératif.

Mais cette référence à la vie au niveau de la formulation de l'impératif catégorique ne constitue encore qu'une entrée en matière dans le problème que je veux discuter ici : s'il ne s'agissait que de la formulation de l'impératif catégorique, l'idée de vie pourrait être prise en son sens populaire obvie, et il ne serait pas nécessaire de recourir à une philosophie de la biologie. Il n'en va plus de même dès lors que l'on entend passer, à la façon kantienne, de la formulation à la fondation – ou à la « déduction » – de l'impératif nouveau. C'est à ce stade de radicalité que Jonas incorpore une conception du vivant qu'il appelle lui-même ontologique. Les chapitres III et IV du *Principe responsabilité* consacrés à ce problème sont ceux que leur auteur tient pour les plus originaux mais aussi les plus inexpugnables, en dépit des contradicteurs les mieux intentionnés, qui préféreraient préserver à un niveau quasi intuitif le nouvel impératif sans assumer la charge onéreuse d'une « déduction », inséparablement solidaire de la métaphysique de la vie que l'on va dire.

La nécessité de ce grand détour est attestée par l'interprétation que Jonas donne lui-même du développement de sa pensée dans la belle conférence prononcée à Heidelberg en 1986 et publiée en 1987 par Vandenhoeck et Ruprecht dans un petit recueil auquel cette conférence a donné son titre : *Wissenschaft als persönliches Erlebnis* (la traduction française : « La science comme vécu personnel » peut se lire dans le numéro des *Études phénoménologiques*, Bruxelles, *Ousia*, 1988, consacré pour l'essentiel à Hans Jonas). L'auteur voit sa carrière philosophique rythmée par trois moments forts : le premier est représenté par la dissertation inaugurale écrite à Marbourg en 1931 sous la direction de R. Bultmann et consacrée au concept de gnose. Devait en résulter le célèbre ouvrage de 1934, *Gnosis und spätantiker Geist (La Religion gnostique. Le message du Dieu étranger et les débuts du christianisme*, trad. L. Evrard, Flammarion, 1978). En quoi ce livre constitue-t-il une préface appropriée à l'œuvre future de Jonas ? En ceci que, dans l'interprétation existentiale que, sous l'influence de Heidegger et de Bultmann, Jonas donne du gnosticisme, celui-ci exprime de façon exemplaire la condamnation de l'existence terrestre – la perte du monde – et, par implication, l'imposition d'une vision dualiste qui se perpétue jusqu'à présent dans la grande bifurcation entre le retrait « idéaliste » du monde dans une conscience de soi acosmique et une détermination purement « matérialiste » de la nature. Ce que Jonas appelle le nihilisme moderne est à ses yeux le rejeton lointain du nihilisme gnostique. Or, pour vaincre celui-ci de façon décisive, il fallait l'attaquer en son point sensible, à savoir très précisément sa méconnaissance obstinée du phénomène médian de la vie. La riposte adéquate consistait donc dans une philosophie à la fois ontologique et éthique de la vie.

Que la vie dise fondamentalement oui à la vie, voilà l'intuition que Jonas met à l'œuvre dans son deuxième grand ouvrage, d'abord publié en anglais sous le titre *The Phaenomenon of Life, Towards a Philosophical Biology* (1966), puis en allemand sous le titre *Organismus und Freiheit. Ansätze zu einer philosophischen Biologie* (Göttingen, 1973). Les résultats de cette philosophie de la biologie devaient être intégrés vingt-cinq ans plus tard dans la philosophie éthique que Jonas tient pour le troisième moment fort d'un développement cohérent étalé sur une cinquantaine d'années. Mais, attention ! On se tromperait gravement si l'on voyait dans cette philosophie de la vie la suite des philosophies romantiques de la nature. Il ne s'agit pas du tout de philosophie de la vie, mais bien de philosophie de la biologie. C'est la biologie – la science biologique – qui donne à penser au philosophe ; elle le fait en lui présentant le phénomène majeur de l'*organisation*, dans lequel le philosophe est appelé à discerner les commencements d'un développement qui trouve son accomplissement dans la liberté humaine. À cet égard, le titre allemand dit tout : organisme et liberté ; ou, pour mieux dire, de l'organisme à la liberté.

À la spéculation philosophique la biologie offre des phénomènes éminemment observables. Le premier d'entre eux, et qui contient en germe toute la suite, est le phénomène du métabolisme ; voici un organisme qui ne cesse d'échanger avec le milieu des substances chimiques et qui, dans cet échange entre le dehors et le dedans, maintient l'identité de sa structure. C'est dans ce contraste entre la persévérance de la forme et la mutabilité de la matière que Jonas voit la première anticipation de ce qui chez l'homme s'appellera liberté, en tant qu'indépendance à l'égard des inclinations. Or le métabolisme marque la première rupture avec un système

mécanique comme celui d'une montre. Ce processus actif
d'auto-intégration donne une première fois sens à la notion
d'individu en tant qu'entité ontologique. En disant ontologique, on veut dire qu'il en est ainsi dans la réalité, et non
pas seulement, comme le voulait Kant, dans le jugement
réfléchissant ; il faut donc donner tout son poids de réalité à
l'identité à soi de l'organisme en tant qu'acte de sa propre
existence. Il ne s'agit certes pas encore d'intériorité ; mais il
est permis de parler d'identité interne, dans la mesure où la
continuité métabolique se laisse comprendre comme continuation, persévérance de soi-même. Un soi s'annonce face à
un monde. C'est alors la tâche d'une biologie philosophique
de suivre le déploiement de cette liberté germinale à travers
les niveaux de l'évolution organique.

Avec l'animalité, trois traits nouveaux apparaissent : la
motilité, la perception et l'émotion, trois traits qui accentuent
la polarité entre un soi et un monde ; un monde est ouvert en
même temps qu'un soi s'intériorise. Mais, et ce trait nouveau
nous met sur la voie d'une réflexion sur la précarité de la vie
– thème fondamental de l'éthique ultérieure –, à mesure
qu'augmente la polarité entre le soi et le monde, le prix
à payer pour la survie ne cesse d'augmenter, comme le
fait bien comprendre une comparaison entre l'animal et la
plante : l'animal est exposé à la rareté dans sa quête de nour-
riture ; la crainte accompagne désormais le besoin ; le souci
de sa préservation est porté au niveau du sentir ; l'individuation a pour prix l'altérité du monde et la solitude propre.

Quant au niveau proprement humain, Jonas préfère le
caractériser par la fabrication des images ; *Homo pictor*
englobe *Homo faber* et *Homo sapiens ;* la fonction symbolique
prend maintenant en charge la représentation du monde ; percevoir la ressemblance, c'est séparer la forme de la matière,
cette forme qui adhérait encore à la matière dans le phénomène du métabolisme. L'homme donne des noms aux choses,
met les êtres en relation, ouvre le champ du possible : ainsi
la liberté se dégage-t-elle par distanciation de la causalité.

La portée philosophique de cette réflexion sur la biologie,
et plus exactement sur le phénomène majeur de l'organisation, est considérable, eu égard à son intégration ultérieure
dans le champ de l'éthique. Trois leçons méritent d'être rete-
nues. D'abord, la vie est remise à la place d'honneur entre

les deux extrêmes de la conscience hypostasiée par l'idéalisme et de la matière dépouillée de signification et de valeur par le matérialisme. Avec le métabolisme, la dimension d'intériorité se révèle appartenir à la vie et le phénomène d'auto-organisation rend caduque l'opposition ruineuse entre le corps et l'âme. La liberté est ainsi implicitement présente dès le début de la vie. Elle mérite d'être tenue pour un mode d'être objectivement discernable. Ensuite, la précarité de la vie ne cesse de croître en même temps qu'augmente la polarisation du soi et du monde. Le phénomène du métabolisme implique déjà la menace de destruction, mais ce n'est qu'avec l'humanité que la peur, la souffrance, la solitude sont ressenties dans toute leur virulence. Le péril requiert d'être énoncé en termes ontologiques : la possibilité du non-être accompagne comme son ombre l'assertion de l'être par la vie et fait de la vie une aventure improbable et révocable. D'où la troisième leçon qui nous conduit au seuil de l'éthique, mais d'une éthique ontologiquement fondée : le phénomène d'auto-organisation, germe de l'auto-transcendance, permet de parler d'un témoignage que la vie se rend à elle-même. La vie ne se prouve pas ; elle s'éprouve et s'atteste. Ce témoignage est à opposer à la conception moderne selon laquelle la matière morte est une évidence et la vie une énigme. Depuis la Renaissance, seul le non-vivant est tenu pour connaissable ; le vivant doit donc lui être réduit ; en ce sens, toute notre pensée est aujourd'hui sous la domination de la mort ; l'idéalisme de la conscience n'est à cet égard pas moins mortifère, dès lors qu'il sanctionne l'intelligibilité du seul non-vivant : c'est par rapport à cette ontologie de la mort que la vie est dite rendre témoignage à la vie.

Une discussion de cette philosophie de la biologie demanderait de longs développements. Sur le plan de la méthode, d'abord, il faudrait s'interroger sur la sorte de recroisement que la philosophie opère entre les faits observables que la biologie place sur la ligne ascendante de l'auto-organisation et le mouvement de la réflexion procédant de façon régressive pour se porter à la rencontre de l'observation biologique, la notion de témoignage de la vie sur elle-même se situant alors au point de rencontre des deux lignes ascendante (observation) et descendante (réflexion). Il faudrait ensuite, sur le plan de la doctrine, s'interroger sur la nature du développement qui, de l'amibe, conduit à l'homme : c'est ici qu'une confrontation avec Whitehead et avec les diverses variantes de l'évolutionnisme s'imposerait ; on se bornera à noter que le thème de la précarité de la vie éloigne autant Jonas d'un optimisme évolutionniste à la Teilhard qu'un probabilisme qui joindrait hasard et nécessité comme chez Monod. Jonas est très discret quant au fondement de ce qui ne peut pas ne pas être caractérisé comme une philosophie téléologique ; sa conviction profonde est que le projet de la vie ne saurait être étranger au fond de l'être – quel que soit celui-ci ; mais il entend ne pas mêler les conjectures sur l'origine aux certitudes portant sur des commencements qui ne prétendent pas occuper la place de l'origine. En ce sens, sa philosophie de la vie entend ne pas excéder les limites d'une philosophie de la biologie.

Nous pouvons maintenant rejoindre l'argument du *Principe responsabilité* au point où nous l'avons laissé. Sur quoi fonder l'impératif qui demande qu'il existe une humanité après nous, plus exactement qui demande que rien dans notre action n'empêche que la vie continue, à savoir une vie porteuse d'humanité elle-même digne d'être vécue ? Ce qui est ici en jeu, c'est l'inclusion de l'idée de vie dans la fondation même de l'impératif. Cette fondation, selon Jonas, ne peut être qu'ontologique, dans la mesure où ce qui est à justifier, c'est la continuation d'une existence et non la rationalité d'un principe de moralité. Qu'une vie humaine doive encore exister après nous, voilà ce qui doit être démontré. C'est dans le cadre de cette entreprise de fondation ontologique du nouvel impératif qu'il faut maintenant replacer les conclusions de la philosophie de la biologie. En dépit de la méfiance des modernes à l'égard de la métaphysique en général et à l'égard, surtout en milieu anglo-saxon, de toute dérivation d'un devoir être *(ought)* à partir d'un être *(is)*, Jonas ne transige pas : « Il s'ensuit que le premier principe d'une éthique du futur ne se trouve pas lui-même dans l'éthique en tant que doctrine du faire [...], mais dans la métaphysique en tant que doctrine de l'être, dont l'idée de l'homme représente une partie. »

Pour en venir à une fondation digne de ce nom, Jonas n'hésite pas à prendre les plus grands détours. Il commencera comme Leibniz et fera précéder la question : l'homme doit-il être ? par la question : quelque chose doit-il être plutôt que rien ? Le devoir être de quelque chose n'a en effet pour seul opposé que le rien. Or l'être vaut mieux que le rien. Il vaut mieux qu'il y ait quelque chose plutôt que rien. L'affirmation de l'être est en ce sens à la fois ontologique et éthique. On aperçoit la conséquence encore lointaine : choisir la disparition de l'humanité – au-delà du suicide de tel individu –, c'est nier le primat de l'être comme tel sur le rien. La question, on le voit, n'est pas celle du pourquoi – question qui renvoie à une première cause – mais celle du pour-quoi, au sens de : cela vaut-il la peine d'être ? La question est celle de la préférence de l'être au rien. Valeur et existence coïncident dans la question. La réponse à la question est dès lors autoréférentielle : imputer ou non une valeur à quelque chose, c'est déjà se placer dans une perspective où il a déjà été décidé de la préférence de l'être au non-être, lequel n'est ni valeur ni non-valeur. L'affirmation que la valeur a droit à l'être est seulement l'envers de l'affirmation que l'être vaut au sens de vaut mieux que rien.

Mais existe-t-il une chose telle que « la valeur » lui soit objectivement attachée ? Existe-t-il un être qui implique son propre devoir-être et donc, pour nous, l'obligation de le conserver, autrement dit qui implique notre responsabilité à l'égard de son caractère périssable ?

Cet être, c'est le vivant et, en lui, la vie même. C'est dans le oui à la vie que le non opposé au non-être s'enracine ; car, dans la vie, nous l'avons vu dans l'ouvrage de 1966, l'être est explicitement confronté au non-être : « Le mode de son être, écrit Jonas en 1979, est la conservation pour agir. » Avant l'homme, c'est un oui aveugle que la vie prononce sur elle-même ; avec l'homme, le devoir-être enraciné dans l'être revêt la forme d'une obligation parce que l'homme peut vouloir se détruire. Alors que, dans la nature, l'autoconservation n'a pas à être commandée, chez l'homme, elle fait l'objet d'un choix. Dans le vocabulaire adopté par Jonas, la vie en tant que telle est orientée vers des fins. Avec la conscience, ces fins revêtent la signification de valeurs. Dans toute fin, l'être se déclare en faveur de lui-même et contre le non-être. Sur le plan humain, le bien ou ce qui a de la valeur contient l'exigence de sa réalité sous la figure d'un impératif. Mais la revendication immanente d'un bien en soi ne cesse de primer le commandement. L'axiologie ne cesse d'être subordonnée à l'ontologie, dans la mesure où l'être du vivant vaut (la peine) d'exister. Seule la possibilité d'un anéantissement actif et volontaire transforme en tâche ce qui est tendance naturelle chez le vivant.

Entre la finalité du vivant et l'ordre humain de la valeur et de l'obligation il y a donc à la fois continuité et discontinuité. La discontinuité d'un plan à l'autre tient au pouvoir dont l'homme dispose de détruire la vie qui le porte. Encore faut-il ajouter, pour atténuer l'écart, que la responsabilité revêt la forme d'un sentiment – le sentiment de responsabilité –, lequel introduit un facteur de passivité et de réceptivité au sein du fondement rationnel de l'obligation. On se sent responsable avant de se déclarer responsable. La passivité de ce sentiment rappelle le témoignage que la vie rend à la vie. Cette manière d'être ainsi affecté souligne la parenté entre le sentiment de responsabilité et la compassion, dans la mesure où, comme on l'a dit, la responsabilité a pour vis-à-vis le périssable, c'est-à-dire l'autre appréhendé dans sa condition de vulnérabilité. Le sentiment de responsabilité se trouve ainsi totalement accordé à la précarité de la vie. En outre, il n'est pas étonnant que la responsabilité soit d'abord passivement ressentie, dans la mesure où se sentir responsable, c'est se sentir chargé d'une tâche, dépositaire d'une mission.

Pour illustrer sa démonstration, Hans Jonas propose deux exemples de responsabilité qu'il tient pour paradigmatiques : celui de la responsabilité parentale et celui de la responsabilité politique.

La relation au nouveau-né est paradigmatique à un double titre : d'abord, même si le désir et le choix ont leur place dans la procréation, la naissance en tant que telle, le fait de naître – la natalité, aurait dit Hannah Arendt – engendre une situation absolument originale ; un lien surgit qui n'a pas le caractère d'un contrat et ne résulte d'aucun consentement préalable. Du fait de la naissance, quelqu'un se trouve chargé de… sans avoir le pouvoir de se décharger. En outre – et ce second trait est celui qui importe le plus à la démonstration concernant le fondement ontologique de l'impératif –, la naissance engendre une responsabilité du côté parental du seul fait qu'elle survient ; et l'obligation qui lui est attachée est unilatérale, aucun droit explicite ne lui correspondant du côté du nouveau-né. Ici donc, le est et le doit-être coïncident très exactement. Le nouveau-né rend responsables parents naturels ou adoptifs ; en ce sens, Jonas peut dire que le premier devoir-être procède de la « chose », de la « cause » à nous confiée ; ce qui est ici en jeu, c'est une relation de confiance, laquelle constitue un bien substantiel dont la simple existence comporte sa propre force d'obligation. La naissance de l'enfant nous rend responsables pour ce bien ; d'un côté, ce bien concerne l'enfant dans sa totalité, comme la chose à faire croître : d'un autre côté, cette croissance implique la continuation d'une existence ouverte sur un avenir indéterminé : « Le caractère futurible propre de ce dont on a la responsabilité est le véritable aspect d'avenir de la responsabilité » ; la responsabilité en ce sens est « le complément moral de la constitution ontologique de notre être temporel » (p. 144). La fragilité, la vulnérabilité de cet être en croissance soulignent plus fortement encore la force de l'obligation attachée à la simple existence, exigeant préservation et perpétuation.

La responsabilité politique de l'homme d'État est le second exemple paradigmatique que Jonas propose ; on ne nie pas, ici non plus, que le pouvoir soit objet de brigue et donc, jusqu'à un certain point, objet de choix ; mais l'exercice même du pouvoir engendre une série de charges solidaires des exigences constitutives de la chose publique ; en ce sens, l'homme d'État porte le poids de charges qui concernent la collectivité dans sa totalité, comme tout à l'heure l'éducation concernait l'enfant dans sa totalité ; et l'avenir de cette totalité n'est pas plus maîtrisable que ne l'est celui de l'adulte à venir. Total et ouvert est l'avenir qui de part et d'autre est pris en charge : « Chaque fois l'être humain, même s'il fut autrement, n'était moins achevé qu'il ne l'est aujourd'hui » (p. 202). Ce sont ces charges, aux contours indéterminés, qui rendent l'homme politique responsable ; de plus, ce que celui-ci prend en charge est éminemment menacé, comme on le voit lorsque la défaite et la ruine menacent d'anéantissement le corps politique. Finalement, c'est de la perpétuation de l'art de gouverner que l'homme politique est responsable ; le maintien de sa propre présupposition fait partie du cahier des charges de l'art de gouverner : « Tout art de gouverner porte la responsabilité de la possibilité d'un art de gouverner futur. »

Les deux modèles, la responsabilité parentale et la responsabilité politique, se révèlent avoir en commun les deux traits suivants : une charge confiée dont l'existence engendre une obligation, une entité périssable qui appelle pour sa survie et sa croissance les soins de quelqu'un rendu responsable par cet appel même.

Sur la base de ces traits communs, il est possible, en généralisant, de parler de la responsabilité de l'homme pour l'homme. L'humanité de l'homme est assimilable à une charge confiée ; et cet être ainsi commis à nos soins est périssable en tant que vivant, soumis en outre aux aléas et aux périls de la vie en société. Ce statut de dépendance, inhérente au sentiment de responsabilité, atteste la non-autarcie de l'homme. Certes l'idée d'humanité comporte une dimension non biologique. Ces vivants à protéger dans leur croissance sont aussi nos semblables en tant que sujets potentiels de responsabilité. Nous sommes responsables de la perpétuation de la responsabilité elle-même. En ce sens, l'idée d'humanité dépasse l'idée de vie ; mais elle partage avec celle-ci ce lien indéfectible entre l'être et le devoir-être. Comme les deux modèles antérieurs de responsabilité l'ont montré, l'aspect de charge à assumer fait partie de la définition de l'humanité visée ; c'est ainsi que Jonas peut parler de la « revendication ontologique de l'idée d'humanité ». Cette revendication est ontologique en ce sens qu'elle ne dépend pas du bilan évaluatif qui peut être dressé des comportements effectifs des hommes sur terre jusqu'à nos jours (atrocités, créations sublimes…). C'est la possibilité qui comporte sa propre exigence. Maintenir en vigueur cette possibilité ouvre sur une responsabilité cosmique, qui se résume dans la première obligation, dans le premier commandement, à savoir que l'humanité soit. Du fait qu'il existe des hommes résulte l'exigence de caractère ontologique qu'ils existent ultérieurement. Tout autre commandement, en particulier concernant la manière d'être et le bien-être, présuppose celui-là.

La référence de l'éthique de la responsabilité à l'ontologie de la vie biologique s'avère être une clef importante du principe de responsabilité jusque dans ses analyses détaillées du phénomène technologique. Placée sur l'arrière-plan de la téléologie du vivant, la grande aventure technicienne de l'homme prend en effet un relief saisissant. D'une part, la menace que l'homme fait peser sur l'homme prend en quelque sorte le relais des menaces auxquelles les autres vivants sont déjà soumis. À la fragilité de la vie l'homme de la technique ajoute une fragilité supplémentaire qui est son œuvre. Mais alors que la vie comporte sa régulation propre, qui a long-temps fait de la nature l'enclos invulnérable de l'histoire humaine, l'agir humain, cessant d'être réglé par des fins naturelles, est le siège d'une démesure spécifique. C'est seulement de nos jours que nous en apercevons l'ampleur ; par leur dimension cosmique, par leurs effets cumulatifs et irréversibles, les techniques ouvrent en effet une carrière illi-mitée à une dangerosité sans précédent dans l'histoire de la vie. La préservation de la vie avait toujours eu un coût. Avec l'homme, ce coût, ce prix à payer peut être l'anéantissement. Il appartient dès lors à la liberté humaine de s'assigner à elle-même des fins et de se donner les pouvoirs de les exécuter. De même que la dangerosité créée par l'homme s'ajoute à la fragilité de la vie, la responsabilité peut être dite prendre la relève de la finalité naturelle.

Je n'en dirai pas plus concernant la description que Jonas fait de la technique, de son caractère cumulatif, irréversible, anonyme, non contrôlé, et pour tout dire « utopique » en soi. Je n'approfondirai pas non plus le rôle assigné à l'« heuris-tique de la peur » dans la position de l'impératif ; je laisserai également de côté, avec regret, l'argument que Jonas oppose au pari pascalien et à sa transposition dans le pari du tout ou rien concernant l'avenir de l'humanité ; je ne discuterai pas non plus le caractère dissymétrique du principe de responsa-bilité résultant de l'absence de réciprocité entre l'obligation qui lie les hommes d'aujourd'hui à leurs successeurs. Je me concentrerai plutôt sur les difficultés résultant du lien établi par Jonas entre son éthique de la responsabilité et l'ontologie qui prolonge sa philosophie biologique.

On pourrait en effet objecter que la philosophie de la bio-logie est inapte à donner au principe responsabilité le fonde-ment ontologique recherché, dans la mesure même où le pouvoir de l'homme échappe aux régulations naturelles et appelle une autodiscipline d'une autre nature. La réponse à cette objection permet peut-être de mieux comprendre en quel sens l'ontologie de la vie est incorporée au principe responsabilité. Chez Jonas, en effet, la finalité naturelle ne prétend pas jouer le rôle de modèle à imiter comme ce pourrait être le cas dans une interprétation d'ailleurs discutable de la morale d'Aristote. Le principe de responsabilité ne dit pas : impose à ton action une retenue, une modération, bref, une « mesure » *semblable* à celle dont la nature dote spontanément l'activité des vivants. Ce n'est pas au titre d'une imitation de la nature que l'ontologie de la vie se trouve incorporée non seulement à la formulation, mais plus radicalement à la fondation du principe responsabilité. Le principe responsabilité demande seulement de préserver la *condition* d'existence de l'humanité ou, mieux, l'existence comme condition de possibilité de l'humanité. Comme on l'a dit plus haut, c'est l'homme en tant que vivant qui est objet de sollicitude. C'est pourquoi le principe responsabilité prend en charge la vulnérabilité spécifique que l'agir humain suscite dès lors qu'elle s'ajoute à la fragilité naturelle de la vie. En ce sens, le lieu de la responsabilité reste la fragilité de la vie. On ne saurait donc dire que le principe responsabilité relève d'une morale naturaliste. C'est au contraire au niveau de l'agir humain, et par des moyens techniques appliqués de façon corrective aux techniques, que l'éthique de la responsabilité délimite son champ d'exercice. Ce sont en outre des moyens institutionnels appropriés qui sont seuls capables de prendre en charge les coûts du progrès technique. Dire que l'homme est responsable envers la nature, ce n'est donc pas dire qu'il faille chercher dans la nature le modèle de la mesure à imposer à la dérive techniciste.

On n'aurait même pas le droit de parler de morale naturaliste lorsque Jonas se risque à dire que le long travail créateur de la nature, auquel nous devons d'être vivants, et qui est aujourd'hui livré entre nos mains et confié à notre soin, a droit à notre protection *pour son bien propre*. On veut seulement dire par là que l'intérêt de l'homme coïncide avec celui du reste des vivants et celui de la nature entière en tant qu'elle est notre patrie terrestre. C'est pour contrecarrer la réduction anthropologique de l'éthique que l'on pose une obligation à la fois une et double : une obligation une, dans la mesure où l'objet de la responsabilité est sa propre reproduction dans d'autres sujets responsables comme nous ; en ce sens, le principe responsabilité est autoréférentiel, lors même qu'il ouvre sur une humanité future et un avenir inconnu.

Une obligation double, néanmoins, en ce sens que la dignité propre de la nature doit être affirmée à l'encontre de l'arbitraire de notre pouvoir. Nous sommes redevables à la nature de siéger à son sommet, tout en restant inclus dans son orbe avec le reste des vivants. Même si l'obligation à l'égard de l'autre homme reste première, elle inclut la nature comme la condition de la survie de l'homme et comme un élément de sa complétude existentielle. C'est dans le cadre de ce destin solidaire qu'il peut être parlé de la dignité propre de la nature ; cette dignité pose une limite à la réduction utilitaire qui cautionne l'exploitation sans fin de la nature, selon l'adage faisant de l'homme le maître et possesseur de la nature. Ainsi, même l'affirmation de ce destin solidaire et, sous le couvert de celle-ci, l'affirmation de la dignité propre de la nature ne suffisent pas à assimiler le principe responsabilité à une morale naturelle. Cette identification constituerait un grave malentendu, lequel est peut-être à la base de maintes critiques adressées à une éthique qui se présente comme éthique de la préservation. Loin de procéder de quelque enseignement de la nature, celle-ci occupe la même place que l'éthique du progrès et du perfectionnement illimité. L'homme, destructeur potentiel du travail téléologique de la nature, doit prendre en charge au niveau de son vouloir le oui que la nature adresse à l'être et le non qu'elle oppose au non-être. Ce qui est à sauver, c'est la présupposition de l'homme. Nul ne peut dire : que l'homme soit, sans dire : que la nature soit. Voilà pourquoi le oui à l'être, que la vie prononce spontanément, est devenu au niveau humain devoir-être, obligation.

Mais c'est précisément cette réfutation de l'objection assimilant l'éthique de Jonas à une morale naturaliste qui conduit à douter que l'éthique de la responsabilité trouve dans la philosophie de la biologie un fondement *suffisant*. Je dis bien suffisant, et non pas simplement nécessaire. Le fondement est nécessaire dès lors qu'il s'agit seulement de justifier l'obligation de préserver l'existence future de l'humanité comme une précondition de son propre exercice de la responsabilité. L'argument, me semble-t-il, ne suffit plus, dès lors que l'enjeu de l'entreprise de fondation n'est plus la précondition de l'existence, mais le statut authentiquement humain de la vie à préserver. Ce que l'impératif nouveau demande en effet n'est pas seulement qu'il existe des hommes après nous, mais précisément que ce soit des hommes conformes à l'idée même d'humanité. C'est ici que la fondation biologique, si elle est nécessaire cesse d'être suffisante.

Ce soupçon me paraît d'autant plus légitime que Jonas lui-même, confronté à l'idée d'humanité en tant que distincte de celle de vie, fait de cette idée le point de départ d'une sorte inédite d'argument ontologique selon lequel l'exigence de réalisation procède de l'idée même d'humanité. Bien plus, cet argument est lui-même subordonné à un axiome plus vaste qu'énoncent très bien les premières lignes du chapitre IV : « Fonder le "Bien" ou la "Valeur" dans l'être, cela veut dire enjamber le prétendu gouffre entre l'être et le devoir. Car le bien ou ce qui a de la valeur, pour autant qu'il l'est de son propre fait et non du fait d'un désir, d'un besoin ou d'un choix, est justement, d'après son concept, ce dont la possibilité contient l'exigence de sa réalité et ce qui devient ainsi un devoir à condition qu'existe une volonté capable de percevoir l'exigence et de la traduire en agir » (p. 115). Si la philosophie de la biologie pouvait constituer un fondement *suffisant*, le grand détour leibnizien proposé par Jonas serait inutile ; encore moins serait-il nécessaire de transformer la question leibnizienne : pourquoi y a-t-il quelque chose plutôt que rien ? en une affirmation : il vaut mieux que quelque chose soit plutôt que rien.

Si mon interprétation est exacte, la discussion de la démonstration concernant le fondement ultime du principe responsabilité devrait porter sur l'architecture permettant de coordonner trois axiomes apparemment distincts : la vie dit oui à la vie ; l'idée d'humanité exige d'être réalisée ; l'être vaut mieux que le non-être. Le premier axiome représenterait la contribution de la philosophie de la biologie à l'éthique ; quant au deuxième, on ne saurait y voir autre chose, que Jonas le veuille ou non, qu'un rejeton du kantisme, que pourrait prendre en charge, entre autres variantes, une éthique de l'argumentation ; le troisième, le plus fondamental, devrait garder sa marque proprement leibnizienne, avec en outre un accent platonicien, dans la mesure où c'est le Bien, avec un grand B, qui enveloppe être et devoir-être. Le secret à percer de la pensée de Jonas me paraît consister dans la correspondance tacite entre les trois axiomes, correspondance qui permet d'entrer dans la philosophie de Jonas à partir de n'importe lequel de ces trois axiomes. Pris ensemble, ceux-ci me paraissent former un vaste cercle herméneutique. La question serait alors, comme l'a dit qui vous savez, non point d'éviter le cercle, mais d'y entrer correctement.

Le livre de Jonas est un grand livre, non seulement en raison de la nouveauté de ses idées sur la technique et sur la responsabilité comprise comme retenue et préservation, mais en raison de l'intrépidité de son entreprise fondationnelle et des énigmes que celle-ci nous donne à déchiffrer.

2

POÉTIQUE, SÉMIOTIQUE, RHÉTORIQUE

Mikel Dufrenne

La notion d'*a priori*
selon Mikel Dufrenne
(1961)

Le dernier livre de Mikel Dufrenne, *La Notion d'a priori* [1], est un livre à l'écorce dure et à l'amande tendre : enveloppé dans une discussion ininterrompue avec tous les philosophes qui comptent, de Parménide à Heidegger, mené avec une grande agilité intellectuelle et verbale, sans cesse soucieux de se reprendre, de se corriger, de se nuancer, c'est un livre qui se refuse au lecteur pressé et qui ne découvre que peu à peu la simplicité de son dessein. En effet, son point de départ apparent lui est extérieur ; *il y a* une grande philosophie kantienne de l'*a priori* qui est elle-même issue d'un long débat philosophique et qui, à son tour, a une descendance complexe et contradictoire ; c'est dans ce tissu de controverses que Dufrenne insère sa propre méditation. Mais, à travers ce débat sur de multiples fronts, court une thèse claire et forte. C'est elle que je vais essayer de reconstituer, en réduisant à la référence kantienne toutes les discussions de caractère historique.

Dufrenne veut corriger la tradition kantienne de l'*a priori* sur deux points fondamentaux :

1) pour Kant, l'*a priori* réside seulement dans le sujet de la connaissance : c'est la subjectivité qui constitue tout ce qu'il y a de valable dans nos objets de connaissance ;

2) d'autre part, l'*a priori*, c'est la forme d'universalité et de nécessité de ces objets (même si l'espace et le temps sont des *a priori* de la sensibilité, ce sont les sciences mathéma-

---

1. *La Notion d'a priori* (PUF, 1959). Du même auteur : *Karl Jaspers et la philosophie de l'existence* (Le Seuil, 1947), *Phénoménologie de l'expérience esthétique* (PUF, 1953, 2 vol.), *La Personnalité de base* (PUF, 1953).

tiques qu'ils permettent de construire ; aussi peut-on dire en un sens large que tous les *a priori* kantiens sont voués à l'intellectualité).

À la première thèse, Dufrenne oppose un dédoublement de l'*a priori* : c'est, d'une part, une *structure* qui appartient aux objets, qui se montre et s'exprime hors de nous, en face de nous ; c'est, d'autre part, un *savoir* virtuel de ces structures, sis dans le sujet humain. À la seconde thèse, Dufrenne oppose un sens concret de ces structures objectives, plus semblables à des physionomies qu'à des relations de degré intelligible, et un sens charnel de ce savoir subjectif, plus proche du sentiment ou de la saisie immédiate que de l'intelligence abstraite.

Par le moyen de cette double réforme de la philosophie transcendantale, Dufrenne fait passer une pensée très originale qui procède d'un certain nombre de thèmes ou, mieux, d'expériences vives, dont la portée est considérable.

I

Se plaçant d'abord au point de vue de l'objet, il étend largement le champ des *a priori* : aux *a priori* « formels » du kantisme il ajoute les structures « matérielles » des grandes régions de réalité selon Husserl, et en outre tout cet ensemble de valeurs, de qualités affectives, voire de significations mythiques, que sont les catégories du sentiment ou de l'imagination. Cette extension exige d'immerger l'*a priori* dans l'expérience ; à l'« état sauvage » (cette expression revient de nombreuses fois dans le livre), l'*a priori* est « la présence immédiate d'un sens » (p. 61). Ici on demandera : pourquoi ne pas aller jusqu'au bout et nier l'*a priori* ? Parce que de cet immédiat il n'y a ni genèse ni apprentissage ; il est déjà là, précédant tout apprentissage et toute genèse ; ce caractère « antéhistorique » du sens suffit à justifier le maintien de l'*a priori*, en dépit de son extension sans fin et de son immersion dans l'expérience.

Les conséquences de ce radicalisme sont nombreuses : d'abord, il faut cesser d'identifier *a priori* et formel et même d'identifier *a priori* avec universel et nécessaire ; l'*a priori* est « le sens immédiat saisi dans l'expérience, immédiatement reconnu » (p. 71) ; il faudra donc lire que c'est l'univers qui impose ces figures : voilà la nécessité la plus originelle ; or ce qui s'impose n'est pas universellement reconnu ; l'*a priori* objectif est transmis par une histoire et une culture : « La nécessité de l'*a priori* n'est pas nécessairement ressentie » (p. 78). Dufrenne préfère alors rapprocher l'*a priori* de l'essence plutôt que de la forme, à la façon de Husserl et de Scheler, quitte à reconnaître qu'il n'est pas aisé d'« arrêter quelque part la liste des *a priori* » (p. 95).

La difficulté de l'entreprise est en effet de ce côté : du moment qu'on a rompu la digue du formalisme, où s'arrêter dans la variété des expériences de l'*a priori* ? Dufrenne propose un critère souple : le sens est certes *dans* l'objet, mais il le *dépasse :* « Ainsi cet enfant qui joue me dit l'enfance, mais l'enfance m'est dite aussi bien par le printemps […] ou par un thème de Mozart » (p. 99). C'est donc la possibilité des correspondances, au sens baudelairien du mot, qui délimite l'empire des *a priori* que nous lisons directement sur les objets. C'est en ce sens encore que l'*a priori* est *constituant*, non au sens que nous le constituons, mais c'est lui qui constitue le sens des choses : « Ainsi l'allégresse est-elle constituante de tel allégro de Bach, le tragique de telle toile de Van Gogh […]. On en peut dire autant des valeurs éprouvées par le sentiment ou des significations lues par l'imagination : lorsque l'objet apparaît comme un bien, la valeur est constitutive de son être ; de même sa signification mythique lorsqu'il apparaît comme sacré : l'enfance est la vérité imaginaire du printemps, comme le bonheur des îles Fortunées, la vie de la terre nourricière » (p. 127-128).

Avec cette assurance de ne point nous perdre dans l'infini du perçu, nous pouvons dire que l'*a priori* est perçu et mener à son terme cet « empirisme du transcendantal » *(passim).* Ici Dufrenne anticipe une conviction qui se fera jour à la fin du livre : tout le logique est sollicité et provoqué par la présence riche et débordante de l'univers qui donne à penser. C'est cette conviction qui anime le refus tenace d'une activité proprement constituante : « Le monde se fait connaître, se révèle comme monde à quelqu'un qui est capable de le connaître et cela définit l'*a priori* » (p. 122). C'est finalement la métaphore de l'*expression* qui serre de plus près la thèse de Dufrenne : l'expression manifeste l'être même ; elle ne veut pas dire, elle dit ; elle adhère à la chose et la rend discernable et reconnaissable ; c'est cela l'*a priori*, qui à la fois donne à penser l'universel et donne à percevoir le singulier.

II

Nous pouvons maintenant nous tourner du côté du sujet et dire : l'*a priori de* l'objet est connu *a priori par* le sujet. Nous ne l'apprenons pas, nous le comprenons d'emblée, nous allons à sa rencontre : « L'*a priori* en tant que subjectif est proprement cette aptitude, cette compréhension pré-donnée du donné, sans laquelle le sens du donné n'apparaîtrait, comme c'est le cas de l'*a posteriori*, qu'au terme d'une investigation plus ou moins longue » (p. 146). Mais de même que l'*a priori* objectif avait dû descendre de son ciel intelligible dans la pâte du perçu, il faut faire descendre l'*a priori* subjectif dans la chair du percevant. C'est à cette périlleuse entreprise qu'est consacrée la deuxième partie du livre.

Périlleuse, car c'est dans la trame même d'une histoire de l'individu, d'une histoire des groupes, des cultures et de l'humanité entière prise comme un tout qu'il faut discerner ce qui n'a pas de connaissance, ce qui n'a pas de chronologie ; le toujours déjà connu commande l'histoire de toutes les découvertes, sans exister ni *hors* de cette histoire ni *dans* cette histoire. Aussi faut-il courir le risque de se perdre dans le psychologisme et le sociologisme et affronter leurs prétentions à engendrer tout l'humain à partir d'une expérience *apprise* par l'individu ou la société. C'est la loi de l'incarnation de l'*a priori* qui veut que ce risque soit couru et que l'équivoque ne soit jamais définitivement levée. Le temps est destin pour la conscience et pourtant il y a dans le sujet « quelque chose d'intemporel comme l'atteste l'antériorité inassignable du virtuel. Inassignable, car ce passé que la connaissance recèle est un passé absolu » (p. 154).

Il faudrait pouvoir penser une mémoire, mais une mémoire « originaire », qui serait corps mais plus que corps, histoire mais sans histoire ; cette mémoire du virtuel serait quelque chose « comme l'écho du monde en tant que je surgis en lui » (p. 158). Mais le sens de cette affirmation ne pourra s'éclairer qu'à la fin, dans la confrontation des deux sortes d'*a priori*. Disons pour l'instant que, de même que les *a priori* objectifs *constituent* les objets, tout en étant lus *sur* le monde, les *a priori* subjectifs me constituent : ces virtualités, je les suis.

Les corollaires de cette thèse sont importants : d'abord, il faut dire que le sujet transcendantal est sujet personnel, empirique, singulier ; ensuite, que ce sujet personnel est corps, corps constituant, si l'on peut dire, dans le corps constitué, corps pensant, corps comme *lumen naturale*, corps comme virtualité de toutes les rencontres par l'homme de toutes les physionomies du monde ; cette prescience corporelle constitue « une sorte de pré-langage, une orientation originaire du corps encore non parlant, qui sensibilise la conscience à certaines expériences que le langage pourra ensuite expliciter, mais qui ne sont pas l'expérience de tel ou tel objet particulier et nommable » (p. 192).

Dufrenne rencontre ici une difficulté parallèle à celle qu'il avait dû affronter du côté de l'objet : où s'arrêter dans la liste des virtualités corporelles ? Au critère du dépassement de l'objet par son sens Dufrenne fait correspondre, du côté du sujet, le cran d'arrêt de la « représentation » : seules les virtualités dans lesquelles on peut reconnaître un « savoir qui peut s'expliciter, qui s'actualise dans la connaissance » (p. 193), méritent d'être dites *a priori ;* jusque dans le corps, c'est encore la « conscience » qui est le transcendantal du corps.

Mais le corps n'épuise pas le domaine de la subjectivité. Dufrenne propose une conception très large du sujet, comme non entièrement individualisé ; il y a du subjectif flottant, anonyme, communautaire, humain aussi. À ce titre, le social est un homologue du corporel et la culture peut être considérée comme le transcendantal de ces grands corps que sont les divers ensembles historiques et l'humanité tout entière.

Et ici il faut savoir gré à Dufrenne de ne pas avoir cédé à la tendance de la philosophie contemporaine à dramatiser le rapport de l'homme à l'homme, à le briser dans la lutte. Les *a priori* communs nous révèlent précisément que l'homme est d'abord mon semblable ; autrui est l'autre parce qu'il est aussi le même que moi ; l'*a priori* « rend semblable le semblable » (p. 201) ; à la limite – limite qui reste une tâche –, le

transcendantal est le texte de l'humanité en chaque homme ;
« C'est parce que la personne est nourrie d'humanité que la
communication est possible » (p. 202). Mais Dufrenne se
garde de prendre à la lettre cette comparaison des cultures à
des sujets personnels ; ce ne sont jamais que des quasi-sujets ;
c'est plutôt au corps qu'il faut les comparer ; les cultures sont
des schématismes qui permettent d'actualiser le virtuel ; telle
culture, telle époque sont une chance pour tels *a priori*, sans
qu'elles interdisent d'en actualiser d'autres ; mais le virtuel,
en dernier ressort, n'est ni le social ni l'historique, mais le
transcendantal du social et de l'historique.

III

Tels sont les deux volets de l'*a priori* : structure de l'objet,
savoir virtuel dans le sujet. Mais pourquoi faut-il tant insister
sur la dualité de l'*a priori* objectif et de l'*a priori* subjectif ?
C'est ici que se découvre le dessein entier de l'ouvrage. Le
dédoublement de l'*a priori* veut faire apparaître comme *problème*, comme *aporie*, ce qui reste dissimulé dans le kantisme : le fondement de l'accord de l'homme et du monde.
Il est étonnant que l'*a priori de* l'objet soit *pour* nous ; il
est étonnant que l'*a priori du* sujet soit *pour* le monde ; il est
étonnant que nous nous reconnaissions dans ce monde qui
pourtant nous déborde de toutes parts. Cet étonnement est la
véritable origine du livre : toutes les discussions et toutes les
analyses préalables permettent seulement d'atteindre ce point
de départ.

L'étonnement consiste en ceci que l'accord de l'homme et
du monde ne vient pas d'un pouvoir de l'homme sur le
monde – Dufrenne ne pense pas en termes de maîtrise intellectuelle ou pratique – ni d'un pouvoir du monde sur l'homme
comme dans une perspective purement naturaliste. C'est plutôt une familiarité de l'homme et du monde, où Dufrenne
exprime son propre bonheur d'être et de se sentir accordé aux
paysages de son existence. Il faut donc toujours réactiver le
dualisme, pour faire surgir la merveille de l'affinité entre
l'homme et le monde. C'est pourquoi, renchérissant une dernière fois sur le dualisme, nous ne parlerons plus d'objet,

mais bien de monde, pour dire l'inépuisable, le débordant, le puissant, le jeune et le tragique ; « Si l'*a priori* est constituant d'un objet, il est en même temps héraut d'un monde » (p. 233). C'est cette admiration pour le monde qui nous comprend qui est à l'origine de toute protestation contre la réduction de l'*a priori* à la subjectivité ; « le réel est inépuisable » (p. 243) : voilà la source de l'objectivité de tous nos objets. Inépuisable et fort ; car c'est la *puissance* du monde qui fait que l'*a priori s'impose* d'abord à moi comme *a priori* objectif, comme signe à moi adressé du plus proche et du plus lointain. Aussi n'est-ce ni l'action conquérante ni la pensée dominatrice qui me révèlent le monde comme monde – la science aussi est au monde et l'imaginaire lui-même ne se découpe que sur fond de réel –, c'est le sentiment. Dans le sentiment, Mikel Dufrenne salue moins l'intime que le cosmique : ou plutôt il discerne en lui la résonance intime de l'immense. Par le sentiment, l'homme le plus singulier se découvre *égal* à l'immense.

Ainsi, après avoir côtoyé dans les deux premières parties les périls de l'empirisme et du psychologisme, c'est maintenant celui du naturalisme que l'auteur affronte les yeux ouverts. « Car le monde auquel il reconnaît la primauté, ce monde qui engendre l'homme, foyer de possibles et théâtre d'individuation toujours en procès, c'est la nature naturante, c'est l'être dont le premier prédicat est la réalité […]. Pourquoi craindre de revenir à une ontologie pré-critique ? Peut-être nulle autre n'est-elle viable » (p. 247). Mais au point de nous engloutir dans le tout nous sommes renvoyés par la mémoire au sujet : de ce vaste monde, il est l'écho sans origine. « L'homme qui naît ne vient pas au monde comme son produit, il vient comme son égal : tout homme est Minerve ! » (p. 250). Parce qu'il est lui-même l'*a priori* sujet, l'homme débordé est à son tour débordant et fait jeu égal avec le monde, avec l'immense ; l'échec de toute genèse, de tout engendrement de l'homme à partir d'autre chose que lui-même est la contre-épreuve, qui doit toujours être administrée à nouveau, de cette certitude : *l'homme naît au monde comme inengendrable*.

IV

Nous accédons ainsi à la dernière péripétie du livre, qui révèle en même temps son véritable enjeu philosophique.

Cet accord de l'homme et du monde – cette égalité, mieux : cette affinité entre l'homme et le monde –, de quelle *origine* radicale procède-t-il ? Si l'on ne peut être ni naturaliste à cause du sujet ni idéaliste à cause de la réalité, peut-on englober les deux *a priori* dans un système plus vaste ? Y a-t-il un « *a priori* de l'*a priori* » (p. 246) ? Peut-on inscrire la finalité réciproque de ces deux *a priori*, faits l'un *pour* l'autre, dans quelque théologie rationnelle, à la façon de l'harmonie pré-établie de Leibniz ? Dufrenne ne croit pas qu'on puisse revenir au-delà de Kant : la philosophie transcendantale a rendu impossibles toute métaphysique dogmatique, tout recours à un accord *en-soi*. Aussi bien, l'unité que nous cherchons ne cesse d'engendrer la dualité de termes hétérogènes, qui s'enveloppent l'un l'autre, selon des modes incomparables.

C'est pourquoi Dufrenne préfère tenir la convenance qui lie l'homme au monde pour un *fait*, irréductible à toute logique, à toute dialectique, à tout système, pour un *fait* dont on peut seulement *témoigner* (p. 254, 266, 274-276, 284).

C'est pourquoi, après avoir écouté un moment la sirène heideggérienne et son invite à accéder par-delà toute métaphysique à la « pensée de l'être » (p. 278-284), Dufrenne préfère avouer l'échec de la philosophie et passer la parole au poète. De ce « fait qui est un fondement » (p. 284), mais ne peut être fondé, seul le poète témoigne ; seule la poésie exprime « l'expérience d'une réconciliation sensible de l'homme et de la nature [...]. L'intelligibilité de l'être, c'est d'abord l'habitabilité du monde » (p. 285). Cette expérience refuse de se référer à un système, car « elle est à elle-même sa propre révélation [...]. D'un bond, avec l'ingénuité de l'innocence, le poète se transporte au-delà du dualisme : le monde cesse d'être l'autre, il est à sa mesure, à son image » (p. 286). Seul le verbe poétique met « la puissance et la grâce » à notre portée, en les révélant à notre image.

Cette fin est belle. Mais elle laisse perplexe. Elle laisse

perplexe l'auteur lui-même, puisqu'il déclare, *in fine*, que la spécificité de l'entreprise philosophique doit être respectée, que « la philosophie est réflexion », que « son moyen propre est l'analyse et sa vertu la rigueur » (p. 291). Une philosophie du sentiment est-elle possible ? S'il n'y a ni système ni dialectique pensable entre l'*a priori* objectif et l'*a priori* subjectif, peut-on parler d'un fait qui est un fondement ? Faut-il lier l'échec à la manifestation de l'être à la manière de Karl Jaspers ?

La force du livre est finalement de mettre à nu cette difficulté même.

À partir de cette difficulté finale, il est peut-être possible de remonter aux deux difficultés majeures qui sont lices à la double contestation de Kant dont nous sommes partis.

Première difficulté : une fois lâchés les critères kantiens de l'*a priori*, est-on sûr de s'arrêter quelque part sur la pente glissante au bas de laquelle toute présence empirique est un *a priori* objectif et toute virtualité psychologique un *a priori* subjectif ? Il faut avouer que les critères proposés plus haut sont fort labiles ; seul un essai de dénombrement effectif des *a priori* concrets pourra montrer de quelle façon l'énumération se limite elle-même ; faute de quoi le problème même de l'*a priori* s'évanouit. Mais on sait que Kant a buté longtemps – près de dix ans ! – contre ce problème du « fil conducteur », du *Leitfaden*, c'est-à-dire d'un dénombrement lui-même *a priori* et autolimitatif parce que *a priori*. L'ouvrage que Dufrenne prépare sur le dénombrement des *a priori* devra répondre à cette difficulté.

Seconde difficulté, plus radicale : est-il légitime de casser en deux le problème de l'*a priori* ? de décrire séparément et pour elles-mêmes, d'une part, l'expression des choses dans le monde, d'autre part, les virtualités du savoir dans l'homme ? L'expression a-t-elle un *sens* en dehors du pouvoir d'appréhension dans lequel elle se donne ? Et les virtualités du savoir existent-elles pour elles-mêmes en dehors du visage même des choses dont ce savoir est le sens ? En définissant *séparément* les visages du monde et la pré-compréhension que nous en avons, on a peut-être créé un problème insoluble et rendu incommunicable l'« en-soi » des *a priori* objectifs et le « pour-soi » des *a priori* subjectifs. Je sais bien que l'intuition initiale de ce livre, c'est le renversement

incessant du pour au contre entre la puissance d'un réel
inépuisable et le pouvoir d'anticipation qui constitue le sujet
humain; l'accord de l'homme et du monde doit toujours
être atteint par-delà une double discordance et un réciproque
enveloppement. C'est pourquoi, si l'on se donne trop tôt ou
trop vite l'accord, on dissipe le problème. Mais il faut dire
aussi que si l'on durcit au départ la dualité de l'*a priori*, si
on la tient pour une dualité réelle, il n'y a pas de *raison* pour
que l'affinité révélée par le sentiment ait jamais un sens.

Le dernier mot serait-il celui-ci : il y a deux *sens* de l'*a
priori*, mais de leur unité il n'y a qu'un *sentiment*? Mais
alors la poésie qui chante ce sentiment a-t-elle elle-même
un *sens*?

Le Poétique
(1966)

Le dernier livre de Mikel Dufrenne[1] n'est pas seulement
le fruit mûr d'une œuvre qui pousse comme une plante – les
images végétales conviennent à merveille à une philosophie
qui se veut fidèle aux voix de la Nature ! –, il est aussi l'un
des signes de la mue de la philosophie française ; celle-ci,
de multiples façons, se rebelle contre la philosophie de
la *conscience*, comme elle avait réagi après 1945 contre la
philosophie du *jugement*. C'est vers une philosophie de
la *Nature*, apparentée au dernier Schelling, que, pour sa part,
Mikel Dufrenne nous entraîne. Pourquoi un tel recours à la
Nature, dans une méditation appliquée à la poésie, c'est-à-
dire à une province du langage humain ? Pourquoi demander
à la Nature d'authentifier ce qui paraît ne relever que
de l'homme, bien plus, ce qui paraît le plus humain dans
l'homme, son verbe ? Pourquoi établir une philosophie du
langage sur le sol d'une philosophie de la Nature ?

I

En recourant à la Nature, à une Nature qui produit, à une
Nature qui parle, Mikel Dufrenne entend d'abord répondre à
une question bien déterminée : quelle est l'essence du poétique ?

Posé en ces termes, le problème est interne à l'esthétique,
en tant que discipline philosophique. Il s'articule en deux
questions : qu'est-ce qui fait que le *poème*, en tant qu'œuvre
de langage, est poétique ? Et qu'est-ce qui fait que le *poète*,

---

1. *Le Poétique*, Paris, PUF, 1963.

comme artisan de langage, est habité par la poésie, par l'état poétique ?

La première intention est donc de sauver quelque chose d'*objectif* du côté de la poésie et du côté du poète – un essentiel qui donne à l'un et à l'autre d'être poétiques. C'est cette première intention, au niveau d'une phénoménologie de la poésie, qui développe ensuite, à titre d'intention seconde, l'appel à un *fond*, à un poétisable primordial, dans lequel serait enraciné le poétique.

Séjournons donc d'abord aux alentours du poème et du poète.

Que l'on interroge d'abord le poème – le poème avant le poète – est déjà l'indice d'une volonté ferme et claire de ne pas se laisser prendre dans les rets d'une subjectivité qui se projetterait dans le langage après s'être épanchée sur les choses. Le poème d'abord !

Et dans le poème, quoi ?

D'abord, une *voix ;* une voix qui se déploie entre l'écriture qu'on voit et la récitation qu'on entend : « Entre l'être écrit et l'être récité, il y a un intermédiaire, l'être lu » (p. 11) ; une voix qui joint le sens au sensible, dans l'indivisible unité du signifié et du sonore.

Déjà, par ce premier trait, par cette incarnation dans la sonorité sensible, le poème a un air de nature que n'a point la prose ; c'est un objet perçu ; certes, tout « message » (au sens des ingénieurs des communications) est une nature : et Mikel Dufrenne s'autorise du traitement du langage dans la théorie de l'information pour rappeler que tout langage est à la fois système physique et objet perçu ; mais le poème est lié à la nature d'une manière plus intime ; non à la nature telle que la connaît la science, mais à la nature telle que l'éprouve et la sent celui qui naît en son sein. Le poème est de nature, par tout ce qui en fait le contraire d'un outil, même au sens d'un instrument de communication : par l'adhérence du sens au signe, qui fait la puissance expressive du mot en poésie.

C'est la théorie de l'*expression* qui fournit alors le pivot de cette première poétique, celle de la poésie ; mais on ferait fausse route si l'on entendait l'expression au sens d'un mouvement allant de l'intériorité d'un sujet vers l'extériorité d'un signe. Mikel Dufrenne rencontre ici une remarquable analyse de l'expressivité par Raymond Ruyer[1] ; il y a deux directions de l'expression : l'une renvoie à celui qui s'exprime ; la seconde renvoie à ce qui est exprimé. C'est cette seconde direction qu'il faut d'abord prendre ; pour cela, il faut interroger les *mots* plutôt que les phrases (sans doute parce que la phrase serait trop vite acte du sujet parlant, libre combinaison, attestant prématurément le règne d'un sujet) et, parmi les mots, « les mots qu'on pourrait dire originaires, ceux qui sont les mots clefs de la poésie » (p. 28) : ciel, or, nuit, palme, amour, mer, destin... Ces mots ne sont pas arbitraires ; même les mots de la prose ne le sont pas entièrement ; Saussure lui-même avait tempéré le principe de l'arbitraire du signe par l'idée de motivation (par exemple, la dérivation des mots composés ou des mots suffixes) ; les mots primordiaux, qui sont le « cœur d'une langue », bénéficient d'un autre type de motivation : ils sont la peinture de ce qu'ils nomment ; non que la qualité sonore du mot imite quelque chose de l'objet (les recherches de synesthésie fondées sur cette hypothèse se sont avérées décevantes) ; la ressemblance n'est pas entre le mot et la chose, mais entre ce que suscite en nous le mot et ce que susciterait la chose ; ou mieux, car cette ressemblance est encore trop subjective : entre l'unité chatoyante d'une signification multiple du côté de nos mots et les « grandes images symboliques » qui adhèrent à la perception même du monde. Telle est l'expressivité primordiale : « Le mot est expressif lorsqu'il nous accorde à ce qu'il désigne, lorsqu'en sonnant il nous fait résonner comme nous résonnerions à l'objet, avant même de le connaître précisément selon un aspect déterminé, dès qu'il se présente à nous dans cette plénitude encore ambiguë de la première rencontre » (p. 31). Cette ressemblance, propre à l'expressivité, on peut dire qu'elle est sentie, à condition que le sentiment ne soit pas lui-même confondu avec une quelconque vibration subjective, mais entendu comme une connivence avec l'expression même des choses comme une manière d'être d'intelligence avec les choses mêmes.

Ainsi, dans le rapport entre expression et signification, la poésie donne le pas à l'expression. Mais il faut bien entendre ce point : il n'implique pas le primat de la fonction « émotionnelle » sur la fonction « descriptive » et « objective » du

---

1. *Revue de métaphysique et de morale*, 1954.

langage, comme on serait tenté de le dire à la suite des positivistes logiques ; l'expression n'est pas « émotionnelle », « subjective » : elle est l'expressivité du monde ; et parce que l'expressivité va des choses vers nous, et non l'inverse, on peut parler d'une signification de la poésie, dans une acception du mot signification qui, pour n'être pas logique, n'est pas pour autant « subjective » : la signification, c'est la venue à la parole de l'expressivité même du monde. C'est de cette manière antisubjectiviste qu'il faut entendre le primat de l'expression sur la signification en poésie : loin d'éliminer la signification, il lui donne une assise ; en procédant de l'expressivité du monde vers l'expression du langage et de celle-ci vers la signification de la poésie, l'esthétique de Dufrenne est en position de force pour défendre le rôle du « thème », du « sujet », bref, du « sens » en poésie. On peut même lire ce livre comme un plaidoyer pour la sémantique contre la syntaxe, pour les mots contre les simples arrangements : « La poésie donne au lexique tout son éclat » (p. 47). Pourquoi ? Parce que, en arrière, se tiennent les grandes images qui gouvernent les choses et les mots : ô lac…, ô saisons, ô châteaux…, Hydre absolue… (p. 41).

C'est ainsi qu'une théorie bien comprise de l'expression redonne sa chance à la notion de sens en poésie. Exalter l'aspect musical du verbe poétique, aux dépens de la fonction sémantique, c'est supprimer la poésie comme poésie. Sans la contrainte exercée par la valeur sémantique, rythme et harmonie ne sont plus rien. Toute la différence entre poésie et musique réside en ceci : en poésie, l'expression doit passer par la signification et celle-ci se rassembler dans le thème. Nier cette différence, c'est sacrifier la poésie à l'apocalypse du non-savoir, ramener la parole au silence.

C'est ici que se dessine l'enjeu : la poésie a un sens, si le sens procède de l'expressivité et celle-ci de la nature ; alors on peut dire que « la poésie ramène le langage à la nature » (p. 37). À l'inverse d'une philosophie de la conscience, une philosophie de la Nature assure au poème un *être poétique* et garde la poésie de la hantise du nihilisme. Le paradoxe est bien celui-ci : une philosophie de la Nature peut sauver le langage de toute rechute à « l'infra-silence de la particularité anarchique » (p. 64). Adossé à une nature, l'obscur reste signifiant et à jamais distinct de l'in-sensé.

C'est donc bien l'expressivité qui fait le lien entre la nature des choses et le sens de la poésie : grâce à elle, la poésie dit le monde ; elle le dit d'une autre manière que la science : la science *connaît*, la poésie *montre*. Et que montre-t-elle du monde ? Son être poétisable. C'est là ce que la phénoménologie de la poésie appelle une ontologie de la Nature *parlante*.

Mais il faut encore se tourner vers l'autre pôle de cette phénoménologie : vers le poète.

La question du poète était déjà impliquée dans celle de la poésie. Et cela doublement : la poésie induit dans le lecteur un « état poétique », qui est la première figure *subjective* que rencontre la réflexion sur le poétique ; mais, précisément, l'état poétique n'est pas un état subjectif clos sur soi ; il « nous met au pouvoir de l'objet ». Toute l'analyse de l'état poétique est ainsi tournée contre sa réduction à une émotion subjective ; c'est que le sentiment est lui-même perception d'un monde et intelligence de son expressivité ; et c'est bien pourquoi il fallait commencer par la poésie et non par le poète.

C'est la même lutte contre la réduction subjective du poétique qui se poursuit dans les pages consacrées directement au poète : la question est toujours de comprendre le poète par la poésie et non la poésie par le poète ; au fond, le poète « n'est rien d'autre que le nom que nous donnons à ce poème » (p. 90). S'il en est ainsi, c'est parce qu'il est celui à qui un monde se découvre, en qui un sens parle ; peut-être même « la théorie de l'état poétique est-elle toujours une théorie de la lecture, quand elle est une théorie de la création » (p. 98).

C'est à partir de cette intuition centrale que sont reprises corrigées, rectifiées les « figures » traditionnelles du poète : l'artisan et l'inspiré. Car le travail du poète-artisan n'est rien sans l'état poétique ; et l'inspiration n'est rien sans la présence d'un monde qui possède le créateur. C'est dans le même sens qu'il faut rectifier ce qu'on dit couramment sur l'imagination. Si l'on oppose avec Sartre conscience imageante et conscience percevante, l'essentiel est perdu ; outre qu'on oppose des consciences, on confond l'imagination avec l'imaginaire, conçu comme une projection de l'irréel, un surgissement de subjectivité néantisante ; l'imagination véritable, c'est la perception même du monde sous l'espèce des grandes images « à la fois indécises et pressantes, inintelligibles et lourdes de sens » (p. 126), et plus loin : « Ces objets intensément perçus, nous les avons appelés images [...]. Il semble qu'ici l'image soit donnée avant tout acte d'imagination [...]. C'est d'abord à notre perception qu'elle se propose. Nous la nommons image pour dire qu'elle apparaît, qu'elle force notre regard et parfois tous nos appareils sensoriels ; nous désignons par là une certaine qualité du perçu, sa prégnance, son insistance, son éclat, son pouvoir d'irradiation » (p. 173).

Ainsi, ce dont témoignent l'inspiration et l'imagination, c'est de l'extériorité d'un appel ou d'une force ; la nature dans le poète répond à la nature hors de lui ; l'inspiration et l'imagination, c'est l'appel de l'œuvre à faire, c'est l'assignation à la parole par quelque figure du monde.

Ainsi, par les deux voies, celle de la poésie et celle du poète, la poétique renvoie à un poétisable primordial qui est dans la nature, qui est la Nature.

Tout le sens du livre se joue finalement sur ce passage à la majuscule de majesté : sur le passage de la nature, comme vis-à-vis de l'homme, à la Nature, comme origine ou, comme on dira en un sens schellinguien, comme *fond*.

Ce passage de la phénoménologie à l'ontologie est à la fois requis par toute l'analyse antérieure et présupposé par elle, dans l'un de ces cercles magnifiques que toute philosophie digne de ce nom rencontre un jour.

Si cette entreprise philosophique a quelque sens, il faut bien que la parole absolue de la Nature précède le sentiment de la nature dans l'état poétique. Tout ce qu'on a pu dire sur la priorité du poétique par rapport à la poésie et au poète présuppose qu'avant l'homme la Nature soit et que la Nature parle. À cette condition, il y a une essence du poétique ; à cette condition, l'expérience poétique est authentique.

Mais que veut dire : la Nature parle ?

On ne peut donner un sens plausible à cette formule que si l'on renonce à l'idée commune à toutes les philosophies transcendantales (et le kantisme n'est pas seul en cause, mais encore la première phénoménologie husserlienne et même l'existentialisme), idée selon laquelle le sens surgit avec l'homme, avec le langage de l'homme, avec la temporalité de l'homme, avec la liberté de l'homme. Or de cet idéalisme qui guette toute phénoménologie nous sommes guéris conjointement par la science et par la poésie : par la science qui nous force à penser un réel avant l'homme – c'est l'idée d'univers –, par la poésie qui nous invite à penser une présence et une puissance avant l'homme.

Mais si l'on doit récuser le transcendantalisme qui fait graviter les choses autour de la pensée ou de l'existence humaine, il faut avoir le courage de dire que la Nature n'est pas fondement, mais fond. Fondement, c'est-à-dire justification appartenant au système de gravitation de la pensée ; fond, c'est-à-dire origine absolue.

Je ne suis pas origine, mais la Nature est origine : elle me donne être et sens.

Est-ce vers une religion que tout cela s'oriente ? Non, si la religion est celle du Père et du Ciel ; oui, si « Dieu est le nom de cette Nature, l'immanence absolue de la nécessité, l'être-là de l'être, irrésistible et injustifiable. C'est vers ce Dieu-là que nous nous orientons » (p. 147).

C'est Spinoza ; c'est la dernière philosophie de Schelling celle du *Grund* et des « Puissances » ; ce n'est en tout cas pas Heidegger ; rien n'est plus étranger à l'idée heideggérienne de la « différence ontologique » entre être et étant que l'idée de nature naturante, indivisible unité de l'être et de l'étant. Est-ce un retour à l'opaque, à l'informe, à l'inerte ? Si tel était le cas, l'odyssée serait vaine, car nous aurions perdu en route l'essentiel : « le poétisable ».

Pour que la Nature soit non seulement « fond », mais origine du *poétique*, il faut admettre qu'elle appelle et engendre l'homme, qu'elle est l'anti-hasard, en route vers l'homme et son dire ; que l'être s'oriente vers l'apparaître, c'est-à-dire vers l'image, vers le discours, vers la conscience. Sans doute est-ce le temps, comme dissociation naissante, qui tient en réserve l'apparaître dans l'être : Merleau-Ponty disait déjà dans la *Phénoménologie de la perception* : « Le temps est un être dont toute l'essence, comme celle de la lumière, est de *faire voir* » (cité p. 157). Une nature qui veut l'homme, qui se veut en l'homme, une Nature qui cherche l'expression, voilà ce qu'il faut présupposer : « La Nature porte en elle cet homme parlant dans la mesure où la vocation de l'être est d'apparaître, où la puissance est en dernière analyse puissance de dévoilement » (p. 159).

Ainsi, une fois le renversement commencé de l'homme fondement à la Nature comme fond, il faut le mener jusqu'au bout, c'est-à-dire placer le langage lui-même du côté de la Nature ; sinon, comment parler de l'origine, du fond ? « Pour parler du fond, il faudrait trouver un langage qui ne fût pas celui de l'homme, il faudrait que la Nature s'annonçât elle-même » (p. 145). Bref, il faut que la Nature parle ; c'est la dimension poétique de la Nature : « Nous venons de dire que la Nature veut l'homme pour qu'en elle la lumière soit, il nous faut dire encore qu'elle veut l'homme parlant, et la première parole qui est la poésie » (p. 166).

Ce pas, le philosophe peut-il le faire ? Seul, non. Mais, en compagnie du poète, oui. Il semble que le dernier mot, sur le plan de la méthode, réside dans la convergence de l'expérience du poète et de la réflexion du philosophe ; le poète sent la Nature, le philosophe pense le Fond. Le poète chante : « Terre, n'est-ce pas ce que tu veux : invisible – En nous renaître ? » Le philosophe dit : « La nuit de l'être veut se manifester dans le jour de l'apparaître » (p. 168). C'est la poésie qui la première fait apparaître la Nature comme langage ; c'est le fond qui se dit dans le dire du poète. À la jointure de la nature et du langage : les « grandes images » ; c'est par elles que la Nature parle ; elles sont « l'annonce faite à l'homme d'une Nature naturante » (p. 174).

Bref, la Nature est poète, c'est-à-dire source d'expressivité : « Poétique désigne l'expressivité des images où s'exprime le *poïein* de la Nature » (p. 180).

II

En résolvant en ces termes le problème du Poétique, Mikel Dufrenne pense résoudre un problème plus vaste dont le Poétique n'est qu'une province : ce problème est celui qui l'avait occupé dans son précédent ouvrage consacré à l'*a priori*. Dans cet ouvrage, il montrait que les *a priori* formels, auxquels la philosophie kantienne s'applique – espace de temps, unité, multiplicité et totalité, substance, causalité et action réciproque –, fournissent seulement les principes d'une géo-métrie et d'une physique, donc d'une science de la nature, mais ne rendent pas compte de l'affinité des choses pour un ordre intelligible où l'esprit se retrouve ; il tentait alors d'élaborer une doctrine des *a priori* matériels, dont les caté-gories esthétiques seraient l'espèce la plus représentative, et qui seraient à la fois des règles de notre esprit et des formes de la réalité.

Mais cette doctrine des *a priori* butait contre une difficulté majeure, qui trouve précisément sa solution dans *Le Poé-tique* : pour que l'*a priori* fût à la fois ce que le sujet connaît avant toute expérience et ce que l'expérience montre comme constituant de l'objet, il fallait présupposer une harmonie préétablie entre l'homme et le monde ; tant que cette harmo-nie n'était pas fondée, l'*a priori* oscillait entre le transcen-dantal et l'ontique ; il était pouvoir dans le sujet et structure dans l'objet. *Le Poétique* tranche l'ambiguïté ; c'est la Nature qui est le lieu ou le moyen de cet accord de l'homme et du monde, dont l'*a priori* constitue l'armature.

Mais, si *Le Poétique* répond à la question posée par les *a priori*, il en pose à son tour de nouvelles, qui tiennent à l'idée même de fonder une philosophie du langage dans une philosophie de la Nature.

J'en évoquerai deux, non point pour en faire grief à cette philosophie, mais pour l'aider à rebondir.

On peut se demander jusqu'à quel point la théorie du poé-tique reste dans les limites d'une pensée par catégories, comme voulait l'être encore l'ouvrage antérieur sur les *a priori* matériels.

Le Poétique est-il encore une catégorie ?

Devenu coextensif à la Nature, le poétique ne paraît pas pouvoir être traité comme une catégorie parmi les autres ; c'est au plus « une catégorie de toutes les catégories », l'*a priori* des *a priori* esthétiques (p. 181). Comment après cela faire du poétique au sens étroit, c'est-à-dire de la poésie, du genre poétique, une catégorie esthétique *particulière* ?

La difficulté serait négligeable si elle mettait en jeu seule-ment une énumération, une classification, une mise en ordre des catégories. Il s'agit plutôt de savoir si l'analyse du poé-tique ne s'exclut pas elle-même d'une recherche sur les

a priori matériels. Je formulerai la question en ces termes :
comment, à partir de la nature comme poétisable, un sens
déterminé, un poème, tel poème peut-il venir au langage ?
À force d'être attentive à la poésie et au poétisable, cette
poétique prête peu attention au poème, ce microcosme fermé
et rond ; tout la porte vers ce qui illimite, vers ce qui retourne
à la Nature, c'est-à-dire aux grandes images qui échappent à
tout contour et se dilatent aux dimensions immenses d'un
monde. Cette expressivité, ces grandes images résistent non
seulement à la formalisation (mais les *a priori* matériels
aussi), mais peut-être à la catégorisation. Or ce thème de
l'illimitation n'est ni fortuit ni épisodique ; il revient à plusieurs reprises dans l'ouvrage.

« Le poétisable, en effet, c'est ce qui se prête à être illimité
en un monde poétique par la vertu du langage poétique.
Et ceci nous introduit à un nouvel aspect de l'expressivité.
L'expression, c'est la présence en quelque sorte sensible du
signifié dans le signifiant, lorsque le signe éveille en nous un
sentiment analogue à celui que suscite l'objet. Mais c'est
aussi le pouvoir qu'a le signifiant d'élargir le signifié aux
dimensions d'un monde ; comme si l'évoqué était une forme
qui porte son fond avec elle, non point comme un tableau
appelle un cadre qui le découpe et le sépare, mais plutôt
comme le visage passe dans le fond sur certaines toiles
impressionnistes. Est-ce là un effet de flou qu'il faudrait
imputer à une certaine impuissance de l'imagination ? Non,
car le sens n'est pas estompé, et ce n'est pas sur la confusion
d'une image que peut se fonder l'évocation d'un monde.
L'élargissement du sens tient plutôt à sa polyvalence. Car les
mots les plus usuels sont lourds de sens multiples, non point
seulement en vertu des conventions qui peuvent leur assigner
assez arbitrairement des sens techniques différents, mais
aussi en vertu d'une sagesse aussi vieille que le langage, qui
enregistre une multiplicité motivée parce que, dirons-nous,
elle s'est laissé instruire par la Nature » (p. 72).

Ce texte montre bien l'oscillation entre deux interprétations du sens : d'une part, le symbole est tiré du côté de l'idée
de sens multiple, de multivocité ordonnée ou, selon une
formule heureuse, de « multiplicité motivée » *(ibid.)* ; mais le
recours aux grandes images poétiques mène, d'une autre
part, vers un sentiment fondamental : « Ce sentiment fonda-

mental du monde, nul appareil conceptuel ne peut le traduire, parce que tout concept est rivé à l'intelligence des objets ; seul le langage poétique peut l'exprimer : le poétisable, et plus généralement ce qui est justiciable de l'art, c'est l'objet dont les contours s'estompent, ou plutôt dont la signification s'illimite, et qui devient figure ou centre d'un monde » (p. 114). De même (p. 140) : « C'est la figure qui s'illimite, l'indétermination caractéristique du monde… » ; le perçu, atteint comme image, est « sur-valorisé, puisqu'il s'illimite aux dimensions d'un monde… » (p. 173, etc.). C'est pourquoi, parlant de l'état poétique, l'auteur dit : « Le sens qui est communiqué dans cet état de grâce n'est pas justiciable d'une analyse structurale » (p. 80).

Je formule une hypothèse pour éclairer ce point : si un tel privilège est donné à l'illimitation du sens, n'est-ce pas parce que l'on considère seulement le poétique des mots, des mots clefs, des mots originaires ? Livrées à elles-mêmes, les grandes images sont en effet le siège d'une hémorragie du sens, d'une équivocité foisonnante ; or la poésie consiste peut-être en deux choses, et non pas seulement en une seule : en une évocation de cette richesse sémantique, qui va en effet à l'infini, mais aussi en une maîtrise de la polysémie par la structure poétique. C'est dans ce double jeu de l'illimitation sémantique et de la limitation structurale que je vois le problème du sens en poésie. Car c'est dans ce double jeu que consiste le poème lui-même, un peu trop sacrifié aux mots dans ce livre. C'est en effet au niveau du poème, comme œuvre finie, que s'articulent les deux interprétations : l'interprétation sémantique qui déploie la richesse du sens des « grandes images », et l'interprétation structurale qui s'applique au travail de limitation contextuelle, par laquelle les « grandes images » sont rendues efficaces, c'est-à-dire parlantes. Sans cette action contextuelle, il n'y aurait qu'« effet de flou » et « confusion », et non « polyvalence » et « multiplicité motivée » (p. 72). Les structuralistes ont sans doute tort de tout attendre d'une analyse formelle à laquelle manquent précisément l'abondance du sens, la richesse lexicale, que Mikel Dufrenne a bien raison de chercher dans les « grandes images cosmiques ». Mais ne manque-t-on pas le sens d'une autre manière, si l'on n'interroge pas le poème comme « phrase », comme « discours » ? À cet égard la for-

mule : « La poésie met les mots en liberté […], elle privilégie
le lexique aux dépens de la syntaxe » (p. 40), n'est peut-être
pas tout à fait satisfaisante ; il faudrait faire, sur la syntaxe
poétique, ce qu'on a fait sur le lexique : rechercher la différence entre la syntaxe poétique et la syntaxe logique ; le livre
le suggère d'ailleurs : « Les libertés qu'elle prend avec
la syntaxe commune sont l'envers de son obéissance à une
autre syntaxe proprement poétique » (p. 42) ; parlant des
schèmes formels et des autres règles, formulées ou informu-
lées, il précise : « Cet art poétique constitue une syntaxe aux
règles subtiles qui président à l'agencement des mots. Faut-il
alors revenir sur le privilège que nous avons accordé aux
mots ? » (p. 44). Un moment, on s'aperçoit que c'est toujours
la syntaxe qui met les mots en position de phrase, les rend
discursifs et ainsi exerce une fonction constituante par
rapport à la signification elle-même. Mais ces considérations
semblent ne valoir que pour la prose où, à la limite, le signifié n'est rien d'autre que ce que produit la syntaxe, selon une
analyse de Granger (p. 46, note 1). C'est pourquoi la théorie
de l'expressivité me paraît tirée à l'excès du côté du lexical,
du côté des mots : or, nuit, lac, cygne… Je me demande s'il
ne faudrait pas reprendre l'autre idée, un moment aperçue
puis abandonnée, d'une syntaxe proprement poétique incorporée au poème, d'un phrasé poétique, qui met les mots en
position de poème. Alors serait entièrement justifié le plaidoyer pour le sens que Mikel Dufrenne oppose avec raison
à tout « sabordage du discours », à tout « holocauste de
mots ». Et serait justifié non seulement l'état poétique, mais
le poème.

    Cette première difficulté en cache en réalité une autre : une
philosophie de la Nature peut-elle fournir à une philosophie
du langage les éléments d'articulation et de structure qui
font un poème ? N'est-ce pas trop attendre d'une théorie de
l'expressivité ? Et surtout n'est-ce pas reporter dans la Nature
même tous les problèmes non résolus dans le discours ? Or
peut-on mettre le discours dans la Nature et incorporer une
ontologie du verbe à une ontologie de la nature ? L'entreprise
est plausible ; je pense même que, si on ne veut pas s'enfermer dans le langage et tourner en rond avec lui, il faut
une bonne fois partir des choses ; Platon le disait à la fin
du *Cratyle* : Considère les choses, non les mots. Mais c'est

alors le trajet inverse qui est difficile, comme d'ailleurs
toutes les « dialectiques descendantes » : on voit bien qu'il
faille *remonter* du langage à une origine qui n'est pas
l'homme, faire le « saut » du fondement humain au fond originel ; mais peut-on faire le trajet inverse, procéder du fond
au dévoilement et à l'expression ? À vrai dire, il faut tout se
donner pour tout engendrer : sous peine que le fond soit muet
et ne serve à rien pour une poétique, il faut accorder à la
Nature le désir de se révéler, d'apparaître, de se dire : bref,
il faut lui accorder quelque chose comme une tendance à
l'expressivité. Mais, si la Nature « veut l'homme parlant », si
le verbe lui est coextensif, cooriginaire, la Nature est-elle
encore l'« impensable puissance du fond » ?

Claude Lévi-Strauss

Structure et herméneutique *

(1963)

Je voudrais d'abord préciser l'angle d'attaque de ma contribution, dans cet ensemble consacré à l'œuvre de Claude Lévi-Strauss.

Mon propos est de confronter le structuralisme, pris comme science, à l'herméneutique, entendue comme interprétation philosophique des contenus mythiques, saisis à l'intérieur d'une tradition vivante et repris dans une réflexion et une spéculation actuelles.

On verra que cette mise en perspective conduit à reconnaître à la fois le *bon droit* du structuralisme et ses *limites de validité*.

Plus précisément encore, je voudrais prendre pour pierre de touche de cette confrontation le sens reconnu de part et d'autre au *temps historique*. Le structuralisme parle en termes de synchronie et de diachronie ; l'herméneutique parle en termes de tradition, d'héritage, de reprise (ou de « renaissance ») d'un sens vétuste dans un sens nouveau, etc.

Qu'est-ce qui se cache derrière cette différence de langage ? Qu'est-ce qui fait parler l'un en termes de synchronie et de diachronie et l'autre en termes d'historicité ? Mon intention n'est pas du tout d'opposer l'herméneutique au structuralisme, l'historicité de l'une à la diachronie de l'autre. Le structuralisme appartient à la science ; et je ne vois pas actuellement d'approche plus rigoureuse et plus féconde que le structuralisme au niveau d'intelligence qui est le sien ; l'interprétation de la symbolique ne mérite d'être appelée herméneutique que dans la mesure où elle est un segment de la compréhension de soi-même et de la compréhension

---

* Ce texte était suivi d'une longue et célèbre discussion avec C. Lévi-Strauss qui n'est pas reprise ici. Voir *Esprit*, novembre 1963 *(N.d. E.)*.

de l'être ; hors de ce travail d'appropriation du sens, elle n'est rien ; en ce sens, l'herméneutique est une discipline philosophique ; autant le structuralisme vise à mettre à distance, à objectiver, à séparer de l'équation personnelle du chercheur la structure d'une institution, d'un mythe, d'un rite, autant la pensée herméneutique s'enfonce dans ce qu'on a pu appeler le « cercle herméneutique » du comprendre et du croire, qui la disqualifie comme science et la qualifie comme pensée méditante. Il n'y a donc pas lieu de juxtaposer deux manières de comprendre ; la question est plutôt de les enchaîner comme l'objectif et l'existentiel (ou l'existential !). Si l'herméneutique est une phase de l'appropriation du sens, une étape entre la réflexion abstraite et la réflexion concrète, si l'herméneutique est une reprise par la pensée du sens en suspens dans la symbolique, elle ne peut rencontrer le travail de l'anthropologie structurale que comme un appui et non comme un repoussoir ; on ne s'approprie que ce qu'on a d'abord tenu à distance de soi pour le considérer. C'est cette considération objective, mise à l'œuvre dans les concepts de synchronie et de diachronie, que je veux pratiquer, dans l'espoir de conduire l'herméneutique d'une intelligence naïve à une intelligence mûrie, à travers la discipline de l'objectivité.

Il ne me paraît pas opportun de partir de *La Pensée sauvage* (Plon, 1962), mais d'y venir ; *La Pensée sauvage* représente la dernière étape d'un processus graduel de généralisation ; au début, le structuralisme ne prétend pas définir la constitution entière de la pensée, même à l'état sauvage, mais délimiter un groupe bien déterminé de problèmes qui ont, si on peut dire, de l'affinité pour le traitement structuraliste. *La Pensée sauvage* représente une sorte de passage à la limite, de systématisation terminale, qui invite trop aisément à poser comme une fausse alternative le choix entre plusieurs manières de comprendre, entre plusieurs intelligibilités ; j'ai dit que c'était absurde *en principe ;* pour ne pas tomber *en fait* dans le piège, il faut traiter le structuralisme comme une explication d'abord limitée, puis étendue de proche en proche en suivant le fil conducteur des problèmes eux-mêmes ; la conscience de validité d'une méthode n'est jamais séparable de la conscience de ses limites. C'est pour rendre

justice à cette méthode et surtout me laisser instruire par elle
que je la ressaisirai dans son mouvement d'extension, à partir
d'un noyau indiscutable, plutôt que de la prendre à son stade
terminal au-delà d'un certain point critique où, peut-être, elle
perd le sens de ses limites.

LE MODÈLE LINGUISTIQUE

Comme on sait, le structuralisme procède de l'application
à l'anthropologie et aux sciences humaines en général d'un
modèle linguistique. À l'origine du structuralisme, nous trouvons d'abord Ferdinand de Saussure et son *Cours de linguistique générale*, et surtout l'orientation proprement phonologique de la linguistique avec Troubetskoï, Jakobson, Martinet.
Avec eux nous assistons à un renversement des rapports entre
système et histoire. Pour l'historicisme, comprendre, c'est
trouver la genèse, la forme antérieure, les sources, le sens de
l'évolution. Avec le structuralisme, ce sont les arrangements,
les organisations systématiques dans un état donné qui sont
d'abord intelligibles. Ferdinand de Saussure commence d'introduire ce renversement en distinguant dans le langage
la langue et la parole. Si l'on entend par langue l'ensemble
des conventions adoptées par un corps social pour permettre
l'exercice du langage chez les individus, et par parole l'opération même des sujets parlants, cette distinction capitale
donne accès à trois règles dont nous allons suivre tout à
l'heure la généralisation hors du domaine de la linguistique.

D'abord, l'idée même de système : séparée des sujets parlants, la langue se présente comme un système de signes.
Certes, Ferdinand de Saussure n'est pas un phonologue : sa
conception du signe linguistique comme rapport du signifiant
sonore et du signifié conceptuel est beaucoup plus sémantique
que phonologique. Néanmoins, ce qui lui paraît faire l'objet
d'une science linguistique, c'est le système des signes, issu
de la détermination mutuelle de la chaîne sonore du signifiant et de la chaîne conceptuelle du signifié. Dans cette
détermination mutuelle, ce qui compte, ce ne sont pas les
termes, considérés individuellement, mais les écarts différentiels ; ce sont les différences de son et de sens et les rapports

des uns aux autres qui constituent le système des signes d'une langue. On comprend alors que chaque signe soit arbitraire, en tant que rapport isolé d'un sens et d'un son, et que tous les signes d'une langue forment système : « Dans la langue, il n'y a que des différences » (*Cours de linguistique générale*, p. 166).

Cette idée-force commande le deuxième thème qui concerne précisément le rapport de la diachronie avec la synchronie. En effet, le système des différences n'apparaît que sur un axe des coexistences entièrement distingué de l'axe des successions. Ainsi naît une linguistique synchronique, comme science des états dans leurs aspects systématiques, distincte d'une linguistique diachronique, ou science des évolutions, appliquée au système. Comme on voit, l'histoire est seconde et figure comme altération du système. Bien plus, en linguistique, ces altérations sont moins intelligibles que les états de système : « Jamais, écrit de Saussure, le système n'est modifié directement ; en lui-même il est immuable ; seuls certains éléments sont altérés sans égard à la solidarité qui les lie au tout » (*ibid.*, p. 121). L'histoire est plutôt responsable des désordres que des changements signifiants ; de Saussure le dit bien : « Les faits de la série synchronique sont des rapports, les faits de la série diachronique, des événements dans le système. » Dès lors, la linguistique est synchronique d'abord et la diachronie n'est elle-même intelligible que comme comparaison des états de système antérieurs et postérieurs ; la diachronie est comparative ; en cela elle dépend de la synchronie. Finalement, les événements ne sont appréhendés que réalisés dans un système, c'est-à-dire recevant encore de lui un aspect de régularité ; le fait diachronique, c'est l'innovation issue de la parole (d'un seul, de quelques-uns, peu importe), mais « devenue fait de langage » (*ibid.*, p. 140).

Ce sera le problème central de notre réflexion de savoir jusqu'où le modèle linguistique des rapports entre synchronie et diachronie nous conduit dans l'intelligence de l'historicité propre aux symboles. Disons-le tout de suite : le point critique sera atteint lorsque nous serons en face d'une véritable tradition, c'est-à-dire d'une série de reprises interprétantes, qui ne peuvent plus être considérées comme l'intervention du désordre dans un état de système.

Entendons-nous bien : je ne prête pas au structuralisme, comme certains de ses critiques, une opposition pure et simple entre diachronie et synchronie. Lévi-Strauss, à cet égard, a raison d'opposer à ses détracteurs (*Anthropologie structurale*, Plon, 1958, p. 101, 103) le grand article de Jakobson sur les *Principes de phonologie historique*, où l'auteur dissocie expressément synchronie et statique. Ce qui importe, c'est la subordination, non l'opposition, de la diachronie à la synchronie ; c'est cette subordination qui fera question dans l'intelligence herméneutique ; la diachronie n'est signifiante que par son rapport à la synchronie et non l'inverse.

Mais voici le troisième principe, qui ne concerne pas moins notre problème de l'interprétation et du temps de l'interprétation. Il a été surtout dégagé par les phonologues, mais il est déjà présent dans l'opposition saussurienne entre la langue et la parole : les lois linguistiques désignent un niveau inconscient et en ce sens non réflexif, non historique de l'esprit ; cet inconscient n'est pas l'inconscient freudien de la pulsion, du désir, dans sa puissance de symbolisation, c'est un inconscient kantien plutôt que freudien, un inconscient catégoriel, combinatoire ; c'est un ordre fini ou le finitisme de l'ordre, mais tel qu'il s'ignore. Je dis inconscient kantien, mais par égard seulement pour son organisation, car il s'agit bien plutôt d'un système catégoriel sans référence à un sujet pensant ; c'est pourquoi le structuralisme, comme philosophie, développera un genre d'intellectualisme foncièrement antiréflexif anti-idéaliste, antiphénoménologique ; aussi bien cet esprit inconscient peut-il être dit homologue à la nature ; peut-être même est-il nature. On y reviendra avec *La Pensée sauvage* ; mais, déjà en 1956, se référant à la règle d'économie dans l'explication de Jakobson, Lévi-Strauss écrivait : « L'affirmation que l'explication la plus économique est aussi celle qui – de toutes celles envisagées – se rapproche le plus de la vérité, repose, en dernière analyse, sur l'identité postulée des lois du monde et de celles de la pensée » (*Anthropologie structurale*, p. 102).

Ce troisième principe ne nous concerne pas moins que le deuxième, car il institue entre l'observateur et le système un rapport qui est lui-même non historique. Comprendre, ce n'est pas reprendre le sens. À la différence de Schleiermacher dans *Hermeneutik und Kritik* (1828), et de Dilthey dans son grand article *Die Entstchung der Hermeneutik* (1900), de Bultmann dans *Das Problem der Hermeneutik* (1950), il n'y a pas de « cercle herméneutique » ; il n'y a pas d'historicité du rapport de compréhension. Le rapport est objectif, indépendant de l'observateur ; c'est pourquoi l'anthropologie structurale est science et non philosophie.

LA TRANSPOSITION DU MODÈLE LINGUISTIQUE EN ANTHROPOLOGIE STRUCTURALE

On peut suivre cette transposition dans l'œuvre de Lévi-Strauss en s'appuyant sur les articles méthodologiques publiés dans l'*Anthropologie structurale*. Mauss avait déjà dit : « La sociologie serait, certes, bien plus avancée si elle avait procédé partout à l'imitation des linguistes » (article de 1945, in *Anthropologie structurale*, p. 37). Mais c'est la révolution phonologique en linguistique que Lévi-Strauss considère comme le véritable point de départ : « Elle n'a pas seulement renouvelé les perspectives linguistiques : une transformation de cette ampleur n'est pas limitée à une discipline particulière. La phonologie ne peut manquer de jouer, vis-à-vis des sciences sociales, le même rôle rénovateur que la physique nucléaire par exemple a joué pour l'ensemble des sciences exactes. » En quoi consiste cette révolution, quand nous essayons de l'envisager dans ses implications les plus générales ? C'est l'illustre maître de la phonologie, N. Troubetskoï, qui nous fournira la réponse à cette question. « Dans un article-programme ("La phonologie actuelle", in *Psychologie du langage*, Paris, 1933), il ramène, en somme, la méthode phonologique à quatre démarches fondamentales : en premier lieu, la phonologie passe de l'étude des phénomènes linguistiques *conscients* à celle de leur infrastructure *inconsciente* ; elle refuse de traiter les termes comme des entités indépendantes, prenant au contraire comme base de son analyse les *relations* entre les termes ; elle introduit la notion de *système* : "La phonologie actuelle ne se borne pas à déclarer que les phonèmes sont toujours membres d'un système, elle *montre* des systèmes phonologiques concrets et met en évidence leur structure", enfin elle vise à la découverte de lois *générales* soit trouvées par induction, soit "déduites logiquement, ce qui leur donne un caractère absolu". Ainsi, pour la première fois, une science sociale parvient à formuler des relations nécessaires. Tel est le sens de cette dernière phrase de Trou-betskoï, tandis que les règles précédentes montrent comment la linguistique doit s'y prendre pour parvenir à ce résultat » (*ibid.*, p. 39-40).

Les systèmes de parenté ont fourni à Lévi-Strauss le premier analogue rigoureux des systèmes phonologiques. Ce sont en effet des systèmes établis à l'étage inconscient de l'esprit ; ce sont en outre des systèmes dans lesquels les couples d'opposition et en général les éléments différentiels sont seuls signifiants (père-fils, oncle maternel et fils de la sœur, mari-femme, frère-sœur) : par conséquent, le système n'est pas au niveau des termes, mais des couples de relation. (On se rappelle la solution élégante et convaincante du problème de l'oncle maternel : *ibid.*, en particulier p. 51-52 et 56-57). Ce sont enfin des systèmes où le poids de l'intelligibilité est du côté de la synchronie : ils sont construits sans égard à l'histoire, bien qu'ils enveloppent une tranche diachronique, puisque les structures de parenté lient une suite de générations [1].

Or qu'est-ce qui autorise cette première transposition du modèle linguistique ? Essentiellement ceci, que la parenté est elle-même un système de communication ; c'est à ce titre qu'elle est comparable à la langue : « Le système de parenté est un langage ; ce n'est pas un langage universel, et d'autres moyens d'expression et d'action peuvent lui être préférés. Du point de vue sociologique, cela revient à dire qu'en présence d'une culture déterminée, une question préliminaire se pose toujours : est-ce que le système est systématique ? Une telle question, au premier abord absurde, ne le serait en vérité que

---

1 *Anthropologie structurale*, p. 57 : « La parenté n'est pas un phénomène statique ; elle n'existe que pour se perpétuer. Nous ne songeons pas ici au désir de perpétuer la race, mais au fait que, dans la plupart des systèmes de parenté, le déséquilibre initial qui se produit, dans une génération donnée, entre celui qui cède une femme et celui qui la reçoit, ne peut se stabiliser que par les contre-prestations prenant place dans les générations ultérieures. Même la structure de parenté la plus élémentaire existe simultanément dans l'ordre synchronique et dans celui de la diachronie. » Il faut rapprocher cette remarque de celle que nous faisions plus haut à propos de la diachronie en linguistique structurale.

par rapport à la langue ; car la langue est le système de signification par excellence ; elle ne peut pas ne pas signifier, et le
tout de son existence est dans la signification. Au contraire,
la question doit être examinée avec une rigueur croissante,
au fur et à mesure qu'on s'éloigne de la langue pour envisager d'autres systèmes, qui prétendent aussi à la signification,
mais dont la valeur de signification reste partielle, fragmentaire, ou subjective : organisation sociale, etc. » (*op. cit.*,
p. 58).

Ce texte nous propose donc d'ordonner les systèmes
sociaux par ordre décroissant, « mais, avec une rigueur croissante », à partir du système de signification par excellence,
la langue. Si la parenté est l'analogue le plus proche, c'est
parce qu'elle est, comme la langue, « un système arbitraire
de représentations, non le développement spontané d'une
situation de fait » (p. 61) ; mais cette analogie n'apparaît
que si on l'organise à partir des caractères qui en font
une alliance, et non une modalité biologique : les règles du
mariage « représentent toutes autant de façons d'assurer la
circulation des femmes au sein du groupe social, c'est-à-dire
de remplacer un système de relations consanguines d'origine
biologique, par un système sociologique d'alliance » (p. 68).
Ainsi considérées, ces règles font de la parenté « une sorte de
langage, c'est-à-dire un ensemble d'opérations destinées
à assurer, entre les individus et les groupes, un certain type
de communication. Que le "message" soit ici constitué par
les *femmes du groupe* qui *circulent* entre les clans, lignées
ou familles (et non, comme dans le langage lui-même, par
les *mots du groupe* circulant entre les individus), n'altère en
rien l'identité du phénomène considéré dans les deux cas »
(p. 69).

Tout le programme de *La Pensée sauvage* est ici contenu
et le principe même de la généralisation déjà posé : je me
bornerai à citer ce texte de 1945 : « Nous sommes conduits,
en effet, à nous demander si divers aspects de la vie sociale
(y compris l'art et la religion) – dont nous savons déjà que
l'étude peut s'aider de méthodes et de notions empruntées à
la linguistique – ne consistent pas en phénomènes dont la
nature rejoint celle même du langage. Comment cette hypothèse pourrait-elle être vérifiée ? Qu'on limite l'examen à une
seule société, ou qu'on l'étende à plusieurs, il faudra pousser

l'analyse des différents aspects de la vie sociale assez profondément pour atteindre un niveau où le passage deviendra possible de l'un à l'autre ; c'est-à-dire élaborer une sorte de code universel, capable d'exprimer les propriétés communes aux structures spécifiques relevant de chaque aspect. L'emploi de ce code devra être légitime pour chaque système pris isolément, et pour tous quand il s'agira de les comparer. On se mettra ainsi en position de savoir si l'on a atteint leur nature la plus profonde et s'ils consistent ou non en réalités de même type » (*ibid.*, p. 71).

C'est bien dans l'idée de code, entendu au sens de correspondance formelle entre structures spécifiées, donc au sens d'homologie structurale, que se concentre l'essentiel de cette intelligence des structures. Seule cette compréhension de la fonction symbolique peut être dite rigoureusement indépendante de l'observateur : « Le langage est donc un phénomène social, qui constitue un objet indépendant de l'observateur, et pour lequel on possède de longues séries statistiques » (p. 65). Notre problème sera de savoir comment une intelligence objective qui décode peut relayer une intelligence herméneutique qui déchiffre, c'est-à-dire qui reprend pour soi le sens, en même temps qu'elle s'agrandit du sens qu'elle déchiffre. Une remarque de Lévi-Strauss nous met peut-être sur la voie : l'auteur note que l'« impulsion originelle » (p. 70) à échanger des femmes révèle peut-être, par choc en retour sur le modèle linguistique, quelque chose de l'origine de tout langage : « Comme dans le cas des femmes, l'impulsion originelle qui a contraint les hommes à "échanger" des paroles ne doit-elle pas être recherchée dans une représentation dédoublée, résultant elle-même de la fonction symbolique faisant sa première apparition ? Dès qu'un objet sonore est appréhendé comme offrant une valeur immédiate, à la fois pour celui qui parle et celui qui entend, il acquiert une nature contradictoire dont la neutralisation n'est possible que par cet échange de valeurs complémentaires, à quoi toute la vie sociale se réduit » (p. 71). N'est-ce pas dire que le structuralisme n'entre en jeu que sur le fond déjà constitué « de la représentation dédoublée, résultant elle-même de la fonction symbolique » ? N'est-ce pas faire appel à une autre intelligence, visant le dédoublement lui-même, à partir de quoi il y a échange ? La science objective des échanges ne serait-elle

pas un segment abstrait dans la compréhension entière de la
fonction symbolique, laquelle serait dans son fond compréhension sémantique ? La raison d'être du structuralisme, pour
le philosophe, serait alors de restituer cette compréhension
plénière, mais après l'avoir destituée, objectivée, relayée par
l'intelligence structurale ; le fond sémantique ainsi médiatisé
par la forme structurale deviendrait accessible à une compréhension plus indirecte, mais plus sûre.

Laissons la question en suspens (jusqu'à la fin de cette
étude) et suivons le fil des analogies et de la généralisation.

Au début, les généralisations de Lévi-Strauss sont très
prudentes et entourées de précautions (voir par exemple
p. 74-75). L'analogie structurale entre les autres phénomènes
sociaux et le langage, considéré dans sa structure phonologique, est en effet très complexe. En quel sens peut-on dire que
leur « nature rejoint celle même du langage » (p. 71) ? L'équivoque n'est guère à craindre lorsque les signes d'échange
ne sont pas eux-mêmes des éléments du discours ; ainsi dira-
t-on que les hommes échangent des femmes *comme* ils
échangent des mots ; la formalisation qui a fait saillir l'homologie de structure est non seulement légitime mais très
éclairante. Les choses se compliquent avec l'art et la religion ;
nous n'avons plus ici seulement « une sorte de langage »,
comme dans le cas des règles du mariage et des systèmes de
parenté, mais bien un discours signifiant édifié sur la base du
langage, considéré comme instrument de communication ;
l'analogie se déplace à l'intérieur même du langage et porte
désormais sur la structure de tel ou tel discours particulier
comparée à la structure générale de la langue. Il n'est donc
pas certain *a priori* que le rapport entre diachronie et synchronie, valable en linguistique générale, régisse de façon
aussi dominante la structure des discours particuliers. Les
choses dites n'ont pas forcément une architecture similaire à
celle du langage, en tant qu'instrument universel du dire.
Tout ce que l'on peut affirmer, c'est que le modèle linguistique oriente la recherche vers les articulations similaires aux
siennes, c'est-à-dire vers une logique d'oppositions et de corrélations, c'est-à-dire finalement vers un système de différences : « En se plaçant à un point de vue plus théorique
[Lévi-Strauss vient de parler du langage comme condition
diachronique de la culture, en tant qu'il véhicule l'instruction

ou l'éducation], le langage apparaît aussi comme condition
de la culture, dans la mesure où cette dernière possède une
architecture similaire à celle du langage. L'une et l'autre
signifient au moyen d'oppositions et de corrélations, autrement dit, de relations logiques. Si bien qu'on peut considérer
le langage comme une fondation, destinée à recevoir les
structures plus complexes parfois, mais du même type que
les siennes, qui correspondent à la culture envisagée sous différents aspects » (*ibid.*, p. 79). Mais Lévi-Strauss doit accorder que la corrélation entre culture et langage n'est pas suffisamment justifiée par le rôle universel du langage dans la
culture. Lui-même recourt à un troisième terme pour fonder
le parallélisme entre les modalités structurales du langage et
de la culture : « Nous ne nous sommes pas suffisamment avi-
sés que langue et culture sont deux modalités parallèles
d'une activité plus fondamentale : je pense, ici, à cet hôte
présent parmi nous, bien que nul n'ait songé à l'inviter à nos
débats : *l'esprit humain* » (p. 81). Ce tiers ainsi évoqué sou-
lève de graves problèmes : car l'esprit comprend l'esprit, non
seulement par analogie de structure, mais par reprise et continuation des discours particuliers. Or rien ne garantit que cette
intelligence relève des mêmes principes que ceux de la phonologie. L'entreprise structuraliste me paraît donc parfaitement légitime et à l'abri de toute critique, aussi longtemps
qu'elle garde la conscience de ses conditions de validité, et
donc de ses limites. Une chose est certaine, en toute hypothèse, la corrélation doit être cherchée non « entre langage et
attitudes, mais entre des expressions homogènes, déjà forma-
lisées, de la structure linguistique et de la structure sociale »
(p. 82). À cette condition, mais à cette condition seulement,
« la voie s'ouvre à une anthropologie conçue comme une
théorie générale des rapports, et à l'analyse des sociétés en
fonction des caractères différentiels, propres aux systèmes de
rapports qui les définissent les unes et les autres » (p. 110).

Mon problème dès lors se précise : quelle est la place d'une
« théorie générale des rapports » dans une théorie générale
du sens[1] ? Lorsqu'il s'agit d'art et de religion, qu'est-ce que

---

1. Lévi-Strauss peut accepter cette question puisqu'il la pose excellemment lui-même : « Mon hypothèse de travail se réclame donc d'une position moyenne : certaines corrélations sont probablement décelables, entre

l'on comprend quand on comprend la structure ? Et comment l'intelligence de la structure instruit-elle l'intelligence de l'herméneutique tournée vers une reprise des intentions signifiantes ?

C'est ici que notre problème du temps peut fournir une bonne pierre de touche. Nous allons suivre le destin du rapport entre diachronie et synchronie dans cette transposition du modèle linguistique et le confronter avec ce que nous pouvons savoir par ailleurs de l'historicité du sens dans le cas de symboles pour lesquels nous disposons de bonnes séquences temporelles.

« LA PENSÉE SAUVAGE »

Avec *La Pensée sauvage*, Lévi-Strauss procède à une généralisation hardie du structuralisme. Rien n'autorise certes à conclure que l'auteur n'envisage plus aucune collaboration avec d'autres modes de compréhension ; il ne faut pas dire non plus que le structuralisme ne connaît plus de limites ; ce n'est pas toute la pensée qui tombe sous sa prise, mais un niveau de pensée, le niveau de la *pensée sauvage*. Néanmoins, le lecteur qui passe de *L'Anthropologie structurale* à *La Pensée sauvage* est frappé par le changement de front et de ton : on ne procède plus de proche en proche, de la parenté à l'art ou à la religion ; c'est bien tout un niveau de pensée, considéré globalement, qui devient l'objet d'investigation ; et ce niveau de pensée est tenu lui-même pour la forme non domestiquée de l'unique pensée ; il n'y a pas des sauvages opposés à des civilisés, il n'y a pas de mentalité primitive, pas de pensée des sauvages, il n'y a plus d'exotisme

---

certains aspects et à certains niveaux, et il s'agit pour nous de trouver quels sont ces aspects et où sont ces niveaux » (p. 91). Dans une réponse à Haudricourt et Granai, Lévi-Strauss semble accorder qu'il y a une zone de validité optimale pour une théorie générale de la communication. « Dès aujourd'hui, cette tentative est possible à trois niveaux : car les règles de la parenté et du mariage servent à assurer la communication des femmes entre les groupes, comme les règles économiques servent à assurer la communication des biens et des services, et les règles linguistiques, la communication des messages » (p. 95). On notera aussi les précautions de l'auteur contre les excès de la méta-linguistique américaine (p. 83-84, 97).

absolu ; au-delà de l'« illusion totémique », il y a seulement une pensée sauvage ; et cette pensée n'est pas antérieure à la logique ; elle n'est pas prélogique, mais l'homologue de la pensée logique ; homologue au sens fort : ses classifications ramifiées, ses nomenclatures fines sont la pensée classificatrice elle-même, mais opérant, comme dit Lévi-Strauss, à un autre niveau stratégique, celui du sensible. La pensée sauvage, c'est la pensée de l'ordre, mais c'est une pensée qui ne pense pas. En cela elle répond bien aux conditions du structuralisme évoquées plus haut : ordre inconscient, ordre conçu comme système de différences, ordre susceptible d'être traité objectivement « indépendamment de l'observateur ». Seuls, par conséquent, sont intelligibles les arrangements à un niveau inconscient ; comprendre ne consiste pas à reprendre des intentions de sens, à les réanimer par un acte historique d'interprétation qui s'inscrirait lui-même dans une tradition continue ; l'intelligibilité s'attache au code de transformations qui assure les correspondances et les homologies entre arrangements appartenant à des niveaux différents de la réalité sociale (organisation clanique, nomenclatures et classifications d'animaux et de plantes, mythes et art, etc.). Je caractériserai d'un mot la méthode : c'est un choix pour la syntaxe contre la sémantique. Ce choix est parfaitement légitime, dans la mesure même où il est un pari tenu avec cohérence. Il manque malheureusement une réflexion sur ses conditions de validité, sur le prix à payer pour ce type de compréhension, bref, une réflexion sur les limites, qui pourtant apparaissait de place en place dans les ouvrages antérieurs.

Pour ma part, je suis frappé que tous les exemples soient pris dans l'aire géographique qui a été celle du prétendu totémisme, et jamais dans la pensée sémitique, préhellénique ou indo-européenne ; et je me demande ce qu'implique cette limitation initiale du matériau ethnographique et humain. L'auteur ne s'est-il pas donné la partie trop belle en liant le sort de la pensée sauvage à une aire culturelle – celle précisément de l'« illusion totémique », où les arrangements importent plus que les contenus, où la pensée est effectivement bricolage, opérant sur un matériau hétéroclite, sur des gravats de sens ? Or jamais dans ce livre la question n'est posée de l'unité de la pensée mythique. La généralisation à toute pensée sauvage est tenue pour acquise. Or je me demande si le

fonds mythique sur lequel nous sommes branchés – fonds
sémitique (égyptien, babylonien, araméen, hébreu), fonds
protohéllénique, fonds indo-européen – se prête aussi facilement à la même opération ; ou plutôt, j'insiste sur ce point, il
s'y prête sûrement, mais s'y prête-t-il sans reste ? Dans les
exemples de *La Pensée sauvage*, l'insignifiance des contenus
et la luxuriance des arrangements me paraissent constituer un
exemple extrême beaucoup plus qu'une forme canonique. Il
se trouve qu'une partie de la civilisation, celle précisément
d'où notre culture ne procède pas, se prête mieux qu'aucune
autre à l'application de la méthode structurale transposée de
la linguistique. Mais cela ne prouve pas que l'intelligence des
structures soit aussi éclairante ailleurs, et surtout se suffise
autant à elle-même. J'ai parlé plus haut du prix à payer : ce
prix – l'insignifiance des contenus – n'est pas un prix élevé
avec les totémistes, tant est grande la contrepartie, à savoir la
haute signification des arrangements ; la pensée des totémistes,
me semble-t-il, est précisément celle qui a le plus d'affinité
avec le structuralisme. Je me demande si son exemple est…
exemplaire ou s'il n'est pas exceptionnel [1].

Or il y a peut-être un autre pôle de la pensée mythique
où l'organisation syntaxique est plus faible, la jonction au
rite moins marquée, la liaison aux classifications sociales

---

1. On trouve quelques allusions en ce sens dans *La Pensée sauvage* :
« Peu de civilisations, autant que l'australienne, semblent avoir eu le goût
de l'érudition, de la spéculation, et de ce qui apparaît parfois comme un
dandysme intellectuel, aussi étrange que l'expression puisse paraître quand
on l'applique à des hommes dont le niveau de vie matériel était aussi rudi-
mentaire… Si, pendant des siècles ou des millénaires, l'Australie a vécu
repliée sur elle-même, et, dans ce monde fermé, les spéculations et les discussions ont fait rage ; enfin, si les influences de la mode y ont souvent été
déterminantes, on peut comprendre que se soit constitué une sorte de style
sociologique et philosophique commun, n'excluant pas des variations
méthodiquement recherchées, et dont même les plus infimes étaient rele-
vées et commentées dans une intention favorable ou hostile » (p. 118-119).
Et vers la fin du livre : « Il y a donc une sorte d'antipathie foncière entre
l'histoire et les systèmes de classification. Cela explique peut-être ce
qu'on serait tenté d'appeler le "vide totémique", puisque, même à l'état
de vestiges, tout ce qui pourrait évoquer le totémisme semble remarquablement absent des grandes civilisations d'Europe et d'Asie. La raison
n'est-elle pas que celles-ci ont choisi de s'expliquer à elles-mêmes par
l'histoire, et que cette entreprise est incompatible avec celle qui classe les
choses et les êtres (naturels et sociaux) au moyen de groupes finis ? »
(p. 307-308).

plus ténue, et où, au contraire, la richesse sémantique permet des reprises historiques indéfinies dans des contextes sociaux plus variables. À cet autre pôle de la pensée mythique, dont je donnerai tout à l'heure quelques exemples pris dans le monde hébraïque, l'intelligence structurale est peut-être moins importante, en tout cas moins exclusive, et requiert plus manifestement d'être articulée sur une intelligence herméneutique qui s'applique à interpréter les contenus eux-mêmes, afin d'en prolonger la vie et d'en incorporer l'efficace à la réflexion philosophique.

C'est ici que je prendrai pour pierre de touche la question du temps qui a mis en mouvement notre méditation : *La Pensée sauvage* tire toutes les conséquences des concepts linguistiques de synchronie et de diachronie, et en dégage une conception d'ensemble des rapports entre structure et événement. La question est de savoir si ce même rapport se retrouve identique sur tout le front de la pensée mythique.

Lévi-Strauss se plaît à reprendre un mot de Boas : « On dirait que les univers mythologiques sont destinés à être démantelés aussitôt que formés, pour que de nouveaux univers naissent de leurs fragments » (p. 31) ; ce mot avait déjà servi d'exergue à l'un des articles recueillis dans l'*Anthropologie structurale* (p. 227). C'est ce rapport inverse entre la solidité synchronique et la fragilité diachronique des univers mythologiques que Lévi-Strauss éclaire par la comparaison du bricolage.

Le bricoleur, à la différence de l'ingénieur, opère avec un matériau qu'il n'a pas produit en vue de l'usage actuel, mais avec un répertoire limité et hétéroclite qui le contraint à travailler, comme on dit, avec les moyens du bord ; ce répertoire est fait des résidus de constructions et de destructions antérieures ; il représente l'état contingent de l'instrumentalité à un moment donné ; le bricoleur opère avec des signes déjà usés, qui jouent le rôle de précontrainte à l'égard des réorganisations nouvelles. Comme le bricolage, le mythe « s'adresse à une collection de résidus d'ouvrages humains, c'est-à-dire à un sous-ensemble de la culture » (p. 29). En termes d'événement et de structure, de diachronie et de synchronie, la pensée mythique fait de la structure avec des résidus ou des débris d'événements ; en bâtissant ses palais avec les gravats du discours social antérieur, elle offre un modèle inverse de celui de la science, qui donne forme d'événement nouveau à ses structures : « La pensée mythique, cette bricoleuse, élabore des structures en agençant des événements, ou plutôt des résidus d'événements, alors que la science, "en marche" du seul fait qu'elle s'instaure, crée, sous forme d'événements, ses moyens et ses résultats, grâce aux structures qu'elle fabrique sans trêve et qui sont ses hypothèses et ses théories » (p. 33).

Certes, Lévi-Strauss n'oppose mythe et science que pour les rapprocher, car, dit-il, « les deux démarches sont également valides » : « La pensée mythique n'est pas seulement la prisonnière d'événements et d'expériences qu'elle dispose et redispose inlassablement pour leur découvrir un sens ; elle est aussi libératrice, par la protestation qu'elle élève contre le non-sens, avec lequel la science s'était d'abord résignée à transiger » (p. 33). Mais il reste que le sens est du côté de l'arrangement actuel, de la synchronie. C'est pourquoi ces sociétés sont si fragiles à l'événement ; comme en linguistique, l'événement joue le rôle de menace, en tout cas de dérangement, et toujours de simple interférence contingente (ainsi les bouleversements démographiques – guerres, épidémies – qui altèrent l'ordre établi) : « Les structures synchroniques des systèmes dits totémiques [sont] extrêmement vulnérables aux effets de la diachronie » (p. 90). L'instabilité du mythe devient ainsi un signe du primat de la synchronie. C'est pourquoi le prétendu totémisme « est une grammaire vouée à se détériorer en lexique » (p. 307). « Comme un palais charrié par un fleuve, la classification tend à se démanteler et ses parties s'agencent entre elles autrement que ne l'eût voulu l'architecte, sous l'effet des courants et des eaux mortes, des obstacles et des détroits. Dans le totémisme par conséquent, la fonction l'emporte inévitablement sur la structure ; le problème qu'il n'a cessé de poser aux théoriciens est celui du rapport entre la structure et l'événement. Et la grande leçon du totémisme, c'est que la forme de la structure peut parfois survivre, quand la structure elle-même succombe à l'événement » (p. 307).

L'histoire mythique elle-même est au service de cette lutte de la structure contre l'événement, et représente un effort des sociétés pour annuler l'action perturbatrice des facteurs historiques : elle représente une tactique d'annulation de l'historique, d'amortissement de l'événementiel ; ainsi, en faisant de l'histoire et de son modèle intemporel des reflets réciproques, en mettant l'ancêtre hors histoire et en faisant de l'histoire une copie de l'ancêtre, la « diachronie, en quelque sorte domptée, collabore avec la synchronie sans risque qu'entre elles surgissent de nouveaux conflits » (p. 313). C'est encore la fonction du rituel d'articuler ce passé hors temps au rythme de la vie et des saisons et à l'enchaînement des générations. Les rites « se prononcent sur la diachronie, mais ils le font encore en termes de synchronie, puisque le seul fait de les célébrer équivaut à changer le passé en présent » (p. 315).

C'est dans cette perspective que Lévi-Strauss interprète les *churinga* – ces objets en pierre ou en bois ou ces galets représentant le corps de l'ancêtre, – comme l'attestation de « l'être diachronique de la diachronie au sein de la synchronie même » (p. 315). Il leur trouve la même saveur d'historicité qu'à nos archives : être incarné de l'événementialité, histoire pure avérée au cœur de la pensée classificatoire. Ainsi l'historicité mythique elle-même est-elle enrôlée dans le travail de la rationalité : « Les peuples dits primitifs ont su élaborer des méthodes raisonnables pour insérer, sous son double aspect de contingence logique et de turbulence affective, l'irrationalité dans la rationalité. Les systèmes classificatoires permettent donc d'intégrer l'histoire ; même et surtout, celle que l'on pourrait croire rebelle au système » (p. 323).

LIMITES DU STRUCTURALISME ?

C'est à dessein que j'ai suivi la suite des transpositions, dans l'œuvre de Lévi-Strauss, du modèle linguistique jusqu'à sa dernière généralisation dans *La Pensée sauvage*. La conscience de validité d'une méthode, disais-je en commençant, est inséparable de la conscience de ses limites. Ces limites me paraissent être de deux sortes : il me semble, d'une part, que le passage à *la* pensée sauvage se fait à la faveur d'un exemple trop favorable qui est peut-être exceptionnel. D'autre part, le passage d'une science structurale à une philosophie structuraliste me paraît peu satisfaisant et même peu cohérent. Ces deux passages à la limite, en cumulant leurs effets, donnent au livre un accent particulier, séduisant et provocant, qui le distingue des précédents.

L'exemple est-il exemplaire? demandais-je plus haut. Je lisais, en même temps que *La Pensée sauvage* de Lévi-Strauss, le livre remarquable de Gerhard von Rad consacré à la *Théologie des traditions historiques d'Israël*, premier volume d'une *Théologie de l'Ancien Testament* (Munich, 1957). Nous nous trouvons ici en face d'une conception théologique exactement inverse de celle du totémisme, et qui, parce qu'elle est inverse, suggère une relation inverse entre diachronie et synchronie et pose de façon plus urgence le problème de la relation entre intelligence structurale et intelligence herméneutique.

Qu'est-ce qui est décisif pour la compréhension du noyau de sens de l'Ancien Testament? Non pas des nomenclatures, des classifications, mais des événements fondateurs. Si nous nous limitons à la théologie de l'Hexateuque, le contenu signifiant est un *kérygma*, l'annonce de la geste de Jahvé, constituée par un réseau d'événements. C'est une *Heilsgeschichte ;* la première séquence est donnée par la suite : délivrance d'Égypte, passage de la mer Rouge, révélation du Sinaï, errance dans le désert, accomplissement de la promesse de la Terre, etc. Un second foyer organisateur s'établit autour du thème de l'Oint d'Israël et de la mission davidique ; enfin, un troisième foyer de sens s'instaure après la catastrophe : la destruction y paraît comme événement fondamental ouvert sur l'alternative non résolue de la promesse et de la menace. La méthode de compréhension applicable à ce réseau événementiel consiste à restituer l'alternative non résolue de la promesse et de la menace. La méthode de compréhension applicable à ce réseau événementiel consiste à restituer le *travail intellectuel*, issu de cette foi historique et déployé dans un cadre confessionnel, souvent hymnique, toujours cultuel. Gerhard von Rad dit très bien : « Alors que l'histoire critique tend à retrouver le minimum vérifiable [...] une peinture kérygmatique tend vers un maximum théologique. » Or c'est bien un *travail intellectuel* qui a présidé à cette élaboration des traditions et abouti à ce que nous appelons maintenant l'Écriture. Gerhard von Rad montre comment, à partir d'une confession minimale, s'est constitué un espace de gravitation pour des traditions éparses, appartenant à des sources différentes, transmises par des groupes, des tribus ou des clans différents. Ainsi, la saga d'Abraham, celle de Jacob, celle de Joseph, appartenant à des cycles originairement différents, ont été en quelque sorte aspirées et happées par le noyau primitif de la confession de foi célébrant l'action historique de Jahvé. Comme on voit, on peut parler ici d'un primat de l'histoire, et cela en de multiples sens ; en un premier sens, un sens fondateur, puisque tous les rapports de Jahvé à Israël sont signifiés par et dans des événements sans aucune trace de théologie spéculative – mais aussi dans les deux autres sens que nous avons posés au début. Le travail théologique sur ces événements est en effet lui-même une histoire ordonnée, une tradition interprétante. La réinterprétation pour chaque génération du fonds de traditions confère à cette compréhension de l'histoire un caractère historique, et suscite un développement qui a une unité signifiante impossible à projeter dans un système. Nous sommes en face d'une interprétation historique de l'historique ; le fait même que les sources sont juxtaposées, les doublets maintenus, les contradictions étalées a un sens profond : la tradition se corrige elle-même par additions et ce sont ces additions qui constituent par elles-mêmes une dialectique théologique.

Or il est remarquable que c'est par ce travail de réinterprétation de ses propres traditions qu'Israël s'est donné une identité qui est elle-même historique : la critique montre qu'il n'y a probablement pas eu d'unité d'Israël avant le regroupement des clans dans une sorte d'amphictyonie postérieure à l'installation. C'est en interprétant historiquement son histoire, en l'élaborant comme une tradition vivante qu'Israël s'est projeté dans le passé comme un unique peuple à qui sont arrivés, comme à une totalité indivisible, la délivrance d'Égypte, la révélation du Sinaï, l'aventure du désert et le don de la Terre promise. L'unique principe théologique vers lequel tend toute la pensée d'Israël est alors : il y avait Israël, le peuple de Dieu, qui toujours agit comme une unité que Dieu traite comme une unité ; mais cette identité est inséparable d'une quête illimitée d'un sens de l'histoire et dans l'histoire : « C'est Israël sur lequel les présentations de l'histoire de l'Ancien Testament ont tant à dire, qui est l'objet de la foi et l'objet d'une histoire construite par la foi » (p. 118).

Ainsi s'enchaînent les trois historicités : après celle des événements fondateurs, ou *temps caché* – après celle de l'interprétation vivante par les écrivains sacrés, qui constitue la *tradition* –, voici maintenant l'historicité de la compréhension, l'*historicité de l'herméneutique*. Gerhard von Rad emploie le mot d'*Entfaltung*, « déploiement », pour désigner la tâche d'une théologie de l'Ancien Testament qui respecte le triple caractère historique de la *heilige Geschichte* (niveau des événements fondateurs), des *Überlieferangen* (niveau des traditions constituantes), enfin de l'identité d'Israël (niveau de la tradition constituée). Cette théologie doit respecter la préséance de l'événement sur le système : « La pensée hébraïque est pensée *dans* les traditions historiques ; son souci principal est dans la combinaison convenable des traditions et dans leur interprétation théologique ; dans ce processus, le regroupement historique prend toujours le pas sur le regroupement intellectuel et théologique » (p. 116). Gerhard von Rad peut conclure son chapitre méthodologique en ces termes : « Il serait fatal pour notre compréhension du témoignage d'Israël si nous l'organisions dès le début sur la base de catégories théologiques qui, bien que courantes parmi nous, n'ont rien à voir avec celles sur la base desquelles Israël s'est autorisé à ordonner sa propre pensée théologique. » Dès lors « reraconter » – *Wiedererzählen* – reste la forme la plus légitime du discours sur l'Ancien Testament. L'*Entfaltung* de l'herméneute est la répétition de l'*Entfaltung* qui a présidé à l'élaboration des traditions du fonds biblique.

Qu'en résulte-t-il pour les rapports entre diachronie et synchronie ? Une chose m'a frappé avec les grands symboles de la pensée hébraïque que j'ai pu étudier dans la *Symbolique du mal* et avec les mythes – ceux, par exemple, de création et de chute – édifiés sur la première couche symbolique : ces symboles et ces mythes n'épuisent pas leurs sens dans des arrangements homologues d'arrangements sociaux ; je ne dis pas qu'ils ne se prêtent pas à la méthode structurale ; je suis même convaincu du contraire ; je dis que la méthode structurale n'épuise pas leur sens, car leur sens est une réserve sémantique prête pour le réemploi dans d'autres structures. On me dira : c'est précisément ce réemploi qui constitue le bricolage. Non point : le bricolage opère avec des débris ; dans le bricolage, c'est la structure qui sauve l'événement ;

le débris joue le rôle de précontrainte, de message pré-trans-
mis ; il a l'inertie d'un pré-signifié : le remploi des symboles
bibliques dans notre aire culturelle repose au contraire sur
une richesse sémantique, sur un surplus signifié, qui ouvre à
de nouvelles interprétations. Si l'on considère de ce point de
vue la suite constituée par les récits babyloniens du Déluge,
par le Déluge biblique et par la chaîne des réinterprétations
rabbiniques et christologiques, il apparaît tout de suite que
ces reprises figurent l'inverse du bricolage ; on ne peut plus
parler d'utilisation des restes dans des structures dont la
syntaxe importait plus que la sémantique, mais de l'utilisation d'un surplus, lequel ordonne lui-même, comme une
donation première de sens, les intentions rectificatrices de
caractère proprement théologique et philosophique qui s'ap-
pliquent sur ce fonds symbolique. Dans ces suites ordonnées
à partir d'un réseau d'événements signifiants, c'est le *surplus*
initial de sens qui *motive* tradition et interprétation. C'est
pourquoi il faut parler, dans ce cas, de régulation sémantique
par le contenu et non pas seulement de régulation structurale
comme dans le cas du totémisme. L'explication structuraliste
triomphe dans la synchronie (« le système est donné dans
la synchronie… », *La Pensée sauvage*, p. 89). C'est pourquoi
elle est à l'aise avec les sociétés où la synchronie est forte et
la diachronie perturbante, comme en linguistique.

Je sais bien que le structuralisme n'est pas démuni devant
ce problème et admets que, « si l'orientation structurale
résiste au choc, elle dispose à chaque bouleversement de
plusieurs moyens pour rétablir un système sinon identique au
système antérieur, au moins formellement du même type ».
On trouve dans *La Pensée sauvage* des exemples d'une telle
rémanence ou persévération du système : « À supposer un
moment initial (dont la notion est toute théorique) où l'ensemble des systèmes ait été exactement ajusté, cet ensemble
réagira à tout changement affectant d'abord une de ses parties
comme une machine à *feed-back* : asservie (dans les deux
sens du terme) par son harmonie antérieure, elle orientera
l'organe déréglé dans le sens d'un équilibre qui sera, à tout le
moins, un compromis entre l'état ancien et le désordre introduit du dehors » (p. 92). Ainsi, la régulation structurale est
beaucoup plus près du phénomène d'inertie que de la réinterprétation vivante qui nous paraît caractériser la véritable

tradition. C'est parce que la régulation sémantique procède de l'excès du potentiel de sens sur son usage et sa fonction dans le système donné dans la synchronie que le temps caché des symboles peut porter la double historicité de la tradition qui transmet et sédimente l'interprétation, et de l'interprétation qui entretient et renouvelle la tradition.

Si notre hypothèse est valable, rémanence des structures et surdétermination des contenus seraient deux conditions différentes de la diachronie. On peut se demander si ce n'est pas la combinaison, à des degrés différents et peut-être dans des proportions inverses, de ces deux conditions générales qui permet à des sociétés particulières – selon une remarque de Lévi-Strauss lui-même – d'« élaborer un schème unique leur permettant d'intégrer le point de vue de la structure et celui de l'événement » (p. 95). Mais cette intégration, lorsqu'elle se fait, comme on a dit plus haut, sur le modèle d'une machine à *feed-back*, n'est précisément qu'un « compromis entre l'état ancien et le désordre introduit du dehors » (p. 92). La tradition promise à la durée et capable de se réincarner dans des structures différentes relève plus, me semble-t-il, de la surdétermination des contenus que de la rémanence des structures. Cette discussion nous conduit à mettre en question la suffisance du modèle linguistique et la portée du sous-modèle ethnologique emprunté au système de dénominations et de classifications communément appelé totémique. Ce sous-modèle ethnologique a, avec le précédent, un rapport de convenance privilégié : c'est la même exigence d'écart différentiel qui les habite ; ce que le structuralisme dégage, de part et d'autre, « ce sont des codes, aptes à véhiculer des messages transposables dans les termes d'autres codes, et à exprimer dans leur système propre les messages reçus par le canal de codes différents » (p. 101). Mais s'il est vrai, comme l'avoue quelquefois l'auteur, que « même à l'état de vestige tout ce qui pourrait évoquer le totémisme semble remarquablement absent de l'aire des grandes civilisations d'Europe et d'Asie » (p. 308), a-t-on le droit, sous peine de verser dans une « illusion totémique » d'un nouveau genre, d'identifier à *la* pensée sauvage en général un type qui n'est peut-être exemplaire que parce qu'il a une position extrême dans une chaîne de types mythiques qu'il faudrait aussi comprendre par son autre extrémité ? Je penserais volontiers que, dans l'histoire de l'humanité, la survie exceptionnelle du kérygme juif, dans des contextes socioculturels indéfiniment renouvelés, représente l'autre pôle, exemplaire lui aussi, parce qu'extrême, de la pensée mythique.

Dans cette chaîne de types, ainsi repérés par leurs deux pôles, la temporalité – celle de la tradition et celle de l'interprétation – a une allure différente, selon que la synchronie l'emporte sur la diachronie, ou l'inverse : à une extrémité, celle du type totémique, nous avons une temporalité cassée qui vérifie assez bien la formule de Boas : « On dirait que les univers mythologiques sont destinés à être démantelés à peine formés, pour que de nouveaux univers naissent de leurs fragments » (cité p. 31). À l'autre extrémité, celle du type kérygmatique, c'est une temporalité réglée par la reprise continuelle du sens dans une tradition interprétante.

S'il en est ainsi, peut-on même continuer de parler du mythe, sans courir le risque d'équivoque ? On peut bien accorder que dans le modèle totémique, où les structures importent plus que les contenus, le mythe tend à s'identifier à un « opérateur », à un « code » réglant un système de transformations ; c'est ainsi que Lévi-Strauss le définit : « Le système mythique et les représentations qu'il met en œuvre servent donc à établir des rapports d'homologie entre les conditions naturelles et les conditions sociales, ou, plus exactement, à définir une loi d'équivalence entre des contrastes significatifs qui se situent sur plusieurs plans : géographique, météorologique, zoologique, botanique, technique, économique, social, rituel, religieux, philosophique » (p. 123). La fonction du mythe, ainsi exposée en termes de structure, apparaît dans la synchronie ; sa solidité synchronique est bien inverse de la fragilité diachronique que la formule de Boas rappelait.

Dans le modèle kérygmatique, l'explication structurale est sans doute éclairante, comme je tenterai de le montrer pour finir ; mais elle représente une couche expressive de second degré, subordonnée au surplus de sens du fond symbolique : ainsi le mythe adamique est-il second par rapport à l'élaboration des expressions symboliques du pur et de l'impur, de l'errance et de l'exil, constituées au niveau de l'expérience cultuelle et pénitentielle : la richesse de ce fonds symbolique n'apparaît que dans la diachronie ; le point de vue synchronique n'atteint alors du mythe que sa fonction sociale actuelle, plus ou moins comparable à l'opérateur totémique, qui assurait tout à l'heure la convertibilité des messages afférents à chaque niveau de la vie de culture et assurait la médiation entre nature et culture. Le structuralisme est sans doute encore valable (et presque tout reste à faire pour en éprouver la fécondité dans nos aires culturelles ; à cet égard, l'exemple du mythe d'Œdipe dans *L'Anthropologie structurale* [p. 235-243] est très prometteur) ; mais, alors que l'explication structurale paraît à peu près sans reste lorsque la synchronie l'emporte sur la diachronie, elle ne fournit qu'une sorte de squelette, dont le caractère abstrait est manifeste, lorsqu'il s'agit d'un contenu surdéterminé qui ne cesse de donner à penser et qui ne s'explicite que dans la suite des reprises qui lui confèrent à la fois interprétation et rénovation.

Je voudrais dire, maintenant, quelques mots du second passage à la limite, évoqué plus haut, d'une science structurale à une philosophie structuraliste. Autant l'anthropologie structurale me paraît convaincante tant qu'elle se comprend elle-même comme l'extension, degré par degré, d'une explication qui a réussi d'abord en linguistique, puis dans les systèmes de parenté, enfin de proche en proche, selon le jeu des affinités avec le modèle linguistique, à toutes les formes de la vie sociale, autant elle me paraît suspecte lorsqu'elle s'érige en philosophie ; un ordre posé comme inconscient ne peut jamais être, à mon sens, qu'une étape abstraitement séparée d'une intelligence de soi par soi ; l'ordre en soi, c'est la pensée à l'extérieur d'elle-même. Il n'est certes « pas interdit de rêver qu'on puisse un jour transférer sur cartes perforées toute la documentation disponible au sujet des sociétés australiennes, et démontrer à l'aide d'un ordinateur que l'ensemble de leurs structures ethno-économiques, sociales, et religieuses, ressemble à un vaste groupe de transformations » (p. 117). Non, « il n'est pas interdit » de faire ce rêve. À condition que la pensée ne s'aliène pas dans l'objectivité de ces codes. Si le décodage n'est pas l'étape objective du déchiffrage et celui-ci un épisode existentiel – ou existential ! – de la compréhension de soi et de l'être, la pensée structurale reste une pensée qui ne se pense pas. Il dépend en retour d'une philosophie réflexive de se comprendre elle-même comme herméneutique, afin de créer la structure d'accueil pour une anthropologie structurale ; à cet égard, c'est la fonction de l'herméneutique de faire coïncider la compréhension de l'autre – et de ses signes dans de multiples cultures – avec la compréhension de soi et de l'être. L'objectivité structurale peut alors apparaître comme un moment abstrait – et valablement abstrait – de l'appropriation et de la reconnaissance par laquelle la réflexion abstraite devient réflexion concrète. À la limite, cette appropriation et cette reconnaissance consisteraient dans une récapitulation totale de tous les contenus signifiants dans un savoir de soi et de l'être, comme Hegel a tenté de la « rêver » dans une logique des contenus et non dans une logique des syntaxes. Il va de soi que nous ne pouvons produire que des fragments, qui se savent partiels, de cette exégèse de soi et de l'être. Mais l'intelligence structurale n'est pas moins partielle en son stade actuel ; elle est en outre abstraite, en ce sens qu'elle ne procède pas d'une récapitulation du signifié, mais qu'elle n'atteint son « niveau logique » que « par appauvrissement sémantique » (p. 140).

Faute de cette structure d'accueil, que je conçois pour ma part comme articulation mutuelle de la réflexion et de l'herméneutique, la philosophie structuraliste me paraît condamnée à osciller entre plusieurs ébauches de philosophies. On dirait quelquefois un kantisme sans sujet transcendantal, voire un formalisme absolu, qui fonderait la corrélation même de la nature et de la culture. Cette philosophie est motivée par la considération de la dualité des « modèles vrais de la diversité concrète : l'un sur le plan de la nature, c'est celui de la diversité des espèces ; l'autre, sur le plan de la culture, est offert par la diversité des fonctions » (p. 164). Le principe des transformations peut alors être cherché dans une combinatoire, dans un ordre fini ou un finitisme de l'ordre, plus fondamental que chacun des modèles. Tout ce qui est dit de la « téléologie inconsciente qui, bien qu'historique, échappe complètement à l'histoire humaine » (p. 333), va dans ce sens ; cette philosophie serait l'absolutisation du modèle linguistique, faisant suite à sa généralisation de proche en proche. « La langue, déclare l'auteur, ne réside, ni dans la raison analytique des anciens grammairiens, ni dans la dialectique constituée de la linguistique structurale, ni dans la dialectique constituante de la *praxis* individuelle affrontée au pratico-inerte, puisque toutes les trois les supposent. La linguistique nous met en présence d'un être dialectique et totalisant, mais extérieur (ou inférieur) à la conscience et à la volonté. Totalisation non réflexive, la langue est une raison humaine qui a ses raisons, et que l'homme ne connaît pas » (p. 334). Mais qu'est-ce que la langue sinon une abstraction de l'être parlant ? On objecte ici que « son discours n'a jamais résulté et ne résultera jamais d'une totalisation consciente des lois linguistiques » *(ibid.)*. Nous répondrons à l'objection que ce ne sont pas des lois linguistiques que nous cherchons à totaliser pour nous comprendre nous-mêmes, mais le sens des paroles, par rapport auquel les lois linguistiques sont la médiation instrumentale à jamais inconsciente. Je cherche à me comprendre, en reprenant le sens des paroles de tous les hommes ; c'est à ce plan que le temps caché devient historicité de la tradition et de l'interprétation.

Mais, à d'autres moments, l'auteur invite à « reconnaître, dans le système des espèces naturelles et dans celui des objets manufacturés, deux ensembles médiateurs dont se sert l'homme, pour surmonter l'opposition entre nature et culture et les penser comme totalité » (p. 169). Il tient que les structures sont avant les pratiques, mais il accorde que la *praxis* est avant les structures. Dès lors celles-ci s'avèrent être des superstructures de cette *praxis* qui, pour Lévi-Strauss comme pour Sartre, « constitue pour les sciences de l'homme la totalité fondamentale » (p. 173). Il y a donc, dans *La Pensée sauvage*, outre l'ébauche d'un transcendantalisme sans sujet, l'esquisse d'une philosophie où la structure joue le rôle de médiateur, intercalée « entre *praxis* et pratiques » (p. 173). Mais il ne peut s'y arrêter, sous peine de concéder à Sartre tout ce qu'il lui a refusé en lui refusant de sociologiser le *Cogito* (p. 330). Cette séquence : *praxis-structure-pratiques*, permet du moins d'être structuraliste en ethnographie et marxiste en philosophie. Mais quel marxisme[1] ?

---

1. « Le marxisme – sinon Marx lui-même – a trop souvent raisonné comme si les pratiques découlaient immédiatement de la *praxis*. Sans mettre en cause l'incontestable primat des infrastructures, nous croyons qu'entre *praxis* et pratiques s'intercale toujours un médiateur, qui est le schème conceptuel par l'opération duquel une matière et une forme, dépourvues l'une et l'autre d'existence indépendante s'accomplissent comme structures, c'est-à-dire comme êtres à la fois empiriques et intelli-

Il y a en effet, dans *La Pensée sauvage*, l'esquisse d'une philosophie très différente, où l'ordre est ordre des choses et chose lui-même ; une méditation sur la notion d'« espèce » y incline naturellement : l'espèce – celle des classifications de végétaux et d'animaux – n'a-t-elle pas une « objectivité présomptive » ? « La diversité des espèces fournit à l'homme l'image la plus intuitive dont il dispose et elle constitue la manifestation la plus directe qu'il sache percevoir, de la discontinuité ultime du réel : elle est l'expression sensible d'un codage objectif » (p. 181). C'est, en effet, le privilège de la notion d'espèce de « fournir un mode d'appréhension sensible d'une combinatoire objectivement donnée dans la nature et que l'activité de l'esprit et la vie sociale elle-même ne font que lui emprunter pour l'appliquer à la création de nouvelles taxinomies » (p. 181).

Peut-être la seule considération de la notion de structure nous empêche-t-elle de dépasser une « réciprocité de perspectives où l'homme et le monde se font miroir l'un à l'autre » (p. 294). C'est alors, semble-t-il, par un coup de force injustifié que, après avoir poussé le balancier du côté du primat de la *praxis* sur les médiations structurales, on l'arrête à l'autre pôle et l'on déclare que « le but dernier des sciences humaines n'est pas de constituer l'homme, mais de le dissoudre, [de] réintégrer la culture dans la nature, et finalement, la vie dans l'ensemble de ses conditions physicochimiques » (p. 326-327). « Comme l'esprit aussi est une chose, le fonctionnement de cette chose nous instruit sur la nature des choses : même la réflexion pure se résume en une intériorisation du cosmos » (p. 328, note). Les dernières pages du livre laissent entendre que c'est du côté « d'un univers de l'information où règnent à nouveau les lois de la pensée sauvage » (p. 354) qu'il faudrait chercher le principe d'un fonctionnement de l'esprit comme chose.

Telles sont les philosophies structuralistes entre lesquelles la science structurale ne permet pas de choisir. Ne respecte-

---

gibles. C'est à cette théorie des superstructures, à peine esquissée par Marx, que nous souhaitons contribuer, réservant à l'histoire – assistée par la démographie, la technologie, la géographie historique et l'ethnographie – le soin de développer l'étude des infrastructures proprement dites, qui ne peut être principalement la nôtre, parce que l'ethnologie est d'abord une psychologie » (p. 173-174).

rait-on pas aussi bien l'enseignement de la linguistique, si l'on tenait la langue et toutes les médiations auxquelles elle sert de modèle pour l'inconscient instrumental au moyen duquel un sujet parlant se propose de comprendre l'être, les êtres et lui-même ?

HERMÉNEUTIQUE ET ANTHROPOLOGIE STRUCTURALE

Je veux revenir, pour finir, à la question initiale : en quoi les considérations structurales sont-elles aujourd'hui l'étape nécessaire de toute intelligence herméneutique ? Plus généralement, comment s'articulent herméneutique et structuralisme ?

1. Je voudrais d'abord dissiper un malentendu que la discussion antérieure peut entretenir. En suggérant que les types mythiques forment une chaîne dont le type « totémique » serait seulement une extrémité et le type « kérygmatique » une autre extrémité, je parais être revenu sur ma déclaration initiale selon laquelle l'anthropologie structurale est une discipline scientifique et l'herméneutique une discipline philosophique. Il n'en est rien. Distinguer *deux* sous-modèles, ce n'est pas dire que l'un ne relève que du structuralisme et que l'autre serait directement justiciable d'une herméneutique non structurale ; c'est dire seulement que le sous-modèle totémique tolère mieux une explication structurale qui paraît sans reste, parce qu'il est, parmi tous les types mythiques, celui qui a le plus d'affinité pour le modèle linguistique initial, tandis que, dans le type kérygmatique, l'explication structurale – qui reste d'ailleurs à faire dans la plupart des cas – renvoie plus manifestement à une autre intelligence du sens. Mais les deux manières de comprendre ne sont pas des espèces, opposées au même niveau, à l'intérieur du genre commun de la compréhension ; c'est pourquoi elles ne requièrent aucun *éclectisme* méthodologique. Je veux donc, avant de tenter quelques remarques exploratoires concernant leur articulation, souligner une dernière fois leur dénivellation. L'explication structurale porte (1) sur un système inconscient (2) qui est constitué par des différences et des oppositions [par des écarts significatifs] (3) indépendamment

de l'observateur. L'interprétation d'un sens transmis consiste dans (1) la reprise consciente (2) d'un fonds symbolique surdéterminé (3) par un interprète qui se place dans le même champ sémantique que ce qu'il comprend et ainsi entre dans le « cercle herméneutique ».

C'est pourquoi les deux manières de faire apparaître le temps ne sont pas au même niveau : ce n'est que par un souci didactique provisoire que nous avons parlé de priorité de la diachronie sur la synchronie ; à vrai dire, il faut réserver les expressions de diachronie et de synchronie au schème explicatif dans lequel la synchronie fait système et où la diachronie fait problème. Je réserverai les mots d'historicité – historicité de la tradition et historicité de l'interprétation – pour toute compréhension qui se sait, implicitement ou explicitement, sur la voie de la compréhension philosophique de soi et de l'être. Le mythe d'Œdipe relève en ce sens de la compréhension herméneutique lorsqu'il est compris et repris – déjà par un Sophocle – à titre de première sollicitation de sens, en vue d'une méditation sur la reconnaissance de soi, la lutte pour la vérité et le « savoir tragique ».

2. L'articulation de ces deux intelligences pose plus de problèmes que leur distinction. La question est trop neuve pour que nous puissions aller au-delà de propos exploratoires. L'explication structurale, demanderons-nous d'abord, peut-elle être séparée de *toute* compréhension herméneutique ? Sans doute le peut-elle d'autant plus que la fonction du mythe s'épuise dans l'établissement de rapports d'homologie entre des contrastes significatifs situés sur plusieurs plans de la nature et de la culture. Mais la compréhension herméneutique ne s'est-elle pas, même alors, réfugiée dans la constitution même du champ sémantique où s'exercent les rapports d'homologie ? On se rappelle l'importante remarque de Lévi-Strauss concernant la « représentation dédoublée résultant elle-même de la fonction symbolique faisant sa première apparition ». La « nature contradictoire » de ce signe ne pourrait être *neutralisée*, disait-il, « que par cet échange de valeurs complémentaires, à quoi toute la vie sociale se réduit » (*Anthropologie structurale*, p. 71). Je vois dans cette remarque l'indication d'une voie à suivre, en vue d'une articulation qui ne serait aucunement un éclectisme entre herméneutique et structuralisme. J'entends bien que le dédouble-

ment dont il s'agit ici est celui qui engendre la fonction du signe en général et non le double sens du symbole tel que nous l'entendons ici. Mais ce qui est vrai du signe en son sens primaire est encore plus vrai du double sens des symboles. L'intelligence de ce double sens, intelligence essentiellement herméneutique, est toujours présupposée par l'intelligence des « échanges de valeurs complémentaires », mis en œuvre par le structuralisme. Un examen soigneux de *La Pensée sauvage* suggère que l'on peut toujours chercher, à la base des homologies de structure, des analogies sémantiques qui rendent comparables les différents niveaux de réalité dont le « code » assure la convertibilité. Le « code » suppose une correspondance, une affinité des contenus, c'est-à-dire un chiffre [1]. Ainsi, dans l'interprétation des rites de la chasse aux aigles chez les Hidatsa (p. 66-72), la constitution du couple haut-bas, à partir duquel sont formés tous les écarts et l'écart maximal entre le chasseur et son gibier, ne fournit une typologie mythique que sous la condition d'une intelligence implicite de la surcharge de sens du haut et du bas. J'accorde que dans les systèmes étudiés ici cette affinité des contenus est en quelque sorte résiduelle ; résiduelle, mais non pas nulle. C'est pourquoi l'intelligence structurale ne va jamais sans un degré d'intelligence herméneutique, même si celle-ci n'est pas thématisée. Un bon exemple à discuter est celui de l'homologie entre règles de mariage et prohibitions alimentaires (p. 129-143) ; l'analogie entre manger et épouser, entre le jeûne et la chasteté, constitue un rapport métaphorique

---

1. Cette valeur de chiffre est d'abord appréhendée dans le sentiment : réfléchissant sur les caractères de la logique concrète, Lévi-Strauss montre qu'ils « se manifestent au cours de l'observation ethnologique [...] sous un double aspect, affectif et intellectuel » (p. 50). La taxinomie déploie sa logique sur le fond d'un sentiment de parenté entre les hommes et les êtres : « Ce savoir désintéressé et attentif, affectueux et tendre, acquis et transmis dans un climat conjugal et filial » (p. 52), l'auteur le retrouve chez les gens du cirque et les employés des jardins zoologiques *(ibid.).* Si la « taxinomie (53-59) et l'amitié tendre » (p. 53) sont la devise commune du prétendu primitif et du zoologiste, ne faut-il pas désimpliquer cette intelligence du sentiment ? Or les rapprochements, correspondances, associations, recoupements, symbolisations, dont il est question dans les pages suivantes (53-59) et que l'auteur n'hésite pas à rapprocher de l'hermétisme et de l'emblématisme, placent les correspondances – le chiffre – à l'origine des homologies entre écarts différentiels appartenant à des niveaux différents, donc à l'origine du code.

antérieur à l'opération de transformation. Ici non plus, il est vrai, le structuraliste n'est pas démuni : aussi bien est-ce lui qui parle de métaphore (p. 140), mais pour la formaliser en conjonction par complémentarité. Il reste néanmoins que l'appréhension de la similitude précède ici la formalisation et la fonde ; c'est bien pourquoi il faut la réduire pour faire saillir l'homologie de structure : « Le lien entre les deux n'est pas causal, mais métaphorique. Rapport sexuel et rapport alimentaire sont immédiatement pensés en similitude, même aujourd'hui […]. Mais quelle est la raison du fait, et de son universalité ? Ici encore on atteint le niveau logique par appauvrissement sémantique : le plus petit commun dénominateur de l'union des sexes et de celle du mangeur et du mangé est que l'une et l'autre opèrent une *conjonction par complémentarité* » (p. 140). C'est toujours au prix d'un tel appauvrissement sémantique qu'est obtenue la « subordination logique de la ressemblance au contraste » (p. 141). La psychanalyse, ici, reprenant le même problème, suivra au contraire le fil des investissements analogiques et prendra parti pour une sémantique des contenus et non pour une syntaxe des arrangements [1].

3. L'articulation de l'interprétation à visée philosophique sur l'explication structurale doit maintenant être prise dans l'autre sens ; j'ai laissé entendre dès le début que celle-ci était aujourd'hui le détour nécessaire, l'étape de l'objectivité

---

1. Conséquence remarquable de l'intolérance de la logique des contrastes à l'égard de la similitude : le totémisme – bien qu'appelé « prétendu totémisme » – est résolument préféré à la logique du sacrifice (p. 295-302), dont « le principe fondamental est celui de la substitution » (p. 296), c'est-à-dire quelque chose d'étranger à la logique du totémisme, qui « consiste dans un réseau d'écarts différentiels entre des termes posés comme discontinus » *(ibid.)*. Le sacrifice apparaît alors comme « une opération *absolue* ou *extrême* qui porte sur un objet *intermédiaire* » (p. 298), la victime. Pourquoi extrême ? parce que le sacrifice *rompt* par destruction la relation entre l'homme et la divinité, afin de déclencher l'octroi de la grâce qui *comblera* le vide. Ici l'ethnologue ne décrit plus, il juge : « Le système du sacrifice fait intervenir un terme non existant : la divinité, et il adopte une conception objectivement fausse de la série naturelle, puisque nous avons vu qu'il se la représente comme continue. » Entre totémisme et sacrifice, il faut dire : « L'un est vrai, l'autre est faux. Plus exactement, les systèmes classificatoires se situent au niveau de la langue : ce sont des codes plus ou moins bien faits, mais toujours en vue d'exprimer des sens, tandis que le système du sacrifice représente un discours particulier, et dénué de bon sens quoiqu'il soit fréquemment proféré » (p. 302).

scientifique, sur le trajet de la reprise du sens. Il n'y a pas
de reprise du sens, dirai-je dans une formule symétrique et
inverse de la précédente, sans un minimum de compréhension des structures. Pourquoi ? Nous reprenons l'exemple du
symbolisme judéo-chrétien, mais non plus cette fois à son
origine, mais à son point extrême de développement, c'est-à-
dire à un point où il manifeste à la fois sa plus grande exubérance, voire sa plus grande intempérance, et aussi sa plus
haute organisation, en ce XIIe siècle si riche en explorations
en tous sens, dont le père Chenu nous a donné un tableau
magistral dans sa *Théologie au XIIe siècle*[1] (p. 159-210). Ce
symbolisme s'exprime à la fois dans la Queste du Graal, dans
les lapidaires et les bestiaires des porches et des chapiteaux,
dans l'exégèse allégorisante de l'Écriture, dans le rite et les
spéculations sur la liturgie et le sacrement, dans les méditations sur le *signum* augustinien et le *symbolon* dionysien, sur
l'*analogia* et l'*anagogé* qui en procèdent. Entre l'imagier de
pierre et toute la littérature des *Allegoria* et des *Dictinctiones*
(ces répertoires des architectures de sens, greffés sur les mots
et vocables de l'Écriture), il circule une unité d'intention qui
constitue ce que l'auteur appelle lui-même une « mentalité
symbolique » (chapitre VII), à l'origine de la « théologie symbolique » (chapitre VIII). Or qu'est-ce qui fait *tenir ensemble*
les aspects multiples et exubérants de cette mentalité ? Ces
gens du XIIe siècle « ne confondaient, dit l'auteur, ni les plans
ni les objets : mais ils bénéficiaient, à ces divers plans, d'un
dénominateur commun dans le jeu subtil des analogies, selon
le mystérieux rapport du monde physique et du monde
sacré » (*ibid.*, p. 160). Ce problème du « dénominateur commun » est inéluctable, si l'on considère qu'un symbole séparé
n'a pas de sens ; ou plutôt, un symbole séparé a trop de sens ;
la *polysémie* est sa loi : « Le feu réchauffe, éclaire, purifie,
brûle, régénère, consume ; il signifie aussi bien la concupiscence que le Saint-Esprit » (*ibid.*, p. 184). C'est dans une
économie d'ensemble que les valeurs différentielles se détachent et que la polysémie s'endigue. C'est à cette recherche
d'une « cohérence mystique de l'économie » (p. 181) que les
symbolistes du Moyen Âge se sont employés. Dans la nature,
tout est symbole, certes, mais, pour un homme du Moyen

---

1. Paris, Vrin, 1957.

Âge, la nature ne parle que révélée par une typologie historique, instituée dans la confrontation des deux Testaments.
Le « miroir » *(speculum)* de la nature ne devient « livre »
qu'au contact du Livre, c'est-à-dire d'une exégèse instituée
dans une communauté réglée. Ainsi le symbole ne symbolise
que dans une « économie », une *dispensatio*, un *ordo*. C'est à
cette condition que Hugues de Saint-Victor pouvait le définir
ainsi : *« Symbolum est collatio, id est coaptatio visibilium
formarum ad demonstrationem rei invisibili; proposita-
rum. »* Que cette « démonstration » soit incompatible avec
une logique des propositions, qui suppose des concepts définis (c'est-à-dire cerclés par un contour notionnel et univoque), donc des notions qui signifient quelque chose parce
qu'elles signifient *une* chose, cela n'est pas ici notre problème. Ce qui fait problème, c'est que c'est seulement dans
une économie d'ensemble que cette *collatio* et *coaptatio* peut
se comprendre elle-même comme rapport et prétendre au
rang de *demonstratio*. Je rejoins ici la thèse d'Edmond
Ortigues dans *Le Discours et le Symbole :* « Un même terme
peut être imaginaire si on le considère absolument, et symbolique si on le comprend comme valeur différentielle, corrélative d'autres termes qui le limitent réciproquement » (p. 194).
« Quand on se rapproche de l'imagination matérielle, la fonction différentielle diminue, on tend vers des équivalences ;
quand on se rapproche des éléments formateurs de la société,
la fonction différentielle augmente, on tend vers des valences
distinctives » (p. 197). À cet égard, le lapidaire et le bestiaire
du Moyen Âge sont tout près de l'image ; c'est bien pourquoi
ils rejoignent, par leur pôle imaginatif, un fonds indifférencié
d'imagerie, qui peut être aussi bien crétois qu'assyrien et qui
paraît tour à tour exubérant dans ses variations et stéréotypé
dans sa conception. Mais si ce lapidaire et ce bestiaire appartiennent à la même économie que l'exégèse allégorisante et
que la spéculation sur les signes et les symboles, c'est parce
que le potentiel illimité de signification des images est diffé-
rencié par ces exercices de langage que constitue précisément l'exégèse ; c'est alors une typologie de l'histoire, exercée dans le cadre de la communauté ecclésiale, en liaison
avec un culte, un rituel, etc., qui relaie la symbolique naturiste polymorphe et endigue ses folles proliférations. C'est en
interprétant des récits, en déchiffrant une *Heilsgeschichte*

que l'exégète prête à l'imagier un principe de choix dans les exubérances de l'imaginaire. Il faut dire alors que la symbolique ne réside pas dans tel ou tel symbole, encore moins dans leur répertoire abstrait ; ce répertoire sera toujours trop pauvre, car ce sont toujours les mêmes images qui reviennent, toujours trop riches, car chacune signifie en puissance toutes les autres ; la symbolique est plutôt entre les symboles, comme rapport et économie de leur mise en rapport. Ce régime de la symbolique n'est nulle part plus manifeste qu'en chrétienté, où le symbolisme naturel n'est à la fois délivré et ordonné que dans la lumière d'un Verbe, explicité que dans un Récitatif. Pas de symbolisme naturel ni d'allégorisme abstrait ou moralisant (celui-ci étant toujours la contrepartie de celui-là, non seulement sa revanche, mais son fruit, tant le symbole consume son assise physique, sensible, visible), sans typologie historique. La symbolique réside alors dans ce jeu réglé du symbolisme naturiste, de l'allégorisme abstrait et de la typologie historique : signes de la nature, figures des vertus, actes du Christ s'interprètent mutuellement dans cette dialectique, qui se poursuit en toute créature, du miroir et du Livre.

Ces considérations constituent l'exacte contrepartie des remarques précédentes : pas d'analyse structurale, disions-nous, sans intelligence herméneutique du transfert de sens (sans « métaphore », sans *translatio*), sans cette donation indirecte de sens qui institue le champ sémantique, à partir duquel peuvent être discernées des homologies structurales. Dans le langage de nos symbolistes médiévaux – langage issu d'Augustin et de Denys et approprié aux exigences d'un objet transcendant –, ce qui est premier, c'est la translation, le transfert du visible à l'invisible par le truchement d'une image empruntée aux réalités sensibles, ce qui est premier, c'est la constitution sémantique en forme de « semblable-dissemblable », à la racine des symboles ou des figuratifs. À partir de là peut être élaborée abstraitement une syntaxe des arrangements de signes à des niveaux multiples.

Mais, en retour, il n'y a pas non plus d'intelligence herméneutique sans le relais d'une économie, d'un ordre dans lesquels la symbolique signifie. Pris en eux-mêmes, les symboles sont menacés par leur oscillation entre l'empâtement dans l'imaginatif ou l'évaporation dans l'allégorisme ; leur richesse, leur exubérance, leur polysémie exposent les symbolistes naïfs à l'intempérance et à la complaisance. Ce que saint Augustin appelait déjà, dans le *De doctrina christiana*, « *verborum translatorum ambiguitates* » (Chenu, *op. cit.*, p. 171), ce que nous appelons tout simplement équivocité, au regard de l'exigence d'univocité de la pensée logique, fait que les symboles ne symbolisent que dans des ensembles qui limitent et articulent leurs significations.

Dès lors, la compréhension des structures n'est pas extérieure à une compréhension qui aurait pour tâche de *penser* à partir des symboles ; elle est aujourd'hui l'intermédiaire nécessaire entre la naïveté symbolique et l'intelligence herméneutique.

A.-J. Greimas

La grammaire narrative
de Greimas

(1980)

L'intérêt de la grammaire narrative de Greimas est de composer degré par degré les conditions de la narrativité à partir d'un modèle logique aussi peu complexe que possible et qui ne comporte initialement aucun caractère chronologique. La question est de savoir si, pour rejoindre la structure des récits effectivement produits par les traditions orales et écrites, les adjonctions successives auxquelles l'auteur procède pour enrichir son modèle initial tirent leurs capacités spécifiquement narratives du modèle initial ou bien de présuppositions extrinsèques. Le pari de Greimas est que, en dépit de ces adjonctions, l'équivalence est maintenue du début à la fin entre le modèle initial et la matrice terminale. C'est ce pari qu'il faut mettre à l'épreuve théoriquement et pratiquement. On le fera ici sur le plan théorique, c'est-à-dire en suivant l'auteur pas à pas dans la constitution de son modèle terminal, sans égard pour les exemples susceptibles de vérifier *a posteriori* la fécondité de la méthode.

La question de l'équivalence entre le modèle initial et la matrice terminale se laisse décomposer en plusieurs paliers, selon l'ordre même que suit l'auteur dans ses *Éléments d'une grammaire narrative* (in *Du sens. Essais sémiotiques*, Paris, Le Seuil, 1970).

On peut distinguer quatre paliers de narrativisation du modèle :

– premièrement, au niveau de ce que l'auteur appelle la grammaire fondamentale, lorsqu'il introduit pour la première fois la notion de « *narrativisation* » (p. 164), et cela à l'intérieur même de la grammaire fondamentale ;

– deuxièmement, dans le passage de la grammaire fondamentale à la « grammaire narrative de surface », lorsque l'auteur introduit la considération du « faire », puis celle du « vouloir faire » et du « pouvoir-faire », sur quoi s'établit la notion d'« *énoncé-narratif* » ;

– troisièmement, au cours du développement de la grammaire de surface, avec l'introduction d'un facteur *polémique*, qui conditionne la notion de *« performance »*, tenue pour « unité narrative » exemplaire ;

– quatrièmement, dans le développement encore de la grammaire de surface, lorsque la structure de l'échange fournit une représentation « topologique », c'est-à-dire une reformulation en termes de *transfert* d'un « lieu » à l'autre de toutes les opérations génératrices de narrativité : les *« suites performancielles »* ainsi obtenues procurent le répondant sémiotique de la structure narrative proprement dite.

La question est chaque fois de savoir si l'équivalence au modèle initial est maintenue, au sens où les degrés successifs de narrativisation se borneraient à déployer la force logique initiale du modèle, à l'expliquer, de façon à la manifester, au sens de rendre *apparente* la structure profonde.

La simple présentation du squelette de l'argument laisse apercevoir quelque chose de la rigueur et de la minutie des distinctions destinées à combler progressivement l'écart entre ce que l'auteur appelle les « instances fondamentales *ab quo* » et « les instances dernières *ad quem* »[1]. Le travail

---

1. « Pour ce faire, on doit concevoir la théorie sémiotique de façon telle qu'entre les instances fondamentales *ab quo*, où la substance sémantique reçoit ses premières articulations et se constitue en forme signifiante, et les instances dernières *ad quem*, où la signification se manifeste à travers de multiples langages, un vaste espace soit aménagé pour l'installation d'une *instance de médiation* où seraient situées des structures sémiotiques possédant un statut autonome – parmi lesquelles les structures narratives –, lieux où s'élaboreraient des articulations complémentaires de contenu et une sorte de grammaire, à la fois générale et fondamentale, présidant à l'instauration des discours articulés » (*Du sens*, p. 159-160). Un an plus tôt, Greimas écrivait dans « Les jeux des contraintes sémiotiques » (en collaboration avec François Rastier – article paru en anglais dans *Yale French Studies*, n° 41, intitulé : *Game, Play, Literature*, 1968, sous le titre « Interaction of Semiotic Constraints », repris dans *Du sens*, p. 135-155) : « Au moins par souci d'intelligibilité, on peut imaginer que l'esprit humain, pour aboutir à la construction des objets culturels (littéraires, mythiques, picturaux, etc.), part d'éléments simples et suit un parcours complexe, rencontrant sur son chemin aussi bien des contraintes qu'il a à subir que des choix qu'il lui est loisible d'opérer. Nous cherchons à donner une première idée de ce parcours » (*Du sens*, p. 135).

de pensée que nous allons jalonner est proprement un travail de *médiation*, dont il importe de saisir le progrès avant d'en évaluer la pertinence. On ne saurait donc être trop attentif à des distinctions aussi raffinées que celles : 1) de « narrativisation » (du modèle taxinomique) ; 2) d'« énoncé narratif » ; 3) d'« unité narrative » ou « performance » ; 4) de « suite performancielle ». Nous prendrons ces termes pour titres de nos quatre paliers de description et de discussion de la théorie.

AU NIVEAU DE LA GRAMMAIRE FONDAMENTALE : LE PREMIER PALLIER DE LA « NARRATIVISATION »

Rappelons la nature des *contraintes* auxquelles le modèle initial doit satisfaire : il doit d'abord être constitué à un niveau dit « immanent », c'est-à-dire antérieur à celui de sa « manifestation » dans une substance linguistique quelconque, ou même dans une substance non linguistique (peinture, cinéma, etc.) ; ensuite, il doit présenter un caractère d'emblée *discursif*, c'est-à-dire constitué d'unités plus vastes que l'énoncé (lequel est manifesté comme phrase). Ces deux contraintes définissent le niveau *sémiotique* de l'analyse. Il faut tout de suite remarquer que la deuxième contrainte introduit la condition minimale de la narrativité, à savoir qu'elle comporte d'emblée un trait de « composition » (pour parler comme Aristote) des phrases en discours, trait non dérivable de la constitution phrastique (c'est-à-dire finalement du rapport de prédication, comme c'est le cas, par exemple, dans la théorie de la métaphore [1]).

Le modèle initial doit donc présenter d'emblée un caractère articulé, s'il doit pouvoir être narrativisé. Le coup de génie – on peut bien le dire – est d'avoir cherché ce caractère déjà articulé dans une structure logique aussi simple que possible, à savoir la « structure élémentaire de la signification ».

Cette structure relève des conditions de la saisie du sens, de n'importe quel sens. Si quelque chose – quoi que ce soit – *signifie*, ce n'est pas parce qu'on aurait quelque intuition

---

1. « Autrement dit : la génération de la signification ne passe pas, d'abord, par la production des énoncés et leur combinaison en discours ; elle est relayée, dans son parcours, par les structures narratives et ce sont elles qui produisent le discours sensé articulé en énoncés » (*Du sens*, p. 159).

de ce que cela signifie, mais parce qu'on peut déployer de la façon suivante un système tout à fait élémentaire de relations : blanc signifie parce que je peux articuler entre elles trois relations : une relation de contradiction : blanc – non-blanc ; de contrariété : blanc – noir ; et de présupposition : non-blanc – noir. Nous sommes en possession du fameux *carré sémiotique*, dont la force logique est censée présider à tous les enrichissements ultérieurs du modèle. Pour comprendre la première narrativisation, celle qui survient à ce niveau dit fondamental, il importe de saisir la manière dont sémantique et syntaxe se conjoignent à ce niveau même. Le modèle constitutionnel est sémantique, dans la mesure où ce qu'il structure, c'est une signification. Plus précisément, « cette structure élémentaire de signification fournit un modèle sémiotique approprié pour rendre compte de l'articulation du sens à l'intérieur d'un micro-univers sémantique » (*Du sens*, p. 161). Par micro-univers sémantique, entendons la propriété d'un élément simple de signification – le « sème » – (ici : blanc) d'entrer dans le jeu de la triple relation qu'on vient de dire[1]. Cette structure élémentaire, dit l'auteur, « est en mesure de mettre le sens en état de signifier » (p. 162). Autrement dit, elle fait de l'unité de sens un micro-univers, c'est-à-dire un micro-système relationnel. Ce qui constitue est aussi ce qui organise. C'est aussi ce qui, ultérieurement, permettra de « manipuler » le sens, c'est-à-dire ce qui présidera à toutes les transformations qu'on va dire[2].

---

1. « Le modèle constitutionnel n'est, dès lors, que la structure élémentaire de la signification, utilisée, en tant que forme, pour l'articulation de la substance sémantique d'un micro-univers » (*Du sens*, p. 161).

2. Pour le lecteur des *Éléments…* la représentation du carré sémiotique sous sa forme purement morphologique, donc indépendamment des opérations qui introduisent le premier concept de narrativisation, paraît transparente. Il n'en va plus de même si on essaie de reconstituer les étapes de la constitution du modèle chez Greimas lui-même depuis *Sémantique structurale* (1966), en passant par *Les Jeux des contraintes sémiotiques* (1968). Les difficultés surmontées, dont la présentation en quelque sorte axiomatique de 1968 et de 1969 efface la trace, ne peuvent être restituées que si on compare le carré greimassien avec ses ancêtres logiques et linguistiques et si on mesure la distance qui le sépare de ses antécédents. Il est d'abord clair que le carré sémiotique n'a rien à voir avec le carré d'Aristote ou plutôt d'Apulée : d'abord, celui-ci concerne des propositions (notées A, E, I, O), alors que le niveau auquel opère Greimas est celui de l'analyse de la signification en sèmes, c'est-à-dire en unités qui sont aux lexèmes ce que les traits distinctifs sont aux phonèmes (c'est par ce premier trait que *Les*

Comment ce modèle constitutionnel va-t-il se narrativiser une première fois ?

Jeux… et les *Éléments…* enchaînent avec *Sémantique structurale*). Ensuite, les oppositions, dans le carré d'Apulée, reposent sur le choix de deux traits pertinents des propositions : la qualité (affirmation-négation), la quantité (universel-particulier). D'où le sens donné à la contradiction comme opposition complète entre universelle affirmative (A) et particulière négative (O), et entre particulière affirmative (I) et universelle négative (E), et à la contrariété comme opposition partielle entre universelle affirmative (I) et particulière négative (O). Chez Greimas, contradiction et contrariété ne se distinguent aucunement sur cette base, puisque s_1, non s_1, s_2, non s_2 sont, en tant que sèmes, des termes *simples*. Pour les mêmes raisons, le carré sémiotique ne dérive pas non plus de l'hexagone de Blanché. Certes, celui-ci concerne non des propositions, mais des prédicats appartenant à la même catégorie de pensée ; mais ces prédicats sont des termes lexicalisés, alors que chez Greimas la base de la construction est l'axe sémantique qui relie des sèmes. Quant au groupe de Piaget, application psychologique du groupe de Klein, il fonde la distinction entre contradiction et contrariété, comme le carré d'Apulée, sur le caractère double des termes en opposition (carré noir, carré blanc, rond noir, rond blanc). La contradiction est alors une inversion totale (carré noir *vs* rond blanc, rond noir *vs* carré blanc) et la contrariété une opposition partielle (carré noir *vs* carré blanc, etc.). De deux choses on peut donc dériver la relation : AB, A̅B, AB̅, A̅B̅. Outre que le groupe de Piaget opère avec des objets perçus lexicalisés, ses termes doubles ne conviennent pas à l'opposition sémique de Greimas. (Sur tout cela, cf. Frédéric Nef *et al.*, *Structures élémentaires de la signification*, Bruxelles, Complexe, 1976, en particulier p. 9-17, 20-21, 28-33, 49-55.) La véritable filiation du carré sémiotique est à chercher ailleurs. Il faut partir de la thèse saussurienne selon laquelle un signe se définit par sa différence d'avec les autres du même système, mais on abandonne le niveau saussurien du signe pour celui du sème. On rencontre alors l'épistémologie de la linguistique de Brøndal, le rôle de l'opposition dans la théorie du mythe chez Lévi-Strauss, et surtout — c'est là l'étape décisive — les oppositions binaires appliquées sur le plan phonologique par Jakobson aux traits distinctifs, donc à des entités de niveau sub-phonématique. Mais c'est aussi en restituant cette véritable filiation que l'on fait apparaître les difficultés effacées par les exposés didactiques de Greimas. En particulier, il est bien difficile de faire correspondre la contrariété et la contradiction selon Greimas avec l'une ou l'autre des oppositions binaires de Jakobson, en particulier celles auxquelles Greimas se réfère dans *La Mythologie comparée* (*Du sens*, p. 129) : à savoir a *vs* non a (marqué *vs* non marqué) et a *vs* – a, où – a est la négation de a. De leur côté, les équivalences ou plutôt les comparaisons proposées par F. Nef (*op. cit.*, p. 15) entre Greimas et Jakobson sont loin d'être convaincantes. A cet égard, l'*Entretien avec Greimas*, in F. Nef, *op. cit.*, p. 21, n'apporte aucune précision nouvelle. Que dire en effet de la contrariété entre s_1 et s_2 ? Elle oppose deux sèmes également positifs, et dont l'un n'est le contraire de l'autre que si on peut les opposer polairement comme les extrêmes d'une série graduée, par conséquent comme les qualités polaires d'une même catégorie (du type grave *vs* aigu ou blanc *vs* noir). Les conditions rigoureuses de cette opposition polaire entre sèmes seront-elles toujours respectées au cours des enrichissements successifs du modèle constitutionnel ?

En tant que sémantique – ou, ce qui est synonyme, du point de vue morphologique –, le modèle est rigoureusement achronique. C'est une taxinomie, c'est-à-dire un système de relations non orientées. L'interdéfinition de ses quatre pôles compose un réseau absolument *statique*. Mais on peut en donner une représentation *dynamique*. Il suffit de passer du point de vue morphologique au point de vue syntaxique, c'est-à-dire de traiter les *relations* constitutives du modèle taxinomique comme des *opérations*. La syntaxe n'est en effet pas autre chose que le règlement de ces opérations. Traiter des relations comme des opérations, c'est considérer la signification « comme une saisie ou comme la production du sens par le sujet » (p. 164).

Insistons ici : la sémantique est taxinomique, la syntaxe est opératoire. Ce qu'elle opère, ce sont des *transformations*. En disant cela, nous préparons l'introduction de la notion clef qui régira tous les enrichissements ultérieurs du modèle, celle d'un « faire syntaxique ». Mais, comme on le verra, il y a plus dans « faire » que dans « opération ». Toutefois, l'idée d'un sujet producteur de sens marque déjà la dynamisation du modèle constitutionnel qui en conditionne la narrativisation. Reformulées en termes d'opérations, nos trois relations de contradiction, de contrariété et de présupposition apparaissent comme des *transformations* par lesquelles un contenu est *nié* et un autre *affirmé*. Appelons « disjonction » la transformation par négation et « conjonction » la transformation par affirmation. Si l'on considère que ces transformations sont des opérations *orientées*, nous sommes en possession de la toute première condition de narrativité. Celle-ci n'est pas autre chose que la mise en mouvement du modèle taxinomique [1].

---

1. Dans *Les Jeux des contraintes sémiotiques*, la distinction entre relations et opérations, donc entre morphologie et syntaxe, n'est pas achevée : ainsi donne-t-on fréquemment aux relations le nom des opérations et parle-t-on d'emblée de disjonction et de conjonction pour caractériser les relations de contradiction aussi bien que de contrariété (*Du sens*, p. 137). Ce n'est plus le cas dans les *Éléments...* La rigueur exige désormais que l'on réserve à la morphologie les *relations* de contrariété, de contradiction et d'homologie, ainsi que la notion de *termes* contraires, contradictoires et homologues. Ce n'est que sur le plan syntaxique qu'on peut parler des *opérations* de négation/assertion (manifestant les termes contraires sur les *axes*), de négation/assertion (manifestant les termes contradictoires sur les *schémas*), d'implication/présupposition (manifestant les termes homologues sur les *deixis*). Pour ces précisions, cf. G. Combet, *in* F. Nef, *op. cit.*, p. 68-69.

Discussion

Arrêtons-nous ici pour faire le point critique, avant de faire le pas de la grammaire fondamentale à la grammaire narrative de surface. Trois questions se posent. La première concerne le principe même de la distinction entre grammaire fondamentale et grammaire narrative de surface. La deuxième concerne la consistance logique du modèle constitutionnel. La troisième, sa « narrativisation ».

1. Concernant le rapport général entre grammaire fondamentale (ou profonde) et grammaire de surface, on peut se demander si le rapport est bien celui de l'« immanent » (au sens d'antérieur à la manifestation) au « manifeste ». La réponse complète ne peut être donnée à ce stade initial de la discussion, dans la mesure où la question revient à demander si la grammaire superficielle n'est pas plus riche en relations et en opérations que la grammaire fondamentale. C'est bien la suite de l'argumentation qui en décidera. Mais, dans la mesure où la distinction entre structure immanente et manifestation met en jeu les rapports généraux du *sémiotique* et du *linguistique*, on peut se demander si la hiérarchie de ces deux niveaux ne met pas *a priori* en jeu des rapports d'un autre ordre, aperçus déjà par Saussure, à savoir que l'ordre linguistique soit à la fois un système sémiotique parmi les autres, et le cas paradigmatique sur lequel se laissent discerner les traits généraux du sémiotique en général. Preuve en est l'analyse même du modèle constitutionnel de Greimas, qui s'établit d'emblée sur le plan d'une analyse « sémique » (le schéma binaire s_1– non s_1). Je ne conteste pas le droit de lire le sémiotique *sur* le linguistique. Je conteste qu'on l'articule *avant* le linguistique. En ce sens, le sémiotique et le linguistique se précèdent réciproquement : le premier par sa généralité, le second par son exemplarité.

L'objection n'est pas mince en ce qui concerne la narrativité. Si, en effet, le sémiotique et le linguistique se précèdent réciproquement sous des points de vue différents, il peut se faire que parfois l'analyse sémiotique, opérant dans le milieu d'une intelligibilité narrative préalable, construise authentiquement *a priori* le carré sémiotique (ou les carrés sémiotiques) qui structure(nt) le texte. Dans ce cas, l'analyse sémiotique est dotée d'une véritable puissance heuristique et enseigne véritablement à lire le texte. Mais il peut aussi se faire que l'analyse sémiotique soit feinte, je veux dire que, guidée en sous-main par une intelligence narrative qui apporte ses propres critères, elle soit moins construite *a priori* que reconstruite après coup pour satisfaire aux règles du jeu sémiotique. Enfin – et c'est là, selon moi, le cas le plus fréquent, sinon la règle –, le modèle constitutionnel de niveau sémiotique et les critères propres de narrativité que la discussion ultérieure va faire apparaître peuvent se composer dans une intelligence *mixte*, qui reflète exactement le rapport complexe selon lequel le sémiotique et le linguistique se précèdent mutuellement sous des points de vue différents.

2. Concernant la consistance logique du modèle constitutionnel, la *contrainte* qu'il introduit dans l'analyse sémiotique, et à plus forte raison dans l'analyse linguistique ultérieure, est peut-être celle d'un modèle trop fort pour ce qui doit ensuite être codifié par lui et, comme il arrive d'ailleurs bien souvent dans l'interprétation dans un domaine donné des modèles construits *a priori*, certaines de ces exigences doivent-elles être affaiblies pour bien fonctionner dans ces domaines.

On remarquera d'abord que tout repose sur une analyse sémique[1] qui, certes, présente des caractères de discursivité, au sens d'articulation, susceptibles d'être narrativisés, mais qui ne s'établit pas au niveau transphrastique annoncé. L'analyse ne débute pas au-delà de l'énoncé, mais en deçà, au niveau d'une sémantique fondamentale. En ce sens, le modèle n'est pas discursif au sens où le discours est une unité plus vaste que l'énoncé. Il faut donc présupposer une constitution

---

1. Je ne reviens pas sur la remarque que sémiotique et linguistique sont dans un rapport réciproque. Greimas a raison de dire que sa sémiotique s'appuie sur « une sémantique fondamentale différente de la sémantique de la manifestation en linguistique » (p. 160). Il reste que c'est dans le milieu de celle-ci qu'elle se construit effectivement. Aussi bien Greimas caractérise-t-il comme « universaux du *langage* » (p. 162) les catégories nécessaires à la formalisation de la structure élémentaire de la signification. Le *linguistique* est ici le paradigme du sémiotique.

homologique des structures infra- et supra-phrastiques, qui n'est pas thématisée ici[1].

On remarquera en outre que l'analyse sémique doit être préalablement sinon achevée, du moins conduite jusqu'au point où elle permet un « inventaire limité de catégories sémiques » (p. 161), comme dans l'exemple blanc *vs* noir. Exigence rarement satisfaite.

Mais, surtout, on observera que le modèle taxinomique n'a une signification proprement logique que s'il reste un modèle fort. Entendons : les trois relations de contradiction, de contrariété et de présupposition ne sont telles que si la contradiction ne signifie pas plus que le rapport entre s_1 et non s_1 ; si la contrariété entre s_1 et s_2 constitue véritablement une catégorie sémique binaire du type blanc *vs* noir, c'est-à-dire dans le cadre précis d'une opposition polaire entre sèmes de même catégorie ; enfin, si la présupposition de non s_1 par s_2 est véritablement précédée par deux rapports de contradiction et de contrariété au sens rigoureux qu'on vient de dire. Or on peut douter que ces trois exigences soient satisfaites en leur rigueur dans le domaine de la narrativité. Si elles l'étaient, toutes les opérations ultérieures devraient être « prévisibles et calculables » (p. 166). Mais alors il ne se passerait rien. Il n'y aurait pas d'événement. Il n'y aurait pas de surprise. Il n'y aurait rien à raconter. On peut présumer que la grammaire de surface aura le plus souvent affaire à des quasi-contradictions, des quasi-contrariétés, des quasi-présuppositions voire à des pseudo-contradictions, des pseudo-contrariétés, des pseudo-présuppositions. On le verra, bien des « schémas » (l'auteur appelle ainsi le couple construit sur la contradiction) sont seulement analogues à des contradictions. Bien des « corrélations » entre deux schémas sont des contrariétés faibles (c'est-à-dire non soutenues par une analyse sémique et non gagées par une catégorie sémique binaire du type blanc *vs* noir). Enfin – et surtout –, le point crucial du bon fonctionnement du modèle constitutionnel concerne la sorte de contrainte que comporte la relation de présupposition qui

---

1. La postulation de cette homologie est caractéristique du structuralisme comme le dit clairement Roland Barthes dans son « Introduction à l'analyse structurale des récits », *Communications*, 8, 1966, p. 3-4, repris *in* R. Barthes *et al.*, *Poétique du récit*, Paris, Le Seuil, 1977, p. 10-13.

conjoint non s_1 à s_2 et qui régit les *deixis*. Cette contrainte est entièrement dépendante de la force des deux autres relations de contrariété et de contradiction. C'est donc seulement là où ces trois contraintes ne sont pas affaiblies qu'on a le droit de parler de l'« unité de sens » du modèle à quatre termes et de l'isotopie du micro-univers sémantique articulé par le modèle constitutionnel. Là où ces trois relations sont trop faibles, trop analogiques, voire simplement feintes, la relation de présupposition ne tient plus. L'unité de sens se disperse et l'isotopie vacille. C'est peut-être alors que la *nouveauté* concerne les manipulations du modèle constitutionnel.

3. Qu'en est-il de la « narrativisation » du modèle taxinomique, assurée par le passage de la notion de relation à celle d'opération ? C'est assurément le tournant décisif à l'intérieur même de la grammaire profonde.

À première vue – et si on lit les *Éléments...* à la lumière des *Contraintes...*, le primat appartient à la morphologie dans une lecture franchement paradigmatique. L'accent principal ne porte pas alors sur la différence entre relations et transformations, mais sur le fait que le modèle constitutionnel comporte déjà un caractère discursif – ou du moins articulé. Chaque signification constituant un micro-univers relationnel, la reformulation en termes d'opérations paraît n'être qu'un corollaire de cette constitution en réseau de la signification. L'équivalence entre relations et opérations est sauve, mais on ne comprend pas comment un modèle achronique peut contenir les conditions de la narrativisation. Suffit-il que des relations soient interprétées comme des *opérations*, que ces opérations soient *orientées*[1] et forment des *séries* pour qu'on puisse parler de narrativisation ? Bien plus, toute l'entreprise est suspecte de méconnaître dès le départ la dimension narrative du discours.

Pour une lecture plus attentive au déplacement d'accent

---

1. On notera les hésitations de Greimas concernant la relation d'implication : « Si l'existence de ce type de relation paraît indiscutable, le problème de son orientation ($s_1 \rightarrow$ non s_2 ou non $s_2 \rightarrow s_1$) n'est pas encore tranché. On s'abstiendra d'en parler, sa solution n'étant pas exigée par la suite de la démonstration » (*Du sens*, p. 137, note 1). Cf. sur ce point F. Nef, *op. cit.*, p. 15 ; G. Combet, *in* Nef, p. 68-69.

survenu entre les *Contraintes...* et les *Éléments...* (que l'auteur lui-même atteste [1], le passage de l'idée de relation à celle d'opération implique une véritable adjonction au modèle taxinomique qui en change véritablement la nature et le chronologise authentiquement. Cette adjonction est marquée dans le texte des *Éléments...* par la notion de « production de sens par le sujet » (p. 164). *Quel sujet?* *Si* ce n'est pas encore l'actant de la grammaire superficielle, c'est déjà le sujet d'un faire, du faire syntaxique qui assurera précisément la transition au faire en général, noyau de toutes les significations anthropomorphes du récit. Il y a donc là plus qu'une reformulation, mais l'introduction sur un pied d'égalité d'un facteur syntagmatique à côté du facteur paradigmatique. C'est en effet une opération qui porte « sur des termes déjà établis » (p. 164), donc sur des « termes à valeurs déjà investies » (p. 164). Là où on a déjà une relation de contradiction, on opère sur un des deux termes pour le nier. On le transforme dans son contradictoire qu'on affirme. C'est cette transformation de contenus investis dans d'autres contenus qui constitue la narrativisation. Il y a donc une initiative syntaxique par rapport au simple modèle taxinomique. Mais alors la notion d'équivalence perd son sens de relation réciproque dans le passage de la morphologie à la syntaxe [2]. Elle perd même son sens rigoureux de relation isotope, quoique

---

1. Dans l'« Entretien avec Greimas sur les structures élémentaires de la signification », il apparaît qu'aux yeux de l'auteur lui-même l'accent doit être mis sur les opérations plutôt que sur les relations, ou sur les relations en vue des opérations : « Par rapport aux *Contraintes...* qui ne s'occupent que des états narratifs, les *Éléments...* prétendent expliciter les *opérations* donnant lieu à des narrativisations » (*in Nef, op. cit.*, p. 22). Le carré taxinomique « peut donc être conçu comme le lieu où s'exerce la contra-diction, c'est-à-dire le dire négateur d'un terme faisant surgir son "contradictoire" » (p. 22). Dans l'interprétation syntaxique, par conséquent, la question dominante est « de se représenter comment la signification est *produite* par une série d'opérations créatrices de positions différenciées » (p. 22). Dès lors le phénomène de narrativisation peut être conçu « comme une suite d'opérations logiques orientées s'exerçant dans le cadre prévu par le carré sémiotique » (p. 22).
2. Le point critique, du point de vue des opérations, reste celui de la relation de présupposition « L'opération de contradiction qui, en niant, par exemple, le terme s_1, pose en même temps le terme non s_1, doit être suivie d'une nouvelle opération de présupposition faisant surgir et conjoignant au terme non s_1 le nouveau terme s_2 » (p. 165). L'opération peut-elle être à la fois « prévisible », donc « calculable » (p. 166) et « nouvelle » ?

non isomorphe : car, en quoi une relation stable et sa transformation sont-elles équivalentes, si c'est l'orientation qui est pertinente[1] ? Allant plus loin, on peut se demander si la construction du modèle taxinomique n'a pas été guidée par l'idée des transformations à faire paraître sur ses termes. Cette question, on le verra, se posera à tous les niveaux : la finalité d'une opération n'est-elle pas dans l'opération suivante et finalement dans l'idée achevée de narrativité ? Et si

---

1. Les commentateurs rassemblés autour de Frédéric Nef suggèrent qu'en mettant ainsi l'accent principal sur les opérations de transformation, Greimas creuse un peu plus l'écart initial entre opposition logique et carré sémiotique. Ainsi, A. de Libéra (« Sur la sémiotique d'Aristote ») commence par accorder que le carré d'Apulée était déjà plus qu'un simple dispositif pédagogique dans la mesure où il engendrait un ensemble d'opérations permises (ainsi, pour les couples de contradiction : qui réfute E démontre I, etc. ; pour les contraires : qui prouve A détruit E, mais qui détruit A ne prouve pas E, etc.) ; mais c'est pour nier que le carré apuléen ait quelque productivité que ce soit (p. 41). Allant plus loin, le commentateur dénie à une pensée fondée sur la disjonction la vertu d'ouverture d'un *a priori* fondateur : « La disjonction, dit-il, est l'opérateur de stabilisation des formes nécessaires à toute ontologie comme à toute pensée idéaliste » (p. 47), « la disjonction logique portée par le verbe être est le dehors inaugural et toujours refoulant de toute dialectique » (p. 48). Tournant le dos à Aristote, faut-il s'adresser à Hegel pour donner sens à une opposition productive ? C'est cette suggestion qui est reprise par A. de Libéra à l'occasion d'une comparaison entre Jakobson et Greimas. Il faut, est-il dit, distinguer radicalement carré logique et carré sémiotique : « Il n'y a pas [en effet] contradiction à inscrire en même temps s_1 et $\div s_1$. Ils ne sont pas de même niveau. S_1 est un terme (sème), $- s_1$ est une opération sur un terme (s_1), ou encore : la négation illocutionnaire de ce terme » (p. 53). Et un peu plus loin : « En fait chez Greimas (comme chez Lévi-Strauss) contradiction doit s'entendre au sens *hégélien* » (p. 53). À la suite d'Utaker (« On Binary Opposition »), le carré sémiotique est interprété comme double jeu de l'opposition qualitative et de l'opposition privative : « On peut ainsi considérer le carré logique comme une machine logique à produire des oppositions privatives à partir d'oppositions qualitatives. La productivité du carré en fait un modèle ouvert, une structure d'engendrement : tout terme complexe ou neutre d'un carré quelconque pouvant être pris à un autre niveau comme terme simple générant un nouveau carré sémiotique. C'est là que réside son applicabilité même : mythes, contes, etc., et, d'une manière générale, tout domaine où une opposition est « niée » par production d'une nouvelle opposition qui à la fois paraît reproduire et ne pas reproduire l'original » (p. 55). Dans la même ligne, le petit livre de F. Nef contient diverses tentatives pour engendrer un carré sémiotique à partir d'un autre et ainsi complexifier le modèle dans une chaîne de « carréifications ». (G. Combet, *in* F. Nef, p. 67-72). Dans l'*Entretien...* déjà cité, Greimas marque son intérêt pour cette tentative qui accentue les aspects logiques et déductifs de la sémiotique (F. Nef, *op. cit.*, p. 22-24). Mais cette logique est-elle aristotélicienne, hégélienne, ou... autre ?

le modèle taxinomique a été construit en vue des opérations syntaxiques qui s'y greffent, n'est-il pas vrai que ces opérations à leur tour ne deviennent des conditions de narrativité que rétrospectivement, à partir de leur usage dans la grammaire narrative de surface – en composition, par conséquent, avec des traits qui n'apparaissent qu'avec les spécifications caractéristiques de la grammaire de surface ?

Pour ma part, j'incline à penser que, du début à la fin, l'entreprise obéit à une double postulation : dans une démarche progressive, étendre à tous les niveaux de narrativisation la force logique du modèle taxinomique initial, de manière à élever la sémiotique au rang d'une science déductive ; d'autre part, constituer par une démarche régressive l'échelle des conditions de narrativité à la lumière du terme final, à savoir l'idée achevée de la narrativité. Pour satisfaire à la première exigence, toutes les adjonctions doivent apparaître comme des transformations équivalentes entre méta-langages isotopes (*Du sens*, p. 167). Pour satisfaire à la seconde, de nouvelles spécifications doivent être introduites à chaque étape pour enrichir le modèle initial en vue de son usage narratif terminal. Le progrès d'un niveau à l'autre perd alors tout caractère déductif. Le jeu complexe de ces deux exigences donne à l'ensemble de l'entreprise le caractère ambigu d'une réduction du narratif au logique ou d'un dépassement du logique dans le narratif. Ce caractère ambigu se laisse voir dès le premier palier, où la narrativisation paraît l'objet d'une reconnaissance réticente, mi-déniée, mi-avouée.

DE LA GRAMMAIRE FONDAMENTALE
À LA GRAMMAIRE NARRATIVE DE SURFACE :
L'ÉNONCÉ NARRATIF

Le changement de niveau grammatical décisif est celui qui conduit du niveau « fondamental » à un niveau que Greimas appelle de « surface », bien qu'il soit encore à ses yeux intermédiaire entre le plan franchement conceptuel considéré jusqu'à présent et le plan franchement « figuratif », celui où des acteurs accompliraient des tâches, subiraient des épreuves, atteindraient des buts. Autant la discontinuité entre profondeur et surface est facile à caractériser, autant la différence entre le plan superficiel et le plan figuratif est subtile. Le plan où nous allons nous situer est encore en effet, comme le précédent, celui d'un méta-langage par rapport au langage figuratif. Réservons pour la discussion la question du « figuratif ».

Le trait caractéristique de ce niveau est la représentation *anthropomorphe* des opérations décrites auparavant. Qui dit anthropomorphe dit interprétation de la notion d'opération en termes de « faire ». Disons que « le faire est une opération spécifiée par l'adjonction du classème humain » (p. 167). Les opérations syntaxiques de l'affirmer et du nier par conjonction et disjonction se récrivent donc comme faire syntaxique. À ce faire, qui est syntaxique parce que les opérations reformulées étaient elles-mêmes syntaxiques, Greimas annexe tout le faire de l'action humaine, dans la mesure où, en sémiotique, tout le faire, qu'il soit « agir » (Pierre sort) ou « faire parlé » (Pierre raconte), n'entre en jeu que transcodé en message, c'est-à-dire en objet de communication circulant entre un destinateur et un destinataire. C'est ainsi que la notion de faire syntaxique, équivalente à celle d'opération (elle-même équivalente à celle de relation), fournit la médiation requise pour engendrer la sorte d'énoncé qui autorise à caractériser la grammaire de surface comme grammaire narrative. Cet énoncé est l'*énoncé narratif*. Il énonce un procès qui articule une fonction, au sens de Propp, et un actant. On écrira EN = F(A). « On dira donc que toute opération de la grammaire fondamentale peut être convertie en un énoncé narratif dont la forme canonique minimale est F(A) » (p. 168).

Comme on voit, l'équivalence qui est l'enjeu de toute l'entreprise de fondation repose sur l'homogénéité entre opération syntaxique et faire syntaxique, d'une part, et entre faire syntaxique et énoncé quelconque sur le faire d'un actant, d'autre part.

Cette isotopie sans isomorphisme (p. 167) une fois admise, la théorie de l'énoncé narratif se déroule de façon remarquable. L'auteur dédouble de façon tout à fait heureuse les énoncés narratifs en énoncés qui décrivent un faire effectif et ceux qui décrivent un vouloir faire. Si l'on considère que l'énoncé complet du vouloir faire est de la forme : X veut que Y fasse, on voit que ce vouloir faire, formulé dans la partie gauche de l'énoncé complet, *modalise* l'énoncé narratif qui, à son tour, devient l'objet du vouloir. Il le modalise en ce sens qu'il le rend éventuel, donc lui fait parcourir la suite des modalités du possible, du réel et du nécessaire. On appellera donc énoncés modaux – pour les distinguer des énoncés narratifs simples, qu'on appellera désormais énoncés descriptifs – les énoncés de la forme vouloir faire et ceux de même forme qu'on dira plus loin. L'introduction du *vouloir* constitue en effet la première d'une série de « restrictions sémantiques déterminées » (p. 168) qui spécifient les actants comme des sujets, c'est-à-dire des opérateurs éventuels du faire. L'énoncé narratif est lui-même spécifié comme un programme qu'un sujet veut réaliser. On appellera d'une façon générale programme l'énoncé modal complet de la forme :

(1) « X veut que Y fasse ».

Greimas construit ensuite la série des énoncés modaux de même forme. D'abord :

(2) « X veut que X fasse »,

où un même acteur est celui qui veut et qui fait. Puis :

(3) « X veut avoir… »,

(4) « X veut être… »,

dans lesquels l'objet du vouloir est une attribution d'objets ou une attribution de valeurs. On parlera d'énoncés attributifs (qui joueront un rôle charnière dans la dernière phase de la constitution du modèle complet) à propos des énoncés du type (3) et (4). Reste à ajouter les énoncés modaux de la forme :

(5) « X veut savoir (faire) »,

(6) « X veut pouvoir (faire) »,

dans lesquels l'énoncé modal se redouble en vouloir savoir et vouloir pouvoir. Au terme de cette remarquable reconstruction de la typologie des énoncés descriptifs et modaux, l'auteur pense avoir préservé l'équivalence entre les unités élémentaires de la grammaire superficielle et celles de la grammaire fondamentale (p. 172).

Discussion

La discussion de ce deuxième segment de la reconstruction sémiotique de la narrativité suivra le même ordre que la discussion du premier segment.

1. La question générale des rapports entre grammaire fondamentale et grammaire de surface peut être reprise avec plus de précision. Le niveau logique précède-t-il purement et simplement le niveau anthropomorphe ? Dans l'ordre de l'exposition certainement, puisqu'il faut introduire des déterminations qui « spécifient », qui « transcrivent de manière plus complexe » les opérations de la grammaire fondamentale. Mais en est-il de même dans l'ordre de la découverte ? C'est le plan anthropomorphe qui, à mon avis, apporte avec lui toutes les significations du faire. Toutes ces significations relèvent de ce que j'appelle pour ma part la *sémantique de l'action.* Nous savons déjà, d'un savoir immanent au faire lui-même, que le faire est l'objet d'énoncés dont la structure diffère essentiellement de celle des énoncés prédicatifs de la forme « S est p », comme des énoncés relationnels de la forme « X est entre Y et Z ». Cette structure des énoncés descriptifs de l'action a fait l'objet de travaux précis en philosophie analytique, dont je rends compte dans *La Sémantique de l'action* (je renvoie en particulier aux travaux de A. Kenny[1]). Un caractère remarquable de ces énoncés est de comporter une *structure ouverte* allant de « Socrate parle… » à « Brutus tua César aux ides de mars dans le Sénat romain avec un poignard… ».

C'est cette sémantique de l'action qui est en fait *présupposée* dans la théorie de l'énoncé narratif. Faire est ici substituable à tous les verbes d'action (comme *doing* en anglais) et vaut pour eux dans la forme canonique EN = F(A).

Je précise donc la suggestion introduite plus haut, selon laquelle les rapports entre le sémiotique et le linguistique sont des rapports de préséance mutuelle. Le carré sémiotique apporte son réseau de termes inter-définis et son système de contradiction, de contrariété et de présupposition. La sémantique de l'action apporte les significations majeures du faire et la structure spécifique des énoncés qui se réfèrent à l'action. En ce sens, la grammaire de surface est une grammaire mixte : sémiotique-praxique.

Nulle part la spécificité de la sémantique de l'action n'est plus évidente que dans le passage des énoncés sur le faire

---

1. Anthony Kenny, *Action, Emotion and Will*, Londres, Routledge and Kegan Paul, 1963. Sur la philosophie analytique de l'action, cf. P. Ricœur, *Sémantique de l'action*, CNRS, 1977, p. 3-137.

aux énoncés sur le pouvoir faire. D'où sait-on en effet que le vouloir faire rend le faire éventuel ? rien du carré sémiotique ne nous permet de le soupçonner. Au reste, la typologie du vouloir faire, du vouloir être, du vouloir avoir, du vouloir savoir et du pouvoir vouloir est excellente. Mais elle relève, au point de vue linguistique, d'une grammaire tout à fait spécifique que la philosophie analytique a élaborée avec le plus grand raffinement sous le nom de logique intensionnelle[1]. Mais si une grammaire originale est requise pour mettre en forme logique le rapport des énoncés modaux en « vouloir que... » avec les énoncés descriptifs du faire, c'est la phénoménologie implicite à la sémantique de l'action qui donne sens à la déclaration de Greimas que « les énoncés modaux ayant le vouloir pour fonction instaurent le sujet comme une virtualité du faire, tandis que les deux autres énoncés modaux, caractérisés par les modalités du savoir et du pouvoir, déterminent ce faire éventuel de deux manières différentes : comme un faire issu du savoir ou se fondant uniquement sur le pouvoir » (p. 175). Aussi bien cette phénoménologie implicite est-elle portée au jour dès lors qu'« on peut interpréter l'énoncé modal comme "le désir de réalisation" d'un programme qui est présent sous forme d'énoncé descriptif et fait en même temps partie, en tant qu'objet, de l'énoncé modal » (p. 169). On dira que, en parlant en termes de « désir », nous avons déjà glissé du plan anthropomorphe au plan figuratif (d'où les guillemets qui entourent « désir de réalisation »). Mais ces deux plans peuvent-ils se distinguer dans les énoncés modaux[2] ? Un énoncé à deux actants reliant un sujet virtuel et un objet qui est lui-même un faire peut-il énoncer autre chose qu'un désir ? L'auteur se donne à lui-même un démenti lorsqu'il reprend le terme de désir (sans guillemets, cette fois) pour rendre compte de la structure des énoncés modaux : « L'axe du désir qui réunit [les deux actants : le sujet et l'objet] autorise, à son tour, de les interpréter sémantiquement comme un virtuel *sujet performateur* et

---

1. Hintikka, Kripke, Kaplan.
2. Greimas propose l'exemple suivant d'un vouloir qui serait anthropomorphe sans être figuratif : « Cette règle exige que... » (p. 168). L'exemple, me semble-t-il, ne vaut pas, car la règle ne peut précisément fonctionner comme un sujet virtuel d'une action éventuelle. L'obligation par la règle est d'un autre statut que le vouloir.

un *objet institué en valeur* » (p. 171). Aussi bien, si le niveau figuratif est celui « où des acteurs humains ou personnifiés accompliraient des tâches, subiraient des épreuves, atteindraient des buts » (p. 166), on peut se demander si le plan anthropomorphe, en tant qu'il comporte des énoncés sur le vouloir faire, le pouvoir faire, le savoir faire, donc le « désir de réalisation » d'un programme, peut se définir sans tâches, épreuves et buts. Ici encore, les significations apportées par la sémantique de l'action précèdent le carré sémiotique, même si celui-ci, par sa simplicité logique, précède la complexité des catégories de la grammaire superficielle.

2. Nous pouvons passer au deuxième point et demander ce qu'il en est de l'équivalence des deux métalangages, d'ordre conceptuel et d'ordre anthropomorphe. Cette équivalence, on l'a vu dans l'exposé ci-dessus, est assurée par la notion de faire syntaxique, homogène à la fois aux opérations syntaxiques et au faire ordinaire transcodé en message. Je crains qu'il n'y ait ici dans le raisonnement un certain paralogisme[1]. Faire syntaxique ne peut désigner que les opérations de disjonction et de conjonction qui engendrent des négations et des affirmations sur le carré sémiotique. On ne peut appeler sans équivoque faire syntaxique le faire ordinaire transcodé en message. L'opération de transcodage qui transforme le faire en message objet dans une relation de communication n'empêche pas l'énoncé descriptif de décrire précisément un faire qui n'est pas l'équivalent d'une opération syntaxique, mais le terme formel substitué à tous les termes d'action. C'est pourquoi l'énoncé d'un faire ne peut pas être équivalent au faire syntaxique qui reformule les opérations syntaxiques en langage anthropomorphe. C'est au contraire parce que les énoncés du faire sont spécifiques qu'on dit quelque chose de nouveau quand on reformule les opérations logiques comme faire syntaxique. Même dans l'expression faire syntaxique on emprunte à la sémantique de l'action[2].

---

1. Le paralogisme est celui-ci : « Les énoncés narratifs sont des énoncés syntaxiques, c'est-à-dire indépendants du contenu qui peut être investi dans tel ou tel faire » (p. 168). Substituer faire à tous les verbes d'action n'est pas transformer ceux-ci en faire syntaxique.
2. On pouvait le prévoir : déjà au niveau fondamental, la narrativisation virtuelle consistait en ce que la représentation dynamique du carré sémio-

Ce qui peut masquer le paralogisme, c'est le fait que le faire transcodé en message développe une syntaxe propre (prédicat à deux arguments, grammaire spécifique des temps verbaux, structure ouverte de l'énoncé, etc.). Mais la syntaxe du faire, qu'étudie la praxéologie, et celle du vouloir, du pouvoir, du savoir faire qu'étudie la logique intensionnelle ne dérivent pas du faire syntaxique au sens rigoureux qu'on vient de rappeler.

Il est donc bien difficile de retrouver une équivalence entre les structures déployées par la sémantique de l'action et les opérations impliquées par le carré sémiotique. Il est vrai que l'énoncé narratif simple est encore une abstraction à l'intérieur de la grammaire superficielle, dans la mesure où l'on n'a pas encore introduit le rapport polémique entre programmes contradictoires. Seul ce rapport engendre des séries qui se laissent comparer à la série syntaxique des opérations sur le modèle taxinomique. C'est pourquoi il faut reporter la discussion complète de l'isotopie entre les deux métalangages au troisième stade de la constitution du modèle complet. Dans la mesure toutefois où l'auteur lui-même allègue cette isotopie au niveau du faire syntaxique, il faut bien opposer à cette allégation la discontinuité introduite par le faire et sa syntaxe propre entre le plan logique et le plan anthropomorphe.

3. La remarque précédente sur le caractère abstrait de l'énoncé narratif par rapport à la suite narrative dont on parlera plus loin nous conduit à une troisième observation. Elle concerne précisément la qualification narrative de l'énoncé descriptif (X fait A) et de l'énoncé modal (X veut faire A). La considération du faire et plus encore celle du vouloir faire et des autres modalités parentes nous rapprochent sans aucun doute de façon décisive de l'ordre du récit. Toutefois, je n'appellerai pas narratifs des énoncés de ces deux types. Ce qu'il leur manque pour être narratifs, c'est d'être articulés dans une suite d'énoncés de même sorte composant ensemble une intrigue, avec un début, un milieu et une fin. J'appellerai énoncé d'action plutôt qu'énoncé narratif de tels énoncés

---

tique était considérée comme « une saisie ou comme la production du sens par le sujet » (p. 164).

simples. Je m'appuierai ici sur la définition des « phrases narratives » par Arthur Danto[1]. Greimas accorderait sans doute cette restriction, puisqu'il a posé dès le début comme critère du plan autonome des structures narratives que celles-ci contiennent des unités de sens plus longues que le simple énoncé.

Au terme de ces deux premières étapes, le résultat est celui-ci : 1) nous avons mis en place deux conditions de narrativité, mais non encore la narrativité elle-même ; 2) ces deux conditions sont irréductibles l'une à l'autre : l'une est d'ordre logique, l'autre, d'ordre praxique ; 3) la condition praxique met en jeu une sémantique de l'action et celle-ci une syntaxe, dont l'intelligibilité est elle-même mixte : phénoménologique et linguistique.

DE L'ÉNONCÉ NARRATIF À L'UNITÉ NARRATIVE : LA « PERFORMANCE »

En introduisant des rapports d'affrontement et de lutte, donc en donnant une représentation polémique de l'ensemble du schéma, nous donnons leur véritable équivalent anthropomorphe aux relations du carré sémiotique. Mais, plus précisément – et ceci importera à la discussion –, c'est de la contradiction que l'affrontement entre un sujet S_1 et un anti-sujet S_2 donne une représentation anthropomorphe par excellence. Toutefois, c'est la suite des transformations de contenus, le long des axes de contrariété et de présupposition, qui donnent ensuite naissance à la chaîne d'énoncés narratifs qui, pris ensemble, constituent les unités narratives. Selon cette nouvelle reformulation, la négation s'énonce comme *domination* et l'assertion comme *attribution* (attribution d'un objet-valeur selon l'énoncé modal en vouloir être ou vouloir avoir).

On obtient ainsi une suite syntagmatique de la forme : confrontation (EN_1), domination (EN_2), attribution (EN_3). Cette suite constitue une unité de caractère syntaxique que l'on décide d'appeler *performance*. Et comme les énoncés

---

1. A. Danto, *Analytical Philosophy of Action*, Cambridge University Press, 1973.

narratifs peuvent être de deux sortes, selon qu'ils portent sur le faire ou sur le vouloir faire (ainsi que sur les autres modalités du faire), on aura donc des performances non seulement du faire, mais du vouloir faire, du savoir faire (manifesté comme ruse et tromperie) et du pouvoir faire (manifesté comme puissance réelle ou magique).

Pour la discussion de l'équivalence entre les deux métalangages, il est tout à fait important de souligner le caractère complexe et articulé de ce qui, par rapport aux suites performantielles (voir plus loin), apparaît comme « unité narrative ». Ce qui est appelé ici unité narrative, il faut y insister, n'est pas la même chose que l'énoncé narratif simple. C'est en effet une unité syntaxique au sens de suite syntagmatique unifiée. C'est elle qui se superpose proprement sur le jeu des relations taxinomiques et sur le jeu d'opérations de disjonction et de conjonction[1].

C'est pourquoi c'est sur la constitution complexe de la performance, beaucoup plus que sur l'énoncé narratif simple, qu'on doit pouvoir lire l'*équivalence* entre grammaire profonde et grammaire superficielle. Greimas voit jouer cette équivalence entre l'orientation des relations du schéma taxinomique et la relation d'implication par laquelle EN_3 (attribution) implique EN_2 (domination) qui implique EN_1 (confrontation) : « À cette différence près toutefois, doit-il ajouter, que si l'orientation suit l'ordre des énoncés $EN_1 \rightarrow EN_2 \rightarrow EN_3$, l'implication, elle, est orientée en sens inverse » (p. 174). Grâce à l'équivalence entre orientation et implication, on peut dire que l'énoncé narratif terminal de la performance – l'attribution – est « l'équivalent, sur le plan superficiel, de l'assertion logique de la grammaire fondamentale » (p. 175).

Discussion

1. La discussion ne s'attardera pas sur le rapport général entre grammaire fondamentale et grammaire superficielle : la performance dérivant de l'énoncé narratif, toute la séman-

---

1. Le résultat est « la construction d'une unité narrative particulière, la performance : du fait qu'elle constitue le schéma opératoire de la transformation des contenus, c'est probablement l'unité la plus caractéristique de la syntaxe narrative » (*Du sens*, p. 173).

tique de l'action, tant au niveau du faire que du vouloir faire, du savoir faire et du pouvoir faire, s'y trouve résumée. Toutefois, un argument complémentaire apparaît avec la représentation *polémique* des rapports logiques. Cette représentation apporte avec elle de nouveaux traits qui, avant d'avoir une signification logique (d'ailleurs discutable, comme on va le voir) du type contradiction ou contrariété, ont une signification praxique autonome. La confrontation et la lutte sont des figures de l'orientation de l'action vers autrui, c'est-à-dire d'un trait signifiant que Max Weber place en tête des catégories constitutives de sa sociologie compréhensive[1]. La lutte (*Kampf*) est une spécification de l'orientation vers autrui qui intervient plus tard dans la constitution progressive de sa sémantique de l'action sociale[2].

Dans la mesure où la performance, selon Greimas, complète l'idée de programme par celle de polémique, il faut dire que la performance, dans laquelle l'auteur voit « l'unité la plus caractéristique de la syntaxe narrative » (p. 173), est elle aussi l'unité la plus caractéristique de la nature mixte – logique et praxique – de tout l'ordre narratif. Une question plus importante est d'apprécier quel degré d'équivalence subsiste dans ce mixte de logique et de praxique entre les deux métalangages logique et anthropomorphe[3].

---

1. Max Weber, *Wirtschaft und Gesellschaft*, 5ᵉ éd. J. C. B. Mohr (Paul Siebeck), Tübingen, 1972 ; trad. française chez Plon.

2. *Ibid.*, 1ʳᵉ partie, chap. I, § 8 : « Begriff des Kampfs », p. 20-21.

3. Dans l'*Entretien avec Greimas* (F. Nef, *op. cit.*, p. 25), l'auteur pose que la structure polémique de la narration est ce qui permet d'étendre l'articulation *paradigmatique* initiale du modèle taxinomique à tout le déroulement *syntagmatique* de la narration. En opposant un anti-sujet à un sujet, un anti-programme à un programme, en multipliant même les carrés actantiels par l'éclatement de tout actant en actant, négactant, antactant, négaactant. La structure polémique assure l'infiltration de l'ordre paradigmatique dans tout l'ordre syntagmatique : « Rien d'étonnant dès lors à ce que l'analyse de textes tant soit peu complexes oblige à multiplier les positions actantielles en révélant ainsi, à côté de son déroulement syntagmatique, l'articulation paradigmatique de la narrativité » (F. Nef, *op. cit.*, p. 24). Mais on peut dire aussi l'inverse : c'est parce qu'il arrive quelque chose de l'ordre du conflit entre deux sujets qu'on peut en faire la projection sur le carré. Et cette projection à son tour est possible parce que le carré lui-même a été traité « comme le lieu où s'effectuent les opérations logiques » (*ibid.*, p. 26), bref, a été préalablement narrativisé. Tout progrès de la « carréification », de palier en palier peut apparaître tour à tour comme l'avancée du paradigme au cœur du syntagmatique, ou comme l'adjonc-

2. Considérons l'argumentation sur laquelle Greimas établit cette équivalence.

Trois remarques : a) On est surpris de lire successivement que l'affrontement est la représentation anthropomorphe de la contradiction (donc au niveau de chacun des schémas s_1 *vs* non s_1 et s_2 *vs* non s_2) et que deux sujets S_1 et S_2 (sujet et anti-sujet) correspondent aux deux faire contradictoires (p. 172). L'auteur a-t-il confondu ici contrariété et contradiction ? C'est peu probable. Plusieurs hypothèses se proposent alors : si la confrontation ne correspond qu'à la contradiction, la contrariété est sans représentation anthropomorphe. Pour combler cette lacune, faut-il poser une confrontation/contrariété à côté de la confrontation/contradiction ? Il semble que ce soit le cas, dans la mesure où c'est la corrélation entre deux schémas, donc la contrariété, qui permet le parcours complet entre les quatre pôles s_1, non s_1, s_2, non s_2 du carré sémiotique. Mais alors, l'affaiblissement du modèle logique permet seul de faire correspondre l'affrontement à la contrariété aussi bien qu'à la contradiction. Encore faudra-t-il vraisemblablement postuler des formes faibles de contrariété, très éloignées du type blanc-noir, à savoir cette forme forte requérant, on l'a vu, un « inventaire limité de catégories sémiques » (p. 161). On peut donc s'attendre que l'équivalence se joue à proportion de l'affaiblissement du modèle logique.

b) Cet affaiblissement est particulièrement requis lorsqu'il s'agit de faire correspondre la fonction d'attribution (EN_3) à l'instance d'assertion. Revenons au carré sémiotique : la dernière assertion c'est celle qui pose s_2 par présupposition de non s_1. Mais n'avons-nous pas dit que la présupposition ne vaut que si la contrariété est elle-même une contrariété forte ? Or ne venons-nous pas de voir que la contrariété restait sans représentation polémique déterminée ?

c) Plus gravement, la chaîne des énoncés narratifs EN_1, EN_2, EN_3, constitutifs de la performance, ne constitue une chaîne d'implication que si, de l'aveu même de l'auteur, l'on renverse l'ordre des énoncés, donc si l'on remonte de l'attribution à la domination et à l'affrontement. Or l'orientation

tion de nouvelles dimensions syntagmatiques (quête, lutte, etc.) secrètement finalisées par la double structure paradigmatique et syntagmatique du récit achevé.

était essentielle à la narrativisation du modèle taxinomique. N'est-ce pas avouer que la correspondance entre les relations internes à la performance et les relations internes au schéma taxinomique ne porte pas sur la condition même de narrativité engendrée par le modèle ? Ici, l'équivalence n'est plus seulement faible mais forcée.

À vrai dire, la notion de polémique, si heureusement introduite par Greimas à la racine de la narrativité, met en jeu un type de négativité dont Kant le premier, dans son opuscule *Pour introduire en philosophie le concept de grandeur négative*, avait montré l'irréductibilité à la contradiction. L'opposition d'un sujet à un anti-sujet n'est pas celle de deux faire contradictoires. On peut craindre qu'elle ne se rapproche pas davantage de la contrariété.

Si je réunis les deux séries de remarques antérieures concernant : 1° le modèle mixte logique et praxique, et 2° la faiblesse de l'équivalence des deux métalangages au stade ici considéré, on peut attendre deux sortes de résultats de la correspondance entre les propriétés logiques du carré sémiotique et les catégories praxiques les plus déterminées par le caractère polémique de l'action. Dans la mesure où le modèle logique, même affaibli, conserve une certaine priorité dans la lecture du texte narratif, le carré sémiotique exerce une fonction heuristique que je reconnais volontiers. En revanche, dans la mesure où les relations proprement praxiques de caractère polémique échappent à la représentation logique de contradiction – voire de contrariété –, la construction du carré sémiotique risque de se réduire à un artifice de présentation par lequel le sémioticien se met en règle après coup avec ses modèles.

3. Quant à la teneur proprement narrative de la suite syntagmatique qui articule la performance, je dirai qu'elle est supérieure à celle de l'énoncé narratif simple, en raison de l'introduction du trait polémique. Et pourtant, la performance ne dépasse pas encore le stade des conditions de narrativité. L'auteur l'accorde d'ailleurs : ce n'est qu'avec la suite performantielle, dont on va parler dans un instant, que les conditions complètes du récit sont constituées.

C'est pourquoi il désigne très justement la performance du terme d'unité narrative. Dira-t-on néanmoins que la suite syntagmatique confrontation, domination, attribution constitue déjà un micro-récit ? On peut sans doute le dire, mais à condition de souligner que cette suite orientée présente des relations inverses de la relation d'implication qui seule autorise à dire que EN$_3$ « est l'équivalent, sur le plan superficiel, de l'assertion logique de la grammaire fondamentale » (p. 175). Or c'est précisément dans cette relation inverse de l'implication que du *nouveau* arrive, dont il peut y avoir récit.

DERNIÈRE ÉTAPE : LA SUITE PERFORMANTIELLE

La dernière trouvaille de Greimas est d'achever la constitution de son modèle narratif en ajoutant à la catégorie polémique, doublet anthropomorphe de la relation de contradiction, la catégorie du *transfert*, empruntée au schéma de la communication ou plus généralement à la structure de l'*échange*. Voici comment cette nouvelle structure est appliquée au système antérieur. On a remarqué que le dernier des trois énoncés narratifs constitutifs de la performance pouvait s'exprimer comme énoncé attributif, selon lequel un sujet acquiert un objet ou une valeur. Pour reformuler l'attribution dans les termes de l'échange, on dira qu'un sujet acquiert ce dont un autre sujet est privé. L'attribution peut ainsi être décomposée en deux opérations, une privation, équivalente à une disjonction, et une attribution proprement dite, équivalente à une conjonction. Leur ensemble constitue le transfert exprimé dans deux énoncés translatifs.

Cette reformulation – la dernière que propose l'auteur – conduit à la notion de suite performantielle, expression abrégée pour celle de « suite syntagmatique de performances ». C'est dans une telle suite qu'il faut voir le squelette formel de tout récit. Ce n'est en effet qu'à ce stade que la grammaire narrative est complète (ou à peu près complète, comme on verra).

L'avantage général de cette reformulation est de permettre de représenter toutes les opérations antérieures comme des changements de « lieux » – les lieux initiaux et terminaux des transferts. Autrement dit, de satisfaire à une syntaxe topologique des énoncés translatifs. À son tour, la fécondité de cette syntaxe topologique se laisse détailler à mesure que l'on déploie cette analyse topologique dans les deux plans du faire et du vouloir faire.

Si on considère d'abord les seuls objets-valeurs, acquis et transférés par le faire, la syntaxe topologique permet de se représenter la suite ordonnée des opérations sur le carré sémiotique le long des lignes de contradiction, de contrariété et de présupposition, comme une *transmission circulaire des valeurs*. On peut dire, sans hésitation, que cette syntaxe topologique des transferts est le vrai ressort de la narration en tant que processus créateur de valeurs (p. 178).

Si l'on considère maintenant non plus seulement les *opérations*, mais les *opérateurs*[1], c'est-à-dire, dans le schéma de l'échange, les destinataires et les destinateurs du transfert, la syntaxe topologique règle le transfert de la capacité de faire, donc d'opérer les transferts de valeurs considérés plus haut. Autrement dit, elle règle l'*institution* même des opérateurs syntaxiques, en créant des sujets dotés de la virtualité du faire.

Ce dédoublement de la syntaxe topologique correspond donc au dédoublement du faire et du vouloir (pouvoir, savoir-faire), c'est-à-dire au dédoublement des énoncés narratifs en énoncés descriptifs et énoncés modaux, donc aussi au dédoublement des deux séries de performances : l'acquisition est le transfert portant ainsi soit sur des valeurs-objets, soit sur des valeurs modales (acquérir le pouvoir, le savoir, le vouloir faire).

La seconde série de performances est la plus importante du point de vue du déclenchement du parcours syntaxique. Il faut que des opérateurs soient institués comme pouvant, sachant et voulant, pour que des transferts d'objets de valeur s'enchaînent à leur tour. Si donc l'on demande d'où vient le premier actant, il faut évoquer le contrat qui institue le sujet du désir en lui attribuant la modalité du vouloir. L'unité narrative particulière dans laquelle est posé le vouloir d'un sujet « savant » ou « puissant » constitue la première performance du récit.

Le « récit achevé » (p. 180) combine la série des transferts de valeurs objectives avec la série des transferts instituant un sujet « savant » ou « puissant ».

---

1. « C'est qu'une *syntaxe des opérateurs* doit être construite indépendamment de la *syntaxe des opérations* : un niveau méta-sémiotique doit être aménagé pour justifier les transferts de valeurs » (*Du sens*, p. 178).

Discussion

1. La dernière étape du modèle constitutif achevé permet de poser une dernière fois la question générale du caractère mixte – logique et praxique – de ce modèle. La nouvelle adjonction à considérer est celle d'un transfert par lequel un sujet est privé de ce qui est attribué à l'autre. Or qui ne voit que priver et donner signifient plus que disjoindre et conjoindre ? Le manque et la privation sont des catégories dont le caractère anthropomorphe n'apparaît que si on considère, comme Claude Bremond l'a excellemment aperçu dans sa *Logique du récit*, le rapport entre *subir* et *agir* : « Nous définissons comme jouant un rôle de patient toute personne que le récit présente comme affectée d'une manière ou d'une autre par le cours des événements racontés » (*Logique du récit*, p. 139). La notion d'un patient affecté d'un certain état précède logiquement celle de toute modification (ou conservation d'état). La privation d'un objet-valeur, subie par un sujet, et l'attribution de ce même objet à un autre sujet sont des modifications affectant un patient. Ce que la dernière étape de la constitution du modèle ajoute donc, c'est une phénoménologie du pâtir-agir, dans laquelle prennent sens des notions telles que privation et donation. À mon sens, c'est cette phénoménologie implicite qui permet d'écrire : « Les actants sont conçus non plus comme des opérateurs, mais comme des lieux où peuvent se situer les objets-valeurs, lieux où ils peuvent être amenés ou dont ils peuvent être retirés » (p. 176). Tout le langage topologique de cette dernière phase est ainsi un mixte de conjonction/disjonction logiques et de modifications survenant dans le champ non seulement pratique, mais *pathique*. La valeur opératoire ne saurait donc procéder exclusivement des aspects logiques de l'attribution, mais tour à tour de la syntaxe topologique et de la sémantique de l'agir et du subir, selon que la syntaxe topologique joue un rôle effectivement heuristique dans la lecture du texte, ou qu'elle reste un artifice d'exposition par rapport au jeu des catégories pathiques-praxiques [1].

---

1. Est-ce pour cette raison que l'auteur écrit (ci-contre, note 1) : « Un niveau méta-sémiotique doit être aménagé pour justifier les transferts de valeurs » (*Du sens*, p. 178) ?

2. Ce caractère composite de la syntaxe topologique a pour conséquence un nouvel affaiblissement de l'équivalence entre le métalangage logique et le métalangage anthropomorphe. Autant, en effet, l'auteur s'efforçait de lier les valeurs polémiques de la narrativité à la seule relation de contradiction du modèle taxinomique, autant maintenant la transmission circulaire des valeurs, dans la syntaxe topologique des transferts, repose sur la corrélation[1] entre les deux schémas (d_1 *vs* non d_1, d_2 *vs* non d_2) :

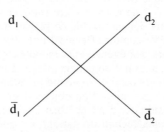

dont la différence engendre l'hété¹otopie des espaces. Conséquemment, c'est la relation de présupposition (non $d_2 \rightarrow d_1$ et non $d_1 \rightarrow d_2$) qui porte tout le poids logique de l'appareil topologique. Deux schémas, deux programmes peuvent en effet être *corrélés* de multiples manières. La projection logique de cette corrélation ne mérite le nom de contrariété que si les termes sont dans la même relation que noir et blanc, ce que vérifie rarement l'ordre praxique et pathique. Toutes sortes de modifications peuvent affecter un état, sans que la corréla-

1. Le lecteur peut ici former un doute inverse de celui que suscitait l'interprétation de la catégorie polémique. Celle-ci était explicitement superposée à la relation de contradiction, mais semblait permettre également une interprétation anthropomorphe de la contrariété. En revanche, la syntaxe topologique, après avoir été explicitement rapportée à la corrélation entre schémas, donc à la contrariété (p. 176), est ensuite superposée à la contradiction qui oppose les deux sujets S_1 et S_2 prévus par la construction de la performance : « C'est, par conséquent, l'axe de l'échange entre ces deux sujets qui constitue le lieu de transferts des valeurs modales, l'attribution d'une valeur modale quelconque à S_1 suppose que S_2 est privé en même temps de cette valeur » (p. 180).

tion des rôles se réduise à leur contrariété. Or si la corrélation se réduit à une contrariété faible, voire analogique, la présupposition à son tour perd tout caractère de contrainte logique.

Cela ne veut pas dire que la corrélation et la présupposition deviennent des relations dénuées de tout sens. Greimas caractérise très justement les lieux occupés ou atteints par les programmes en corrélation comme les « *espaces hétérotopiques* dont les *deixis* sont *disjointes*, parce que n'appartenant pas aux mêmes schémas, mais *conformes*, puisque reliées par la relation de présupposition » (p. 177). Quand la corrélation s'éloigne de la contrariété forte, la conformité s'éloigne de la présupposition forte (ou implication). Ne faut-il pas alors dire que les axes hypotaxiques (non $d_2 \rightarrow d_1$ et non $d_1 \rightarrow d_2$), dont le fonctionnement a sans cesse paru constituer le point critique de toute cette logique, ont une teneur seulement narrative, en ce sens que, faute d'une unité catégoriale (comme dans le cas des termes polaires noir-blanc), c'est l'unité de l'intrigue qui assure la « conformité des espaces hétérotopiques » ? Conformes à quoi ? Conformes à ce qu'Aristote appelle la *dianoia*, corrélative du *mythos* du récit. À cet égard, Northrop Frye observe que la typologie du *mythos* est sans cesse doublée par une typologie de la *dianoia*. C'est l'histoire de la culture qui engendre le schématisme de cette *dianoia* et de ces *mythoi*, matrice des relations et opérations de faible teneur logique.

Cette conclusion ne doit pas surprendre s'il est vrai que la syntaxe topologique des transferts, qui doublent le parcours des opérations logiques du carré sémiotique, « organise la narration en tant que processus créateur de valeurs » (p. 178). Comment ce redoublement ferait-il passer d'opérations syntaxiques qui, dans le cadre taxinomique, étaient « prévisibles et calculables » (p. 166) à un « processus créateur de valeurs » ? Il faut bien que la logicité soit quelque part inadéquate à la créativité propre au récit. Cet écart éclate au niveau du transfert, dans la mesure où corrélation et présupposition s'éloignent du modèle logique fort pour exprimer la dissymétrie de la privation et de l'attribution et la *nouveauté* propre à l'attribution. Le caractère de novation qui s'attache à l'attribution est encore plus manifeste lorsque c'est le pouvoir, le savoir et le vouloir faire – c'est-à-dire la virtualité même du faire – qui échoient au sujet. Le mot « institution » – dans l'expression

« institution des opérateurs syntaxiques » – n'est pas trop fort pour exprimer la novation que recèle le « contrat instituant le sujet du désir par l'attribution de la modalité du vouloir... » (p. 179).

Cet écart entre le schéma initial, où toutes les relations se compensent, et le schéma terminal, où des valeurs nouvelles sont produites, est masqué dans le cas particulier des contes russes de Propp, où la circulation des valeurs aboutit à une restauration de l'état initial. La fille du roi, ravie par un traître qui la transfère ailleurs pour la cacher, est trouvée par le héros et rendue à ses parents. Greimas lui-même, dans *Sémantique structurale*, admettait que la fonction la plus générale du récit était de rétablir un ordre de valeurs menacé. Or nous savons bien, grâce au schématisme des intrigues produit par les cultures dont nous héritons, que cette restauration ne caracté-rise qu'une catégorie de récits, et même sans doute de contes. Combien diverses sont les manières dont l'intrigue articule « crise » et « dénouement » ! Et combien diverses les manières dont le héros (ou l'anti-héros) est modifié par le cours de l'intrigue ! Est-il même certain que tout récit puisse être projeté sur cette matrice topologique, comportant deux pro-grammes, un rapport polémique et un transfert de valeurs ? Autant cet *a priori* de méthode peut aider le lecteur à res-pecter le texte et à en découvrir les articulations cachées, autant il risque de devenir le lit de Procuste sur lequel le texte est mis à la torture.

3. Reste la question de confiance : les conditions de la narrativité sont-elles *complètes*, une fois les opérateurs syn-taxiques institués et la syntaxe topologique des valeurs modales ajoutée à celles des valeurs objectives ? Que le modèle terminal constitue l'approximation la plus serrée de la structure narrative que permette la méthode, cela n'est pas douteux. Mais de combien l'approximation est-elle en défaut par rapport à ce qui constitue la narrativité même, à savoir l'*intrigue* ?

Au terme de son essai, l'auteur lui-même suggère avec une lucidité exemplaire qu'il a tracé les grandes lignes d'« une partie seulement » de la syntaxe narrative superficielle, à savoir de la partie « relative au corps même du récit ». « Ce qui manque, dit-il, dans cette esquisse [...], c'est l'examen et l'établissement des unités syntaxiques de l'encadrement du récit, correspondant aux séquences initiale et finale d'un récit manifesté » (p. 181). Or ces séquences ne sont-elles pas essentielles à l'intrigue, en tant que déclenchement et dénouement ? Il est vrai que la grammaire superficielle n'est pas sans ressource pour décrire même son manque. On a déjà fait allusion au contrat par lequel le premier actant est institué en sujet du désir. Nous pouvons ajouter que « le déclenchement de la narration y serait représenté comme l'établissement d'une relation contractuelle *conjonctive* entre un destinateur et un destinataire-sujet, suivie d'une *disjonction* spatiale entre les deux actants. L'achèvement du récit serait marqué, au contraire, par une conjonction spatiale et un dernier transfert de valeurs, instituant un nouveau contrat par une nouvelle distribution de valeurs, aussi bien objectives que modales » (p. 181-182). Pourquoi, alors, n'a-t-on pas intégré ces traits à la grammaire de surface et les attribue-t-on à un manque dans l'esquisse ? L'auteur circonscrit la difficulté, lorsqu'il précise que ces séquences d'encadrement correspondent « à ce que sont, au niveau de la grammaire profonde, les relations hypotaxiques du modèle taxinomique, c'est-à-dire aux relations pouvant s'établir dans ce modèle entre les termes s_1 et non s_2 d'un côté, et entre les termes s_2 et non s_1 de l'autre » (p. 181). Or que sont ces relations hypotaxiques, sinon des relations de présupposition dont nous avons montré la faiblesse logique toutes les fois que s'affaiblit la relation de contrariété qui complète la relation de contradiction dans le carré sémiotique ? Le point critique que relève l'inachèvement de l'esquisse n'est-il pas le point critique de l'esquisse elle-même dans sa structure logique ?

Cette discussion technique montre combien il est difficile, sur la base d'opérations syntaxiques « prévisibles et calculables » (p. 166), de dériver des opérations topologiques de transfert qui « organisent la narration en tant que processus créateur de valeurs » (p. 178). La question de fond que pose la tentative de Greimas est celle de la nature de l'engendrement, les uns à partir des autres, des paliers de profondeur du modèle sémiotique. Le dispositif en paliers de profondeur a-t-il pour fonction d'étendre à chaque étape nouvelle les vertus initiales du modèle taxinomique ? Ou, au contraire, est-ce l'introduction à chaque palier de nouvelles composantes sémantico-syntaxiques (représentation anthropomorphe, adjonction de la figurativité) qui confère au dispositif sa fécondité ? Dans l'*Entretien* publié par F. Nef, l'auteur avoue : « Un dispositif théorique, pour satisfaisant qu'il paraisse à première vue, risque de rester hypothétique tant que le problème d'*équivalences* entre divers niveaux de profondeur n'est pas clairement posé, tant que les procédures de *conversion* d'un palier à l'autre ne seront pas élaborées » (*op. cit.*, p. 24). Pour poser la question dans des termes légèrement différents, il faut demander comment s'équilibrent, dans le modèle de Greimas, le paradigmatique et le syntagmatique. L'ambition de l'auteur n'est pas douteuse : trouver pour chaque nouvelle adjonction syntagmatique un équivalent paradigmatique, c'est-à-dire une extension de la « carréification » de tous les processus. Dans le même entretien, Greimas déclare : « Si l'on considère maintenant la narration dans sa perspective syntagmatique où chaque programme narratif apparaît comme un procès fait d'acquisitions et de déperditions de valeurs, d'enrichissements et d'appauvrissements de sujets, on s'aperçoit que chaque pas fait en avant sur l'axe syntagmatique correspond à (et se définit par) un déplacement topologique sur l'axe paradigmatique » (*op. cit.*, p. 25). Mais s'il est vrai, comme nous avons essayé de le montrer, qu'une nouveauté syntagmatique est apparue à chaque niveau, sous la pression de la sémantique de l'action d'abord, puis avec les catégories praxiques-pathiques de la polémique et de l'échange, alors la puissance de novation appartient à ces investissements praxiques-pathiques et non au modèle taxinomique initial. L'auteur n'est pas loin de le reconnaître dans la suite du même entretien : « Toutefois il ne s'agit là que d'une syntaxe manipulant, à l'aide de disjonctions et de conjonctions, des énoncés d'*état* et ne donnant du récit qu'une représentation statique d'une suite d'états narratifs. Tout comme le carré taxinomique ne doit être considéré que comme le lieu où s'effectuent les opérations logiques, les suites d'énoncés d'état sont organisés et manipulées par des énoncés de faire et par des sujets transformateurs qui y sont inscrits » (*ibid.*, p. 26).

Les préoccupations topologiques de Greimas marquent ainsi la tentative la plus extrême pour pousser l'extension du paradigmatique aussi loin que possible au cœur du syntagmatique. Nulle part l'auteur ne se sent plus près de réaliser le vieux rêve de faire de la linguistique une algèbre du langage : « La circulation figurative peut dès lors être considérée comme le résultat de la conversion des communications, s'effectuant selon un ordre prévisible, les objets de valeurs passant d'un sujet à l'autre, communications que l'on peut représenter comme des disjonctions et des conjonctions » (*ibid.*, p. 25). Le parcours topologique ne fait alors qu'expliciter le principe de la structure polémique du discours narratif. Greimas peut alors déclarer que « chaque pas fait en avant sur l'axe syntagmatique correspond à (et se définit par) un déplacement topologique sur l'axe paradigmatique » (p. 25). Mais, une fois encore, ne faut-il pas renverser les priorités : de même que les transformations syntaxiques s'ajoutaient aux relations morphologiques et que la structure polémique s'ajoutait aux transformations syntaxiques, ne faut-il pas avouer que les déplacements topologiques s'ajoutent à leur tour à la simple représentation des états aux extrémités des axes paradigmatiques ?

En conclusion, le modèle de Greimas me paraît soumis à une double contrainte, logique d'une part, praxique-pathique de l'autre. Mais il ne satisfait à la première, en poussant toujours plus avant l'inscription sur le carré sémiotique des composantes de la narrativité introduites à chaque nouveau palier, que si parallèlement l'intelligence que nous avons du récit et de l'intrigue suscite les adjonctions appropriées d'ordre franchement syntagmatique sans lesquelles le modèle taxinomique demeurerait inerte et stérile.

Reconnaître ce caractère mixte du modèle de Greimas, ce n'est pas du tout le réfuter : c'est au contraire porter au jour les conditions de son application et expliquer au lecteur des travaux issus de cette école pourquoi le carré sémiotique paraît tantôt receler une véritable valeur heuristique, tantôt se réduire à la transcription plus ou moins éclairante et plus ou moins forcée d'une intelligence de la narrativité qui procède non de la composante logique, mais de la composante praxique-pathique du modèle mixte.

Figuration et configuration
À propos du *Maupassant* de
A.-J. Greimas
(1976)

Je me propose, à titre d'hommage à l'œuvre de notre maître et ami A.-J. Greimas, de soumettre l'interprétation que je propose ailleurs de sa sémiotique narrative[1] à l'épreuve de la lecture de son *Maupassant*[2].

Selon l'interprétation que j'en propose, la sémiotique narrative constitue un discours rationnel de second degré, greffé sur une intelligence narrative préalable, à laquelle nous devons la compréhension de ce que signifie une configuration narrative (terme que je tiens pour équivalent de ce qu'Aristote dénomme *muthos* et que je traduis par mise-en-intrigue pour en souligner le caractère dynamique, l'opérativité). Cette intelligence narrative de premier degré me paraît plus proche de l'intelligence phonétique, mise en œuvre par le discours éthique et politique, que de la rationalité théorique, mise en œuvre par les sciences physiques ou sociales, prises à leur niveau systématique. Affirmer cette relation de *dépendance* de la rationalité sémiotique à l'égard de l'intelligence narrative, ce n'est aucunement en dénoncer le caractère *parasitaire*. Il en est ici comme en historiographie, où expliquer plus, c'est comprendre mieux. En simulant à son niveau spécifique de rationalité ce qu'Aristote appelait l'« agencement *[sustasis]* des incidents » (c'est ainsi qu'il définissait le *muthos*, la mise-en-intrigue), la sémiotique aug-

---

1. R. Ricœur, « La grammaire narrative de Greimas », *Documents* du Groupe de recherches sémio-linguistiques. Texte reproduit dans ce volume.
2. A.-J. Greimas, *Maupassant. La sémiotique du texte : exercices pratiques*, Paris, Le Seuil, 1976.

mente authentiquement la lisibilité première des textes que l'intelligence narrative nous permet d'identifier comme des *récits*. Ce n'est donc pas un hasard si le mot même d'intrigue n'appartient pas au vocabulaire raisonné de la sémiotique narrative : il désigne l'opérativité même de la composition poétique, telle qu'elle est appréhendée au niveau primaire de l'intelligence narrative.

Mais si l'intrigue – ou mieux la mise-en-intrigue – n'est pas un concept pertinent de la sémiotique narrative prise à son niveau propre de rationalité, on peut en discerner la marque en creux dans tous les traits par lesquels la rationalité sémiotique trahit sa relation de filiation à l'égard de l'intelligence narrative. J'ai montré dans mon travail antérieur consacré à la sémiotique narrative de Greimas de quelle manière implicite l'intelligence narrative constitue le guide téléologique qui régit la constitution du modèle lui-même à chacun de ses stades. Mais je n'ai pas poussé mon investigation jusqu'au stade ultime de génération du modèle, celui des *figurations* ; je me suis borné, comme Greimas lui-même dans *Du sens I*, aux opérations logico-sémantiques qui régissent le modèle constitutionnel et à la syntagmatisation des énoncés narratifs en programmes narratifs, en performances et en série de performances. L'étude par Greimas du conte de Maupassant *Deux Amis* me donne l'occasion de montrer de quelle façon la notion de mise-en-intrigue, relevant de l'intelligence narrative de premier degré, est à la fois présupposée et enrichie – *éclaircie* – par une analyse sémiotique poussée jusqu'à son stade ultime, celui des *figurations*.

Qu'est-ce que l'intrigue, dans ce conte, avant la lecture sémiotique, au reste admirablement conduite et entièrement convaincante au niveau de rationalité adopté par Greimas ? En première approximation, l'intrigue, entendue au sens *épisodique* – le fil de l'histoire, la *story-line* selon Hayden White –, est l'histoire d'une partie de pêche qui finit mal. Les douze séquences entre lesquelles Greimas distribue le récit et qu'il tient lui-même pour des dénominations provisoires, voire conventionnelles, peuvent servir de repère à cette première lecture. Ces douze séquences se répartissent en deux sous-récits (d'ailleurs reconnus par Greimas sous le sigle R_1 et R_2), dont le second constitue, en termes aristotéliciens, le renversement du premier. Le premier sous-récit est introduit

par deux circonstances : Paris assiégé et affamé (séquence I :
Paris) ; deux amis habitués à pêcher dans une île de la
Seine (séquence II : l'amitié). Le sous-récit est, ensuite, mis
en mouvement par une péripétie : après la rencontre et la
reconnaissance, la décision prise en commun par les deux
amis de retourner au lieu de leur rêve (séquence III : la promenade). Puis le sous-récit se déroule à travers une série
d'incidents qui conduisent les deux amis au bord de l'eau ;
ces incidents sont racontés dans la séquence justement appelée la quête (IV) ; son déroulement est marqué par une péripétie importante : l'obtention du laissez-passer. Ce premier
récit trouve son dénouement dans la joie d'une pêche miraculeuse (séquence V : la paix). Le second sous-récit s'enchaîne avec le premier par la découverte que toute la quête
et son dénouement bienheureux reposaient sur une illusion :
l'ennemi était là qui veillait. Le sous-récit a ses circonstances
initiales dans la première séquence : le siège de Paris, mais
vu par l'ennemi, et la surveillance exercée par l'ennemi, mais
seulement suspectée par les amis (séquence VI : la guerre).
Une série de péripéties marque le déroulement de ce second
récit : la capture (VII), l'accusation d'espionnage (VIII : la
réinterprétation), le refus par les amis de restituer le laissez-
passer (le refus, IX, la mise à mort, X). Mais quel est le
dénouement de ce second sous-récit ? En apparence, les
obsèques (XI), sous la forme d'une immersion qui restitue
les deux amis aux eaux et aux poissons (XI). La friture que
s'offre l'officier, par quoi se clôt le récit (XII : clôture),
semble un hors-d'œuvre ironique, comme si, même après
leur mort, les amis étaient dépouillés de la joie de leur pêche
miraculeuse. Mais le dénouement du second sous-récit est-il
celui du récit tout entier ? Et qu'en est-il de l'épilogue par
rapport au récit entier ?

Il faut alors se demander ce qui fait tenir ensemble les
deux sous-récits.

Une seconde lecture, en termes de *configuration* plutôt que
d'épisodes, donne un autre sens aux péripéties et aux recon-
naissances. Ce qui configure l'histoire en un récit unique et
complet, c'est le développement d'une amitié qui est d'abord
nouée dans l'aventure et dans la joie de la pêche, puis qui est
scellée par le refus, la mort et les obsèques. Cette avance du
récit est ponctuée par la reprise, en un sens toujours plus fort

et plus intime, du « côte à côte » (quatre fois) qui devient un « debout » (deux fois) : « debout » les amis silencieux se tiennent ; « debout » plongent les corps suppliciés. Cette croissance de la « reconnaissance » constitue le principe configurant des épisodes de la pêche tragique. C'est pourquoi le conte est intitulé *Deux Amis*, non : une pêche qui finit mal. La dynamique de ce pacte, qui fait des deux amis une sorte de héros double, est si forte qu'elle subvertit le dénouement du premier récit aussi bien que celui du second récit. La pêche était une quête illusoire : mais aux yeux de qui ? de l'ennemi. L'exécution est une victoire réelle : mais aux yeux de qui ? de l'ennemi encore. Qui sait, si, par la force d'un pacte plus fort que la mort, les deux amis n'ont pas frappé de suspicion la *vérité* du maître ? Mais pour qui, sinon pour l'interprète lecteur, persuadé par l'auteur qui a subtilement disposé les signes susceptibles de guider cette lecture ? Qui sait alors, comme le suggère Greimas, si ce ne sont pas les amis qui, par-delà leur mort, offrent la friture aux Prussiens, comme ils l'avaient imaginé, lors de la pêche miraculeuse, sur le mode de la plaisanterie ? Alors le sens de l'épilogue se renverserait ; il consacrerait la victoire *morale* du héros double, autant que sa défaite physique.

Quel est alors le « thème » de l'intrigue, pour rester dans les catégories aristotéliciennes ? Il résulte du jeu des deux lectures, la première selon les épisodes de la pêche et de la capture, la seconde selon la force de configuration d'une amitié en croissance. Le conte est alors l'histoire d'une double désillusion : la désillusion au premier degré de la pêche par la capture et la mort, si l'on s'en tient au côté épisodique du récit ; la désillusion au deuxième degré de la domination du maître par le pacte de l'amitié ; c'est l'interprétation que suggère aux lecteurs le travail de configuration du récit, dont nous avons toujours affirmé qu'il est accompagné et, jusqu'à un certain point, opéré par le lecteur, même s'il est construit dans le texte par l'auteur.

C'est ce travail de configuration qui, à mon avis, est incomplètement simulé par la reconstruction sémiotique, bien que, comme j'aimerais le dire en terminant, elle permet, par une attention plus fine aux subtilités du texte, de mieux lire le conte et peut-être de mieux interpréter l'épilogue que, pour ma part, je n'aurais pas compris sans l'analyse sémiotique de Greimas.

Jusqu'à quel point l'analyse sémiotique rend-elle compte de la dynamique d'ensemble du texte ? Le premier travail, mené entièrement à son terme sur le plan de la linéarité textuelle, concerne la segmentation rigoureuse du texte selon des critères spatio-temporels et logiques (sémantiques, syntaxiques, stylistiques). C'est ce travail qui permet d'identifier par des démarcateurs la frontière des séquences. Le second travail, également très convaincant, concerne la mise en place successive sur le carré sémiotique, d'abord des valeurs axiologiques de base (vie, non-vie, mort, non-mort), ensuite des destinateurs et anti-destinateurs avec leur hiérarchie, selon qu'il s'agit de destinateurs sociaux ou individuels. Dans ce travail d'homologation, l'ordre paradigmatique semble primer l'ordre syntagmatique : néanmoins, c'est par une initiative de l'auteur – disons, avec Greimas, de l'énonciateur – que le soleil est homologué au pôle vie, le ciel vide au pôle non-vie, le mont Valérien au pôle mort et les eaux au pôle non-mort. Cette dernière homologation est plus particulièrement décisive, car c'est elle qui permettra de relier le lieu de la pêche miraculeuse avec le lieu de l'immersion et de donner à ce dernier incident le sens d'une quasi-résurrection. Or l'initiative de ces diverses homologations est inséparable de l'initiative de raconter cette histoire ; c'est dans cette histoire que les eaux de la pêche miraculeuse et celles de l'immersion ont une valeur de non-mort. Et c'est parce que cette histoire opère le renversement du renversement qu'on a dit plus haut que le récit instaure cette identification axiologique. En ce sens, c'est la *configuration* en mouvement du conte qui décide de la figurativisation – pour employer l'inévitable jargon de la sémiotique – des traits axiologiques, des destinateurs, anti-destinateurs, etc. La remarque est encore plus vraie de la figurativisation des rôles thématiques : que la place des sujets soit tenue par des pêcheurs décide de la grande isotopie de la pêche sur laquelle se déroule le premier récit ; que la place de l'anti-sujet soit tenue par l'officier prussien, délégué de la guerre et de la mort, décide de la grande isotopie de la prise de guerre sur laquelle se déroule le second récit ; or c'est la configuration du récit qui fait que les pêcheurs sont deux amis et que le récit entier se déroule sur l'isotopie de l'amitié. Greimas en dit quelque chose, lorsqu'il définit les rôles thématiques par la capacité d'un sujet de dérouler un certain parcours narratif (p. 33). En ce sens, le rôle thématique ne saurait être défini qu'en termes de parcours virtuels. Et c'est la configuration singulière qui choisit parmi eux ceux qui seront seuls réalisés *(ibid.)*. Ici encore, c'est la *configuration* qui décide des figurations.

Quant aux grandes isotopies figuratives du récit – la pêche, l'amitié, la guerre, etc. –, il est bien vrai que leur identification est l'œuvre irrécusable de l'analyse sémiotique. Mais peut-on dire que ce sont elles qui assurent la « cohérence discursive » (p. 28), la « cohérence globale » (p. 13-33) ? Ce n'est à mon avis que partiellement vrai. On peut observer en effet que les isotopies déterminent seulement des *récurrences* de contenus, lesquelles, en retour, permettent d'identifier les isotopies. Mais la cohérence du récit n'est pas faite que de récurrences ; les récurrences assurent la stabilité du récit, non sa cohérence, au sens d'un déroulement réglé. Aussi bien l'auteur dit-il à maintes reprises que le récit se déroule *sur* les isotopies. La stabilité des isotopies ne rend donc pas compte à elle seule du *progrès* du récit[1].

On s'approche davantage d'une simulation de la figuration du récit en introduisant les rôles actantiels et les programmes narratifs des sujets et anti-sujets. À cet égard, la grande trouvaille de Greimas, dans son *Maupassant*, est la distinction entre faire cognitif et faire pragmatique, qui lui permet d'incorporer la persuasion et l'interprétation à une sémiotique du faire, et d'inscrire sur le carré sémiotique de la véridiction les notions de vérité et de fausseté, de mensonge et de secret.

D'un côté, je ne doute pas que cette sémiotique de la persuasion, de l'interprétation et de la véridiction ne permette d'homologuer à des catégories sémiotiques du faire cognitif

---

1. Ce que je dis de l'« isotopie récurrente de l'ensemble du texte » (p. 33), je le dirai aussi du procédé d'*anaphorisation*, c'est-à-dire de ces identifications partielles entre les termes éloignés de l'axe syntagmatique qui permettent de relier deux énoncés en deux paragraphes. Certes cette opération ne se réduit pas à la substitution grammaticale des pronoms aux noms, mais désigne toute condensation d'un terme en expansion : ainsi les toits, les égouts, par rapport au terme en extension Paris. Ce procédé est la base de la métonymie. Mais les anaphorisations comme les isotopies, sont des facteurs de permanence, de stabilité, plus que de développement. En ce sens elles jouent sur le plan syntagmatique le même rôle que les connotations dysphoriques ou euphoriques qui, elles aussi, constituent « le rapport continu de l'ensemble de la séquence » (p. 28).

des épisodes aussi importants que le *paraître* de la paix
(séquence V), la *réinterprétation* par l'officier prussien de la
quête de la pêche en conduite d'espionnage (VIII), la tentative de *séduction* (donc de persuasion) par l'officier prussien
et son interprétation par le *refus* muet des deux amis (IX).
Mais, d'un autre côté, ce que le récit propose, ce ne sont pas
seulement des exemplifications de ces catégories, mais des
décisions qui font avancer le récit et constituent de véritables
événements sur le plan de la persuasion, de l'interprétation
et de la véridiction. Déjà le passage de la promenade à la
quête est un événement, un pivot narratif. Le programme de
la pêche passe du virtuel à l'actuel par décision (p. 90). La
réinterprétation du laissez-passer, qui d'adjuvant de la pêche
devient adjuvant virtuel de la guerre, procède d'une décision
interprétante de même grandeur. Les amis auraient pu se
méfier des signes inquiétants de la présence de l'ennemi ;
l'officier aurait pu ne pas réinterpréter la partie de pêche en
entreprise d'espionnage ; surtout, les amis auraient pu céder
au chantage et ne pas refuser. L'avance sur le plan cognitif se
fait sans cesse du virtuel à l'actuel et toutes les actualisations
ensemble font une *configuration* dont on a rappelé plus
haut le thème : la croissance d'une amitié. Ce dont la figuration des catégories modales ne rend pas compte, c'est de la
nécessité dramatique de modaliser de telle ou telle manière,
à tel ou tel moment du récit, le faire des acteurs du récit.
Considérons le refus (X) : la sémiotique le catégorise comme
pouvoir ne pas faire (ne pas restituer le laissez-passer). Mais
la configuration du récit exige des deux amis le *vouloir*
pouvoir ne pas faire, qui est un événement et non une catégorie du faire[1]. Les amis étaient confrontés à un dilemme (codé
en « ne pas pouvoir ne pas faire » sur le carré sémiotique
du pouvoir et du non-pouvoir). Par décision, ils transforment
ce dilemme en refus (codé en « vouloir pouvoir ne pas
faire »). Or cette décision a une signification plus profonde,

---

1. On dira que Greimas a prévu le cas : « Le pouvoir ne pas faire n'est
en effet qu'une sous-articulation de la modalité du pouvoir et susceptible
comme telle de fonctionner comme opérateur de transformations »
(p. 213). Certes : mais on parle seulement de la catégorie de pouvoir ne
pas faire, non de la décision de pouvoir ne pas faire, qui est l'opération,
non plus d'une transformation modale, mais de la configuration singulière
du conte.

puisqu'elle élève au rang de valeur ce pouvoir faire et en fait un vouloir pouvoir être libre, qui réplique à la remarque : « On ne saurait être libre » du premier sous-récit. Greimas, à ce propos, observe très justement que cette décision fait du sujet duel plus qu'un héros camusien (lequel s'enferme dans son pouvoir ne pas faire), « pour parvenir à un état du sujet selon le pouvoir être » (p. 210). À mon avis, cette remarque relève moins de l'analyse sémiotique que de l'intelligence narrative qui s'attache à la configuration dramatique du récit et discerne dans cette décision le nœud même de l'intrigue. C'est pourquoi la catégorisation sémiotique paraît bien en peine d'en rattraper la signification dramatique en ajoutant au pouvoir faire le pouvoir être et, qui plus est, le pouvoir être libre. La sémiotique du faire explose en ce point extrême.

Or cette avance, tant sur le plan de la persuasion que sur celui de l'interprétation, qui conduit à des désillusions en chaîne, est sous-tendue par l'approfondissement du pacte d'amitié entre nos deux pêcheurs, qui est le véritable principe configurant du récit dans son ensemble. C'est la croissance de ce lien qui règle l'enchaînement des événements sur le plan cognitif et, d'une manière générale, les transformations du faire des acteurs, pour lesquelles la sémiotique fournit seulement les repères fixes de ses carrés sémiotiques (carré des prédicats axiologiques, carré des destinateurs, carré des actants, carré de la véridiction [1]). Considérons donc les moyens par lesquels Maupassant a assuré la cohérence de ce procès dramatique. Le trait le plus remarquable de cette stratégie est la mise en place en des points cruciaux du récit d'expressions qui, dans le premier sous-récit de la pêche, *anticipent* des

---

1. J'ai déjà suggéré plus haut que l'analyse des catégories sémiotiques du faire cognitif a été elle-même aiguillonnée par l'existence textuelle d'intrigues dont l'illusion et la désillusion constituent le ressort dramatique. Comme si l'intelligence narrative, par l'avance qu'elle a prise sur la rationalité sémiotique, posait des questions toujours plus difficiles à l'analyse sémiotique, la contraignait à raffiner toujours davantage son appareil, pour simuler ce qui a déjà été compris comme persuasion, interprétation, illusion, mensonge, secret. Ce que j'appelle l'avance de l'intelligence narrative sur la rationalité sémiotique ne constitue pas, encore une fois, une critique de cette rationalité sur son propre plan. Elle donne à réfléchir sur les conditions de son intelligibilité, et établit sa dérivation indirecte à partir de l'intelligence narrative.

incidents du second récit de la mise à mort et qui, inversement, dans le second sous-récit, renvoient à des incidents du
premier récit et leur confèrent *après coup* une valeur prémonitoire. Ainsi, le côte à côte de la marche (II) et de la pêche
(III) annonce le côte à côte du refus (IX) et de la mort (X) ;
dès la deuxième séquence, la fusion des deux acteurs individuels en un seul sujet commun annonce le mourir ensemble ;
la reconnaissance des deux amis sur le boulevard (II) annonce
la reconnaissance de la scène des adieux (X). Inversement, le
« peu de sang » qui flotte, dans la scène de l'immersion (XI),
transforme après coup en signe prémonitoire le ciel ensan-
glanté par le soleil (séquence II) et le sang de la tunique cre-
vée (X) ; la station debout de la scène du refus (IX) est
reprise par la plongée debout des corps immergés (XI) ; de la
même manière, le soleil mourant de l'automne est le « texte
prémonitoire sur le plan cosmique de la mort des deux amis »
(p. 57) ; le mont Valérien « crache » sa buée de poudre comme
une haleine de mort ; enfin, la friture offerte aux Prussiens
par les morts non morts de la séquence de clôture transforme
en prophétie involontaire la friture promise par plaisanterie
lors de la quête (IV).

Toutes ces anticipations et ces prémonitions sont pointées
par Greimas dans son analyse. Mais je ne pense pas qu'il
faille les traiter comme des cas de récurrence. Les récurrences
signalent la *permanence* des traits paradigmatiques qui assurent la stabilité du récit : connotations axiologiques, dysphoriques ou euphoriques, destinateurs et anti-destinateurs, rôles
thématiques, isotopies. Les anticipations et les renvois assurent la cohérence du *progrès* de l'intrigue. À ce titre, ils relèvent par excellence de la *configuration.* On dira que la valeur
prémonitoire de ces signes mis en place par l'énonciateur ne
se remarque qu'à la re-lecture. Mais la configuration d'un
récit ne se dégage précisément qu'à la re-lecture. Elle relève,
selon l'expression de Louis O. Mink, de l'acte de re-raconter,
non de celui de suivre une histoire. Les récurrences, donc,
assurent la cohérence narrative en termes de stabilité ; c'est
pourquoi elles figurent la base paradigmatique du récit. Les
signes prémonitoires anticipent un développement : ils relèvent de la dynamique, et non de la statique du texte ; dans
un autre langage, celui de Husserl dans ses *Leçons sur la
conscience intime du temps*, ce sont les protentions et les

rétentions qui assurent par leur tension l'unité intentionnelle de l'acte configurant[1].

Est-ce à dire que l'analyse sémiotique est superfétatoire ? Je ne le crois pas, et je ne voudrais pas le laisser entendre. Sa place est entre une compréhension naïve et une compréhension instruite. Elle trouve sa fécondité dans une augmentation de la compréhension initiale.

L'augmentation de compréhension qu'elle procure me paraît d'une triple nature : d'abord, l'analyse sémiotique exige une attention accrue pour tous les signes textuels (mots, phrases, conjonctions, disjonctions, etc.), dont l'occurrence reçoit de l'analyse une *justification* plénière. Oui, l'analyse sémiotique rend justice au texte dans son extrême détail.

Deuxièmement, elle montre sur quelle stabilité paradigmatique est établie la progression syntagmatique, même si elle ne rend pas pleine justice à l'excès de cette progression par rapport à cette stabilité. C'est ce que la compréhension doit à toutes les implications du carré sémiotique.

Mais le bénéfice le plus subtil concerne cet *excès* même du procès sur la structure. Le conte de Maupassant a sans doute retenu l'attention de Greimas non seulement parce qu'il est comme le conte russe un récit polémique, avec un sujet et un anti-sujet, mais aussi parce qu'il opère comme lui une réparation. Le conte de Maupassant est une réédition savante de ces contes populaires dont la conclusion compense une perte ou un méfait. Le refus, la mort côte à côte, l'immersion debout réparent en quelque manière l'interruption de la pêche miraculeuse. Peut-être même la friture de la scène de clôture est-elle le don des suppliciés quand leurs corps ont été réunis aux eaux bienveillantes de la pêche miraculeuse.

C'est, pour ma part, l'interprétation que j'ai *apprise*, en lisant l'analyse sémiotique du conte de Maupassant par

---

1. Il semblerait que ce que j'appelle intrigue, au sens de configuration en acte, Greimas l'assigne au « projet narratif de l'énonciateur », selon une expression qui revient plusieurs fois dans le *Maupassant*, p. 67 et *passim*. Il est certes tout à fait conforme à l'idée qu'Aristote se fait de la *poiesis*, comme œuvre du poète, de reporter sur l'énonciation et sur l'énonciateur le projet de la configuration mais l'effectuation de ce projet, qui est la configuration elle-même, appartient au récit énoncé. Les signes prémonitoires parsemés au long du récit sont les *marques* dans le récit-énoncé du projet de l'énonciateur. Ces marques relèvent de la configuration du récit-énoncé.

Greimas, et qui sans doute ne pourrait être reconnue sans cette analyse, même si l'homologation des corps immergés à la non-mort sur le carré sémiotique des valeurs axiologiques continue de faire problème.

L'explication paradigmatique, dès lors, est particulièrement efficace lorsque la configuration de l'intrigue affecte la forme d'un retour à l'ordre, si subtil, dissimulé et, peut-être, ironique soit-il. Dans ce cas, le procès lui-même dessine le carré. Mais cette configuration *fermée* ne caractérise qu'une famille de récits. C'est dans cette famille, du moins, que le peu de considération accordée au travail de configuration, opérant au niveau même de la figuration des structures profondes, s'avère le moins dommageable et, paradoxalement, particulièrement fécond.

Entre herméneutique et sémiotique
(1990)

Hommage à A.-J. Greimas

Mon propos dans cet essai est de replacer dans un cadre plus vaste la confrontation que j'ai commencé de mener dans *Le Conflit des interprétations* entre, d'une part, la sémiotique de Greimas, principalement à l'œuvre sur le plan de la narrativité, et, d'autre part, la variante d'herméneutique dont je fais la théorie dans le premier chapitre de *Du texte à l'action*, et que j'applique de mon côté à la narrativité dans *Temps et Récit II*. Le plus vaste cadre est celui du débat entre *expliquer* et *comprendre*. Ce débat est principalement d'origine allemande : il est illustré de façon exemplaire par Wilhelm Dilthey dans ses travaux théoriques sur l'autobiographie, dans sa *Science de l'esprit*, principalement dans son article fameux sur la « naissance de l'herméneutique ». Mais ce débat n'est pas seulement de souche germanique ; il a été rouvert de façon autonome dans le domaine de la philosophie de langue anglaise par Wittgenstein et les néowittgensteiniens distinguant différents jeux de langage, régis chacun par des règles distinctes (par exemple, dans la théorie de l'action, le jeu de la causalité – quelque chose arrive selon des causes – et le jeu de la motivation : quelqu'un fait arriver quelque chose pour des raisons). L'orientation générale de mon essai est celle-ci : d'une part, je tiens pour périmé le tour dichotomique – ou bien, ou bien… – qu'a pris le débat, tant dans sa version anglaise que dans sa version allemande primitive. D'autre part, je tiens la distinction entre comprendre et expliquer pour entièrement justifiée, et cela à l'intérieur même du champ sémiotique que Dilthey avait voulu caractériser par la seule compréhension à l'exclusion de l'explication. Autrement dit, je veux montrer, sur la base précisément des travaux conduits dans le champ de la narratologie, la fécondité d'une dialectique fine entre expliquer et comprendre. Je ne définirai pas alors l'herméneutique comme une variante de la compréhension à l'exclusion de l'explication, selon le modèle diltheyen, mais comme l'une des mises en œuvre du rapport expliquer-comprendre, où le comprendre garde la primauté et maintient l'explication sur le plan des médiations requises, mais secondaires. Et je définirai la sémiotique structurale comme une autre mise en œuvre du même rapport entre expliquer et comprendre, mais sous la condition d'un renversement méthodologique qui donne le primat à l'explication et cantonne la compréhension sur le plan des effets de surface. Aucun syncrétisme, donc, mais une confrontation réglée sur un terrain commun, à savoir la même paire épistémologique : expliquer et comprendre.

I

Je récuse donc les deux positions extrêmes dont je vais sommairement retracer le profil. D'un côté, l'explication seule. Cette position procède de la thèse majeure connue sous le nom de l'« unité de la science », représentée en son temps par le cercle de Vienne : selon cette thèse, il n'y a pas deux champs scientifiques, celui des sciences de la nature et celui des sciences de l'esprit. Ces dernières ne sont dignes du nom de science que dans la mesure où elles reposent sur les mêmes procédures d'explication que les sciences de la nature. Et si des procédures intuitives du genre de l'empathie, par quoi l'observateur communie avec des états psychiques étrangers, continue de jouer un rôle en psychologie, en anthropologie, en histoire, en sociologie culturelle, cela prouve seulement que ces sciences n'ont pas encore atteint le niveau d'une discipline scientifique rigoureuse, ce qui est peut-être le cas pour longtemps encore d'une quasi-science telle que l'histoire. La compréhension, selon cette philosophie de la science, ne saurait à aucun titre donner lieu à une épistémologie alternative. Au pis, elle n'est qu'un résidu de l'âge préscientifique survivant à l'âge de la science ; au mieux, elle constitue un corollaire plus ou moins subjectif de l'explication dans des sciences de niveau épistémologique inférieur. Quant à l'explication, elle ne se réduit pas à la subsomption de faits sous des régularités empiriques, selon la caricature positiviste que trop d'herméneuticiens voudraient accréditer ; selon une typologie plus fine proposée par Jean Ladrière, l'explication couvre une multiplicité de procédures, donnant d'abord à la notion de subsomption une variété de sens : les lois peuvent être celles de systèmes dynamiques, de configurations structurales, de régularités factuelles, d'approximation d'un *extremum*. Bien plus, l'explication s'étend au-delà de la subsomption de faits sous des principes, aux divers sens qu'on vient de dire : elle couvre aussi les procédures de réduction, par lesquelles on forme certaines hypothèses concernant un milieu ou une couche sous-jacente plus stable, dans un rapport de surface à profondeur ; en outre, des procédures génétiques, par quoi on exprime l'état présent d'un système en reconstruisant les stades intermédiaires entre un état initial et un état terminal ; peut-être faudrait-il isoler, comme un mode d'explication distinct, le principe *d'extremum*, tel qu'il est exemplifié dans les théories impliquant états d'équilibre, stables ou méta-stables, procès d'optimalisation, etc. Selon cette vue élargie de l'explication, la compréhension perd tout droit épistémologique distinct. À la limite, il faudrait dire qu'un processus a été compris quand l'explication a entièrement reconstruit tous les degrés intermédiaires entre le principe et ce qui procède de lui, qu'en outre nous sommes capables de répéter pour nous-mêmes le processus entier de cette reconstruction et de l'enseigner à un autre, lequel est alors dit avoir compris cela même qu'on lui a expliqué. À cette limite, la compréhension a perdu tout statut épistémologique distinct et relève de la pédagogie plutôt que de l'épistémologie.

De l'autre côté, face à la théorie de l'unité de la science issue du cercle de Vienne, la théorie dichotomique promue par Dilthey oppose la compréhension et l'explication, du point de vue à la fois de leur méthode et de leur objet. Le domaine de la compréhension, c'est celui des signes et de la signification. On comprend des signes, on explique des faits. Sous la forme la plus originale, le signe est l'expression *(Ausdruck)*, la mise-au-dehors, l'externalisation d'une vie psychique étrangère, et la compréhension est la saisie – le

« prendre-ensemble » – de la cohésion, du *Zusammenhang*, qui fait « tenir-ensemble » des configurations signitives globales. Le prendre-ensemble (comprendre) correspondant à ce tenir-ensemble peut lui-même être synchronique, comme dans la saisie d'une physionomie ou d'une gestuelle, ou diachronique, comme dans la saisie de la cohésion ou de la connexion d'une vie *(Zusammenhang eines Lebens)*, comme on voit dans les grandes biographies (on se rappelle que Dilthey est l'auteur d'une célèbre *Vie de Schleiermacher)*. Cette opposition entre monde des signes et monde des faits, qui régit l'opposition épistémologique entre comprendre et explication, revêt finalement une signification ontologique, dans la mesure où le règne des faits est celui de la nature et le règne des signes celui de l'esprit. D'où l'opposition massive entre *Naturwissenschaften* et *Geisteswissenschaften*.

De même que les adversaires du positivisme se sont rassurés avec une image simplifiée de l'explication dans la ligne du cercle de Vienne, de même les adversaires de l'herméneutique de Dilthey se sont contentés d'en donner une version tronquée et facile à discréditer. On a mis l'accent sur le mouvement d'empathie par lequel un second sujet se transfère dans une vie psychique étrangère, afin de déchiffrer les signes dans lesquels celle-ci s'extériorise. La compréhension consiste alors à ramener les expressions objectives au procès de production de sens sous-jacent à ces expressions. Que la compréhension ait cette visée, cela n'est pas contestable. Mais elle pose un problème épistémologique, et même constitue un procès épistémologique distinct, dans la mesure où l'objectivation est une médiation obligée entre le résultat et le procès d'externalisation. Le problème épistémologique ainsi posé procède de cette sorte d'autonomie sémantique par quoi des systèmes de signes se détachent de leur source de signification et font que la saisie des relations internes à ces systèmes de signes constitue la seule voie d'accès au procès lui-même d'objectivation. C'est déjà le cas des œuvres qui, dans la sphère pratique, se détachent de leurs auteurs et tombent dans le domaine public, où c'est l'autre qui en ratifie le sens selon un processus que Hegel décrit au cours du chapitre de la *Phénoménologie de l'esprit* traitant de la dialectique de l'œuvre. C'est plus encore le cas des *inscriptions* de toutes sortes, et principalement de l'écriture, qui appuient leur autonomie sémantique sur l'extériorité, la durée, la stabilité d'un médium approprié : surface pariétale d'une grotte, toile à peindre, matériau à sculpter, tablette, papyrus, papier et page blanche... C'est ce second degré d'objectivation qui, dans la dernière période de l'œuvre de Dilthey, a donné lieu à la distinction entre comprendre et interpréter. La compréhension est le moment immédiat, l'interprétation, le moment médiat, spécifié par le phénomène que nous venons de désigner du terme général d'inscription. Dilthey retrouve alors, pour leur donner un cadre systématique approprié, les règles herméneutiques générales dérivées par Schleiermacher de l'exégèse de textes particuliers (textes bibliques, textes de l'Antiquité classique, voire textes juridiques). L'herméneutique est alors définie comme une discipline de second degré par rapport à l'exégèse, laquelle s'applique directement aux textes. Parmi les règles herméneutiques, on rappellera la coordination entre la philologie (ou grammaire) et la restitution de l'intention de l'auteur – l'articulation entre la structure interne et le contexte externe, le rapport circulaire entre tout et parties – et le cercle plus vaste entre la divination et les réquisits textuels.

En dépit de tous ces raffinements méthodologiques encore dignes de notre attention et de notre mémoire, l'herméneutique, en tant que théorie de l'interprétation, reste définie comme dérivée de la compréhension, laquelle exclut l'explication, selon la même relation d'extériorité qui met les *Geisteswissenschaften* en dehors des *Naturwissenschaften*. C'est à ce schéma épistémologique que je voudrais opposer celui d'une herméneutique générale, définie par la dialectique *interne* entre expliquer et comprendre. Je redéfinirai alors la sémiotique de Greimas comme une variante de cette herméneutique, opposée à celle de Gadamer et de moi-même. Selon cette seconde variante, l'explication est tenue pour une médiation obligée de la compréhension, selon la maxime : expliquer plus pour comprendre mieux ; selon la première, que je vois magistralement illustrée par Greimas, la compréhension est tenue pour un effet de surface de l'explication, sans que toutefois la compréhension des figurations de surface perde son rôle heuristique que je vais essayer de porter au jour dans la discussion qui suit. Un renversement méthodologique sépare certes les deux herméneutiques ; mais je vois ce renversement opéré à l'intérieur d'une herméneutique générale, pour laquelle la différence entre expliquer et comprendre reste indépassable.

II

Pourquoi, demandera-t-on, garder à tout prix la différence entre expliquer et comprendre? Avant de montrer de façon plus technique comment cette distinction prend une tournure franchement dialectique avec le débat entre sémiotique et herméneutique, je voudrais montrer le caractère indépassable de cette distinction sur la base d'exemples simples. Ces exemples me feront franchir successivement trois *seuils*, avant de pénétrer dans l'aire où une version de l'herméneutique à dominante compréhensive et une version à dominante explicative s'opposent et se recroisent.

Premier seuil : l'action. Passé ce premier seuil, la compréhension repose sur des notions aussi problématiques que celles d'expression, d'empathie ou de transfert dans une vie étrangère. Mon exemple sera celui de l'action, en tant que distinct des simples événements, des occurrences. Nous disons que nous comprenons une action quand nous sommes capables de donner à la question « pourquoi? » une certaine sorte de réponse, à savoir une réponse dans laquelle la clause « parce que » signifie une « raison-de » et non une cause antécédente (au sens humien de la causalité en tant que consécution régulière). Recourir à la catégorie « raison-de... », ce n'est pas nécessairement réduire le champ intentionnel à un modèle de rationalité, qu'elle soit instrumentale, stratégique ou morale. Car même le désir entre dans le champ de la motivation par son caractère de désirabilité, c'est-à-dire par le trait identifiable par d'autres qui permet de dire *en tant que quoi* quelque chose est désiré par quelqu'un. Cet « en tant que quoi » est la « raison-de ». Dans cet exemple de base, la compréhension est bien distincte d'une certaine explication, l'explication causale physique, mais non de toute explication, puisque nous ne pouvons répondre à la question *« QUOI ? »* (X fait Y), sans répondre à la question « pourquoi? ». L'explication en termes de raison est une explication, même si elle oppose la cause motivante à la cause physique antécédente. L'explication en termes de « raison-de » est le chemin obligé de la compréhension visant à remonter des résultats objectivés de l'action à son origine dans l'initiative de sujets agissants. Elle dispense la compréhension de chercher à coïncider avec quelque entité mentale qu'on appellerait intention. La compréhension saisit l'intention dans la déclaration verbale (même muette) d'intention. L'explication par des raisons est alors le développement de cette compréhension qui dès le départ inclut le « en tant que quoi » du caractère de désirabilité.

Je vois une seconde raison pour choisir l'action comme premier paradigme de la dialectique nécessaire entre comprendre et expliquer. L'action ne se distingue pas seulement de l'événement en tant qu'occurrence en vertu de son recours à l'explication par des raisons. Elle s'en distingue encore comme un *faire arriver*, distinct du simple arriver. Or, faire arriver, c'est faire coïncider un pouvoir-faire, qui fait partie du répertoire pratique des capacités d'un agent, avec le premier anneau d'une chaîne d'états d'un système dynamique réel ; l'action est alors à décrire comme un enchevêtrement de syllogismes pratiques et de segments systémiques, selon un modèle mixte comme celui de G. H. von Wright. Ce modèle mixte, qui combine intentionnalité et causalité, autorise von Wright à placer son ouvrage sous le titre significatif : *Understanding and Explanation*. Comme le titre l'indique, l'auteur refuse de réduire un mode à l'autre, mais aussi de les opposer et de les affecter à deux champs opératoires différents. L'action en tant qu'*intervention* dans le cours des choses est le mixte qui impose de conjoindre compréhension et explication.

Deuxième seuil : le récit quotidien. De cette compréhension au plus proche de l'action, dans l'échange des questions et des réponses, on passe aisément au *récit*, dès lors que les enchaînements ne sont pas clairs, que la contribution de chacun à une action commune est mal délimitée, que la compétition et la lutte qui affrontent les protagonistes restent dissimulées. Au début, on n'a que des faits épars, des comportements en apparence erratiques, des traces muettes, des documents indéchiffrables. La tâche est alors de configurer de façon plausible les circonstances, les intentions, les interventions, les stratégies des divers agents, dans leurs rapports avec les situations adverses ou favorables, compte tenu du concours d'adjuvants ou de l'entrave d'opposants. Le médium privilégié pour ressaisir une telle configuration d'action est le récit. Le récit est ainsi, au vif même de l'action, la première épreuve de signification, du moins de toute signification complexe. Il ne s'agit pas encore du récit littéraire, soustrait à la sphère de l'action, mais du récit qui fait encore partie de la trame de la conversation, elle-même immergée dans le cours de l'action quotidienne. C'est pourquoi je parle ici de récit quotidien. Néanmoins, les traits futurs du récit de fiction s'annoncent dans l'écart, aussi infime soit-il, qui se creuse entre l'action et le récit. De ce récit Hannah Arendt a dit qu'il manifeste le « qui de l'action ». Mais c'est un « qui ? » inséparable d'un « quoi ? » et d'un « pourquoi ? ». À la faveur de cet écart naissant entre action et récit, la compréhension consiste dans la production d'un schéma imaginatif distinct du cours même de l'action. On peut parler, en un sens prélittéraire du terme, d'une représentation _mimétique_, pour dire cette reconstruction compréhensive, qui équivaut à produire en _imagination_ un schéma d'action, un modèle pratique, plus ou moins adéquat aux événements racontés, mais de toute façon distinct d'eux. Ce n'est pas encore la fiction littéraire dont parle Aristote, mais c'est déjà un usage de l'imagination productrice de schèmes, dont il faut dire, comme tout à l'heure des actions intentionnelles simples, qu'ils sont déclarés dans le langage et ainsi offerts à l'examen public.

C'est en ce point que l'explication se greffe sur la compréhension : d'abord, en ce sens que le récit développe l'explication par les motifs et les raisons ; ensuite, en ce sens que le récit articule les raisons sur les causes et les hasards, dans des modèles mixtes d'intervention semblables à ceux qui ont été évoqués plus haut ; enfin, et surtout, la compréhension appelle la médiation de l'explication, en raison du caractère simplement plausible du système symbolique en quoi consiste le schéma d'action ; un processus argumentatif est ouvert, où prétention à la vérité, déni, renfort, infirmation, confirmation s'affrontent. Le champ est ouvert pour des explications en l'un ou l'autre des termes évoqués dans la première partie. Pour voir ces explications s'épanouir, il faut franchir le troisième seuil de la compréhension.

Troisième seuil : le récit littéraire. Je prends le terme littéraire en son acception stricte : discours confié à la lettre, à l'écriture. Le récit de fiction et le récit historique en sont les deux grandes variantes, avec chacun – surtout le premier – d'innombrables variantes, du mythe, du folklore, de l'épopée et de la tragédie antique au roman moderne et contemporain. Le récit littéraire diffère du récit quotidien en ce qu'il n'est plus mêlé aux transactions sociales par le biais de la conversation, mais en ce qu'il se détache de la vie sociale pour entrer dans un univers distinct, dont la clôture s'exprime par le primat de la relation d'intertextualité sur la relation de la littérature à la vie. Le détachement qu'exprime la notion de littérarité n'empêche pourtant pas que le récit reste de façon indirecte une *mimesis praxeos*, une opération mimétique référée à l'action. Ce lien indirect se réfugie dans l'acte de la narration, qui est un mode social d'échanges entre narrateur et narrataire. La lecture solitaire remplace de nos jours la réception festive de la narration épique ou tragique. Si donc le lien à la pratique peut être distendu à l'extrême sans être rompu, il reste qu'il peut être méthodologiquement mis entre parenthèses et que le critique littéraire peut parfaitement se tenir dans la clôture du texte et considérer comme non pertinente la relation référentielle qu'Aristote désigne du terme de *catharsis* et qui consiste bel et bien dans un effet de sens exercé sur l'auditoire. C'est sous la présupposition de cette clôture qu'une modalité spécifiquement littéraire de compréhension se fait jour. Son objet, c'est la *configuration elle-même* du récit, configuration séparée de ce que j'appelle son pouvoir de refiguration, dont la *catharsis* est l'une des modalités. J'ai trouvé, pour ma part, dans la conception aristotélicienne du *muthos* (que l'on peut traduire par fable, si l'on veut souligner son caractère de fiction, ou par intrigue, si l'on veut souligner son caractère structuré, organisé), le modèle d'une compréhension limitée à la configuration interne du récit, je rappelle à cette occasion qu'Aristote définit le *muthos* comme l'« assemblage des incidents (ou des faits) ». Parler ici de compréhension, ce n'est aucunement évoquer quelque divination par quoi la conscience réceptrice se transporterait dans la conscience donatrice. Il n'est pas besoin de recourir à un vocabulaire de conscience et d'empathie pour rendre compte d'un acte qui consiste à ressaisir l'opération structurante qui fait « tenir-ensemble » une multitude d'événements dans une unique histoire. Le « prendre ensemble » du comprendre s'applique ici encore au « tenir-ensemble » de l'opération configurante elle-même. La compréhension s'adresse ainsi au caractère opérant, dynamique, producteur de la mise-en-intrigue. À la suite d'Aristote (et compte tenu de la théorie augustinienne du temps), j'ai souligné trois traits de la compréhension, qui permettent de parler d'intelligence narrative. D'abord, la fable et l'intrigue sont des totalités temporelles où la relation organique de tout à parties l'emporte sur la relation simplement additive selon la linéarité chronologique du récit. Par le récit, le temps qui dure l'emporte sur le temps qui passe. Ensuite, la mise-en-intrigue consiste dans un jeu entre l'effet intégrateur propre au tenir-ensemble de l'histoire une et complète et l'effet désintégrateur exercé par la péripétie et les divers renversements de fortune : c'est cette dialectique de concordance discordante que nous comprenons quand nous comprenons une intrigue. Enfin, et c'est là l'amorce de l'intertextualité, chaque intrigue s'inscrit dans une tradition de l'art de raconter, au sein de laquelle conformité et innovation entrent en concurrence : comprendre une histoire, c'est saisir en elle la subtilité de ce jeu sans lequel la novation ne serait pas reconnue, faute d'identifier sur quel fond institué elle se détache. Ce troisième trait atteste l'historicité de l'intelligence narrative.

L'intelligence narrative est donc fort éloignée de toute prétendue confusion ou fusion émotionnelle de la conscience. Elle porte sur des opérations configurantes investies dans le texte. Qu'il s'agisse du caractère organique de la structuration, du jeu de concordance discordante, ou du jeu entre conformité et innovation par rapport à des canons établis, cette intelligence *narrative* est une *intelligence* narrative. Elle peut devenir un signe de haute culture, lorsqu'elle est éduquée par une large sélection d'œuvres narratives produites en des temps et des lieux innombrables. De cette intelligence procèdent les passions spécifiques dont Aristote nous dit qu'elles sont purifiées par le spectacle. Mais cette purification – outre ses composantes thérapeutiques ou mystiques – consiste essentiellement dans une clarification de ces passions elles-mêmes par la compréhension intelligente de l'intrigue.

Tel est mon plaidoyer pour la compréhension, comprise comme intelligence narrative, sur le plan du récit littéraire. C'est cette compréhension même qui appelle l'explication, non comme son adversaire, mais comme son complément et son médiateur. Il est possible en effet de franchir ce troisième seuil où l'explication reste encore subordonnée à la compréhension. Au-delà de ce seuil, un nouveau statut est assigné à l'explication. Ce franchissement est l'œuvre de la critique, à savoir une mise à distance de second degré du réel extra-linguistique. La mise à distance de premier degré consiste dans la littérarité elle-même, en tant qu'elle tend à rompre ses amarres avec le réel et à édifier sur la base de l'intertextualité un univers purement littéraire ; mais, selon cette mise à distance de premier degré, l'opération mimétique, au sens de refiguration de la vie, demeure liée à la narration en tant qu'échange social ; l'intelligence narrative, en effet, n'achève finalement son cours que dans le passage de la configuration interne de l'œuvre à la refiguration externe, comme nous le rappelle aujourd'hui l'*esthétique de la réception* d'Iser et de Jauss. Avec la critique, au sens fort du mot, la mise à distance de second degré s'opère ; la clôture du texte, incomplète au premier degré, se fait complète au deuxième degré. Le récit devient un objet propre d'analyse, en tant que système ordonné de signes. Les procédures de composition, par quoi les signes se groupent en phrases, principalement en énoncés d'actions, et les énoncés d'actions s'ordonnent en séries structurées, deviennent elles-mêmes, et en tant que telles, l'objet d'une *sémiotique* textuelle, distincte de la sémiotique des signes discrets, à savoir une sémiotique discursive, prenant pour objet ces grandes unités textuelles que sont les récits. La question n'est plus alors de réactiver par compréhension l'acte structurant, mais de décrire selon leur objectivité propre les structures issues de l'opération structurante. L'explication cesse alors d'être une modalité de la compréhension, comme c'était le cas pour l'explication de l'action par des raisons ou même de l'explication incluse dans la compréhension du récit quotidien. Elle devient une instance distincte. Et elle le devient, en empruntant à l'une ou à l'autre des modalités d'explication décrites dans la première partie : explication par subsomption, explication par réduction, explication causale, explication structurale, etc. La sémiotique naît ainsi du renversement de priorité entre expliquer et comprendre, sans toutefois que soient rompus tous liens avec l'intelligence narrative, comme je vais maintenant le montrer. En empruntant aux modes explicatifs décrits plus haut, la sémiotique réfute la distinction diltheyenne entre sciences de l'esprit et sciences de la nature. C'est dans le même champ, celui des signes, et non plus dans deux champs distincts, esprit et nature, que les deux modes cognitifs du comprendre et de l'expliquer s'affrontent. Une certaine vérité est ainsi reconnue à la théorie de l'unité de la science, selon l'école de Vienne, dans la mesure où l'explication est commune, à des degrés divers et selon des modalités différentes, à tous les champs scientifiques. En même temps, une part de l'intuition diltheyenne est sauvée, dans la mesure où l'explication n'est pas chassée par la compréhension, mais où, dans le champ herméneutique ouvert par les actions, les œuvres, les textes, le rapport est simplement inversé entre expliquer et comprendre. L'adage « expliquer plus pour comprendre mieux » perd alors son caractère de truisme, dans la mesure où c'est l'explication qui désormais mène le jeu au risque que la compréhension soit réduite au rang d'effet de surface. C'est par ce renversement de priorité entre expliquer et comprendre, et non par l'élimination du second par le premier, que je vais maintenant essayer de caractériser la sémiotique structurale des récits de mon ami Greimas.

III

Dans ma troisième partie, centrée sur Greimas, je me propose de reprendre les analyses que l'on peut lire dans « La grammaire narrative de Greimas [1] » et sous une forme plus condensée dans *Temps et Récit II* (Paris, Le Seuil, 1984, p. 71-91). Mais, à la différence de ces analyses anciennes où j'adoptais une posture défensive en faveur de l'herméneu-

---

1. Texte publié dans ce recueil.

tique centrée sur la compréhension, et du même coup un ton polémique, modéré il est vrai, à l'égard de la sémiotique de Greimas, je voudrais ici me servir de ce que je tenais alors pour des objections comme d'un témoignage en faveur de la synergie entre expliquer et comprendre que je vois aujourd'hui à l'œuvre dans la construction des modèles greimassiens, depuis *Sémantique structurale* (1966), *Du sens I* (1970), *Maupassant* (1976), *Du sens II* (1985).

C'est assurément d'un renversement méthodologique, à savoir de la priorité donnée à la rationalité narratologique par rapport à l'intelligence narrative, que procède la sémiotique narrative. Dans mes écrits antérieurs, je voyais avec regret cette narratologie se substituer à l'intelligence narrative, dans la mesure où elle semblait se conformer aux déclarations les plus extrêmes de Roland Barthes à l'époque de son grand écrit *Introduction à l'analyse structurale des récits* (1966). On lisait alors que « l'analyse actuelle tend [...] à "déchronologiser" le contenu narratif et à le "relogifier", à le soumettre à ce que Mallarmé appelait à propos de la langue française "les primitives foudres de la logique" » (*Problèmes du récit*, p. 27). Et, dans la même page : « Le temps, en effet, n'appartient pas au discours proprement dit, mais au référent ; le récit et la langue ne connaissent qu'un temps sémiologique ; le "vrai" temps est une illusion référentielle "réaliste", comme le montre le commentaire de Propp, et c'est à ce titre que la description structurale doit en traiter » *(ibid.)*.

Relisant aujourd'hui les écrits de Greimas, je suis frappé par le soin qui est mis, dès *Sémantique structurale*, à rendre compte de ce qu'il y a de novateur dans les *transformations* en quoi consistent les opérations de mise en structure (terme que je mets provisoirement en face de mon expression miseen-intrigue) dans le récit. Certes, Greimas entend bien que les transformations appliquées à une catégorie sémique quelconque, au niveau du modèle qui fonde le carré sémiotique, puissent être caractérisées comme des espèces de conjonction et de disjonction. Mais – et c'est ici ma thèse –, une intelligence narrative continue de servir de guide tacite pour donner sens à des notions telles que contrat, rupture de contrat et restauration de contrat, au moment même où le contrat est assimilé à une conjonction entre interdiction et violation, et sa restauration à une nouvelle conjonction. De même, dans le passage des idées de manque et de liquidation, *que nous comprenons*, aux nombreuses disjonctions et conjonctions qui en jalonnent le devenir, c'est encore l'intelligence narrative qui sert de guide tacite à la rationalité narratologique. De la même façon, c'est la compréhension du développement temporel du récit, sous les figures de l'épreuve, de la quête, de la lutte, avec toutes les nuances axiologiques apportées par les idées de violation et de restauration, qui guide en sous-main la logique des transformations que la rationalité narratologique superpose à l'intelligence narrative. Je vois là un rapport semblable à celui que la psychologie cognitive entretient, par le moyen de ses simulations, avec la compréhension ou la précompréhension que nous avons de l'acte de connaître. Que, dans ce renversement méthodologique, les transformations narratives soient appuyées sur des propriétés structurales synchroniques, que la diachronie procède de ces propriétés mêmes, c'est là le résultat du renversement épistémologique qui donne le pas à l'explication sur la compréhension. Il reste que l'idée même de transformation est greffée sur la compréhension que nous avons de la temporalité narrative par la fréquentation des récits et de leurs intrigues.

Avec *Du sens* et *Maupassant*, le renversement méthodologique est porté à son plus haut degré de radicalité : selon l'ordre recommandé par les « jeux des contraintes sémiotiques », ce sont les structures *profondes* qui définissent les conditions d'intelligibilité des objets sémiotiques ; les structures médianes, où se déploient les ressources *discursives* du faire anthropomorphique, ne constituent plus, par contraste avec les précédentes, que des structures superficielles ; quant au plan de la figuration, sur lequel se meut notre intelligence narrative, il reçoit le statut de plan de *manifestation*. Ce renversement par lequel l'intelligence narrative est assignée à l'espace de manifestation par rapport à la syntaxe (ou à la grammaire) des structures profondes est conforme au génie de l'explication : si l'explication causale est mise hors jeu, ainsi que le positivisme des approches sociologisantes, l'explication du plus superficiel par le plus profond peut être rapprochée de l'explication par réduction, au sens précisé plus haut. Ce qui est alors spécifique de la sémiotique structurale, c'est d'avoir combiné l'explication structurale synchronique avec l'explication par réduction du plan de manifestation aux structures profondes, et avec l'explication génétique, réduite à une logique des transformations. En ce sens, il est fait abondamment emprunt à la large palette de l'explication.

Cela dit, il me paraît aujourd'hui que les enrichissements, que je voyais il y a quelques années compenser la radicalisation aboutissant au « modèle constitutionnel » figuré par le carré sémiotique (cf. « Les jeux des contraintes sémiotiques », in *Du sens I*, p. 136) sont à la fois guidés en sous-main par l'intelligence narrative et rendus parfaitement homogènes à la logique transformationnelle déployée par le modèle constitutionnel. La reformulation, en termes d'opérations orientées, des relations de contradiction, de contrariété et de présupposition, inscrites sur le carré sémiotique, est dite à juste titre par Greimas *narrativiser* le modèle constitutionnel. Cette narrativisation exprime la synergie de l'intelligence narrative et de la rationalité narratologique[1].

C'est cette même synergie entre compréhension implicite et explication explicite que je retrouve à tous les niveaux de la construction du modèle greimassien : grammaire du faire, avec ses modalités (savoir-faire, pouvoir-faire, vouloir-faire, etc.) ; introduction de la relation polémique entre deux programmes narratifs ; distinction entre objet-valeur et valeur modale (acquérir le pouvoir, le savoir, le vouloir-faire) ; mise en rapport entre confrontation, domination et attribution d'un objet-valeur ; emprunt de la catégorie du transfert à la structure de l'échange ; syntaxe topologique des transferts de valeur. Autant de décisions méthodologiques qui permettent de définir la notion de suite performantielle et de lui assigner le statut de squelette formel de tout récit.

La relecture de *Maupassant* renforce ma conviction. L'addition de structures *aspectuelles* à la logique des transformations déplace le problème de la synergie entre compréhension et explication dans le champ de la phénoménologie du temps. Et le bénéfice est mutuel. D'un côté, c'est le repérage

---

1. Je donnerai aujourd'hui un tour moins polémique à ce que j'écrivais à ce propos dans *Temps et Récit II* : « On peut se demander [...] si ce n'est pas la compétence apprise au cours d'une longue fréquentation des récits traditionnels qui nous permet, par anticipation, d'appeler *narrativisation* la simple reformulation de la taxinomie en termes d'opérations et qui exige que nous procédions des relations stables aux opérations instables » (p. 96-97).

exact, sur le plan sémiotique des signes de la *durativité* et de ses deux pôles extrêmes, l'*inchoativité* et la *terminativité*, ainsi que ceux de la *tensivité*, qui permet d'enrichir la phénoménologie du temps de dimensions non linéaires, non chronologiques. De l'autre côté, c'est dans la mesure où ces traits aspectuels peuvent être intégrés à l'expérience de la temporalité, au titre de la permanence et de l'incidence, qu'ils prennent sens, en tant précisément que modes de temporalisation. Il y a donc homologation double et mutuelle. Certes, c'est la sémiotique qui doit être créditée de la découverte, dans la mesure où ces traits aspectuels ont d'abord été repérés sur la base d'indices textuels ; mais ce qui est désigné du terme de « position temporelle » a finalement un statut double : sémiotique-phénoménologique. C'est à mon sens dans l'expérience de lecture que se fait l'homologation réciproque : le texte impose l'ajout des structures aspectuelles au plan des structures profondes, mais c'est l'extension de l'autocompréhension du lecteur qui valide en dernière instance cette adjonction.

Toutes les autres trouvailles du *Maupassant* sont à porter au compte de la même homologation réciproque : les connotations *euphoriques* et *dysphoriques* enrichissent les valeurs axiologiques déjà assignées aux structures profondes par le biais de la notion d'objet-valeur et plus encore de valeur modale (voir ci-dessus) ; le renforcement du statut actantiel de *destinateur* appelle en écho une herméneutique de l'envoi, du mandat, par quoi le protagoniste d'une action en forme de quête est institué, instauré, en tant que sujet capable de faire. Quant à la distinction sur le plan sémiotique entre faire pragmatique (faire au sens usuel) et faire cognitif, avec sa double valence de faire persuasif et de faire interprétatif, j'accorde volontiers que le sémioticien ne manque pas d'indices textuels pour articuler ces différences. Je suis moins enclin à accorder à la sémiotique l'initiative et l'autonomie qu'elle paraît continuer de revendiquer pour ces enrichissements. Ici, la précompréhension que nous avons de ces distinctions sur le plan phénoménologique me paraît exercer un rôle irremplaçable de guidage, même si c'est l'articulation textuelle de ces distinctions qui fait passer la phénoménologie elle-même de la précompréhension vague à la compréhension distincte. Quant au carré de la véridiction, le recours qui est fait ici aux catégories du paraître et de l'être me paraît donner cette fois la primauté à la phénoménologie, même si, ici encore, celle-ci a tout à gagner à voir se distribuer sur un carré, de façon à la fois élégante et convaincante, les quatre côtés de la *véridiction* : vérité, fausseté, mensonge, secret, sur la seule base des conjonctions entre être, paraître, non-être et non-paraître. Je dirai que nulle part l'intrication n'est plus étroite qu'ici entre sémiotique et phénoménologie, et, en ce sens, entre explication et compréhension, l'initiative revenant de façon plus ou moins forcée à l'explication dans cette version sémiotique de l'herméneutique.

Le renversement méthodologique qui donne ses titres scientifiques à la sémiotique structurale n'est aucunement mis en question par l'argument qui a été toujours le mien, à savoir que, « dès la construction du carré sémiotique, l'analyse est téléologiquement guidée par l'anticipation du stade final, à savoir celui de la narration, en tant que créateur de valeurs » (*Temps et Récit II* p. 107). C'est à ce guidage tacite qu'il a été fait référence, lorsque l'on a souligné, d'abord, le caractère orienté des transformations décrites sur le plan des structures profondes, puis l'apport massif de catégories praxiques sur le plan discursif, en particulier avec la représentation polémique des rapports logiques, enfin, le rôle permanent des catégories axiologiques (valeur, objets-valeurs, valeurs modales, valeurs euphoriques et dysphoriques).

Mon argument revient à dire que le renversement méthodologique qui donne le pas à l'explication sur la compréhension n'abolit pas leur relation dialectique, mais renverse seulement leur ordre de priorité à l'intérieur même de ce qu'on peut appeler une herméneutique textuelle. Ce disant, je ne prétends exercer aucun impérialisme doctrinal. Car une herméneutique à dominante explicative, illustrée par la sémiotique de Greimas, reste parfaitement autonome à l'égard d'une herméneutique à dominante compréhensive à la mouvance de laquelle mes propres travaux appartiennent. Une herméneutique totalisante, qui prétendrait abolir la différence entre la version explicative et la version compréhensive ne pourrait se réclamer que du savoir absolu hégélien.

Quant à la prétention inverse qu'une science explicative pourrait entièrement s'affranchir de son rapport dialectique avec la compréhension, elle me paraît pouvoir être réfutée par le simple rappel que la science elle-même est une pratique, une pratique théorique, certes, mais une pratique qui, comme toutes les pratiques, doit être ressaisie selon sa finalité interne. Celle-ci ne peut être restituée qu'en faisant le récit de ses avancées, de ses ruptures, de ses reprises. C'est à la faveur de ce récit, ou plutôt de ces récits aux multiples intrigues voués à la pratique théorique, que nous pouvons entrevoir – pré-comprendre, oserai-je dire à la suite de Jean Ladrière – sur quel horizon inassignable de sens la pratique théorique se détache, conjointement avec les autres pratiques humaines, parmi lesquelles il ne faudrait pas oublier de compter les pratiques éthiques et politiques.

Autour de l'interprétation

Interprétation
(1989)

En ce qui concerne les mots, le terme d'interprétation n'est
pas le lieu de difficultés de traduction entre l'allemand et le
français, ni de malentendus concernant l'usage. En allemand,
une solide et constante tradition a imposé le couple *verstehen-
auslegen* (avec la nuance qu'on va dire) ; d'autre part, *Auslegung* et *Interpretation* sont pratiquement interchangeables
dans tous les contextes ; enfin, *Hermeneutik* s'est imposé
pour désigner la discipline qui vise à donner un statut de
rigueur, sinon de scientificité, à *l'Auslegung-Interpretation*.
À ces termes de base il faut ajouter quelques mots passerelles, par exemple, entre un usage proprement herméneutique et une conception plus large de la signification *(Bedeu-
tung)*, comme *Deutung*, que l'on trouve dans le titre fameux
de la *Traumdeutung* de Freud, ou comme *erklären*, qui, de
quasi-synonyme dans l'usage courant, tend à occuper la
place de l'antonyme de *verstehen*. En français, le couple
comprendre-interpréter correspond sans difficulté au couple
verstehen-auslegen. Pour les traducteurs, seul le terme *Deutung* peut faire difficulté, quoiqu'il n'y ait pas eu d'hésitation
à traduire par *Interprétation du rêve (ou des rêves)* la *Traumdeutung* freudienne. Ce recouvrement presque parfait au
niveau des champs sémantiques s'explique à la fois par le fait
que l'herméneutique est d'abord une discipline allemande,
d'une part bien implantée dans une riche tradition, d'autre
part déployée dans des œuvres majeures.

Un bon texte de référence, à partir duquel on peut monter
en amont et descendre en aval, est constitué par l'article
fameux de Dilthey *Die Entstehung der Hermeneutik* de 1900.
Dilthey autorise son entreprise d'une rencontre de deux exigences de pensée, rencontre qui n'a vraiment eu lieu qu'en
Allemagne. On a, d'un côté, le souci de saisir les formes

majeures de l'existence humaine considérées dans leur singularité : ce que Dilthey appelle l'« individuation du monde humain ». De l'autre, on a l'ambition de donner à ce souci une forme scientifique. La première exigence est profondément enracinée dans le sol du romantisme allemand, lequel n'a pas eu de contrepartie comparable en France. La seconde fait face à la montée du naturalisme et du positivisme et leur oppose l'idée d'une spécificité des *Geisteswissenschaften*. La conjonction de ces deux exigences a été facilitée par le développement critique de la philologie classique et de l'exégèse biblique, qui donnaient conjointement au goût du singulier et à la demande de scientificité un terrain mixte où s'exercer : celui de l'*écriture*. La fonction de l'herméneutique était alors de donner un arrière-plan philosophique à ces disciplines spécialisées. Cet arrière-plan était celui d'une théorie de la compréhension de plus vaste envergure que l'interprétation des documents écrits. La compréhension s'adresse en effet à tous les signes extérieurs d'une vie psychique étrangère. Elle a donc pour point d'application tout ce qui a valeur d'expression *(Ausdruck)*, c'est-à-dire d'objectivation d'un intérieur dans un extérieur. À partir de là, elle vise à remonter aux productions singulières sur la base de leurs signes objectivés. Que ce projet puisse revendiquer une scientificité de principe repose sur trois arguments : d'abord, les signes sont des faits de droit égal aux faits sur lesquels s'édifient les sciences de la nature ; ensuite, ces signes ne se donnent pas à l'état dispersé, mais dans des enchaînements *(Zusammenhänge)* qui donnent aux objectivations de la vie une forme de système ; enfin, l'individuation du monde humain a trouvé dans la fixation par l'écriture (et les autres monuments comparables) un degré supérieur d'objectivité. Là résident à la fois la continuité et la discontinuité entre comprendre et interpréter : « Nous appelons exégèse *(Auslegung)* ou interprétation *(Interpretation)* un tel art de comprendre les manifestations vitales fixées d'une façon durable. »

Si maintenant on remonte en amont de l'herméneutique de Dilthey, il apparaît que la grande nouveauté de Dilthey réside dans la prétention à une *scientificité* de rang égal à celle des sciences de la nature. Avant Dilthey, l'ambition est moindre. Après Dilthey, elle devient l'objet d'un profond désaccord.

Si l'on remonte de Dilthey à Schleiermacher, on trouve

bien l'idée de placer sous une discipline unique (appelée *Kunstlehre*) les règles communes à la philologie classique et à l'exégèse biblique. Mais il y a loin de cette recherche d'une herméneutique générale, considérée comme un art rigoureux, à la revendication d'une scientificité. Certes, l'herméneutique de Schleiermacher est allée très loin dans le sens de la subordination des règles et des recettes entre lesquelles s'était dispersé l'art d'interpréter de ses prédécesseurs. Le projet d'une herméneutique générale pouvait s'autoriser du renversement copernicien opéré par Kant pour rapporter les règles d'interprétation (et la plus connue d'entre elles, à savoir le rapport circulaire entre compréhension du tout et compréhension des parties), non plus à la diversité des textes, mais à l'opération centrale de la compréhension. C'est chez Schleiermacher que Dilthey a trouvé réunis l'esprit de la critique kantienne et celui du romantisme, attaché à retrouver dans les œuvres le génie de la création. C'est de ce couplage que Dilthey est l'héritier. Mais entre lui et Schleiermacher s'interposent l'historiographie scientifique de l'école historique allemande, avec ses séquelles philosophiques, l'historicisme et le soupçon de relativisme, et le développement considérable des sciences de la nature, avec ses présuppositions philosophiques, le positivisme et le matérialisme. Ces phénomènes culturels de grande ampleur expliquent l'ambition propre à Dilthey de donner à l'interprétation le statut de science, sur un pied d'égalité avec les sciences de la nature. Ainsi s'est noué le pacte entre sciences de l'esprit et interprétation.

C'est précisément cette prétention à la scientificité que l'herméneutique, issue de Heidegger, a remise en question. Et cela au nom d'une ontologie – et non pas d'une épistémologie supérieure –, d'une ontologie qui substitue au concept d'esprit *(Geist)*, de résonance hégélienne, celui de *Dasein*, pour désigner la sorte d'étant défini comme la place de la question de l'être. Il s'agit dès lors de creuser sous l'entreprise épistémologique elle-même, afin d'en mettre au jour les conditions ontologiques.

Cette espèce de seconde révolution copernicienne trouve son expression dans le nouvel emploi des termes *verstehen* et *auslegen* dans *Sein und Zeit* (1927). Comprendre est un mode d'être avant de définir un mode de connaître. Il consiste pour l'essentiel dans la capacité pour le *Dasein* de projeter ses possibilités les plus propres et, ainsi, de s'orienter dans des situations sur le fond d'une situation fondamentale, celle d'être au monde. Un « projeter » *(vor-werfen)* réplique à un « être-jeté » *(Geworfenheit)* préalable. Vient en troisième position l'interprétation, après la situation fondamentale et la compréhension. Elle consiste en une explicitation, un développement de la compréhension ; ce qui est à expliciter, c'est le « en tant que » *(als)* caractéristique des articulations, de la situation et de la compréhension. Une flèche est ainsi jetée en direction de l'interprétation des textes ; mais Heidegger ne s'intéresse pas à cette filiation ; il se borne à la fondation nouvelle.

C'est ici que Gadamer prend la relève : la finitude de la compréhension est le thème ontologique qui le rattache à Heidegger ; mais son problème est celui de la confrontation entre l'expérience herméneutique et la sorte de distanciation aliénante *(Verfremdung)* qui lui paraît être la présupposition des sciences de l'homme alignées sur celles de la nature. La question de Dilthey est reprise, mais dans une perspective postheideggérienne. Elle est mise à l'épreuve dans trois champs : celui de l'art, où la prise de la réalité esthétique sur nous précède le jugement distancié du goût ; celui de l'histoire, où la conscience d'être exposé au travail de l'histoire précède l'objectivation de l'historiographie documentaire ; celui du langage, où le caractère universellement langagier de l'expérience humaine précède toute méthodologie linguistique, sémiotique ou sémantique. Le règne de la chose dite sur les interlocuteurs passe au premier plan, lorsque la *Sprachlichkeit* devient *Schriftlichkeit*, autrement dit lorsque la médiation par le langage devient médiation par les textes. Les conditions d'une théorie de l'interprétation sont de nouveau réunies, mais sous la réserve que la question de la vérité – ici : la « chose-du-texte » – précède et enveloppe les questions de méthode. D'où le titre du grand œuvre : *Wahrheit und Methode*.

La théorie de l'interprétation n'a pas connu en France l'essor dont elle a bénéficié en Allemagne. Les raisons en sont multiples. D'abord, la conjonction entre le kantisme et le romantisme, qu'on trouve à l'origine de l'entreprise de Schleiermacher, est sans parallèle en France. Une théorie générale de l'interprétation fondée sur une théorie philosophique de la compréhension fait presque entièrement défaut en langue française ; les excellentes traductions des auteurs allemands cités en tiennent lieu. En revanche, le concept d'interprétation s'est trouvé couplé avec des disciplines qui ont connu un développement spécifique en langue française, qu'il s'agisse de l'ethnologie culturelle de Lévi-Strauss, de la sémiotique de Greimas, ou des différentes branches du structuralisme. Ce n'était pas à un empiétement des sciences de la nature sur le terrain des sciences de l'homme qu'une théorie de l'interprétation avait affaire, mais à des sciences du signe indépendantes de tout modèle naturaliste. Le problème, dès lors, n'était pas de remonter des formes objectivées de la vie de l'esprit à la productivité originaire de cette vie, mais d'articuler de façon originale la nouvelle science des signes, et sa version structuraliste avec la compréhension que nous avons de ces structures dans la vie quotidienne et le langage ordinaire. Une autre configuration du triangle expliquer-comprendre-interpréter se proposait, où l'interprétation désignerait la discipline englobante au sein de laquelle se confronteraient l'explication structurale et la compréhension existentielle. Une conception de l'interprétation, moins liée à la nostalgie romantique d'un retour à la créativité, et plus attentive aux apports des nouvelles sciences de l'homme, trouvait à s'exprimer dans des domaines aussi différents que la théorie de l'action, la théorie des textes, ou la théorie de l'histoire, chacune d'entre elles illustrant, à sa façon, la dialectique entre comprendre et expliquer, à l'opposé de l'orientation dichotomique de l'herméneutique allemande. Mais la raison principale du relatif insuccès de l'herméneutique française reste encore à dire. Elle tient à la réception en France de l'œuvre de Heidegger, bien souvent en conjonction avec celle de Nietzsche. Ce qui a été retenu principalement de Heidegger, ce n'est pas sa confrontation avec l'historiographie et en général avec les sciences dites de l'esprit, mais son débat avec la tradition métaphysique, largement identifiée avec l'ontothéologie. L'enjeu nouveau n'était plus le rapport entre ontologie et épistémologie, mais le destin même du mode occidental de philosopher. Une carrière toute nouvelle était ainsi ouverte à l'interprétation, appliquée cette fois aux grands textes de la tradition, dans le dessein de déconstruire – suivant le mot d'ordre de Heidegger – la façade systématique qui en dissimule le ressort véritable de pensée. Les lectures et relectures des grands textes de la philosophie, de Parménide à Hegel et à Nietzsche, sont les monuments de l'interprétation à la française : l'avenir dira si la libération des possibilités enfouies et inexplorées aura été plus importante que l'annonce de la fin toujours imminente de la métaphysique. Cette incertitude même vérifie que le concept d'interprétation – comme celui d'être, selon Aristote – « se dit de multiples façons ».

Préface à *L'Œuvre et l'Imaginaire* de Raphaël Célis
(1977)

Le sous-titre de l'ouvrage de Raphaël Célis, « Les origines du pouvoir-être créateur », en éclaire le dessein et la stratégie.

La dévastation dont sont affectées toutes les formes connues de l'action humaine lui paraît si ample et si entière qu'il n'est pas de tâche plus urgente pour le philosophe que d'amorcer une méditation sur les sources de la création, qui soit aussi radicale que la désolation elle-même. C'est pourquoi on chercherait en vain dans ce livre une description empirique des figures de l'action : technique, politique, éducation, art, etc. Encore moins y trouverait-on une analyse de sa grammaire ou de sa logique, à la façon de la théorie anglo-saxonne de l'action. Le terme d'*œuvre* a été préféré à celui d'action, non pas seulement parce qu'il préserverait l'unité de l'agir humain par-delà ses modalités concrètes, mais parce qu'il dirige l'attention et le souci vers ce qui, dans les pratiques humaines, en constitue la source créatrice. Or cette source ne se laisse précisément plus reconnaître, dans notre modernité, que comme cela qui s'est déjà tari. On lit dans les pages de conclusion un beau texte de Heidegger qui désigne à merveille le lieu du combat : « Créer signifie puiser à la source *(Schöpfen)*. Puiser à la source, c'est recevoir ce qui sourd et porter l'ainsi reçu. » L'enjeu est là : restaurer le sourdre de la source où puise le pouvoir-créer.

Ce qui donc impose à l'enquête sa radicalité, c'est la radicalité même du défi que l'enquête s'emploie à relever. Sans pathétique inutile, la longue Introduction dit les illusions perdues, les issues fermées, les ripostes déconcertées.

Ce qui paraît perdu sans retour, c'est ce qu'Henri Maldiney – l'un des auteurs les plus admirés et les plus lus par Raphaël Célis – appelle la « communication originaire avec

l'être de l'étant ». L'art est, si l'on peut dire, le lieu privilégié
où l'homme fait l'expérience de cette perte. C'est pourquoi
l'art est investi, tout au long de l'ouvrage, d'un rôle exemplaire : sans jamais être traité comme une forme spécifique
de l'agir humain, dont il faudrait montrer la place parmi les
autres, il est constamment désigné comme le lieu paradigmatique où l'homme fait non seulement l'expérience, mais
l'aveu le plus lucide de la perte de puissance qui affecte
l'agir humain dans son ensemble. « L'art, dit Célis, en écho à
Maldiney, est menacé moins dans son existence effective que
dans sa possibilité d'encore demeurer dans le contact nécessaire à sa naissance. » On admirera, à cet égard, la manière
avec laquelle l'auteur incorpore à sa propre méditation l'allé-
gorie proposée par Thomas Mann dans son *Docteur Faustus*.
Le compositeur fictif A. Leverkuhn offre à la méditation « le
paradigme vivant d'un état d'âme collectif : le tarissement et
l'épuisement des sources où l'homme puise la nécessité
d'une œuvre unifiée, le désarroi qui s'en dégage, et l'aspiration à la redécouverte d'une forme de réceptivité plus ultime ».
Ainsi, un retour lucide au lieu où la source ne s'ouvre plus
impose-t-il, comme une énigme désormais indécomposable,
la question : qu'est-ce que l'œuvre ?

Illusions perdues, disions-nous, mais aussi issues fermées.
Ce qui, pour Célis, comme pour ceux de sa génération qui
sont passés par Nietzsche, par Heidegger, par Derrida, par
Blanchot, est à jamais exclu, c'est une répétition pure et
simple des philosophies de la participation et de la présence.
Tout retour en deçà de l'« épreuve de la séparation » est interdit : seule l'expression même de la perte – l'« expression
en tant que plainte », dit Thomas Mann – peut encore devenir
l'amorce d'une « interrogation imperceptible ». Pour Célis,
les philosophies de la déconstruction ne sont pas des adversaires du dehors à combattre, mais déterminent l'espace de
jeu de la méditation, ou plutôt l'étroitesse du défilé par quoi
toute restauration du pouvoir-être créateur doit passer. Il
faut donc attendre de la réflexion tout autre chose que la
restitution d'une immédiateté perdue, mais une restauration
qui incorpore la distance et la déchirure. Le recours à l'*Imaginaire*, nommé dans le titre, dit déjà quelque chose de la
tâche de réfection d'un pouvoir à jamais privé de vision et
de possession.

Issues fermées, mais encore ripostes désarmées. Parmi celles-ci, l'hégélianisme. Rien n'est plus tentant, en effet, que la philosophie de l'œuvre que Célis a su extraire de trois textes majeurs de la *Phénoménologie de l'esprit*. Hegel n'a-t-il pas déjà célébré ce qui ronge de l'intérieur la créativité, à savoir la négativité, lorsqu'il décrit l'œuvre comme le renversement d'une conscience qui se fait effectivement réelle, en souffrant de « devenir le négatif d'elle-même, c'est-à-dire l'extrême objectif » ? Mais où est pour nous le but que l'individu, selon Hegel, devrait posséder auparavant pour opérer ? Où est le savoir où toutes les différences et toutes les oppositions seraient assumées dans ce que Gadamer désigne comme médiation totale ? C'est en ce point que Célis se souvient de Heidegger ; mais son Heidegger n'est pas le séduisant auteur des fameux aphorismes sur l'« ouverture de l'ouvert », le « berger de l'être », la « sérénité », mais le penseur, plus proche en cela de Blanchot, qui jamais ne sépare la « réserve » de l'« éclaircie » (« l'éclaircie », aime à citer Célis, « où l'étant vient se tenir est en elle-même et à la fois une réserve »). Le refus appartient donc au don. Dès lors, l'œuvre ne saurait être que l'effectivité du « combat originel entre l'éclaircie et la réserve ». Donc, plus de « séjour », ni de « gîte », ni « d'abri ».

A-t-on par cette sombre méditation sur le désastre arrêté le jeu avant de l'avoir commencé ? Une autre considération puisée dans la même expérience de séparation se laisse articuler : s'il est hors du pouvoir de l'homme de faire de son impuissance un pouvoir, c'est-à-dire de s'imposer à lui-même, sous la forme d'un programme objectif, la restauration de son pouvoir-être créateur, le contraire n'est pas moins vrai : il n'est pas non plus au pouvoir de l'homme de décider de ne plus « entrer dans l'être-là », pour rester dans la terminologie heideggérienne. Le nihilisme lui-même ne peut être une décision, un projet, un programme. L'espoir n'est donc pas interdit de chercher, dans ce qu'on appelait plus haut l'expression comme plainte, le résidu, la trace, l'amorce d'une restauration qui ne saurait être la restitution d'un état antérieur mais une avancée plus loin que le gouffre.

C'est ici que la stratégie de l'auteur demande à être comprise. C'est parce qu'il tient pour impraticable et vaine une enquête de caractère réflexif et analytique sur les formes et les conditions de l'agir qu'il choisit la procédure plus laborieuse d'un *long voyage à travers les textes* – essentiellement ceux de Husserl et de Kant. Pour expliquer ce détour et ce recours, il ne suffit pas de dire, me semble-t-il, que la voie des textes s'impose au philosophe parce que sa tâche n'est pas celle du poète pour qui l'expression comme plainte peut rester le dernier mot, mais parce que sa tâche se définit comme travail du concept. Or ce travail s'apprend sur le chantier même du concept, qui est le corpus des grands textes philosophiques. Une raison plus forte qui tient à l'expérience initiale qu'on vient de rappeler impose le détour par les textes. Tout se passe, en effet, comme si l'auteur attendait d'une herméneutique des textes ce que la réflexion directe ne peut engendrer, en raison même du tarissement de la source de l'expérience vive devenue expérience morte. L'auteur semble dire : l'expérience est muette, mais les textes parlent encore, parce qu'ils sont la trace non encore effacée de ce pouvoir-être créateur. Les textes survivent à l'expérience qu'ils portent au langage, parce qu'ils sont eux-mêmes des œuvres. Et parce qu'ils sont des œuvres, ils sont, encore aujourd'hui pour nous, selon l'expression de Kant dans la *Critique de la faculté de juger*, des exemples à suivre, sans être jamais des modèles à imiter.

Mais à quel prix offrent-ils un tel secours ? À la condition que l'érudition historique ne se substitue pas, à la même place, à l'analyse réflexive qu'on tient pour impossible. À la condition, donc, que les lectures de textes ne se bornent pas à une recension de thèmes bien connus sur l'intentionnalité, la synthèse, la pratique, le devoir être, etc. L'explication de texte ne ferait alors que ramener à la sorte de répétition dont on a dit qu'elle est aujourd'hui impraticable. Seule une lecture qui engendre dans les textes le concept d'œuvre, et qui ainsi désigne sa place comme celle de l'impensé, peut en même temps produire dans la méditation le sursaut créateur d'une reprise de sens et de sol. Autrement dit, il faut que la lecture ne soit pas une lecture répétitive, mais une lecture créatrice, pour que l'herméneutique des textes suscite le ressourcement que la crise de la modernité à la fois interdit et demande.

Or telle m'a paru être la manière de lire de Raphaël Célis. Sans faire violence aux textes, elle leur fait dire ce qu'une lecture au premier degré ne décèle pas. Qu'il s'agisse de

Husserl ou de Kant, j'ai été frappé par la manière dont Célis rend ces textes insolites et les fait parler autrement, à même hauteur précisément que l'épreuve de séparation à quoi il leur est demandé de répondre.

Ainsi, chez Husserl, les analyses consacrées aux « synthèses passives » sont réappropriées à la problématique du pouvoir créateur, laquelle, en retour, retrouve son enracinement en deçà de toute concertation et de tout vouloir dans la *motivation affective*. « La vie intentionnelle, entraînée dans la passivité du temps, s'avère être la proie d'une protention continuelle qui ne laisse jamais en repos, mais ouvre la conscience sur des horizons multiples qu'aucun savoir d'objet ne saurait épuiser. » Du même coup est ruinée la prétention de la conscience à s'ériger en maîtresse du sens, prétention qui, en tant que telle, est l'une des origines du nihilisme contemporain. Chaque activité, répond Husserl, suppose la constitution passive, préalable et inexplicite d'un axe de compréhension potentielle. Mais la lecture que Célis applique à Husserl s'avère authentiquement créatrice lorsqu'elle met soudain en court-circuit ce qui vient d'être dit sur la synthèse passive avec ce qui est dit par ailleurs chez Husserl sur le caractère radicalement intersubjectif de toute donation de sens. Le pont entre les deux thématiques est trouvé dans la problématique de l'explicitation *(Auslegung)* qui, dans les *Méditations cartésiennes*, remplace celle de l'expression *(Ausdruck)*, dans laquelle Derrida avait dénoncé le retour à la métaphysique de la présence pleine et intuitive. Expliciter n'est jamais donner à voir, mais déployer sans fin des horizons de sens. Expliciter, par là, fait de l'être une idée *pratique*. Or le champ privilégié de l'explicitation, c'est précisément l'intersubjectivité. Autrui, non plus, n'est jamais vu, présenté, mais « apprésenté » ; il n'entre jamais dans l'immédiateté du « propre ». À cet égard, les pages que Célis consacre au caractère analogisant de l'appréhension d'autrui sont extrêmement éclairantes et rejoignent celles qui seront ultérieurement consacrées à l'analogie chez Kant. D'une manière générale, l'analogie sera pour Célis l'une des catégories maîtresses du pouvoir-être créateur, dans la mesure où le travail de l'analogie ne donne jamais en vision directe ni en pouvoir plénier les analogues qu'elle suscite. Comme pour la synthèse passive, donc, l'*ego* est mis hors de soi par

l'appréhension d'autrui, sans jamais avoir la pleine clair-
voyance de son activité. Le Husserl de Célis n'est donc pas
celui de l'autofondation radicale, dans la mesure où les
niveaux constitutifs originels de la conscience du temps et de
la relation à autrui ont une portée résolument « déprésen-
tative ». Par ce côté, Husserl nous parle encore, à nous qui
sommes en proie à l'absence et au retrait. Mais Husserl ne se
borne pas non plus à faire écho, il répond à l'épreuve de
séparation, en joignant au dessaisissement une « appréhension agissante et finalisée » qui relève d'une compréhension
pratique de l'être.

Arrivé à ce point, on comprend pourquoi, dans l'ouvrage
de Célis, Husserl devait précéder Kant. L'exégèse créatrice
des deux grands thèmes husserliens, en dégageant l'idée
d'une génération pratique du sens de l'être, a conduit au seuil
des grands textes kantiens sur la génialité créatrice et sur la
poétique idéalisante de l'art.

Mais ici encore les analyses de Célis sont, au sens propre
du mot, inattendues. Au lieu de repasser, à la suite de Heidegger, sur les textes bien connus consacrés à l'imagination et au
schématisme, c'est dans le dynamisme de la Raison, par-delà
l'ordonnancement objectif réglé par l'entendement, que
l'auteur cherche le secret du caractère pratique de toute
raison. Les pages sur le schématisme et la raison sont à cet
égard quelques-unes des plus originales de l'ouvrage. Voici
quelques-uns des textes difficiles auxquels Célis se mesure :
« L'entendement, dit Kant, joue par rapport à la raison le
même rôle que la sensibilité par rapport à l'entendement. »
Et encore : « L'idée de la Raison est l'analogue d'un schème
de la sensibilité, mais avec cette différence que l'application
des concepts de l'entendement au schème de la raison n'est
pas une connaissance de l'objet lui-même… » On voit dans
quels arcanes Célis pousse son analyse intrépide. Du même
coup, cette sorte nouvelle de schématisme qu'est la production de l'idéal nous ramène au point où la spontanéité la plus
haute est intriquée avec la réceptivité la plus radicale, point
au voisinage duquel nous avaient déjà conduits les deux
thèmes majeurs étudiés chez Husserl : synthèse passive et
apprésentation d'autrui. En ce qui concerne Kant, il faut
avouer que le dur combat avec les textes les plus difficiles de
la Dialectique et de la Doctrine de la méthode est payé de

retour par une intelligence plus claire et plus ample des textes mieux connus de la troisième *Critique* sur le génie et sur l'imagination créatrice. Ces textes cessent d'apparaître comme des exceptions, des coups de sonde isolés. Ils se rattachent à la détermination universellement pratique et finie de la raison chez Kant. En même temps, on aperçoit mieux comment les pages fameuses de Kant sur la « présentation » *(Darstellung)* des Idées esthétiques rejoignent celles sur l'enracinement du dynamisme rationnel le plus haut dans la passivité. Il en est de même des textes sur l'analogie auxquels j'ai déjà fait allusion. À cet égard, le paragraphe 10 de la deuxième partie, « l'œuvre géniale comme production analogique du sens », s'avère être le véritable cœur de l'ouvrage.

La lecture des textes a-t-elle été la stratégie appropriée aux grands desseins de l'ouvrage ? Oui, dans la mesure où elle a engendré l'idée que, face au défi du tarissement et de la désolation, « la réponse offerte par l'œuvre d'art réside en tout premier lieu dans son être œuvre même […]. En raison même de sa portée révélatrice […] témoigne de la possibilité d'une parole vivante et authentiquement commençante, audelà de tout abîme et de toute désolation ». Mais l'herméneutique des textes n'aura accompli sa propre œuvre que lorsque l'auteur aura ajouté à l'art d'« interpréter » celui d'« appliquer ». Je veux dire, lorsque la sorte de ressourcement amorcé par la lecture se déploiera dans les régions mêmes où le défi exerce ses prestiges mortels : dans l'art, bien entendu, mais aussi dans la technique, dans la politique, dans l'éducation, c'est-à-dire dans tous les domaines où l'œuvre a partie liée avec l'*Imagination*.

Une reprise de *La Poétique*
d'Aristote
(1992)

Barbara Cassin me demande de répondre à la question suivante : « Que vous inspire *La Poétique* d'Aristote ? » J'ai accepté d'autant plus volontiers son invitation que j'avais tenté, dans *Temps et Récit*, une « appropriation » de ladite *Poétique*, mais sans poser le problème en termes de « stratégie d'appropriation », comme il nous est demandé aujourd'hui ; c'est ce que je vais donc essayer de faire en prenant une distance critique à l'égard de ma propre manœuvre dans l'ouvrage cité.

La première phase de cette stratégie commence au plus près de la lecture du texte d'Aristote ; elle consiste dans la reconstruction d'un ternaire de base, dont les termes marquants sont *mimesis*, *muthos*, *katharsis*. La phase ultérieure procède de la question de savoir jusqu'où s'étend la capacité de *reprise* et de réinvestissement de ce ternaire dans des champs culturels éloignés de ceux de la Grèce classique et dans des genres littéraires de plus en plus distants de la tragédie grecque. La manœuvre stratégique décisive consiste pour l'essentiel dans une réinscription du ternaire en question dans le champ du *narratif en général*. On se demandera alors si c'est en termes d'invariant et de variations imaginatives à la manière de Husserl, à la rigueur d'idéal-types à la façon de Max Weber, que se laisse penser le rapport entre ce présumé modèle fort et ces éventuelles exemplifications ; une méditation sur le style d'historicité propre à la suite des investissements du modèle trouvera son épreuve de vérité dans l'hypothèse d'une mort imminente de l'acte et de l'art de raconter.

LE TERNAIRE DE LA « POÉTIQUE »

Que la reconstruction que je propose du ternaire aristotélicien – *mimesis, muthos, katharsis* – ne soit pas innocente, qu'elle soit en quelque sorte sollicitée par la manœuvre ultérieure qui sera au centre de nos préoccupations, je n'en disconviens pas. Cet aveu est une manière de réaffirmer que l'histoire de la philosophie est œuvre de philosophe. Toutefois, je plaiderai pour la rigueur exégétique de cette reconstruction, rigueur qui ne me paraît pas affaiblie, mais au contraire requise, par le projet ultérieur de faire contribuer le texte d'Aristote à une théorie de la narrativité qui n'appartient pourtant pas à son horizon de pensée. C'est pourquoi je présenterai les trois termes de notre ternaire aussi près que possible des définitions qu'Aristote en donne, et compte tenu de la fonction que son analyse leur assigne.

Je commence par le pôle de la *mimesis*, sans me hâter de traduire le terme grec par « imitation », sous peine de fermer trop tôt l'espace de jeu de l'interprétation ; bornons-nous à dire : activité mimétique, voire mime. *Mimesis* se présente comme le concept directeur de *La Poétique* d'Aristote, bien qu'il ne soit défini que par énumération et finalement par emploi contextuel ; Aristote, en effet, le spécifie en lui donnant pour déterminant quelquefois des agissants *(prattontes)*, le plus souvent l'action elle-même *(praxis)* ; d'où la fameuse expression composée *mimesis praxeos*. Cet usage contextuel marque à la fois la rupture avec une conception métaphysique de la *mimesis et* l'ouverture du champ de variations que je dirai plus loin. Rupture avec la *mimesis* de Platon, laquelle, comme on sait, régit l'ordre ascendant/descendant qui conjoint les modèles intelligibles et leurs répliques sensibles, elles-mêmes dédoublées et redoublées par les produits de l'art, lesquels se trouvent ainsi éloignés de deux degrés de leurs modèles. Avec Aristote, l'activité mimétique n'a plus pour champ d'exercice que la *praxis* humaine, ce qui la met dans une proximité qu'on dira plus loin avec l'éthique : « Comme ceux qui imitent représentent des hommes en action, lesquels sont nécessairement gens de mérite ou gens médiocres (les caractères, presque toujours, se ramènent à ces deux classes, le vice et la vertu faisant chez tous les hommes la différence du caractère), ils les représentent ou meilleurs que nous ne sommes en général, ou pires ou encore pareils à nous, comme font les peintres[1] » (1448a, 1-4 ; trad. J. Hardy, Les Belles Lettres). Nous pouvons mettre entre parenthèses la qualification « meilleurs » ou « pires », dans la mesure où la suite de l'analyse subordonne les caractères et leurs vertus à la structure, ou mieux la structuration, de l'action par le *muthos*. Telle est la première et double décision thématique : déconnecter la *mimesis* de la métaphysique : *mimesis praxeos* : « C'est la fable qui est l'imitation de l'action[2] » (1450a, 3).

La deuxième décision thématique concerne la règle d'emploi du terme *muthos ;* celui-ci a, comme on sait, une longue histoire, inséparable du débat sans cesse recommencé entre *muthos* et *logos*. Ici encore, Aristote tranche : *muthos* sera, comme l'a été *mimesis*, assigné à la sphère pratique, dans la mesure où le *muthos* applique à la *mimesis praxeos* sa règle d'articulation ; *muthos* sera défini comme « assemblage *[sunthesin]* des actions accomplies[3] » (1450a, 3). *La Poétique* est ainsi identifiée sans réserve à l'art de composer les *muthoi* (à cet égard, on remarquera le « car » qui lie les deux propositions : « C'est la fable qui est l'imitation de l'action, car *[gar]* j'appelle fable l'assemblage des actions accomplies », 1450a, 3-5).

Une remarque sur la traduction de *muthos :* faut-il dire « fable » avec J. Hardy ? « histoire », avec Dupont-Roc et Lallot ? ou « intrigue », comme je le propose ? Il est difficile de garder les deux valeurs : le caractère *fictif* de la fable, le caractère *structuré* de l'assemblage ; comme le second trait m'a paru prévaloir, j'ai choisi *intrigue*, ou mieux *mise-en-*

---

1. Roselyne Dupont-Roc et Jean Lallot traduisent : « Puisque ceux qui représentent, représentent des personnages en action, et que nécessairement ces personnages sont nobles ou bas (les caractères relèvent presque toujours de ces deux seuls types, puisque, en matière de caractère, c'est la bassesse et la noblesse qui pour tout le monde fondent les différences), c'est-à-dire soit meilleurs, soit pires que nous, soit semblables – comme le font les peintres… » (La *Poétique*, Paris, Le Seuil, 1980).

2. Dupont-Roc et Lallot : « C'est l'histoire qui est la représentation de l'action » *(ibid.).*

3. Dupont-Roc et Lallot : « J'appelle "histoire" le système des faits » *(ibid.).*

intrigue ; l'anglais dit mieux : *plot ! emplotment*, et l'italien, *intreccio.* Quoi qu'il en soit de la traduction, c'est la conjonction de ces deux premières décisions thématiques qui ouvre le champ des variations dont on explorera plus loin l'amplitude et éventuellement les limites. Disons : *La Poétique* définit la *poiesis* (c'est-à-dire, ici, « l'art qui imite par le langage seul, prose ou vers », 1447a, 28) par l'intersection entre l'*activité mimétique* et l'*activité configurante*, opérant conjointement dans le champ de la *praxis* humaine par le truchement d'*agissants* susceptibles d'évaluation éthique.

Avant d'introduire le troisième terme du ternaire, notons les contraintes limitatives qui, au départ, semblent faire obstacle aux *reprises* du modèle aristotélicien dont il sera question plus loin. J'en note trois, que j'énonce de la moins exclusive à la plus rigoureuse. Première contrainte : toute l'analyse fait référence à des genres littéraires connus à l'époque – tragédie, comédie, épopée, poésie lyrique ou élégiaque, et cela à l'exclusion des manières non verbales d'imiter, la peinture par exemple, et des manières non métriques de dire, le mime ou le dialogue socratique, qui, en effet, imitent de façon créatrice les entretiens de la vie quotidienne. Deuxième contrainte : la *mimesis* des agissants se répartit en deux groupes, selon que c'est le poète lui-même qui compose la fable, l'histoire, l'intrigue, *en la racontant*, ou selon que la conduite de l'action est confiée aux agissants eux-mêmes sous le masque des acteurs. Voilà le récit – la *diegesis* ou l'*apanggelia* –, donc l'épopée, apparemment exclus du champ d'investigation au seul bénéfice de la tragédie et de la comédie. On va voir que c'est plus compliqué : dans la mesure où Homère *compose* ses narrations à la manière dont le poète tragique ou comique « agence les faits », le *muthos* devient une structure commune au récit et au drame. Plusieurs classifications se chevauchent ainsi, laissant du champ à une recomposition du paysage poétique telle que celle que je proposerai. En témoigne la comparaison entre l'épopée et la tragédie en 1449b, 9 *sq.*, qui relativise la différence entre récit et mise en scène. Troisième contrainte limitative : parmi toutes les formes de drame, un privilège est concédé à la tragédie, à laquelle est appliquée la fameuse division en six parties qui sert de fil conducteur dans la suite du traité : intrigue *(muthos)*, caractères ou personnages *(ethe)*, élocution *(lexis)*, pensée *(dianoia)*, spectacle

(opsis) et chant *(melopoiia)* [Dupont-Roc et Lallot : « L'histoire, les caractères, l'expression, la pensée, le spectacle et le
chant », 1450a, 7-9]. À l'intérieur de cette liste il faut encore
isoler le *quoi* de la *mimesis* – fable, caractères, pensée –, le
par quoi – élocution, chant –, le *comment* – spectacle. Quant
au *quoi*, ses composantes se hiérarchisent ainsi : vient en premier l'assemblage des actions accomplies (le *muthos*) [« car
sans action il ne peut y avoir de tragédie, mais il peut y en
avoir sans caractères », 1450a, 23-25] ; viennent en deuxième
les caractères et en troisième position les pensées, c'est-
à-dire le signifié du parlé, le dit du dire. Or c'est ce rétrécis-
sement progressif du champ conceptuel, par hiérarchisation
interne des traits distinctifs de la tragédie au bénéfice
du *muthos*, qui paradoxalement rend possibles les reprises
qu'on dira plus loin : cela dans la mesure où l'*assemblage
des actions accomplies* est susceptible de s'affranchir des
trois cercles de contraintes que l'on vient de dire.

Mais, avant d'en venir là, il reste à rendre compte du troisième terme du ternaire de base. À vrai dire, la *katharsis*
n'appartient pas à la segmentation antérieure en six parties.
Et pourtant elle figure dans la définition plus large qui précède en 1449b, 21-25 : « … imitation qui est faite par des
personnages en action et non au moyen d'un récit, et qui,
suscitant pitié et crainte, opère la purgation propre à pareilles
émotions[1] » (Hardy). Cette hésitation au plan de la mise en
ordre des notions de base est en elle-même intéressante dans
la perspective de notre discussion ultérieure. D'un côté, en
effet, le couple *mimesis-muthos* tend à refermer le travail de
composition sur l'œuvre elle-même, considérée sous l'angle
de l'unité et de la complétude ; or c'est ce travail de composition immanent à l'ouvrage qui est pris en compte dans l'analyse en six parties de la tragédie, analyse dont la *katharsis* ne
fait pas partie. D'un autre côté, le couple *muthos-katharsis*
met en relation le dedans et le dehors de l'œuvre par l'entre-
mise du spectacle, de l'*opsis*, qui donne à voir l'action
mimée. La *katharsis* n'est d'ailleurs qu'un faisceau dans une

---

1. Dupont-Roc et Lallot : « La représentation est mise en œuvre par les
personnages du drame et n'a pas recours à la narration ; et, en représentant
la pitié et la frayeur, elle réalise une épuration de ce genre d'émotion »
(ibid.).

gerbe d'effets de sens, parmi lesquels il faut mettre le plaisir : plaisir pris à imiter, évoqué dès le début de *La Poétique* ; plaisir propre à la tragédie, dont il est dit en 1453b, 11, qu'il est l'*ergon*, la fonction propre de la tragédie. Ce qui apparente la *katharsis* à ce plaisir, c'est sa constitution indirecte, je veux dire le fait que *La Poétique* ne prend pas en compte les passions en tant que telles que la représentation suscite, mais bien leur purgation ; or qu'est-ce qui distingue la purgation poétique d'une purgation littérale, au sens médical ou mystique, sinon le fait qu'elle est l'œuvre de la compréhension du *muthos* ? Elle vaut alors élucidation, éclaircissement de la terreur et de la pitié, ou, comme je me risque à dire, métaphorisation de ces passions. Ce lien entre *muthos* et *katharsis* est si fort qu'il est réversible : l'épuration (Dupont-Roc et Lallot) poétique rebrousse en quelque sorte vers l'intérieur de l'œuvre en direction de ce qu'Aristote appelle les incidents effroyables et pitoyables tissés dans la trame même de la fable, ce qui leur permet de contribuer à l'intelligence du drame. C'est cette position clef de la *katharsis*, à la flexion de l'action mimée par le drame et du monde praxique du spectateur, qui rendra possible dans un instant son remploi à l'échelle d'une *esthétique de la réception*. Ainsi, le troisième terme de notre ternaire se révèle être, paradoxalement, à la fois le plus tributaire des contraintes limitatives du genre tragique (les passions purifiées restent la pitié et la terreur) *et* le plus ouvert sur une reprise, où l'*aisthesis* déploierait la capacité d'investissement de la *katharsis* bien au-delà des deux passions tragiques.

Ces dernières remarques nous portent au seuil de la question que je soumets à la discussion : le modèle aristotélicien peut-il échapper aux contraintes caractéristiques de son investissement tragique ? Si oui, jusqu'à quel point ?

LA REPRISE NARRATIVE

C'est ici que la stratégie d'appropriation que je suppose est appelée à rendre compte d'elle-même et de ses présuppositions. Elle a consisté pour moi à tenter la réinscription des concepts majeurs de *La Poétique* dans le cadre d'une problématique qui n'était pas celle d'Aristote, à savoir celle de la narrativité. Ce n'était pas celle d'Aristote, dans la mesure où le récit était, chez lui, opposé au drame agi par les personnages eux-mêmes. L'opération consiste donc à désenclaver le récit au sens aristotélicien et à l'élever au rang de métagenre. Au nom de quoi ? Au nom précisément de la parenté que le *muthos* réinstaure entre récit et drame. Je cite 1449b, 16 : « Quant aux éléments constitutifs [les *mere*, les parties qu'on a énumérées plus haut], certains sont les mêmes, les autres sont propres à la tragédie. Aussi celui qui sait distinguer une bonne et une mauvaise tragédie sait faire aussi cette distinction pour l'épopée ; car les éléments que renferme l'épopée sont dans la tragédie, mais ceux de la tragédie ne sont pas dans l'épopée [1] » (J. Hardy, 1449b, 16-20) – à savoir précisément le comment de la *mimesis* et non plus son *quoi*, à savoir la triade action, personnages, pensées.

Muni de cette permission d'Aristote, si j'ose dire, j'avance la thèse suivante : la reprise que je propose et que je pratique consiste à élever au rang d'*intelligence narrative* l'activité configurante, pivot du ternaire de *La Poétique*, par-delà les contraintes limitatives qu'on a dites. Je laisse ici de côté la question de savoir si l'historiographie relève ou non de cette intelligence narrative, cela en dépit d'une autre opposition que fait Aristote entre raconter les événements qui sont arrivés et raconter ceux qui pourraient arriver – donc, entre le particulier et le général : ce qui fait dire à Aristote « que la poésie est plus philosophique et d'un caractère plus élevé que l'histoire [2] » (1451b, 5), D'où la question : à quelles conditions doit satisfaire cette réinscription du ternaire aristotélicien dans le champ de la narrativité, pour que celui-ci atteigne au

---

1. « Quant aux parties, certaines sont communes aux deux genres, d'autres propres à la tragédie. Si bien que celui qui sait dire d'une tragédie si elle est bonne ou mauvaise sait le dire également de l'épopée. Car les éléments qui constituent l'épopée se trouvent aussi dans la tragédie, mais les éléments de la tragédie ne sont pas tous dans l'épopée » (Dupont-Roc et Lallot, *ibid.*).

2. « Car la différence entre le chroniqueur et le poète ne vient pas de ce que l'un s'exprime en vers et l'autre en prose [...] ; mais la différence est que l'un dit ce qui a eu lieu, l'autre ce qui pourrait avoir lieu ; c'est pour cette raison que la poésie est plus philosophique et plus noble que la chronique : la poésie traite plutôt du général, la chronique du particulier » (Dupont-Roc et Lallot, *ibid.*).

degré de généralité que requiert le méta-genre du narratif ? Cette constitution d'un modèle fort appellera la question ultérieure que je placerai au début de la troisième partie, à savoir la question du statut épistémologique de ce que j'appelle provisoirement le méta-genre du narratif, par rapport non seulement à la tragédie, à l'épopée, mais aussi au conte de fées, à la légende... et au roman. J'avoue volontiers que, dans *Temps et Récit*, je n'ai pas assez marqué le caractère stratégique de l'opération de réinscription narrative du modèle aristotélicien.

Je considérerai trois conditions.

Première condition : le concept d'activité configurante doit pouvoir être élevé au plus haut degré de formalité qui soit compatible avec la compréhension narrative ; par la réserve contenue dans la dernière partie de l'énoncé, je tiens à maintenir une distinction entre l'intelligibilité propre au raconter, en tant que mise-en-intrigue, et la rationalité que j'appelle de second degré, tributaire des logiques combinatoires ou du développement mises en œuvre dans l'école de Greimas et dans d'autres entreprises relevant du structuralisme. Comment maintenir à son niveau formel une intelligibilité narrative qui ne soit pas une rationalité narratologique ? Réponse : en préservant de toute résolution et de toute dissolution le paradoxe que j'ai appelé de *concordance discordante*, que je vois implicite au *muthos* aristotélicien. De la concordance relèvent bien évidemment la définition même du *muthos* comme « agencement *[sunthesis, sustasis]* des actions accomplies », mais aussi les corollaires de cette définition, à savoir l'unité, la marque d'un commencement, d'un milieu et d'une fin, l'amplitude et la complétude. Ces corollaires sont importants, car les menaces d'érosion, voire d'exténuation, du modèle que l'on considérera plus loin pèseront précisément sur ces traits de concordance. Qu'il s'agisse bien ici d'intelligibilité, les traits épistémiques qu'Aristote reconnaît au *muthos* le confirment ; l'enchaînement : de l'action mimée (ce *di'allela*, ce « l'un par l'autre », qu'Aristote oppose au *met'allela*, au « l'un après l'autre ») doit paraître nécessaire ou du moins probable : « Le général c'est-à-dire que telle ou telle sorte d'homme dira ou fera telles ou telles choses vraisemblablement ou nécessairement » (1451b, 9 ; autre traduction : « Le "général", c'est le type de chose qu'un

certain type d'homme fait ou dit vraisemblablement ou
nécessairement », Dupont-Roc et Lallot). Cette instruction,
cet enseignement par l'universel s'insinuent jusque dans la
katharsis en tant qu'épuration intellectuelle des passions. Il y
a donc des universaux pratiques qui ne sont pas des essences
intemporelles. C'est vers eux que se porte l'intelligence narrative. Mais la concordance a son revers : vaut discordance
le « renversement » – la *metabole* – du bonheur au malheur,
disons le renversement des sorts, la *peripeteia* ou coup de
théâtre, la reconnaissance inattendue, les incidents effrayants
ou pitoyables, les effets violents – les *pathe*. L'admirable, ici,
est que la discordance ne reste pas extérieure à la concordance comme l'incoordonnable ; la vertu de l'intelligence
narrative, c'est d'incorporer la discordance à la concordance,
de faire contribuer la surprise à l'effet de sens qui fait apparaître après coup la fable comme vraisemblable, voire nécessaire. Eh bien, je tiens pour irréductible *et* au désordre du
« et puis et puis » *et* à l'ordre des logiques narratologiques
l'intelligence narrative immanente à la mise en intrigue
– avec ce dynamisme intégrateur que soulignent les terminai-
sons grecques en *-sis*, *poiesis*, *mimesis*, *sustasis*, *katharsis*. Je
me suis risqué, pour ma part, à former le concept de *synthèse
de l'hétérogène* pour pousser aussi loin que possible le
formalisme propre à l'intelligence narrative ; ce qui retient
celle-ci de se résoudre dans la rationalité structurale de la
narratologie, c'est finalement le paradoxe de la concordance
discordante dont je ne sépare pas la synthèse de l'hétérogène.

Je tiens pour une deuxième condition de la généralisation
du modèle aristotélicien, et donc pour une démarche proprement stratégique, la formation de concept de *fiction*, au sens
actif de *feindre ;* entendons par là, au sens le plus radical,
l'instauration d'une coupure, d'une suspension, opérée dans
le cours même de la *praxis* effective – coupure d'où naît
cette autre scène, qu'on l'appelle *poiesis*, *Dichtung*, littérature, ou mieux littérarité.

À ce régime de fiction ressortissent implicitement les trois
termes du ternaire aristotélicien : la *mimesis* n'imite de façon
créatrice, ne représente qu'à la mesure de la distance prise
par la fiction. Le *muthos* n'est raconté ou agi que sous la
condition de la fonction fabulatrice (que dit bien la traduction par *fabula ou* « fable »), qui fait de la littérature un

immense laboratoire d'expériences de pensée où sont essayées les multiples manières de composer ensemble bonheur/malheur, bien/mal, vie/mort, la tragédie n'étant qu'une combinaison typique de ces grandeurs parmi d'autres permutations possibles. Enfin, la *katharsis* n'est pas moins fictive que la *mimesis* et que le *muthos*, dans la mesure où c'est la compréhension de la fable qui épure les passions : ce que j'ai appelé plus haut métaphorisation des passions n'est pas autre chose qu'une fictionalisation des passions.

Parlant de fiction, il s'agit bien de la découpe d'un espace nouveau de sens dans lequel sont réinscrits les trois termes du ternaire aristotélicien. Il faut former quelque chose comme une *epokhe* de tout le réel pour ouvrir l'espace de la fiction. De ce geste naissent des problèmes inédits, tels que celui-ci : quelle incidence la fiction a-t-elle sur la *praxis* effective en tant précisément que *praxis* mimée ? Tous les problèmes que j'ai placés dans *Temps et Récit III* sous le titre de la Refiguration présupposent la fracture de l'effectivité par la fiction. C'est là qu'une esthétique de la réception, axée sur les attentes du lecteur/auditeur/spectateur, reprend en charge le problème posé par la *katharsis* dans le cadre limité de la tragédie. Seul un lecteur *affecté* peut devenir un agent *autre*.

Une troisième stratégie d'appropriation consiste à coupler les problèmes placés sous le titre de la narrativité, ou mieux de la narrativisation, avec le problème du temps, ou même de la *temporalisation*. Aristote ignore ce problème : on cherche vainement une transition entre son traitement du problème du temps dans la *Physique* et les implications temporelles de son concept de *muthos :* commencement, milieu, fin, totalité. Or il s'agit bien de totalités temporelles – la notion d'amplitude *(megethos)* suscitant le problème de clôture que j'évoquerai dans la troisième partie. Il fallait avoir ouvert le double espace du narratif et du fictif pour former le projet d'un couplage entre narrativité et temporalité, qui fasse du narratif le gardien du temps, et de la fiction l'instrument d'exploration sur le mode du comme si des modes de temporalisation qui échappent à la linéarité du temps chronologique et dont la fiction s'affranchit plus aisément que l'historiographie. Dans mon propre travail, ce couplage a été amorcé par un rapprochement entre le temps augustinien et la fable aristotélicienne ; une figure inversée de la concordance discordante m'a paru ressortir de cette mise en prise directe de deux analyses liées à des préoccupations hétérogènes. Par la suite, le champ de comparaison s'est élargi à toute la phénoménologie du temps, dont le caractère fondamentalement aporétique m'a paru constituer le vis-à-vis auquel la poétique du récit apporte réplique – sans que soit aucunement atténuée l'aporicité de toute phénoménologie du temps.

Avec cette corrélation entre l'intelligibilité narrative et l'aporicité du temps s'achève la stratégie de reprise du modèle aristotélicien qui fut la mienne dans *Temps et Récit*. Barbara Cassin demande quels objets nouveaux sont ainsi produits, et selon quelle finalité : l'objet nouveau, c'est le narratif, ignoré d'Aristote comme instance supérieure au *muthos* tragique, donc le narratif dans sa double dimension de fictionalité et de puissance temporalisante. La finalité est double : épistémologique et ontologique. Épistémologique : porter au jour un mode d'intelligibilité – l'intelligibilité narrative – qui, dans la vision que j'ai de la rationalité comme dispersée dans des archipels de signifiance, régit une sphère propre du comprendre en tant que « prendre ensemble » des occurrences temporelles. Finalité ontologique : dire le temps humain à travers le médium du raconter. En ce sens, ce que j'ai appelé la troisième condition de généralisation du modèle de la poétique était déjà plus que l'une des manœuvres de la stratégie de reprise : elle en disait déjà le *telos*.

LES LIMITES DU MODÈLE ARISTOTÉLICIEN

La question est maintenant de savoir si l'on peut traiter le modèle narratif issu de *La Poétique* d'Aristote, au prix de la manœuvre stratégique que l'on a dite, comme un *invariant* dont les investissements successifs seraient les variations imaginatives, ou bien si les figures culturelles de ce que nous avons appelé intelligence narrative forment une série d'un genre tel qu'elle exclut tout *invariant*.

La question est embarrassante, car chacune des deux conceptions a pour elle de solides arguments. Les trois conditions qui ont présidé à la formation du modèle narratif ne tendent-elles pas à donner à celui-ci un caractère *transtemporel*,

qui permet d'identifier comme narratives des formes littéraires aussi différentes que le conte de fées et le roman du
XIXᵉ siècle ? On pourrait parler à cet égard d'idéal-type, au
sens wébérien, en entendant par là non une essence objective,
mais une idée directrice présidant à la recherche, à la description et au rassemblement de réalisations historiques dispa-
rates dont aucune ne saturerait l'idéal-type. Qu'on parle de
synthèse de l'hétérogène (première condition), de fictionalité
(deuxième condition), de temporalisation (troisième condition), il s'agit bien chaque fois de conditions qu'on peut dire
quasi transcendantales au regard des formes empiriques assumées par le récit.

Un doute, pourtant, nous saisit : le statut d'idéal-type, d'invariant, de transcendant du récit ne serait-il pas mieux approprié à la logique narrative des structuralistes – la narratologie –, dont je n'ai cessé de dire qu'elle consistait en une
rationalisation, une logicisation de second degré par rapport
à l'intelligence narrative ? Le statut d'invariant paraît en
revanche peu approprié à l'intelligence narrative et à son
style propre d'historicité, où se conjuguent de façon originale
traditionalité et innovation. Là où la narratologie installe des
modèles proprement atemporels, achroniques, l'intelligence
narrative paraît se structurer en s'enchaînant historiquement.

Considérons quelques traits de ce style d'historicité. Il est
d'abord remarquable que, déjà dans l'analyse par Aristote de
la tragédie, les contraintes limitatives considérées plus haut
adhèrent tellement à la définition de ce *muthos* (qu'Aristote
appelle le *telos* et l'âme du poème) qu'il est très difficile
de départager ce qui vaut universellement comme modèle et
ce qui ne serait qu'effectuation historique. On a plutôt affaire
à un lien d'un genre unique entre *universalité et exemplarité*,
lien qui se retrouverait sans doute dans bien d'autres
domaines touchant à la *praxis*, qu'il s'agisse d'éthique ou de
politique. L'histoire de la tragédie élisabéthaine, puis française confirmerait ce trait déconcertant : d'autres contraintes
limitatives prennent la place de celles que nous avons essayé
de mettre entre parenthèses dans le cas du tragique grec, sans
qu'on puisse les opposer à leur tour polairement à une forme
dramatique universelle ; qu'il s'agisse en effet d'un traitement très différent des règles d'unité, ou plus profondément
de la confrontation entre fatalité païenne et prédestination

chrétienne au sein d'un problématique tragique chrétien, il
est quasiment impossible de départager dans chaque cas
l'universel de l'historique.

Le problème se complique avec l'apparition du roman,
genre protéiforme par excellence. Ce n'est plus seulement
l'adhérence de l'exemplarité à l'universalité qui fait problème, mais le style d'enchaînement entre les types et plus
encore entre les œuvres ; une problématique inédite comme
celle de la vraisemblance, voire de la fidélité au réel, qu'on
oppose au règne des conventions, à l'âge du roman réaliste,
puis naturaliste, obscurcit le sens de la *mimesis* en la tirant
du côté de l'imitation-copie. Par réaction, le roman anti-
réaliste, antinaturaliste, que l'on a baptisé pendant un temps
du nom de « nouveau roman », rabat entièrement la *mimesis*
sur la structure interne de l'œuvre, aux dépens de toute référence extra-littéraire. Il est difficile de reconnaître dans ces
renversements radicaux de simples variations sur un thème
invariable. Le caractère du roman que je viens d'appeler protéiforme rend quasi impossible l'identification de règles
canoniques transcendantes au jeu des formes. À la limite, on
ne pourrait même plus parler de « ressemblance de famille »
à défaut d'idéal-type. Le narratif risque alors de n'être plus
qu'un mot, un *flatus vocis*.

Personnellement, je ne crois pas que les cas extrêmes
soient les plus instructifs. Il faudrait plutôt adopter l'axe
médian du rapport universalité-exemplarité, et redistribuer de
part et d'autre de cet axe, d'une part, les tendances à la cano-
nisation paradigmatique, d'autre part, les tendances à l'innovation antiparadigmatique. Ce mode de compréhension me
paraît seul adapté au style d'historicité de l'intelligence
narrative. Je me risquerai à suggérer que le paradoxe de
la concordance discordante, que nous avons appliquée à la
structure de l'intrigue, vaut aussi pour le style d'historicité
du narratif en général et s'applique à celui-ci de façon récurrente et autoréférentielle : le style d'historicité du modèle fort
de narrativité s'avère être ainsi lui-même concordant/dis-
cordant.

Mais cette tentative de stabilisation du flux historique des
formes narratives autour de l'axe universalité/exemplarité
rencontre une difficulté plus redoutable que j'ai consignée
dans la deuxième question de mon argumentaire. Certaines

formes d'écriture, que d'aucuns appelleraient postmodernes, procèdent non plus d'un changement de paradigme, mais d'une rébellion contre tout paradigme – rébellion telle que les idées de synthèse de l'hétérogène, de fictionalité dialectiquement opposée à réalité, de configuration temporalisante perdent toute pertinence. Une équation semble s'imposer entre paradigme, en quelque sens que ce soit, convention, contrainte, voire violence. Le rapport universalité/ exemplarité sur lequel nous venons de faire fond paraît mis hors jeu. On peut à cet égard prendre pour pierre de touche l'aporie de la *clôture* sur laquelle ont disserté Frank Kermode, Hillis Miller, Barbara Herrstein Smith et d'autres ; ces apories atteignent au vif le point le plus sensible du modèle aristotélicien, à savoir l'exigence qui veut que l'histoire racontée soit « une et complète ». On ne se débarrasse pas de l'aporie en distinguant, comme il est pourtant légitime, la clôture de l'acte de raconter, qui fait que le lecteur ferme le livre, *et* la clôture de l'histoire racontée ; le problème était masqué dans le roman du XIXe siècle, qui faisait se terminer ensemble les deux suites, celle des pages où s'inscrit l'acte de raconter, et celle des événements racontés, autrement dit la suite diégétique dans le vocabulaire de Genette. L'effacement de tout critère de la bonne clôture, voire le refus de terminer, exprimé par l'expression ostensible d'une interruption, mettent en déroute l'idée d'une histoire une et complète, à quoi se reconnaissait à titre ultime le narratif, comme l'exprimait la notion même de synthèse de l'hétérogène. Passant à la limite, on en vient à se demander si le narratif, en tant qu'expression de l'intelligence narrative, n'est pas une figure passagère, et si la mort du récit n'est pas déjà au travail comme l'annonçait W. Benjamin dans son fameux essai *Der Erzähler* de 1936. Quand, disait-il, il n'y a plus d'expériences à partager, à l'âge qui se déclare celui de la communication, l'ère du récit touche à sa fin. C'est cette éventualité qu'il faut, pour finir, regarder en face.

Je veux dire les raisons que nous pouvons avoir de croire à la venue de nouvelles métamorphoses du récit, qui en conjureraient l'épuisement. Ces raisons, selon moi, sont à chercher du côté de la réception plutôt que de la production du récit. Ce côté du problème de la narrativité n'a jamais été complètement perdu de vue ; les investigations qui s'y rattachent sont l'héritage des notations d'Aristote sur la *katharsis*, où nous avons discerné plus haut le germe d'une méditation sur la réponse du spectateur. Une théorie moderne de la lecture prend en charge ces investigations qui tendent à montrer que l'acte configurant à l'œuvre dans la mise-en-intrigue (ou en histoire) ne s'achève pas dans l'enceinte de l'œuvre, mais dans la réception par son destinataire. R. Barthes lui-même, jusque dans sa phase structuraliste, proposait de distinguer la narration, en tant que don du récit à un narrataire, du récit proprement dit, en tant que jeu de langage structuré par les contraintes sémiotiques appliquées aux actions et aux actants. Or une théorie de la lecture, élargie à la mesure d'une esthétique de la réception, comme chez H. R. Jauss, porte au premier plan les notions d'attente et d'horizon d'attente, venues de Husserl par le canal de Gadamer. C'est du côté de ces *attentes* que je chercherai une issue à nos apories. Non seulement ces attentes me paraissent obéir à des lois de structuration qui résistent à l'érosion des paradigmes, mais susciter une demande en récit qui ne paraît pas pouvoir être épuisée. Pourquoi ? Parce que, vu du côté de la réception, le récit littéraire ne se donne pas seulement comme imitation d'action, comme le dit Aristote, mais comme imitation de récit, au sens où le récit appartient déjà au commerce des interactions, et, à ce titre, appartient aux structures les plus stables de l'agir humain. Raconter, rappelle H. Arendt, c'est chercher à dire le *qui* de l'action. Sans doute serons-nous toujours à la recherche non seulement du quoi, du pourquoi et du comment de l'action, mais encore de son qui. Et pourquoi ? Parce que c'est dans l'espace de jeu de la fiction que nous essayons les préférences, les évaluations que l'éthique reprend en charge. À cet égard, la mise-en-intrigue du personnage n'est pas moins importante que celle de l'action.

Telle est, selon moi, la raison fondamentale qui me fait dire que l'acte de raconter se transformera encore, mais ne périra pas. Nous le constatons autour de nous : quand la demande en récit ne trouve pas d'aliment dans la littérature contemporaine, eh bien, on relit Dostoïevski, et, pourquoi pas, l'*Iliade* ! C'est à notre tour à nous de nous rebeller contre les injonctions d'une certaine critique littéraire. Par là nous attestons que nous n'avons aucune idée de ce que serait une culture où l'on ne saurait plus ce que signifie *raconter*.

Rhétorique, poétique, herméneutique
(1990)

La difficulté du thème ici soumis à l'investigation résulte de la tendance des trois disciplines nommées à empiéter l'une sur l'autre au point de se laisser entraîner par leurs visées totalisantes à couvrir tout le terrain. Quel terrain ? Celui du discours articulé dans des configurations de sens plus étendues que la phrase. Par cette clause restrictive, j'entends situer ces trois disciplines à un niveau supérieur à celui de la théorie du discours considéré dans les limites de la phrase. La définition du discours pris à ce niveau de simplicité n'est pas l'objet de mon enquête, bien qu'elle en constitue la présupposition. Je demande au lecteur d'admettre, avec Benveniste et Jakobson, Austin et Searle, que la première unité de signification du discours n'est pas le signe sous la forme lexicale du mot, mais la phrase, c'est-à-dire une unité complexe qui coordonne un prédicat à un sujet logique (ou, pour employer les catégories de P. Strawson, qui conjoint un acte de caractérisation par prédicat et un acte d'identification par position de sujet). Le langage ainsi pris en emploi dans ces unités de base peut être défini par la formule : *quelqu'un dit quelque chose à quelqu'un sur quelque chose.* Quelqu'un dit : un énonciateur fait arriver quelque chose, à savoir une énonciation, un *speech-act*, dont la force illocutionnaire obéit à des règles constitutives précises qui en font tantôt une constatation, tantôt un ordre, tantôt une promesse, etc. Quelque chose sur quelque chose : cette relation définit l'énoncé en tant que tel, en conjoignant un sens à une référence. À quelqu'un : la parole adressée par le locuteur à un interlocuteur fait de l'énoncé un message communiqué. Il appartient à une philosophie du langage de discerner dans ces fonctions coordonnées les trois médiations majeures qui font que le langage n'est pas à lui-même sa propre fin : médiation entre l'homme et le monde, médiation entre l'homme et l'autre homme, médiation entre l'homme et lui-même. C'est sur ce fond commun du discours, entendu comme unité de signification de dimension phrastique, que se détachent les trois disciplines dont nous allons comparer les visées rivales et complémentaires. Avec elles, le discours prend son sens proprement discursif, à savoir une articulation par des unités de signification plus vastes que la phrase. La typologie que nous allons essayer de mettre en place est irréductible à celle que proposent Austin et Searle : en effet, une typologie des *speech-acts* en fonction de la force illocutionnaire des énonciations s'établit au niveau phrastique du discours. C'est donc une typologie d'un type nouveau qui se superpose à celle des *speech-acts*, une typologie de l'usage proprement discursif, c'est-à-dire hyperphrastique, du discours.

RHÉTORIQUE

La rhétorique est la plus ancienne discipline de l'usage discursif du langage ; elle naquit en Sicile au VIᵉ siècle avant notre ère ; en outre, c'est elle que Chaïm Perelman a prise pour guide pour l'exploration du discours philosophique lui-même, et cela tout au long de son œuvre, jusqu'à son expression la plus ramassée sous le titre de *L'Empire rhétorique*.

Quelques traits majeurs caractérisent la rhétorique. Le premier définit le centre à partir duquel se déploie ledit empire ; ce trait ne devra pas être perdu de vue quand le moment sera venu de prendre la mesure de l'ambition de la rhétorique à couvrir le champ entier de l'usage discursif du langage. Ce qui définit la rhétorique, ce sont d'abord certaines situations typiques du discours. Aristote en définit trois qui régissent les trois genres du délibératif, du judiciaire et de l'épidictique. Trois lieux sont ainsi désignés : l'assemblée, le tribunal, les rassemblements commémoratifs. Des auditoires spécifiques constituent ainsi les destinataires privilégiés de l'art rhétorique. Ils ont en commun la rivalité entre des discours opposés entre lesquels il importe de choisir. Dans chaque cas, il s'agit de faire prévaloir un jugement sur un autre. Dans chacune des situations nommées, une controverse appelle le tranchant de la décision. On peut parler en un sens large de litige ou de procès, même dans le genre épidictique.

Le deuxième critère de l'art rhétorique consiste dans le rôle joué par l'argumentation, c'est-à-dire par un mode de raisonnement situé à mi-chemin entre la contrainte du nécessaire et l'arbitraire du contingent. Entre la preuve et le sophisme règne le raisonnement probable, dont Aristote a inscrit la théorie dans la dialectique, faisant ainsi de la rhétorique l'« anti-strophe », c'est-à-dire la réplique de la dialectique. C'est précisément dans les trois situations typiques susdites qu'il importe de dégager un discours raisonnable, à mi-chemin du discours démonstratif et de la violence dissimulée dans le discours de pure séduction. On perçoit déjà comment, de proche en proche, l'argumentation peut conquérir tout le champ de la raison pratique où le préférable appelle délibération, qu'il s'agisse de la morale, du droit, de la politique, et – nous le verrons plus loin lorsque la rhétorique sera portée à sa limite – le champ entier de la philosophie.

Mais un troisième trait tempère l'ambition d'amplifier prématurément le champ de la rhétorique : l'orientation vers l'auditeur n'est aucunement abolie par le régime argumentatif du discours ; la visée de l'argumentation demeure la persuasion. En ce sens, la rhétorique peut être définie comme la technique du discours persuasif. L'art rhétorique est un art du discours agissant. À ce niveau aussi, comme à celui du *speech-act*, dire, c'est faire. L'orateur ambitionne de conquérir l'assentiment de son auditoire et, si c'est le cas, de l'inciter à agir dans le sens désiré. En ce sens, la rhétorique est à la fois illocutionnaire et perlocutionnaire.

Mais comment persuader ? Un dernier trait vient encore préciser les contours de l'art rhétorique surpris au « foyer » d'où il rayonne. L'orientation vers l'auditoire implique que l'orateur parte des idées admises qu'il partage avec lui. L'orateur n'adapte son auditoire à son propre discours que s'il a d'abord adapté celui-ci à la thématique des idées admises. En cela l'argumentation n'a guère de fonction créatrice : elle transfère sur les conclusions l'adhésion accordée aux prémisses. Toutes les techniques intermédiaires – qui peuvent au reste être fort complexes et raffinées – restent fonction de l'adhésion effective ou présumée de l'auditoire.

Certes, l'argumentation qui confine le plus à la démonstration peut élever la persuasion au rang de la conviction ; mais elle ne sort pas du cercle défini par la persuasion, à savoir l'adaptation du discours à l'auditoire.

Il faut enfin dire un mot de l'élocution et du style, à quoi les modernes ont eu trop tendance à réduire la rhétorique. On ne saurait pourtant en faire abstraction, en raison précisément de l'orientation vers l'auditeur : les figures de style, tours ou tropes, prolongent l'art de persuader en un art de plaire, lors même qu'ils sont au service de l'argumentation et ne se dégradent pas en simple ornement.

Cette description du foyer de la rhétorique en fait tout de suite apparaître l'ambiguïté. La rhétorique n'a jamais cessé d'osciller entre une menace de déchéance et la revendication totalisante en vertu de laquelle elle ambitionne de s'égaler à la philosophie.

Commençons par la menace de déchéance ; par tous les traits qu'on vient de dire, le discours manifeste une vulnérabilité et une propension à la pathologie. Le glissement de la dialectique à la sophistique définit aux yeux de Platon la plus grande pente du discours rhétorique. De l'art de persuader on passe sans transition à celui de tromper. L'accord préalable sur les idées admises glisse à la trivialité du préjugé ; de l'art de plaire on passe à celui de séduire, qui n'est autre que la violence du discours.

Le discours politique est assurément le plus enclin à ces perversions. Ce qu'on appelle idéologie est une forme de rhétorique. Mais il faudrait dire de l'idéologie ce qu'on dit de la rhétorique : elle est le meilleur et le pire. Le meilleur : l'ensemble des symboles, des croyances, des représentations qui, à titre d'idées admises, assurent l'identité d'un groupe (nation, peuple, parti, etc.). En ce sens, l'idéologie est le discours même de la constitution imaginaire de la société. Mais c'est le même discours qui vire à la perversion, dès lors qu'il perd le contact avec le premier témoignage porté sur les événements fondateurs et se fait discours justificatif de l'ordre établi. La fonction de dissimulation, d'illusion dénoncée par Marx n'est pas loin. C'est ainsi que le discours idéologique illustre le trajet décadent de l'art rhétorique : de la répétition de la première fondation aux rationalisations justificatrices, puis à la falsification mensongère.

Mais la rhétorique a deux pentes : celle de la perversion et celle de la sublimation. C'est sur cette dernière que se fait valoir la revendication totalisante de la rhétorique. Celle-ci joue son va-tout sur l'art d'argumenter selon le probable, délié des contraintes sociales que l'on a dites.

Le dépassement de ce que l'on a appelé plus haut les situations typiques, avec leurs auditoires spécifiques, se fait en deux temps. En un premier temps, on peut annexer tout l'ordre humain au champ rhétorique dans la mesure où ce qu'on appelle le langage ordinaire n'est autre que le fonctionnement des langues naturelles dans les situations ordinaires d'interlocution ; or l'interlocution met en jeu des intérêts particuliers, c'est-à-dire finalement ces passions auxquelles Aristote avait consacré le livre II de sa *Rhétorique*. La rhétorique devient ainsi l'art du discours « humain, trop humain ». En un deuxième temps, la rhétorique peut revendiquer pour son magistère la philosophie tout entière. Que l'on considère seulement le statut des premières propositions, en toute philosophie : celles-ci, étant indémontrables par hypothèse, ne peuvent procéder que d'une pesée des opinions des plus compétents et donc se ranger sous la bannière du probable et de l'argumentation. C'est ce que Ch. Perelman a soutenu dans toute son œuvre. Pour lui, les trois champs de la rhétorique, de l'argumentation et de la philosophie première se recoupent.

Je ne veux pas dire que cette prétention englobante est illégitime, encore moins qu'elle est réfutable. Je veux seulement souligner deux choses : d'une part, la rhétorique, me semble-t-il, ne peut s'affranchir entièrement ni des situations typiques qui en localisent le foyer générateur ni de l'intention qui en délimite la finalité. En ce qui concerne la situation initiale, on ne saurait oublier que la rhétorique a voulu régir à titre premier l'usage public de la parole dans ces situations typiques qu'illustrent l'assemblée politique, l'assemblée judiciaire et l'assemblée festive ; par rapport à ces auditoires spécifiés, celui de la philosophie ne peut être, de l'aveu même de Perelman, qu'un auditoire universel, c'est-à-dire virtuellement l'humanité entière, ou, à défaut, ses représentants compétents et raisonnables. On peut craindre que cette extrapolation au-delà des situations typiques n'équivaille à un changement radical du régime discursif. Quant à la finalité de la persuasion, elle ne saurait non plus être sublimée au point de fusionner avec le désintéressement de la discussion philosophique authentique. Je n'ai certes pas la naïveté de croire que les philosophes s'affranchissent non seulement des contraintes, mais de la pathologie qui infecte nos débats. Il reste que la visée de la discussion philosophique, si elle est à la hauteur de ce qu'on vient d'appeler auditoire universel, transcende l'art de persuader et de plaire, sous ses formes les plus honnêtes, qui prévaut dans les situations typiques susdites.

C'est pourquoi il faut considérer d'autres foyers de constitution du discours, d'autres arts de composition et d'autres visées du langage discursif[1].

POÉTIQUE

Si l'on ne se borne pas à opposer rhétorique et poétique, au sens de l'écriture rythmée et versifiée, il peut paraître difficile de distinguer entre les deux disciplines. *Poiesis*, si l'on revient encore une fois à Aristote, veut dire production, fabrication du discours. Or la rhétorique n'est-elle pas aussi un art de composer des discours, donc une *poiesis* ? Bien plus, lorsque Aristote considère la cohérence qui rend intelligible l'intrigue du poème tragique, comique ou épique, ne dit-il pas que l'assemblage ou l'agencement *(sustasis)* des actions doit satisfaire au vraisemblable ou au nécessaire (*Poétique*, 1154a, 33-36) ? Plus étonnant encore, ne dit-il pas qu'en vertu de ce sens du vraisemblable ou du nécessaire la poésie enseigne des universaux et ainsi s'avère plus philosophique et d'un caractère plus élevé que l'histoire (1451b, 5) ? Il n'est donc pas douteux que poétique et rhétorique se recroisent dans la région du probable.

Mais si elles se recroisent ainsi, c'est parce qu'elles viennent de lieux différents et se portent vers des buts différents.

---

1. Dans *L'Empire rhétorique*, Perelman fait une place à des modalités d'argumentation qui confinent à ce que j'appelle plus loin la poétique : ainsi l'analogie, le modèle et la métaphore (p. 22, 58, 126, 138) ; il fait également une place à des procédures d'interprétation (p. 56, 57) qui relèvent de ce qui sera tenu plus loin pour une illustration de la discipline herméneutique.

Le lieu initial d'où le poétique diffuse, c'est, selon Aristote, la fable, l'intrigue que le poète invente lors même qu'il emprunte la matière de ses épisodes à des récits traditionnels. Le poète est un artisan non seulement de mots et de phrases, mais d'intrigues qui sont des fables, ou de fables qui sont des intrigues. La localisation de ce noyau, que j'appelle l'aire initiale de diffusion ou d'extrapolation du mode poétique, est de la plus grande importance pour la confrontation qui suit. Au premier abord, cette aire est bien étroite, puisqu'elle couvre seulement l'épopée, la tragédie et la comédie. Mais c'est précisément cette référence initiale qui permet d'opposer l'acte poétique à l'acte rhétorique. L'acte poétique est une invention de fable-intrigue, l'acte rhétorique, une élaboration d'arguments. Certes, il y a de la poétique dans la rhétorique, dans la mesure où « trouver » un argument (l'*eurésis* du livre I de la *Rhétorique*) équivaut à une véritable invention. Et il y a de la rhétorique dans la poétique, dans la mesure où à toute intrigue on peut faire correspondre un thème, une pensée (*dianoia*, selon l'expression d'Aristote). Mais l'accent ne tombe pas au même endroit : le poète n'argumente pas à proprement parler, même si ses personnages argumentent ; l'argument sert seulement à révéler le caractère en tant qu'il contribue à la progression de l'intrigue. Et le rhétoricien ne crée pas d'intrigue, de fable, même si un élément narratif est incorporé à la présentation du cas. L'argumentation reste fondamentalement dépendante de la logique du probable, c'est-à-dire de la dialectique, au sens aristotélicien (et non platonicien ou hégélien), et de la topique, c'est-à-dire de la théorie des « lieux », des *topoi*, qui sont des schèmes d'idées admises, appropriés à des situations typiques. De l'autre côté, l'invention de la fable-intrigue reste fondamentalement une reconstruction imaginative du champ de l'action humaine – imagination ou reconstruction à laquelle Aristote applique le terme de *mimesis*, c'est-à-dire imitation créatrice. Malheureusement, une longue tradition hostile nous a fait entendre imitation au sens de copie, de réplique à l'identique. Et nous ne comprenons rien à la déclaration centrale de la *Poétique* d'Aristote, selon laquelle épopée, tragédie et comédie sont des imitations de l'action humaine. Mais précisément parce que la *mimesis* n'est pas une copie, mais une reconstruction par l'imagination créatrice, Aristote ne se contredit pas ; il s'explique lui-même, quand il ajoute : « C'est la fable qui est l'imitation de l'action, car j'appelle ici fable l'assemblage *[sunthesis]* des actions accomplies » (*ibid.*, 1540a).

Tel est donc le noyau initial de la poétique : c'est le rapport entre *poiesis-muthos-mimesis*, autrement dit : production-fable-intrigue-imitation créatrice. La poésie, en tant qu'acte créateur, imite dans la mesure même où elle engendre un *muthos*, une fable-intrigue. C'est cette invention d'un *muthos* qu'il faut opposer à l'argumentation en tant que noyau générateur de la rhétorique. Si l'ambition de la rhétorique trouve une limite dans son souci de l'auditeur et son respect des idées reçues, la poétique désigne la brèche de nouveauté que l'imagination créatrice ouvre dans ce champ.

Les autres différences entre les deux disciplines découlent de la précédente. Nous avons caractérisé plus haut la rhétorique non seulement par son moyen, l'argumentation, mais par son rapport à des situations typiques et sa visée persuasive. Sur ces deux points, la poétique fait diversion. L'auditoire du poème épique ou tragique, c'est celui que rassemble la récitation ou la représentation théâtrale, c'est-à-dire le peuple, non plus dans le rôle d'arbitre entre des discours rivaux, mais le peuple offert à l'opération cathartique exercée par le poème. Par *catharsis* il faut entendre un équivalent de la purgation au sens médical et de la purification au sens religieux : une clarification opérée par la participation intelligente au *muthos* du poème. C'est donc finalement la *catharsis* qu'il faut opposer à la persuasion. À l'opposé de toute séduction et de toute flatterie, elle consiste dans la reconstruction imaginative des deux passions de base par lesquelles nous participons à toute grande action, la peur et la pitié ; celles-ci se trouvent en quelque sorte métaphorisées par cette reconstruction imaginative en quoi consiste, par la grâce du *muthos*, l'imitation créatrice de l'action humaine.

Ainsi comprise, la poétique a elle aussi son foyer de diffusion : le noyau *poiesis-muthos-mimesis*. C'est à partir de ce centre qu'elle peut rayonner et couvrir le même champ que la rhétorique. Si, dans le domaine politique, l'idéologie porte la marque de la rhétorique, c'est l'utopie qui porte celle de la poétique, dans la mesure où l'utopie n'est pas autre chose que l'invention d'une fable sociale capable, croit-on, de « changer la vie ». Et la philosophie ? Ne naît-elle pas elle aussi dans l'espace de rayonnement de la poétique ? Hegel lui-même ne dit-il pas que le discours philosophique et le discours religieux ont même contenu, mais diffèrent seulement comme le concept diffère de la représentation *(Vorstellung)*, prisonnière de la narration et du symbolisme ? Chaïm Perelman, de son côté, ne me donne-t-il pas un tout petit peu raison dans le chapitre « Analogie et métaphore », dans *L'Empire rhétorique* ? Parlant de l'aspect créateur attaché à l'analogie, au modèle et à la métaphore, il conclut en ces termes : « La pensée philosophique, ne pouvant être vérifiée empiriquement, se développe en une argumentation qui vise à faire admettre certaines analogies et métaphores comme élément central d'une vision du monde » (p. 138).

La *conversion de l'imaginaire*, voilà la visée centrale de la poétique. Par elle, la poétique fait bouger l'univers sédimenté des idées admises, prémisses de l'argumentation rhétorique. Cette même percée de l'imaginaire ébranle en même temps l'ordre de la persuasion, dès lors qu'il s'agit moins de trancher une controverse que d'engendrer une conviction nouvelle. La limite de la poétique dès lors, c'est, comme l'avait aperçu Hegel, l'impuissance de la représentation à s'égaler au concept.

HERMÉNEUTIQUE

Quel est le foyer initial de fondation et de dispersion de notre troisième discipline ? Je partirai de la définition de l'herméneutique comme art d'interpréter les textes. Un art particulier est en effet requis dès lors que la distance géographique, historique, culturelle qui sépare le texte du lecteur suscite une situation de mécompréhension, qui ne peut être dépassée que dans une lecture plurielle, c'est-à-dire une interprétation multivoque. C'est sous cette condition fondamentale que l'interprétation, thème central de l'herméneutique, se révèle une théorie du sens multiple.

Je reprends quelques points de cette insertion initiale. D'abord pourquoi insister sur la notion de texte, d'œuvre écrite ? N'y a-t-il pas un problème de compréhension dans la conversation, dans l'échange oral de la parole ? N'y a-t-il pas

mécompréhension et incompréhension dans ce qui prétend
être dialogue ? Certes. Mais la présence l'un à l'autre des
interlocuteurs permet au jeu de la question et de la réponse
de rectifier au fur et à mesure la compréhension mutuelle.
On peut bien parler à propos de ce jeu de la question et de
la réponse d'une herméneutique de la conversation. Mais
ce n'est là qu'une pré-herméneutique, dans la mesure où
l'échange oral de la parole ne laisse pas apparaître une difficulté que seule l'écriture suscite, à savoir que le sens du discours, détaché de son locuteur, ne coïncide plus avec l'intention de ce dernier. Désormais, ce que l'auteur a voulu dire
et ce que le texte signifie subissent des destins distincts. Le
texte, en quelque sorte orphelin, selon le mot de Platon dans
Phèdre, a perdu son défenseur qui était son père et affronte
seul l'aventure de la réception et de la lecture. C'est au vu de
cette situation que Dilthey, l'un des théoriciens de l'herméneutique, a sagement proposé de réserver le terme d'interprétation à la compréhension des œuvres de discours fixées
par l'écriture ou déposées dans des monuments de culture
offrant au sens le support d'une sorte d'inscription.

Et maintenant quel texte ? C'est ici que le lieu originaire
du travail d'interprétation importe d'être reconnu, s'il doit
être distingué de celui de la rhétorique et de la poétique.
Trois lieux se sont successivement détachés. Ce fut d'abord,
dans notre culture occidentale judéo-chrétienne, le canon du
texte biblique ; ce lieu est si décisif que beaucoup de lecteurs
seraient tentés d'identifier l'herméneutique avec l'exégèse
biblique ; ce n'est d'ailleurs pas tout à fait le cas, même dans
ce cadre restreint, dans la mesure où l'exégèse consiste dans
l'interprétation d'un texte déterminé et l'herméneutique dans
un discours de deuxième degré portant sur les règles de l'interprétation. Toutefois, cette première identification du lieu
d'origine de l'herméneutique n'est pas sans raison et sans
effet ; notre concept de « figure », tel qu'Auerbach l'a analysé dans son article fameux *Figura*, reste largement tributaire de la première herméneutique chrétienne, appliquée à
la réinterprétation des événements, des personnages, des
institutions de la Bible hébraïque, dans les termes de la proclamation de la nouvelle Alliance. Puis, avec les Pères grecs
et toute l'herméneutique médiévale, dont le père de Lubac a
fait l'histoire, s'est constitué l'édifice compliqué des quatre

sens de l'Écriture, c'est-à-dire des quatre niveaux de lecture : littérale ou historique, tropologique ou morale, allégorique ou symbolique, anagogique ou mystique. Enfin, pour les modernes, une nouvelle herméneutique biblique est issue de l'incorporation des sciences philologiques classiques à l'exégèse ancienne. C'est à ce stade que l'exégèse s'est élevée à son niveau herméneutique authentique, à savoir la tâche de transférer dans une situation culturelle moderne l'essentiel du sens que les textes ont pu assumer en rapport avec une situation culturelle qui a cessé d'être la nôtre. On voit ici se profiler une problématique qui n'est plus spécifique des textes bibliques ni en général religieux, à savoir la lutte contre la mécompréhension issue, comme on l'a dit plus haut, de la distance culturelle. Interpréter, désormais, c'est traduire une signification d'un contexte culturel à l'autre selon une règle présumée d'équivalence de sens. C'est en ce point que l'herméneutique biblique rejoint les deux autres modalités d'herméneutique. Dès la Renaissance, en effet, et surtout à partir du XVIIIe siècle, la philologie des textes classiques a constitué un second champ d'interprétation autonome par rapport au précédent. Ici comme là, la restitution du sens s'est révélée être une promotion de sens, un transfert ou, comme on vient de dire, une traduction, en dépit ou même en faveur de la distance temporelle ou culturelle. La problématique commune à l'exégèse et à la philologie procède de ce rapport particulier de texte à contexte, qui fait que le sens d'un texte est réputé capable de se décontextualiser, c'est-à-dire de s'affranchir de son contexte initial, pour se recontextualiser dans une situation culturelle nouvelle, tout en préservant une identité sémantique présumée. La tâche herméneutique consiste dès lors à s'approcher de cette identité sémantique présumée avec les seules ressources de la décontextualisation et de la recontextualisation de ce sens. La traduction, au sens large du terme, est le modèle de cette opération précaire. La reconnaissance du troisième foyer herméneutique est l'occasion de mieux comprendre en quoi consiste cette opération. Il s'agit de l'herméneutique juridique. Un texte juridique, en effet, ne va jamais sans une procédure d'interprétation, la jurisprudence, qui innove dans les lacunes du droit écrit et surtout dans les situations nouvelles non prévues par le législateur. Le droit avance ainsi par accumulation de précédents. La jurisprudence offre ainsi le modèle d'une innovation qui en même temps fait tradition. Il se trouve que Chaïm Perelman est l'un des théoriciens les plus remarquables de ce rapport entre droit et jurisprudence. Or la reconnaissance de ce troisième foyer herméneutique est l'occasion d'un enrichissement du concept d'interprétation tel qu'il s'est constitué dans les deux foyers précédents. La jurisprudence montre que la distance culturelle et temporelle n'est pas seulement un abîme à franchir, mais un *medium* à traverser. Toute interprétation est une réinterprétation, constitutive d'une tradition vivante. Pas de transfert, de traduction, sans une tradition, c'est-à-dire sans une communauté d'interprétation.

Telle étant la triple origine de la discipline herméneutique, quel rapport entretient cette dernière avec les deux autres disciplines ? Ce sont une nouvelle fois des phénomènes d'empiétement, de recouvrement, allant jusqu'à une prétention englobante, qui s'offrent à l'examen. Comparée à la rhétorique, l'herméneutique comporte elle aussi des phases argumentatives, dans la mesure où il lui faut toujours expliquer plus en vue de comprendre mieux, et dans la mesure aussi où il lui revient de trancher entre des interprétations rivales, voire des traditions rivales. Mais les phases argumentatives restent incluses dans un projet plus vaste, lequel n'est certainement pas de recréer une situation d'univocité en tranchant ainsi en faveur d'une interprétation privilégiée. Son but est bien plutôt de maintenir ouvert un espace de variations. L'exemple des quatre sens de l'Écriture est à cet égard très instructif ; et, avant celui-ci, la sage décision de l'Église chrétienne primitive de laisser subsister côte à côte quatre évangiles dont la différence d'intention et d'organisation est évidente. Confronté à cette liberté herméneutique, on pourrait dire que la tâche d'un art de l'interprétation, comparée à celle de l'argumentation, est moins de faire prévaloir une opinion sur une autre que de permettre à un texte de *signifier autant qu'il peut*, non de signifier une chose plutôt qu'une autre, mais de « signifier plus », et, ainsi, de faire « penser plus », selon une expression de Kant dans la *Critique de la faculté de juger (mehr zu denken)*. À cet égard, l'herméneutique me paraît moins proche de la rhétorique que de la poétique, dont je disais que le projet est moins de persuader que d'ouvrir l'imagination. Elle aussi en appelle à l'imagination productrice dans sa demande d'un *surplus de sens*. Au reste, cette exigence est inséparable du travail de traduction, de transfert lié à la recontextualisation d'un sens transmis d'un espace culturel dans un autre. Mais alors, pourquoi ne pas dire qu'herméneutique et poétique sont interchangeables ?

Cela aussi, on peut le dire pour autant que la question de l'innovation sémantique, comme j'aime dire dans *La Métaphore vive*, est au centre de l'une et de l'autre. Il faut toutefois souligner la différence initiale entre le point d'application de cette innovation sémantique en herméneutique et son point d'application en poétique. Et je ferai paraître cette différence au cœur même de la poétique.

On se rappelle l'insistance d'Aristote à identifier la *poiesis* à l'assemblage ou à l'agencement de la fable-intrigue. Ainsi le travail d'innovation se tient-il à l'intérieur de l'unité de discours que constitue l'intrigue. Et, bien que la *poiesis* ait été définie comme *mimesis* de l'action, Aristote ne fait plus aucun usage de la notion de *mimesis*, comme si elle suffisait à disjoindre l'espace imaginaire de la fable de l'espace réel de l'action humaine. Ce n'est pas une action réelle que vous voyez là, suggère le poéticien, mais seulement un simulacre d'action. Cet usage disjonctif, plutôt que référentiel, de la *mimesis* est tellement caractéristique de la poétique que c'est ce sens qui a prévalu dans la poétique contemporaine, laquelle a retenu l'aspect structural du *muthos* et laissé tomber l'aspect référentiel de la fiction. C'est ce défi que l'herméneutique relève à l'encontre de la poétique structurale. J'aimerais dire que la fonction de l'interprétation n'est pas seulement de faire qu'un texte signifie autre chose, ni même qu'il signifie tout ce qu'il peut et qu'il signifie toujours plus – pour reprendre les expressions antérieures –, mais de déployer ce que j'appelle maintenant le monde du texte.

J'avoue sans peine que cette tâche n'était pas celle que l'herméneutique romantique, de Schleiermacher à Dilthey, se plaisait à souligner. Il s'agissait pour ces derniers de réactualiser la subjectivité géniale dissimulée à l'arrière du texte, afin de s'en rendre contemporains et de s'y égaler. Mais cette voie est aujourd'hui fermée. Et elle l'a été précisément par la considération du texte comme espace de sens par l'application de l'analyse structurale à ce s textuel. Mais l'alternative n'est pas dans une he psychologisante ou dans une poétique structurale ou structuraliste. Si le texte est fermé en arrière, du côté de la biographie de son auteur, il est ouvert, si je puis dire, en avant, du côté du monde qu'il découvre.

Je n'ignore pas les difficultés de cette thèse que j'ai soutenue dans *La Métaphore vive*. Néanmoins, je tiens que le pouvoir de référence n'est pas un caractère exclusif du discours *descriptif*. Les œuvres poétiques aussi désignent un monde. Si cette thèse paraît difficile à soutenir, c'est parce que la fonction référentielle de l'œuvre poétique est plus complexe que celle du discours descriptif, et même, en un sens, fort paradoxale. L'œuvre poétique, en effet, ne déploie un monde que sous la condition que soit suspendue la référence du discours descriptif. Le pouvoir de référence de l'œuvre poétique apparaît alors comme une référence seconde à la faveur de la suspension de la référence primaire du discours. On peut alors caractériser, avec Jakobson, la référence poétique comme référence *dédoublée*. Il y a donc une part de vérité dans la thèse communément répandue en critique littéraire qu'en poésie le langage n'a de rapport qu'avec lui-même. En approfondissant l'abîme qui sépare les signes des choses, le langage poétique se célèbre lui-même. C'est ainsi que la poésie est tenue couramment pour un discours sans référence. La thèse que je soutiens ici ne nie pas la précédente, mais prend appui sur elle. Elle pose que la suspension de la référence, au sens défini par les normes du discours descriptif, est la condition négative pour que soit dégagé un mode plus fondamental de référence.

On objectera encore que le monde du texte est encore une fonction du texte, son signifié ou, pour parler comme Benveniste, son *intenté*. Mais le moment herméneutique, c'est le travail de pensée par lequel le monde du texte affronte ce que nous appelons conventionnellement réalité pour la redécrire. Cet affrontement peut aller de la dénégation, voire de la destruction – ce qui est encore un rapport au monde –, jusqu'à la métamorphose et la transfiguration du réel. Il en est ici comme des modèles en science, dont l'ultime fonction est de redécrire l'*explanandum* initial. Cet équivalent poétique de la redescription est la *mimesis* créatrice, qui manque à une théorie purement structurale du discours poétique. Le choc entre le monde du texte et le monde tout court, dans l'espace de la lecture, est l'ultime enjeu de l'imagination productrice. Il engendre ce que j'oserais appeler la référence productrice propre à la fiction.

C'est avec cette tâche en vue que l'herméneutique peut à son tour élever une prétention totalisante, voire totalitaire. Partout où le sens se constitue dans une tradition et exige une traduction, l'interprétation est à l'œuvre. Partout où l'interprétation est à l'œuvre, une innovation sémantique est en jeu. Et partout où nous commençons à « penser plus », un monde nouveau est tout à la fois découvert et inventé. Mais cette prétention totalisante doit à son tour subir le feu de la critique. Il suffit que l'on ramène l'herméneutique au centre à partir duquel sa prétention s'élève, à savoir les textes fondateurs d'une tradition vivante. Or le rapport d'une culture à ses origines textuelles tombe sous une critique d'un autre ordre, la critique des idéologies, illustrée par l'école de Francfort et ses successeurs, K. O. Apel et J. Habermas. Ce que l'herméneutique tend à ignorer, c'est le rapport plus fondamental encore entre langage, travail et pouvoir. Tout se passe ici pour elle comme si le langage était une origine sans origine.

Cette critique de l'herméneutique à son point même de naissance devient du même coup la condition que soit reconnu le bon droit des deux autres disciplines, lesquelles, on l'a vu, irradient à partir de foyers différents.

Il m'apparaît en conclusion qu'il faut laisser être chacune de ces trois disciplines à partir de lieux de naissance irréductibles l'un à l'autre. Et il n'existe pas de super-discipline qui totaliserait le champ entier couvert par la rhétorique, la poétique et l'herméneutique. À défaut de cette impossible totalisation, on ne peut que repérer les points d'intersection remarquables des trois disciplines. Mais chacune parle pour elle-même. La rhétorique reste l'art d'argumenter en vue de persuader un auditoire qu'une opinion est préférable à sa rivale. La poétique reste l'art de construire des intrigues en vue d'élargir l'imaginaire individuel et collectif. L'herméneutique reste l'art d'interpréter les textes dans un contexte distinct de celui de leur auteur et de leur auditoire initial, en vue de découvrir de nouvelles dimensions de la réalité. *Argumenter*, *configurer*, *redécrire*, telles sont les trois opérations majeures que leur visée totalisante respective rend exclusives l'une de l'autre, mais que la finitude de leur site originel condamne à la complémentarité.

Source des articles

« Kierkegaard et le mal » : initialement publié dans *La Revue de philosophie et de théologie de Lausanne* en 1963, ce texte a été repris dans les *Cahiers de philosophie* n⁰ˢ 8/9, 1989.

« Philosopher après Kierkegaard » : *idem*.

« Réflexion primaire et réflexion seconde chez Gabriel Marcel » a été publié dans le *Bulletin de la Société française de philosophie*, avril-juin 1984.

« Entre éthique et ontologie : la disponibilité » a été publié dans *Gabriel Marcel. Les Colloques de la Bibliothèque nationale*, septembre 1988.

« Le *Traité de métaphysique* de Jean Wahl » a été publié dans *Esprit*, mars 1957.

« Entre Gabriel Marcel et Jean Wahl » a été publié dans *Jean Wahl et Gabriel Marcel*, Beauchesne, 1976.

« *L'Homme révolté* » a été publié dans *Christianisme social*, 1956.

« *Le Diable et le Bon Dieu* » a été publié dans *Esprit*, novembre 1951.

« *Humanisme et Terreur* » a été publié dans *Esprit*, 1948.

« Hommage à Merleau-Ponty » a été publié dans *Esprit*, 1961.

« Merleau-Ponty : par-delà Husserl et Heidegger » a été publié dans *Les Cahiers de philosophie*, n° 7, 1989.

« Retour à Hegel (Jean Hyppolite) » a été publié dans *Esprit*, 1955.

L'« *Essai sur l'expérience de la mort*, de P.-L. Landsberg » a été publié dans *Esprit*, juillet-août 1951.

« Meurt le personnalisme, revient la personne… » a été publié dans *Esprit*, janvier 1983.

« Approches de la personne » a été publié dans *Esprit*, mars-avril 1990.

« Préface à *Éléments pour une éthique* » a été publié par Aubier, 1962, rééd. 1992.

L'« *Essai sur le mal* » a été publié dans *Esprit*, 1959.

« Préface à *Le Désir de Dieu* » a été publié par Aubier, 1966.

« Le *Marx* de Michel Henry » a été publié dans *Esprit*, octobre 1978.

« *Heidegger et le Problème de l'histoire* », version inédite en français de la préface au livre de Jeffrey Barash, *Heidegger and the Problem of Historical Meaning*, Dordrecht, Kluwer Academic Publishers, coll. « Phaenomenologica », 1988.

« Éthique et philosophie de la biologie chez Hans Jonas » a été publié dans *Le Messager européen*, n° 5, 1991.

« La notion d'*a priori* selon Mikel Dufrenne » a été publié dans *Esprit*, mars 1961.

« *Le Poétique* » a été publié dans *Esprit*, février 1966.

« Structure et herméneutique » (*La Pensée sauvage* de Claude Lévi-Strauss) a été publié dans *Esprit*, novembre 1963.

« La grammaire narrative de Greimas » a été publié par la revue *Documents de recherche du Groupe de recherches sémiolinguistiques* de l'Institut de la langue française, EHESS-CNRS, Paris, n° 15, 1980.

« Figuration et configuration. À propos du *Maupassant* de A.-J. Greimas » a été publié dans *Exigences et Perspectives de la sémiotique*. Recueil d'hommages pour Algirdas-Julien Greimas, éd. par H. Parret et H.-G. Ruprecht, Amsterdam, John Benjamins Publ. Co., 1985.

« Entre herméneutique et sémiotique » a été publié dans *Nouveaux Actes sémiotiques*, PULIM, université de Limoges, n° 7, 1990.

« Rhétorique, poétique, herméneutique » a été publié dans *De la métaphysique à la rhétorique. À la mémoire de Chaïm Perelman*, édité par Michel Meyer, Éditions de l'université de Bruxelles.

« Préface à *L'Œuvre et l'Imaginaire* de Raphaël Célis » a été publié par les Publications des facultés universitaires Saint Louis, Bruxelles, 1977.

« Interprétation » a été publié dans Au *jardin des malentendus*, sous la direction de Jacques Leenhardt et Robert Oischt, Actes Sud, 1989.

« Une reprise de *La Poétique* d'Aristote » a été publié dans *Nos Grecs et leurs modernes*, textes réunis par Barbara Cassin, Le Seuil, 1992.

Table

RÉALISATION PAO ÉDITIONS DU SEUIL
IMPRESSION MAURY-EUROLIVRES À MANCHECOURT
DÉPÔT LÉGAL NOVEMBRE 1999 – N° 38980 (99/09/74822)

Du même auteur

Temps et Récit, t. 3
Le temps raconté
coll. « L'Ordre philosophique », 1985
coll. « Points Essais », 1991

Du texte à l'action
Essais d'herméneutique II
coll. « Esprit », 1986
coll. « Points Essais », 1998

Soi-même comme un autre
coll. « L'Ordre philosophique », 1990
coll. « Points Essais », 1996

Lectures 1
Autour du politique
coll. « La couleur des idées », 1991
coll. « Points Essais », 1999

Lectures 2
La contrée des philosophes
coll. « La couleur des idées », 1992

Lectures 3
Aux frontières de la philosophie
coll. « La couleur des idées », 1994

L'idéologie et l'utopie
coll. « la couleur des idées », 1997

Penser la Bible
coll. « La couleur des idées », 1998

CHEZ D'AUTRES ÉDITEURS

Philosophie de la volonté
I. Le Volontaire et l'involontaire
Aubier, 1950, 1988
II. Finitude et culpabilité :
1. L'Homme faillible
2. La Symbolique du mal
Aubier, 1960, 1988

Idées directrices pour une
phénoménologie d'Edmond Husserl
traduction et présentation
Gallimard, 1950-1985

Quelques figures contemporaines
*Appendice à l'*Histoire de la
philosophie allemande, de E. Bréhier
Vrin, 1954,1967

À l'École de la phénoménologie
Vrin 1986

Entretiens
(en collaboration avec Marcel Gabriel)
Aubier, coll. « présence et pensée », 1968 (épuisé)

L'Enseignement supérieur : bilans et prospective
en collaboration avec Léon Dion, Edwards F. Sheffield
Presse de l'Université de Montréal, 1971 (épuisé)

Les Cultures et le temps
Payot, coll. « Bibliothèque Scientifique », 1975 (épuisé)

La Révélation
en collaboration avec Emmanuel Levinas, Edgar Haulotte
Publications des Facultés Universitaires Saint-Louis, 1977

Hermeneutics and the human sciences :
essays on language, action and interpretation
Maison des Sciences de l'homme, 1981

Le mal. Un défi à la philosophie et à la théologie
Genève, Labor et Fides, 1986

Amour et justice. Liebe und Gerechtigkeit
J. C. B. Mohr (Paul Siebeck), Tübingen, 1990

Réflexions faites : autobiographie intellectuelle
Esprit, 1995

Le Juste
Esprit, 1995

La Critique et la conviction : entretiens
en collaboration avec François Azouzi, Marc de Launay
Calmann-Levy, 1995

Autrement : lecture d'*Autrement qu'être*
ou *Au-delà de l'essence* d'Emmanuel Levinas
PUF, coll « CIP. Essais », 1997

Ce qui nous fait penser la nature et la règle
(avec Paul Changeux)
Ed. Odile Jacob, 1998

Innocente culpabilité : entretiens avec
Paul Ricoeur, Stan Rougier, Yves Leloup, Philippe Naquet
sous la dir. de Marie de Solemne
Dervy, coll. « À vive voix », 1998